셀파

해 법 수 학

sherpa

셀파

해 법 수 학

www.chunjae.co.kr

도움을 주신 선생님

김문선 서울대 수학과 졸 / (전) 종로학원 강사
김태형 서울대 수학과 졸 / (현) 종로학원 강사
김영곤 고려대 금속공학과 졸 / (현) 종로학원 강사
명백훈 서울대 수학과 졸 / (전) 종로학원 강사
손영표 서울대 재료학과 졸 / (현) 종로학원 강사
정두영 서울대 수학과 졸 / (현) 애드쿨학원 강사

자기주도 학습 *sherpa*

책머리에···

수학은 누구나 잘 할 수 있습니다.
셀파 해법수학과 함께 하는 여러분은 목표를 꼭 이룰 것입니다.

'어떻게 하면 지긋지긋한 수학을 쉽고 재미있게 공부할 수 있을까?'
하고 고민해본 경험은 누구에게나 한 번쯤은 있을 것입니다.
수학은 모든 학문의 바탕이 되는 과목입니다.
또한 대학입시에서도 매우 중요한 역할을 합니다.
그러나 안타깝게도 많은 학생들이 수학을 포기하는 것이 우리 현실입니다.

수학을 잘 하기 위해서는 무엇보다 수학과 친해져야 합니다.
그러기 위해서는 쉬운 문제부터 시작하여
기본 원리를 확실하게 터득해야 합니다.

이에 여러분 모두가 수학을 잘할 수 있기를 바라는 마음으로
셀파 해법수학을 만들었습니다.
수학을 쉽게 익힐 수 있는 셀파 해법수학 개념 기본서는
여러분의 수학 실력을 한 단계 더 높이는 데 도움을 줄 것입니다.

수학을 공부하다 보면
도대체 이 문제를 어떻게 푸는 걸까?
하며 힘들어 할 때가 생길 것입니다.
이렇게 도움이 필요한 순간마다 셀파 해법수학을 펼쳐 보십시오.
셀파 해법수학은 여러분의 수학 공부 도우미가 될 것입니다.

셀파 해법수학과 함께 하는 여러분의 성공을 기원합니다.

崔 容準

구성과 특징

기본 개념을 확인하고 가자!

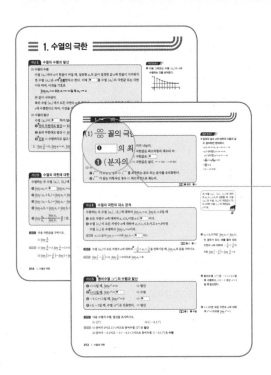

:: 개념 정리

그 단원에서 다루는 개념을 가장 쉽고 정확하게 이해할 수 있도록 꼼꼼하고 상세하게 개념을 정리했습니다.

꼭 알아야 할 개념과 함께 보기 를 제시하여 개념이 문제 해결 과정에서 어떻게 이용되는지 알 수 있도록 하였습니다.

또한 부족한 개념은 개념 플러스 에서 정리하여 학습의 공백이 없도록 구성하였습니다.

● 빈칸 채우기를 통해 그냥 지나치기 쉬운 개념 정리 부분을 다시 한 번 짚고 넘어갈 수 있습니다.

:: 개념 익히기

새로 배우는 개념을 좀 더 편리하게 학습할 수 있도록 다양한 형식의 가장 쉬운 문제를 제시하였습니다.

이 부분의 문제만 풀더라도 개념의 형성이 가능하도록 하였습니다.

같은 개념의 다른 문제를 한번 더 풀어봄으로써 기초를 확실히 다질 수 ● 있도록 하였습니다.

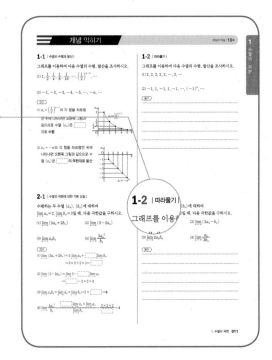

해법을 통해 문제 해결 방법을 익히자!

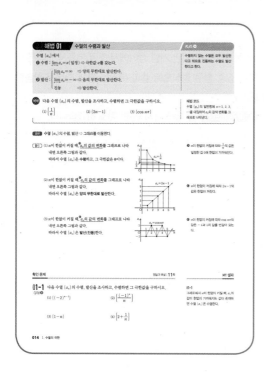

:: 셀파 해법

각 단원에서 꼭 알아야 하는 대표적인 유형을 뽑아 그 해결 방법을 제시하였습니다. 더 필요한 내용 또는 참고할 내용은 PLUS+ 을 통해 반복함으로써 기억에 도움이 될 수 있도록 하였으며, 예제를 해결하는 데 꼭 필요한 개념을 해법 코드와 셀파로 정리하였습니다.

꼭 알아야 할 필수 유형만 뽑은 셀파 해법

틀렸던 문제 유형이라면 확실하게 이해할 수 있도록 도와줍니다. 또 복습할 때는 개념 설명만 따로 공부할 수 있습니다.

:: 확인 문제

예제에서 익힌 문제 해결 방법을 반복 학습할 수 있도록 예제와 닮은꼴 문제를 제시하였습니다.

확인 문제에서 처음 다루는 내용이나 문제 해결에 필요한 내용은 MY 셀파에서 도움말을 제공하여 어려움 없이 문제를 풀 수 있도록 하였습니다.

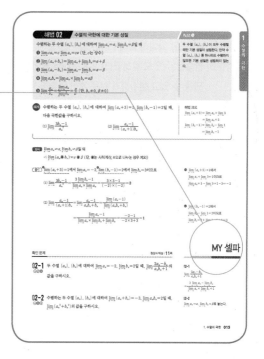

구성과 특징

특별한 강의 셀파 특강

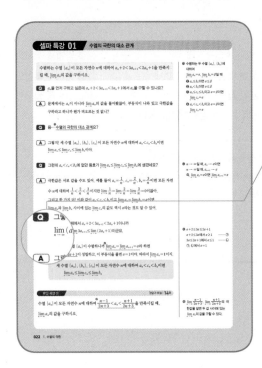

:: 셀파 특강

고등학교 수학에서 꼭 알아야 하지만 개념 정리에서 조금 부족하게 다룬 내용은 대화 형식 또는 집중 탐구 형식으로 셀파 특강을 통해 충분히 학습할 수 있도록 하였습니다.

또 중요한 내용은 **확인 체크 01** 를 통해 다시 한 번 강조 하였습니다.

● 선생님이 바로 옆에서 가르쳐주는 것처럼 친절한 설명!

:: 집중 연습

반복해서 풀어보고 확실히 익혀두어야 할 기본 문제는 집중 연습 코너를 두어 충분히 연습할 수 있도록 하였습니다. 문제를 풀면서 자연스럽게 공식을 외울 수 있고 실수하기 쉬운 계산 연습도 동시에 할 수 있습니다.

기본을 다지고 실력을 기르는 연습문제

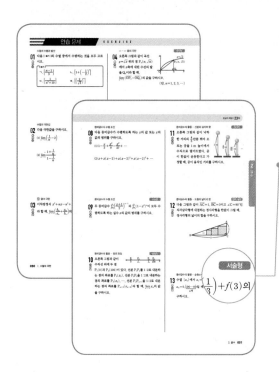

:: **연습 문제**

대부분의 책에서 연습 문제는 본문과 조금 동떨어진 어려운 내용을 다뤄 실제로는 효과적인 학습이 이뤄지지 않았습니다. 그러나 셀파 해법수학의 연습 문제에서 제시하는 문제는 앞에서 다룬 내용을 바탕으로 하고 있습니다. 기본을 강화하는 데 도움이 되는 내용과 학교 시험에서 자주 나오는 내용뿐 아니라 실력을 한 단계 높일 수 있는 문제로 알차게 구성하였습니다.

● 창의력 문제, 여러 개념의 통합형 문제, 서술형 문제를 통해 실력을 한층 높일 수 있도록 하였습니다.

:: [별책] **정답과 해설**

이해하기 쉽도록 과정을 자세하게 설명하였습니다.
또한 자기 주도 학습에 도움이 되도록 간단한 보충 설명에는 LECTURE 를 깊이 있는 설명이 필요한 부분에 셀파 세미나 를 제시하였습니다.

다양한 풀이 방법을 제시하여 사고력을 넓힐 수 있도록 하였습니다.

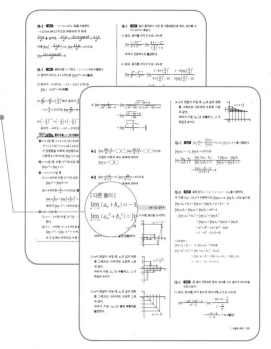

셀파 특강 차례

집중 연습 차례

1

수열의 극한

피자에 내접하는
삼각형으로 잘라.

피자 한판에서
만들 수 있는
테두리는 무한해.

1. 수열의 극한

개념 1 수열의 수렴과 발산

(1) 수렴의 수렴

수열 $\{a_n\}$에서 n이 한없이 커질 때, 일반항 a_n의 값이 일정한 값 α에 한없이 가까워지면 수열 $\{a_n\}$은 α에 [㉠]**수렴**한다고 한다. 이때 $\boxed{\textbf{❶}}$를 수열 $\{a_n\}$의 극한값 또는 극한이라 하며, 이것을 기호로

$$\lim_{n \to \infty} a_n = \alpha \text{ 또는 } n \to \infty \text{일 때 } a_n \to \alpha$$

와 같이 나타낸다.

특히 수열 $\{a_n\}$에서 모든 자연수 n에 대하여 $a_n = c$ (c는 상수)인 경우에 수열 $\{a_n\}$은 c에 수렴한다고 하며, 이것을 기호로 $\lim\limits_{n \to \infty} a_n = \lim\limits_{n \to \infty} c = c$와 같이 나타낸다.

(2) 수열의 발산

수열 $\{a_n\}$이 $\boxed{\textbf{❷}}$하지 않을 때, 수열 $\{a_n\}$은 **발산**한다고 한다.

❶[㉡]**양의 무한대로 발산** ▷ $\lim\limits_{n \to \infty} a_n = \infty$ 또는 $n \to \infty$일 때 $a_n \to \infty$

❷ **음의 무한대로 발산** ▷ $\lim\limits_{n \to \infty} a_n = -\infty$ 또는 $n \to \infty$일 때 $a_n \to -\infty$

❸[㉢]**진동** ▷ 수렴하지도 않고 양의 무한대나 음의 무한대로 발산하지도 않는 경우

예 $\lim\limits_{n \to \infty} \dfrac{1}{n} = 0$, $\lim\limits_{n \to \infty} n = \infty$, $\lim\limits_{n \to \infty} (-n) = -\infty$, $\lim\limits_{n \to \infty} (-1)^n$ ▷ 발산(진동)

답 ❶ α ❷ 수렴

개념 2 수열의 극한에 대한 기본 성질

수렴하는 두 수열 $\{a_n\}$, $\{b_n\}$에 대하여 $\lim\limits_{n \to \infty} a_n = \alpha$, $\lim\limits_{n \to \infty} b_n = \beta$일 때

❶ $\lim\limits_{n \to \infty} c a_n = \boxed{\textbf{❶}} \lim\limits_{n \to \infty} a_n = c\alpha$ (단, c는 상수)

❷ $\lim\limits_{n \to \infty} (a_n + b_n) = \lim\limits_{n \to \infty} a_n + \lim\limits_{n \to \infty} b_n = \alpha + \beta$

❸ $\lim\limits_{n \to \infty} (a_n - b_n) = \lim\limits_{n \to \infty} a_n - \lim\limits_{n \to \infty} b_n = \alpha - \beta$

❹ $\lim\limits_{n \to \infty} a_n b_n = \lim\limits_{n \to \infty} a_n \times \lim\limits_{n \to \infty} b_n = \boxed{\textbf{❷}}$

❺ $\lim\limits_{n \to \infty} \dfrac{a_n}{b_n} = \dfrac{\lim\limits_{n \to \infty} a_n}{\lim\limits_{n \to \infty} b_n} = \dfrac{\alpha}{\beta}$ (단, $b_n \neq 0$, $\beta \neq 0$)

답 ❶ c ❷ $\alpha\beta$

보기 다음 극한값을 구하시오.

(1) $\lim\limits_{n \to \infty} \dfrac{3}{n}$
(2) $\lim\limits_{n \to \infty} \left(2 + \dfrac{1}{n}\right)$

연구 (1) $\lim\limits_{n \to \infty} \dfrac{3}{n} = 3 \lim\limits_{n \to \infty} \dfrac{1}{n} = 3 \times 0 = \mathbf{0}$

(2) $\lim\limits_{n \to \infty} \left(2 + \dfrac{1}{n}\right) = \lim\limits_{n \to \infty} 2 + \lim\limits_{n \to \infty} \dfrac{1}{n} = 2 + 0 = \mathbf{2}$

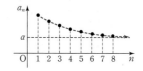
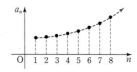

개념 익히기

1-1 | 수열의 수렴과 발산 |

그래프를 이용하여 다음 수열의 수렴, 발산을 조사하시오.

(1) $1, \dfrac{1}{2}, \dfrac{1}{4}, \dfrac{1}{8}, \dfrac{1}{16}, \cdots, \left(\dfrac{1}{2}\right)^{n-1}, \cdots$

(2) $-1, -2, -3, -4, -5, \cdots, -n, \cdots$

연구

(1) $a_n = \left(\dfrac{1}{2}\right)^{n-1}$의 각 항을 좌표평

면 위에 나타내면 오른쪽 그림과

같으므로 수열 $\{a_n\}$은 □

으로 수렴

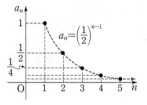

(2) $a_n = -n$의 각 항을 좌표평면 위에

나타내면 오른쪽 그림과 같으므로 수

열 $\{a_n\}$은 □ 의 **무한대로 발산**

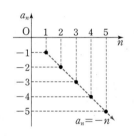

2-1 | 수열의 극한에 대한 기본 성질 |

수렴하는 두 수열 $\{a_n\}$, $\{b_n\}$에 대하여

$\lim\limits_{n \to \infty} a_n = 2$, $\lim\limits_{n \to \infty} b_n = 3$일 때, 다음 극한값을 구하시오.

(1) $\lim\limits_{n \to \infty} (3a_n + 2b_n)$ (2) $\lim\limits_{n \to \infty} (5 - 2a_n)$

(3) $\lim\limits_{n \to \infty} a_n b_n$ (4) $\lim\limits_{n \to \infty} \dfrac{3a_n{}^2}{b_n}$

연구

(1) $\lim\limits_{n \to \infty} (3a_n + 2b_n) = 3 \lim\limits_{n \to \infty} a_n + \boxed{} \lim\limits_{n \to \infty} b_n$

$= 3 \times 2 + 2 \times 3 = \boxed{}$

(2) $\lim\limits_{n \to \infty} (5 - 2a_n) = \lim\limits_{n \to \infty} 5 - \boxed{} \lim\limits_{n \to \infty} a_n$

$= \boxed{} - 2 \times 2 = \mathbf{1}$

(3) $\lim\limits_{n \to \infty} a_n b_n = \lim\limits_{n \to \infty} a_n \times \lim\limits_{n \to \infty} b_n = 2 \times \boxed{} = \mathbf{6}$

(4) $\lim\limits_{n \to \infty} \dfrac{3a_n{}^2}{b_n} = \dfrac{\boxed{} \lim\limits_{n \to \infty} a_n \times \lim\limits_{n \to \infty} a_n}{\lim\limits_{n \to \infty} b_n} = \dfrac{3 \times 2 \times 2}{\boxed{}} = \mathbf{4}$

1-2 | 따라풀기 |

그래프를 이용하여 다음 수열의 수렴, 발산을 조사하시오.

(1) $2, 2, 2, 2, 2, \cdots, 2, \cdots$

(2) $-1, 1, -1, 1, -1, \cdots, (-1)^n, \cdots$

풀이

2-2 | 따라풀기 |

수렴하는 두 수열 $\{a_n\}$, $\{b_n\}$에 대하여

$\lim\limits_{n \to \infty} a_n = 3$, $\lim\limits_{n \to \infty} b_n = -2$일 때, 다음 극한값을 구하시오.

(1) $\lim\limits_{n \to \infty} (2a_n + b_n)$ (2) $\lim\limits_{n \to \infty} (3a_n - b_n)$

(3) $\lim\limits_{n \to \infty} 2a_n b_n$ (4) $\lim\limits_{n \to \infty} \dfrac{a_n}{3b_n}$

풀이

개념3 수열의 극한값의 계산

개념 플러스

▶ 임의의 실수 a에 대하여 다음과 같이 생각하면 편리하다.
- $a+\infty=\infty$, $a-\infty=-\infty$
- $a>0$이면 $a\times\infty=\infty$
  $a<0$이면 $a\times\infty=-\infty$
- $\dfrac{a}{\infty}=\dfrac{a}{-\infty}=0$
- $\dfrac{\infty}{\infty}\neq1$
- $\infty-\infty\neq0$

(1) $\dfrac{\infty}{\infty}$ 꼴의 극한

①|의 최고차항으로 분모, 분자를 각각 나눈다.

❶ (분자의 차수)＝(분모의 차수) ⇨ 극한값은 최고차항의 계수의 비

❷ (분자의 차수)＜(분모의 차수) ⇨ 극한값은 **②**|

❸ (분자의 차수)＞(분모의 차수) ⇨ 극한값은 없다. → ∞ 또는 −∞로 발산

(2) $\infty-\infty$ 꼴의 극한

❶ $\sqrt{}$ 가 포함된 경우 ⇨ $\sqrt{}$ 를 포함하는 분모 또는 분자를 유리화한다.

❷ $\sqrt{}$ 가 없는 다항식인 경우 ⇨ 최고차항으로 묶는다.

답 ❶ 분모 ❷ 0

세 수열 $\{a_n\}$, $\{b_n\}$, $\{c_n\}$에 대하여 $a_n\leq c_n\leq b_n$이 성립할 때, 수열 $\{a_n\}$과 수열 $\{b_n\}$의 극한값이 각각 α이면 수열 $\{c_n\}$의 극한값도 α가 돼.

개념4 수열의 극한의 대소 관계

수렴하는 두 수열 $\{a_n\}$, $\{b_n\}$에 대하여 $\lim\limits_{n\to\infty}a_n=\alpha$, $\lim\limits_{n\to\infty}b_n=\beta$일 때

❶ 모든 자연수 n에 대하여 $a_n\leq b_n$이면 $\alpha\leq$ **①**|이다.

❷ 수열 $\{c_n\}$이 모든 자연수 n에 대하여 $a_n\leq c_n\leq b_n$이고 $\alpha=\beta$이면

수열 $\{c_n\}$은 수렴하고 $\lim\limits_{n\to\infty}c_n=\alpha$이다.

참고 $a_n\leq b_n$일 때 $\lim\limits_{n\to\infty}a_n=\infty$이면 $\lim\limits_{n\to\infty}b_n=$ **②**|이다.

답 ❶ β ❷ ∞

❸ $a_n<b_n$이지만 $\lim\limits_{n\to\infty}a_n=\lim\limits_{n\to\infty}b_n$인 경우가 있다. 예를 들어 모든 자연수 n에 대하여 $-\dfrac{1}{n}<\dfrac{1}{n}$이지만 $\lim\limits_{n\to\infty}\left(-\dfrac{1}{n}\right)=\lim\limits_{n\to\infty}\dfrac{1}{n}=0$

보기 수열 $\{a_n\}$이 모든 자연수 n에 대하여 $-\dfrac{1}{n}<a_n<\dfrac{1}{n}$을 만족시킬 때, $\lim\limits_{n\to\infty}a_n$의 값을 구하시오.

연구 $\lim\limits_{n\to\infty}\left(-\dfrac{1}{n}\right)=0$, $\lim\limits_{n\to\infty}\dfrac{1}{n}=0$이므로 $\lim\limits_{n\to\infty}a_n=0$

개념5 등비수열 $\{r^n\}$의 수렴과 발산

❶ $r>1$일 때, $\lim\limits_{n\to\infty}r^n=\infty$ ⇨ 발산

❷ $r=1$일 때, $\lim\limits_{n\to\infty}r^n=$ **①**| ⇨ 수렴

❸ $-1<r<1$일 때, $\lim\limits_{n\to\infty}r^n=0$ ⇨ **②**|

❹ $r\leq-1$일 때, 수열 $\{r^n\}$은 진동한다. ⇨ 발산

답 ❶ 1 ❷ 수렴

ⓛ 등비수열 $\{r^n\}$은 $-1<r\leq1$일 때 수렴하고, $r\leq-1$ 또는 $r>1$일 때 발산한다.

ⓒ $r=1$이면 모든 자연수 n에 대하여 $r^n=1$이므로 $\lim\limits_{n\to\infty}r^n=1$

보기 다음 수열의 수렴, 발산을 조사하시오.

(1) $\{2^n\}$ (2) $\{(-0.1)^n\}$

연구 (1) 공비가 2이고 $2>1$이므로 등비수열 $\{2^n\}$은 **발산**

(2) 공비가 -0.1이고 $-1<-0.1<1$이므로 등비수열 $\{(-0.1)^n\}$은 **수렴**

3-1 | 수열의 극한값의 계산 |

다음 극한값을 구하시오.

(1) $\lim\limits_{n \to \infty} \dfrac{4n+5}{3n-1}$

(2) $\lim\limits_{n \to \infty} (\sqrt{n^2+n}-n)$

연구

(1) 분모, 분자를 각각 분모의 최고차항인 [   ]으로 나누면

$$\lim_{n \to \infty} \frac{4n+5}{3n-1} = \lim_{n \to \infty} \frac{4+\dfrac{5}{n}}{3-\dfrac{1}{n}} = \frac{4+\lim\limits_{n \to \infty}\dfrac{5}{n}}{3-\lim\limits_{n \to \infty}\dfrac{1}{n}}$$

$$= \frac{4+\boxed{}}{3-0} = \frac{\boxed{}}{3}$$

(2) $\lim\limits_{n \to \infty} (\sqrt{n^2+n}-n) = \lim\limits_{n \to \infty} \dfrac{(\sqrt{n^2+n}-n)(\sqrt{n^2+n}+n)}{\sqrt{n^2+n}+n}$

$$= \lim_{n \to \infty} \frac{\boxed{}}{\sqrt{n^2+n}+n}$$

$$= \lim_{n \to \infty} \frac{1}{\sqrt{1+\dfrac{1}{n}}+1} = \frac{\boxed{}}{1}$$

3-2 | 따라풀기 |

다음 극한값을 구하시오.

(1) $\lim\limits_{n \to \infty} \dfrac{-2n+3}{4n^2+1}$

(2) $\lim\limits_{n \to \infty} \dfrac{1}{\sqrt{n^2-3n}-n}$

풀이

4-1 | 수열의 극한의 대소 관계 |

수열 $\{a_n\}$이 모든 자연수 n에 대하여

$$\frac{3n-1}{n-1} \leq a_n \leq \frac{3n+4}{n-1}$$

를 만족시킬 때, $\lim\limits_{n \to \infty} a_n$의 값을 구하시오.

연구

$\lim\limits_{n \to \infty} \dfrac{3n-1}{n-1} = \boxed{}$, $\lim\limits_{n \to \infty} \dfrac{3n+4}{n-1} = \boxed{}$이므로

수열의 극한의 대소 관계에 의하여

$\lim\limits_{n \to \infty} a_n = \boxed{}$

4-2 | 따라풀기 |

수열 $\{a_n\}$이 모든 자연수 n에 대하여

$$\frac{-n}{n^2+1} \leq a_n \leq \frac{2n}{n^2+1}$$

을 만족시킬 때, $\lim\limits_{n \to \infty} a_n$의 값을 구하시오.

풀이

수열 $\{a_n\}$에서

❶ 수렴 : $\lim\limits_{n \to \infty} a_n = \alpha$ (일정) ⇨ 극한값 α를 갖는다.

❷ 발산 : $\begin{cases} \lim\limits_{n \to \infty} a_n = \infty & \Rightarrow 양의 무한대로 발산한다. \\ \lim\limits_{n \to \infty} a_n = -\infty & \Rightarrow 음의 무한대로 발산한다. \\ 진동 & \Rightarrow 발산한다. \end{cases}$

수렴하지 않는 수열은 모두 발산한
다고 하므로 진동하는 수열도 발산
한다고 한다.

예제   다음 수열 $\{a_n\}$의 수렴, 발산을 조사하고, 수렴하면 그 극한값을 구하시오.

(1) $\left\{ \dfrac{1}{n} \right\}$ (2) $\{2n-1\}$ (3) $\{\cos n\pi\}$

해법 코드

수열 $\{a_n\}$의 일반항에 $n=1, 2, 3,$
$\cdots$을 대입하여 a_n의 값의 변화를 그
래프로 나타낸다.

셀파   수열 $\{a_n\}$의 수렴, 발산 ⇨ 그래프를 이용한다.

풀이   (1) n이 한없이 커질 때, ⓐa_n의 값의 변화를 그래프로 나타
내면 오른쪽 그림과 같다.
따라서 수열 $\{a_n\}$은 **수렴**하고, 그 극한값은 **0**이다.

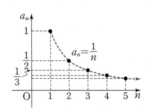

ⓐ n이 한없이 커짐에 따라 $\dfrac{1}{n}$의 값은
일정한 값 0에 한없이 가까워진다.

(2) n이 한없이 커질 때, ⓑa_n의 값의 변화를 그래프로 나타
내면 오른쪽 그림과 같다.
따라서 수열 $\{a_n\}$은 **양의 무한대로 발산**한다.

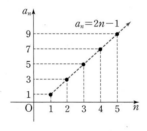

ⓑ n이 한없이 커짐에 따라 $2n-1$의
값은 한없이 커진다.

(3) n이 한없이 커질 때, ⓒa_n의 값의 변화를 그래프로 나타
내면 오른쪽 그림과 같다.
따라서 수열 $\{a_n\}$은 **발산(진동)**한다.

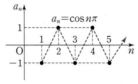

ⓒ n이 한없이 커짐에 따라 $\cos n\pi$의
값은 -1과 1의 값을 번갈아 갖는
다.

확인 문제   정답과 해설 | **11**쪽   MY 셀파

01-1   다음 수열 $\{a_n\}$의 수렴, 발산을 조사하고, 수렴하면 그 극한값을 구하시오.
⊛ⓢ하

(1) $\{(-2)^{n-1}\}$ (2) $\left\{ \dfrac{(-1)^n}{n} \right\}$

(3) $\{1-n\}$ (4) $\left\{ 2+\dfrac{1}{n} \right\}$

01-1

그래프에서 n이 한없이 커질 때, a_n의
값이 한없이 가까워지는 값이 존재하
면 수열 $\{a_n\}$은 수렴한다.

수렴하는 두 수열 $\{a_n\}$, $\{b_n\}$에 대하여 $\lim\limits_{n \to \infty} a_n = \alpha$, $\lim\limits_{n \to \infty} b_n = \beta$일 때

❶ $\lim\limits_{n \to \infty} ca_n = c \lim\limits_{n \to \infty} a_n = c\alpha$ (단, c는 상수)

❷ $\lim\limits_{n \to \infty} (a_n + b_n) = \lim\limits_{n \to \infty} a_n + \lim\limits_{n \to \infty} b_n = \alpha + \beta$

❸ $\lim\limits_{n \to \infty} (a_n - b_n) = \lim\limits_{n \to \infty} a_n - \lim\limits_{n \to \infty} b_n = \alpha - \beta$

❹ $\lim\limits_{n \to \infty} a_n b_n = \lim\limits_{n \to \infty} a_n \times \lim\limits_{n \to \infty} b_n = \alpha\beta$

❺ $\lim\limits_{n \to \infty} \dfrac{a_n}{b_n} = \dfrac{\lim\limits_{n \to \infty} a_n}{\lim\limits_{n \to \infty} b_n} = \dfrac{\alpha}{\beta}$ (단, $b_n \neq 0$, $\beta \neq 0$)

> 두 수열 $\{a_n\}$, $\{b_n\}$이 모두 수렴할 때만 기본 성질이 성립한다. 만약 수열 $\{a_n\}$, $\{b_n\}$ 중 하나라도 수렴하지 않으면 기본 성질은 성립하지 않는다.

예제 수렴하는 두 수열 $\{a_n\}$, $\{b_n\}$에 대하여 $\lim\limits_{n \to \infty} (a_n + 3) = 1$, $\lim\limits_{n \to \infty} (b_n - 1) = 2$일 때, 다음 극한값을 구하시오.

(1) $\lim\limits_{n \to \infty} \dfrac{3b_n - 1}{a_n^2}$

(2) $\lim\limits_{n \to \infty} \dfrac{a_n - 1}{(a_n + 1)b_n}$

해법 코드

$\lim\limits_{n \to \infty} (a_n + 3) = \lim\limits_{n \to \infty} a_n + \lim\limits_{n \to \infty} 3$
$= \lim\limits_{n \to \infty} a_n + 3$

$\lim\limits_{n \to \infty} (b_n - 1) = \lim\limits_{n \to \infty} b_n - \lim\limits_{n \to \infty} 1$
$= \lim\limits_{n \to \infty} b_n - 1$

셀파 $\lim\limits_{n \to \infty} a_n = \alpha$, $\lim\limits_{n \to \infty} b_n = \beta$일 때

⇨ $\lim\limits_{n \to \infty} (a_n \circledcirc b_n) = \alpha \circledcirc \beta$ (단, $\circledcirc$는 사칙계산, 0으로 나누는 경우 제외)

풀이 ❸ $\lim\limits_{n \to \infty} (a_n + 3) = 1$에서 $\lim\limits_{n \to \infty} a_n = -2$, ❹ $\lim\limits_{n \to \infty} (b_n - 1) = 2$에서 $\lim\limits_{n \to \infty} b_n = 3$이므로

(1) $\lim\limits_{n \to \infty} \dfrac{3b_n - 1}{a_n^2} = \dfrac{3 \lim\limits_{n \to \infty} b_n - 1}{\lim\limits_{n \to \infty} a_n \times \lim\limits_{n \to \infty} a_n} = \dfrac{3 \times 3 - 1}{(-2) \times (-2)} = 2$

(2) $\lim\limits_{n \to \infty} \dfrac{a_n - 1}{(a_n + 1)b_n} = \lim\limits_{n \to \infty} \dfrac{a_n - 1}{a_n b_n + b_n} = \dfrac{\lim\limits_{n \to \infty} (a_n - 1)}{\lim\limits_{n \to \infty} (a_n b_n + b_n)}$

$= \dfrac{\lim\limits_{n \to \infty} a_n - 1}{\lim\limits_{n \to \infty} a_n \times \lim\limits_{n \to \infty} b_n + \lim\limits_{n \to \infty} b_n} = \dfrac{-2 - 1}{-2 \times 3 + 3} = 1$

❸ $\lim\limits_{n \to \infty} (a_n + 3) = 1$에서
$\lim\limits_{n \to \infty} a_n + \lim\limits_{n \to \infty} 3 = 1$이므로
$\lim\limits_{n \to \infty} a_n = 1 - \lim\limits_{n \to \infty} 3 = 1 - 3 = -2$

❹ $\lim\limits_{n \to \infty} (b_n - 1) = 2$에서
$\lim\limits_{n \to \infty} b_n - \lim\limits_{n \to \infty} 1 = 2$이므로
$\lim\limits_{n \to \infty} b_n = 2 + \lim\limits_{n \to \infty} 1 = 2 + 1 = 3$

확인 문제 정답과 해설 | 11쪽

MY 셀파

02-1 상중⑨ 두 수열 $\{a_n\}$, $\{b_n\}$에 대하여 $\lim\limits_{n \to \infty} a_n = -2$, $\lim\limits_{n \to \infty} b_n = 2$일 때, $\lim\limits_{n \to \infty} \dfrac{2a_n - b_n}{a_n b_n + 1}$의 값을 구하시오.

02-1

$\lim\limits_{n \to \infty} \dfrac{2a_n - b_n}{a_n b_n + 1}$

$= \dfrac{2 \lim\limits_{n \to \infty} a_n - \lim\limits_{n \to \infty} b_n}{\lim\limits_{n \to \infty} a_n \times \lim\limits_{n \to \infty} b_n + 1}$

02-2 상⑨하 수렴하는 두 수열 $\{a_n\}$, $\{b_n\}$에 대하여 $\lim\limits_{n \to \infty} (a_n + b_n) = -3$, $\lim\limits_{n \to \infty} a_n b_n = 2$일 때, $\lim\limits_{n \to \infty} (a_n^2 + b_n^2)$의 값을 구하시오.

02-2

$\lim\limits_{n \to \infty} a_n = \alpha$, $\lim\limits_{n \to \infty} b_n = \beta$로 놓는다.

수열 $\{a_n\}$에서 a_n이 $\frac{\infty}{\infty}$ 꼴일 때, 그 극한값은 다음과 같다.

❶ (분모의 차수) < (분자의 차수)일 때 ⇨ 발산한다.

❷ (분모의 차수) = (분자의 차수)일 때 ⇨ $\lim\limits_{n \to \infty} a_n =$ (최고차항의 계수의 비)

❸ (분모의 차수) > (분자의 차수)일 때 ⇨ $\lim\limits_{n \to \infty} a_n = 0$

> $\frac{\infty}{\infty}$ 꼴의 극한에서 분모, 분자를 각각 분모의 최고차항으로 나눈다.
> 즉, 분모가 n에 대한 일차식이면 분모, 분자를 각각 n으로 나누고, 이차식이면 각각 n^2으로 나눈다.

예제 다음 극한을 조사하시오.

(1) $\lim\limits_{n \to \infty} \dfrac{3n^2-1}{2n^3+5n}$

(2) $\lim\limits_{n \to \infty} \dfrac{n^2(3n-2)}{(2n+1)(2n-1)}$

(3) $\lim\limits_{n \to \infty} \dfrac{1+2+3+\cdots+n}{n^2}$

(4) $\lim\limits_{n \to \infty} \dfrac{2n-1}{\sqrt{n^2+2n+1}}$

해법 코드

(2) $\dfrac{n^2(3n-2)}{(2n+1)(2n-1)} = \dfrac{3n^3-2n^2}{4n^2-1}$

(3) $1+2+3+\cdots+n$

$= \sum\limits_{k=1}^{n} k = \dfrac{n(n+1)}{2}$

셀파 $\frac{\infty}{\infty}$ 꼴의 극한 ⇨ 분모, 분자를 각각 분모의 최고차항으로 나눈다.

풀이 (1) $\lim\limits_{n \to \infty} \dfrac{3n^2-1}{2n^3+5n} = \lim\limits_{n \to \infty} \dfrac{\dfrac{3}{n}-\dfrac{1}{n^3}}{2+\dfrac{5}{n^2}} = \dfrac{0-0}{2+0} = \mathbf{0}\,(수렴)$

❶ 분모, 분자를 각각 분모의 최고차항 n^3으로 나눈다.

(2) $\lim\limits_{n \to \infty} \dfrac{n^2(3n-2)}{(2n+1)(2n-1)} = \lim\limits_{n \to \infty} \dfrac{3n^3-2n^2}{4n^2-1} = \lim\limits_{n \to \infty} \dfrac{3n-2}{4-\dfrac{1}{n^2}} = \infty\,(발산)$

❷ $\dfrac{\dfrac{C}{B}}{A} = \dfrac{C}{AB}$ 로 계산한다.

(3) $\lim\limits_{n \to \infty} \dfrac{1+2+3+\cdots+n}{n^2} = \lim\limits_{n \to \infty} \dfrac{\dfrac{n(n+1)}{2}}{n^2} = \lim\limits_{n \to \infty} \dfrac{n^2+n}{2n^2}$

$= \lim\limits_{n \to \infty} \dfrac{1+\dfrac{1}{n}}{2} = \dfrac{\mathbf{1}}{\mathbf{2}}\,(수렴)$

> $\frac{\infty}{\infty}$ 꼴의 극한에서는 무리식이 있든 없든 항상 분모, 분자를 각각 분모의 최고차항으로 나누어야 해!

(4) $\lim\limits_{n \to \infty} \dfrac{2n-1}{\sqrt{n^2+2n+1}} = \lim\limits_{n \to \infty} \dfrac{2-\dfrac{1}{n}}{\sqrt{1+\dfrac{2}{n}}+\dfrac{1}{n}} = \dfrac{2-0}{1+0} = \mathbf{2}\,(수렴)$

확인 문제   정답과 해설 | **11**쪽   **MY 셀파**

03-1 다음 극한을 조사하시오.

(1) $\lim\limits_{n \to \infty} \dfrac{-2n^3+3n^2-n}{n^2-2}$

(2) $\lim\limits_{n \to \infty} \dfrac{(n-1)(n-2)}{(n+1)(3n+2)}$

(3) $\lim\limits_{n \to \infty} \dfrac{n^3}{1^2+2^2+3^2+\cdots+n^2}$

(4) $\lim\limits_{n \to \infty} \dfrac{2n^2+n}{\sqrt{n^2-1}+\sqrt{3n}}$

03-1

(2) $\dfrac{(n-1)(n-2)}{(n+1)(3n+2)} = \dfrac{n^2-3n+2}{3n^2+5n+2}$

(3) $1^2+2^2+3^2+\cdots+n^2$

$= \sum\limits_{k=1}^{n} k^2 = \dfrac{n(n+1)(2n+1)}{6}$

해법 04 ∞−∞ 꼴의 극한 / PLUS ⊕

❶ 무리식을 포함한 경우 ⇨ 분모 또는 분자를 유리화한다.

❷ 무리식을 포함하지 않은 경우 ⇨ 최고차항으로 묶는다.

분모, 분자에 모두 근호가 있으면 분모, 분자를 각각 유리화한다.

예제 다음 극한을 조사하시오.

(1) $\displaystyle\lim_{n \to \infty} \frac{1}{n - \sqrt{n^2 - n}}$

(2) $\displaystyle\lim_{n \to \infty} (\sqrt{n^2 + 2n - 1} - n)$

(3) $\displaystyle\lim_{n \to \infty} (n^2 - n + 2)$

(4) $\displaystyle\lim_{n \to \infty} (1 + 2n^2 - 3n^3)$

해법 코드

(2) $\displaystyle\lim_{n \to \infty}$ (무리식) 꼴은

$\displaystyle\lim_{n \to \infty} \frac{\text{(무리식)}}{1}$ 으로 생각하고 분자를 유리화하여 극한값을 구한다.

셀파 ∞−∞ 꼴의 극한 ⇨ 유리화 또는 최고차항으로 묶는다.

풀이

(1) $\displaystyle\lim_{n \to \infty} \frac{1}{n - \sqrt{n^2 - n}} = \lim_{n \to \infty} \frac{n + \sqrt{n^2 - n}}{(n - \sqrt{n^2 - n})(n + \sqrt{n^2 - n})} = \lim_{n \to \infty} \frac{n + \sqrt{n^2 - n}}{n^2 - (n^2 - n)}$

$\overset{❶}{=} \displaystyle\lim_{n \to \infty} \frac{n + \sqrt{n^2 - n}}{n} = \lim_{n \to \infty} \frac{1 + \sqrt{1 - \frac{1}{n}}}{1} = \frac{1 + 1}{1} = 2 \,(\text{수렴})$

❶ 분모, 분자를 각각 분모의 최고차항 n으로 나누면

$\displaystyle\lim_{n \to \infty} \frac{1 + \sqrt{1 - \frac{1}{n}}}{1} = \frac{1 + \sqrt{1 - 0}}{1} = 2$

(2) $\displaystyle\lim_{n \to \infty} (\sqrt{n^2 + 2n - 1} - n) = \lim_{n \to \infty} \frac{(\sqrt{n^2 + 2n - 1} - n)(\sqrt{n^2 + 2n - 1} + n)}{\sqrt{n^2 + 2n - 1} + n}$

$= \displaystyle\lim_{n \to \infty} \frac{2n - 1}{\sqrt{n^2 + 2n - 1} + n} = \lim_{n \to \infty} \frac{2 - \frac{1}{n}}{\sqrt{1 + \frac{2}{n} - \frac{1}{n^2}} + 1}$

$= \dfrac{2}{1 + 1} = 1 \,(\text{수렴})$

❷ $\displaystyle\lim_{n \to \infty} \frac{\sqrt{n^2 + 2n - 1} - n}{1}$ 으로 생각하고 분자를 유리화한다.

(3) $\displaystyle\lim_{n \to \infty} (n^2 - n + 2) = \lim_{n \to \infty} n^2 \left(1 - \frac{1}{n} + \frac{2}{n^2}\right) = \infty \,(\text{발산})$

(4) $\displaystyle\lim_{n \to \infty} (1 + 2n^2 - 3n^3) \overset{❸}{=} \lim_{n \to \infty} n^3 \left(\frac{1}{n^3} + \frac{2}{n} - 3\right) = -\infty \,(\text{발산})$

❸ $\displaystyle\lim_{n \to \infty} n^3 = \infty$

$\displaystyle\lim_{n \to \infty} \left(\frac{1}{n^3} + \frac{2}{n} - 3\right) = -3$

확인 문제 정답과 해설 | **12**쪽 | **MY 셀파**

04-1 다음 극한을 조사하시오.
(상)(중)(하)

(1) $\displaystyle\lim_{n \to \infty} \frac{1}{\sqrt{n^2 + 3n} - n}$

(2) $\displaystyle\lim_{n \to \infty} (n - \sqrt{n^2 + 2n})$

(3) $\displaystyle\lim_{n \to \infty} \frac{\sqrt{n + 3} - \sqrt{n}}{\sqrt{n + 1} - \sqrt{n}}$

(4) $\displaystyle\lim_{n \to \infty} (2n^3 - n + 3)$

04-1

(3) 분모, 분자를 각각 유리화하기 위해 주어진 식에

$\dfrac{(\sqrt{n + 3} + \sqrt{n})(\sqrt{n + 1} + \sqrt{n})}{(\sqrt{n + 1} + \sqrt{n})(\sqrt{n + 3} + \sqrt{n})}$

을 곱한다.

❶ $\dfrac{\infty}{\infty}$ 꼴의 극한 ⇨ 분모, 분자를 각각 분모의 최고차항으로 나누어 구한다.

❷ $\infty-\infty$ 꼴의 극한 ⇨ 분모 또는 분자를 유리화하거나 최고차항으로 묶어서 구한다.

01 다음 극한을 조사하시오.

(1) $\displaystyle\lim_{n\to\infty}\dfrac{6n^2+n}{2n^2+1}$

(2) $\displaystyle\lim_{n\to\infty}\dfrac{2n+3}{1-n}$

(3) $\displaystyle\lim_{n\to\infty}\dfrac{3n-1}{n^2+2n+4}$

(4) $\displaystyle\lim_{n\to\infty}\dfrac{3n-1}{n^2+2n}$

(5) $\displaystyle\lim_{n\to\infty}\dfrac{n^2+2}{3n+5}$

(6) $\displaystyle\lim_{n\to\infty}\dfrac{-2n^2+3n}{n+1}$

02 다음 극한을 조사하시오.

(1) $\displaystyle\lim_{n\to\infty}\dfrac{1}{\sqrt{n^2+n}-n}$

(2) $\displaystyle\lim_{n\to\infty}\dfrac{1}{\sqrt{n^2+2n-1}-n}$

(3) $\displaystyle\lim_{n\to\infty}(\sqrt{n-2}-\sqrt{n+2})$

(4) $\displaystyle\lim_{n\to\infty}(\sqrt{n^2+4n}-n)$

(5) $\displaystyle\lim_{n\to\infty}\dfrac{\sqrt{n+1}-\sqrt{n-1}}{\sqrt{n+2}-\sqrt{n}}$

(6) $\displaystyle\lim_{n\to\infty}(5+2n-n^2)$

해법 05 ∞/∞ 꼴의 미정계수의 결정

PLUS ➕

$\lim\limits_{n \to \infty} a_n = \infty$, $\lim\limits_{n \to \infty} b_n = \infty$에서 $\lim\limits_{n \to \infty} \dfrac{a_n}{b_n} = a$ ($a \neq 0$인 실수)일 때

➡ (a_n의 차수)=(b_n의 차수)이고, $a = \dfrac{(분자의 최고차항의 계수)}{(분모의 최고차항의 계수)}$

$\lim\limits_{n \to \infty} a_n = \infty$, $\lim\limits_{n \to \infty} b_n = \infty$일 때

❶ $\lim\limits_{n \to \infty} \dfrac{a_n}{b_n} = 0$이면

(a_n의 차수)<(b_n의 차수)

❷ $\lim\limits_{n \to \infty} \dfrac{a_n}{b_n} = \infty$이면

(a_n의 차수)>(b_n의 차수)

예제 **1.** 등식 $\lim\limits_{n \to \infty} \dfrac{an^2 - n + 1}{2n^2 + 3} = 8$이 성립하도록 하는 상수 a의 값을 구하시오.

2. 다음 등식이 성립하도록 하는 상수 a, b의 값을 구하시오.

(1) $\lim\limits_{n \to \infty} \dfrac{an^2 + bn + 3}{2n - 1} = -2$

(2) $\lim\limits_{n \to \infty} \dfrac{bn + 1}{an^2 - 3n - 4} = 1$

해법 코드
극한값이 0이 아닌 실수이므로 분모와 분자의 차수가 같다.

셀파 $\lim\limits_{n \to \infty} \dfrac{a_n}{b_n} = a$ ($a \neq 0$인 실수) ➡ (a_n의 차수)=(b_n의 차수)

풀이 **1.** ➊ $\lim\limits_{n \to \infty} \dfrac{an^2 - n + 1}{2n^2 + 3} = \lim\limits_{n \to \infty} \dfrac{a - \dfrac{1}{n} + \dfrac{1}{n^2}}{2 + \dfrac{3}{n^2}} = \dfrac{a}{2}$이므로 $\dfrac{a}{2} = 8$ ∴ $a = 16$

➊ 분모, 분자를 각각 분모의 최고차항 n^2으로 나눈다.

2. (1) $\lim\limits_{n \to \infty} \dfrac{an^2 + bn + 3}{2n - 1}$에서 $a \neq 0$이면 주어진 수열은 발산한다. ∴ $a = 0$

$\lim\limits_{n \to \infty} \dfrac{an^2 + bn + 3}{2n - 1} \overset{➋}{=} \lim\limits_{n \to \infty} \dfrac{bn + 3}{2n - 1} = -2$이므로 $\dfrac{b}{2} = -2$ ∴ $b = -4$

➋ $\lim\limits_{n \to \infty} \dfrac{bn + 3}{2n - 1}$

$= \lim\limits_{n \to \infty} \dfrac{b + \dfrac{3}{n}}{2 - \dfrac{1}{n}} = \dfrac{b}{2}$

(2) $a \neq 0$이면 주어진 수열은 0으로 수렴한다. ∴ $a = 0$

$\lim\limits_{n \to \infty} \dfrac{bn + 1}{an^2 - 3n - 4} \overset{➌}{=} \lim\limits_{n \to \infty} \dfrac{bn + 1}{-3n - 4} = 1$이므로 $-\dfrac{b}{3} = 1$ ∴ $b = -3$

➌ 분모의 최고차항은 $-3n$, 분자의 최고차항은 bn이므로

$\dfrac{(분자의 최고차항의 계수)}{(분모의 최고차항의 계수)}$

$= \dfrac{b}{-3} = 1$

확인 문제

정답과 해설 | **13**쪽

MY 셀파

05-1 등식 $\lim\limits_{n \to \infty} \dfrac{n - 1}{\sqrt{n^2 - 2n + 5} + an} = \dfrac{1}{6}$이 성립하도록 하는 상수 a의 값을 구하시오.

05-2

(1) 극한값이 $\dfrac{3}{2}$으로 수렴하므로

(분모의 차수)=(분자의 차수)

(2) 극한값이 -3으로 수렴하므로

(분모의 차수)=(분자의 차수)

05-2 다음 등식이 성립하도록 하는 상수 a, b에 대하여 $a + b$의 값을 구하시오.

(1) $\lim\limits_{n \to \infty} \dfrac{an^2 - bn + 4}{2n - 1} = \dfrac{3}{2}$

(2) $\lim\limits_{n \to \infty} \dfrac{3n^2 - 2n + 1}{an^3 + bn^2 + 3n - 1} = -3$

해법 06 — ∞−∞ 꼴의 미정계수의 결정

PLUS ⊕

$\lim\limits_{n \to \infty} a_n = \infty$, $\lim\limits_{n \to \infty} b_n = \infty$에서 $\lim\limits_{n \to \infty} (\sqrt{a_n} - \sqrt{b_n}) = a$ ($a \neq 0$인 실수)일 때

⇨ 근호가 있는 식을 유리화하여 극한값을 미정계수를 사용하여 나타낸다.

∞−∞ 꼴의 수열의 극한에서는 무리식을 유리화한다.

예제

1. 등식 $\lim\limits_{n \to \infty} (\sqrt{n^2 + an + 1} - \sqrt{n^2 - bn}) = 5$가 성립하도록 하는 상수 a, b에 대하여 $a + b$의 값을 구하시오.

2. $\lim\limits_{n \to \infty} (\sqrt{n^2 + 4n} - an)$이 수렴하도록 하는 상수 a의 값을 구하시오.

해법 코드

2. $\sqrt{n^2 + 4n} - an$에서 분모를 1로 보고 분자를 유리화한다.

셀파 분모를 1로 보고 분자를 유리화한다.

풀이

1. $\lim\limits_{n \to \infty} (\sqrt{n^2 + an + 1} - \sqrt{n^2 - bn})$

$= \lim\limits_{n \to \infty} \dfrac{(\sqrt{n^2 + an + 1} - \sqrt{n^2 - bn})(\sqrt{n^2 + an + 1} + \sqrt{n^2 - bn})}{\sqrt{n^2 + an + 1} + \sqrt{n^2 - bn}}$

$= \lim\limits_{n \to \infty} \dfrac{n^2 + an + 1 - (n^2 - bn)}{\sqrt{n^2 + an + 1} + \sqrt{n^2 - bn}}$

$= \lim\limits_{n \to \infty} \dfrac{(a + b)n + 1}{\sqrt{n^2 + an + 1} + \sqrt{n^2 - bn}} = \dfrac{a + b}{2}$

이때 $\lim\limits_{n \to \infty} (\sqrt{n^2 + an + 1} - \sqrt{n^2 - bn}) = 5$이므로 $\dfrac{a + b}{2} = 5$ ∴ $a + b = 10$

❶ 분모의 최고차항 n으로 분모, 분자를 각각 나누면

$\lim\limits_{n \to \infty} \dfrac{a + b + \dfrac{1}{n}}{\sqrt{1 + \dfrac{a}{n} + \dfrac{1}{n^2}} + \sqrt{1 - \dfrac{b}{n}}}$

$= \dfrac{a + b}{1 + 1} = \dfrac{a + b}{2}$

2. $\lim\limits_{n \to \infty} (\sqrt{n^2 + 4n} - an) = \lim\limits_{n \to \infty} \dfrac{(\sqrt{n^2 + 4n} - an)(\sqrt{n^2 + 4n} + an)}{\sqrt{n^2 + 4n} + an}$

$= \lim\limits_{n \to \infty} \dfrac{n^2 + 4n - a^2 n^2}{\sqrt{n^2 + 4n} + an} = \lim\limits_{n \to \infty} \dfrac{(1 - a^2)n^2 + 4n}{\sqrt{n^2 + 4n} + an}$

이때 $1 - a^2 \neq 0$이면 발산하므로 $1 - a^2 = 0$ ∴ $a = -1$ 또는 $a = 1$

그런데 $a = -1$이면 $\lim\limits_{n \to \infty} (\sqrt{n^2 + 4n} + n) = \infty$이므로 $a \neq -1$

∴ $a = 1$

❷ $1 - a^2 \neq 0$이면

$\lim\limits_{n \to \infty} \dfrac{(1 - a^2)n^2 + 4n}{\sqrt{n^2 + 4n} + an}$에서

(분자의 차수) > (분모의 차수)이므로 ∞(또는 −∞)가 되어 발산한다.

확인 문제

정답과 해설 | **14**쪽

MY 셀파

06-1 (상·중·하) 등식 $\lim\limits_{n \to \infty} (\sqrt{n^2 + an} - n) = 2$가 성립하도록 하는 상수 a의 값을 구하시오.

06-1

분모를 1로 보고 분자인 $\sqrt{n^2 + an} - n$을 유리화한다.

06-2 (상·중·하) 등식 $\lim\limits_{n \to \infty} (\sqrt{an^2 + bn} - n) = -2$가 성립하도록 하는 상수 a, b에 대하여 $a + b$의 값을 구하시오.

06-2

분모를 1로 보고 분자인 $\sqrt{an^2 + bn} - n$을 유리화한다.

$\displaystyle\lim_{n\to\infty}\dfrac{ra_n+s}{pa_n+q}=k$ (k는 상수)일 때, $\displaystyle\lim_{n\to\infty}a_n$의 값은 다음과 같이 구한다.

① $\dfrac{ra_n+s}{pa_n+q}=b_n$으로 놓고 a_n을 b_n에 대한 식으로 나타낸다.

② $\displaystyle\lim_{n\to\infty}b_n=k$와 수열의 극한에 대한 기본 성질을 이용한다.

> 수렴하는 수열 $\{a_n\}$을 포함한 식이 주어졌을 때, $\displaystyle\lim_{n\to\infty}a_n=a$로 놓고 수열의 극한에 대한 기본 성질을 이용하여 풀어도 된다.

예제 수렴하는 수열 $\{a_n\}$에 대하여 다음 물음에 답하시오.

(1) $\displaystyle\lim_{n\to\infty}\dfrac{2a_n+1}{3a_n-2}=1$일 때, $\displaystyle\lim_{n\to\infty}a_n$의 값을 구하시오.

(2) $\displaystyle\lim_{n\to\infty}(n-1)a_n=2$일 때, $\displaystyle\lim_{n\to\infty}(3n+2)a_n$의 값을 구하시오.

해법 코드

(1) $\dfrac{2a_n+1}{3a_n-2}=b_n$으로 놓으면

$\displaystyle\lim_{n\to\infty}b_n=1$

(2) $(n-1)a_n=b_n$으로 놓으면

$\displaystyle\lim_{n\to\infty}b_n=2$

셀파 a_n을 포함한 식을 b_n으로 치환하여 a_n을 b_n에 대한 식으로 나타낸다.

풀이 (1) ⓐ $\dfrac{2a_n+1}{3a_n-2}=b_n$으로 놓으면 $a_n(3b_n-2)=2b_n+1$　　∴ $a_n=\dfrac{2b_n+1}{3b_n-2}$

이때 $\displaystyle\lim_{n\to\infty}b_n=1$이므로 $\displaystyle\lim_{n\to\infty}a_n=\lim_{n\to\infty}\dfrac{2b_n+1}{3b_n-2}=\dfrac{2\displaystyle\lim_{n\to\infty}b_n+1}{3\displaystyle\lim_{n\to\infty}b_n-2}=\dfrac{2\times1+1}{3\times1-2}=\textbf{3}$

ⓐ $(3a_n-2)b_n=2a_n+1$
$3a_nb_n-2b_n=2a_n+1$
$3a_nb_n-2a_n=2b_n+1$
$a_n(3b_n-2)=2b_n+1$
∴ $a_n=\dfrac{2b_n+1}{3b_n-2}$

(2) $(n-1)a_n=b_n$으로 놓으면 $a_n=\dfrac{b_n}{n-1}$이고, 이때 $\displaystyle\lim_{n\to\infty}b_n=2$이므로

$\displaystyle\lim_{n\to\infty}(3n+2)a_n=\lim_{n\to\infty}(3n+2)\times\dfrac{b_n}{n-1}=\lim_{n\to\infty}\dfrac{3n+2}{n-1}\times\lim_{n\to\infty}b_n=3\times2=\textbf{6}$

다른 풀이 (1) ⓑ $\displaystyle\lim_{n\to\infty}a_n=a$로 놓으면 $\displaystyle\lim_{n\to\infty}\dfrac{2a_n+1}{3a_n-2}=\dfrac{2\displaystyle\lim_{n\to\infty}a_n+1}{3\displaystyle\lim_{n\to\infty}a_n-2}=\dfrac{2a+1}{3a-2}=1$

즉, $2a+1=3a-2$에서 $a=3$　　∴ $\displaystyle\lim_{n\to\infty}a_n=3$

ⓑ 수열 $\{a_n\}$이 수렴하는지 알 수 없을 때는 $\displaystyle\lim_{n\to\infty}a_n=a$로 놓고 풀면 안 된다.

확인 문제　　　　　정답과 해설 | **14**쪽　　　　　**MY 셀파**

07-1 수렴하는 수열 $\{a_n\}$에 대하여 다음 물음에 답하시오.
(상)(중)(하)

(1) $\displaystyle\lim_{n\to\infty}\dfrac{2a_n-3}{a_n+1}=\dfrac{3}{4}$일 때, $\displaystyle\lim_{n\to\infty}a_n$의 값을 구하시오.

(2) $\displaystyle\lim_{n\to\infty}(n+2)a_n=4$일 때, $\displaystyle\lim_{n\to\infty}(3n-1)a_n$의 값을 구하시오

07-1

(1) $\dfrac{2a_n-3}{a_n+1}=b_n$으로 놓으면

$\displaystyle\lim_{n\to\infty}b_n=\dfrac{3}{4}$

(2) $(n+2)a_n=b_n$으로 놓으면

$\displaystyle\lim_{n\to\infty}b_n=4$

수렴하는 수열 $\{a_n\}$이 모든 자연수 n에 대하여 $a_n+2<3a_{n+1}<2a_n+1$을 만족시킬 때, $\lim_{n\to\infty} a_n$의 값을 구하시오.

Q a_n을 먼저 구하고 싶은데 $a_n+2<3a_{n+1}<2a_n+1$에서 a_n을 구할 수 있나요?

A 문제에서는 a_n이 아니라 $\lim_{n\to\infty} a_n$의 값을 물어봤잖아. 부등식이 나와 있고 극한값을 구하라고 하니까 뭔가 떠오르는 것 없니?

Q 음… ⓐ 수열의 극한의 대소 관계요?

A 그렇지! 세 수열 $\{a_n\}$, $\{b_n\}$, $\{c_n\}$이 모든 자연수 n에 대하여 $a_n<c_n<b_n$이면 $\lim_{n\to\infty} a_n \le \lim_{n\to\infty} c_n \le \lim_{n\to\infty} b_n$이야.

Q 그런데 $a_n<c_n<b_n$에 없던 등호가 $\lim_{n\to\infty} a_n \le \lim_{n\to\infty} c_n \le \lim_{n\to\infty} b_n$에 생겼네요?

A 극한값은 서로 같을 수도 있어. 예를 들어 $a_n=\dfrac{1}{n}$, $c_n=\dfrac{2}{n}$, $b_n=\dfrac{3}{n}$이면 모든 자연수 n에 대하여 $\dfrac{1}{n}<\dfrac{2}{n}<\dfrac{3}{n}$이지만 $\lim_{n\to\infty}\dfrac{1}{n}=\lim_{n\to\infty}\dfrac{2}{n}=\lim_{n\to\infty}\dfrac{3}{n}=0$이잖아.
그리고 한 가지 더! 이와 같이 $a_n<c_n<b_n$이고 $\lim_{n\to\infty} a_n=\lim_{n\to\infty} b_n=\alpha$이면 $\lim_{n\to\infty} a_n$과 $\lim_{n\to\infty} b_n$ 사이에 있는 $\lim_{n\to\infty} c_n$의 값도 역시 α라는 것도 알 수 있어.

Q 그렇다면 위 문제에서 $a_n+2<3a_{n+1}<2a_n+1$이니까 $\lim_{n\to\infty}(a_n+2) \le \lim_{n\to\infty} 3a_{n+1} \le \lim_{n\to\infty}(2a_n+1)$이군요.

A 그렇지. 이때 수열 $\{a_n\}$이 수렴하니까 ⓑ $\lim_{n\to\infty} a_n=\lim_{n\to\infty} a_{n+1}=\alpha$라 하면 ⓒ $\alpha+2 \le 3\alpha \le 2\alpha+1$이 성립하고, 이 부등식을 풀면 $\alpha=1$이야. 따라서 $\lim_{n\to\infty} a_n=\mathbf{1}$이지.

> 세 수열 $\{a_n\}$, $\{b_n\}$, $\{c_n\}$이 모든 자연수 n에 대하여 $a_n<c_n<b_n$이면
> $$\lim_{n\to\infty} a_n \le \lim_{n\to\infty} c_n \le \lim_{n\to\infty} b_n$$

확인 체크 01 정답과 해설 | **14**쪽

수열 $\{a_n\}$이 모든 자연수 n에 대하여 ⓓ $\dfrac{n-1}{2n+3}<a_n<\dfrac{n+1}{2n+3}$을 만족시킬 때, $\lim_{n\to\infty} a_n$의 값을 구하시오.

곁주 (우측 단)

ⓐ 수렴하는 두 수열 $\{a_n\}$, $\{b_n\}$에 대하여
$\lim_{n\to\infty} a_n=\alpha$, $\lim_{n\to\infty} b_n=\beta$일 때
❶ $a_n \le b_n$이면 $\alpha \le \beta$
❷ $a_n < b_n$이면 $\alpha \le \beta$
❸ $a_n \le c_n \le b_n$이고 $\alpha=\beta$이면
$\lim_{n\to\infty} c_n=\alpha$
❹ $a_n < c_n < b_n$이고 $\alpha=\beta$이면
$\lim_{n\to\infty} c_n=\alpha$

ⓑ $n\to\infty$일 때, $a_n\to\alpha$이면
$n\to\infty$일 때, $a_{n+1}\to\alpha$
즉, $\lim_{n\to\infty} a_n=\alpha$이면 $\lim_{n\to\infty} a_{n+1}=\alpha$

ⓒ $\alpha+2 \le 3\alpha \le 2\alpha+1$
$\alpha+2 \le 3\alpha$에서 $\alpha \ge 1$ ……㉠
$3\alpha \le 2\alpha+1$에서 $\alpha \le 1$ ……㉡
㉠, ㉡에서 $\alpha=1$

ⓓ $\lim_{n\to\infty}\dfrac{n-1}{2n+3}$, $\lim_{n\to\infty}\dfrac{n+1}{2n+3}$의 극한값을 알면 두 값 사이에 있는 $\lim_{n\to\infty} a_n$의 값을 구할 수 있다.

해법 08 수열의 극한의 대소 관계

PLUS ⊕

수렴하는 두 수열 $\{a_n\}$, $\{b_n\}$에 대하여 $\lim_{n \to \infty} a_n = \alpha$, $\lim_{n \to \infty} b_n = \beta$일 때

❶ 모든 자연수 n에 대하여 $a_n < b_n$이면 $\alpha \le \beta$이다.

❷ 수열 $\{c_n\}$이 모든 자연수 n에 대하여 $a_n < c_n < b_n$이고, $\alpha = \beta$이면 $\lim_{n \to \infty} c_n = \alpha$이다.

두 수열 $\{a_n\}$, $\{b_n\}$ 사이에 수열 $\{c_n\}$이 있고, 수열 $\{a_n\}$, $\{b_n\}$이 같은 값으로 수렴하면 수열 $\{c_n\}$의 극한값은 수열 $\{a_n\}$, $\{b_n\}$의 극한값과 같다.

 예제

1. 수열 $\{a_n\}$이 모든 자연수 n에 대하여 $3n-1 < na_n < 3n+4$를 만족시킬 때, $\lim_{n \to \infty} a_n$의 값을 구하시오.

2. 자연수 n에 대하여 $\lim_{n \to \infty} \dfrac{\sin n\theta}{n+1}$의 값을 구하시오. (단, θ는 상수)

해법 코드

1. $3n-1 < na_n < 3n+4$의 각 변을 n으로 나눈다.

2. $-1 \le \sin n\theta \le 1$

셀파 $a_n < c_n < b_n$이고 $\lim_{n \to \infty} a_n = \lim_{n \to \infty} b_n = \alpha$이면 $\Rightarrow$ $\lim_{n \to \infty} c_n = \alpha$이다.

풀이 **1.** $3n-1 < na_n < 3n+4$에서 각 변을 n으로 나누면

$$\frac{3n-1}{n} < a_n < \frac{3n+4}{n}$$

이때 ❶ $\lim_{n \to \infty} \dfrac{3n-1}{n} = 3$, $\lim_{n \to \infty} \dfrac{3n+4}{n} = 3$이므로

수열의 극한의 대소 관계에 의하여 ❷ $\lim_{n \to \infty} a_n = 3$

2. $-1 \le \sin n\theta \le 1$이므로 부등식의 각 변을 $n+1$로 나누면

$$-\frac{1}{n+1} \le \frac{\sin n\theta}{n+1} \le \frac{1}{n+1}$$

이때 $\lim_{n \to \infty} \left(-\dfrac{1}{n+1} \right) = 0$, $\lim_{n \to \infty} \dfrac{1}{n+1} = 0$이므로

수열의 극한의 대소 관계에 의하여 $\lim_{n \to \infty} \dfrac{\sin n\theta}{n+1} = 0$

❶ 최고차항의 계수의 비만 구하면 되므로

$$\lim_{n \to \infty} \frac{3n-1}{n} = \frac{3}{1} = 3$$

$$\lim_{n \to \infty} \frac{3n+4}{n} = \frac{3}{1} = 3$$

❷ $3 \le \lim_{n \to \infty} a_n \le 3$이므로 $\lim_{n \to \infty} a_n = 3$

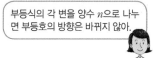 부등식의 각 변을 양수 n으로 나누면 부등호의 방향은 바뀌지 않아.

확인 문제

정답과 해설 | **14**쪽

MY 셀파

08-1 수열 $\{a_n\}$이 모든 자연수 n에 대하여 $2n < a_n < 2n+1$을 만족시킬 때,
(상·중·하) $\lim_{n \to \infty} \dfrac{4n+a_n}{4n-a_n}$의 값을 구하시오.

08-1

$$\lim_{n \to \infty} \frac{4n+a_n}{4n-a_n} = \lim_{n \to \infty} \frac{4 + \dfrac{a_n}{n}}{4 - \dfrac{a_n}{n}}$$

08-2 자연수 n에 대하여 $\lim_{n \to \infty} \dfrac{(2+n)\cos n\theta}{n^2}$의 값을 구하시오. (단, θ는 상수)
(상·중·하)

08-2

$-1 \le \cos n\theta \le 1$

등비수열 $\{r^n\}$은 다음과 같이 공비 r의 값의 범위에 따라 수렴 또는 발산한다.

❶ $r>1$일 때, $\lim\limits_{n \to \infty} r^n = \infty$ ⇨ 양의 무한대로 발산

❷ $r=1$일 때, $\lim\limits_{n \to \infty} r^n = 1$ ⇨ 1에 수렴

❸ $-1<r<1$일 때, $\lim\limits_{n \to \infty} r^n = 0$ ⇨ 0에 수렴

❹ $r \leq -1$일 때, $\lim\limits_{n \to \infty} r^n$은 진동 ⇨ 발산

> 등비수열 $\{r^n\}$에서
> $-1<r \leq 1$일 때, 수렴한다.
> $r \leq -1$ 또는 $r>1$일 때, 발산한다.

예제 다음 수열의 수렴, 발산을 조사하고, 수렴하면 그 극한값을 구하시오.

(1) $\left\{\left(\dfrac{2}{3}\right)^n\right\}$

(2) $\{(-\sqrt{2})^n\}$

(3) $\left\{\dfrac{1}{(-3)^n}\right\}$

(4) $\left\{\dfrac{5^n}{2^{n+1}}\right\}$

해법 코드
등비수열 $\{r^n\}$에서 공비 r의 값을 구할 수 있도록 식을 변형한다.

셀파 등비수열 $\{r^n\}$에서 $-1<r \leq 1$이면 수렴한다.

풀이 (1) 공비가 $\dfrac{2}{3}$이고, $-1<\dfrac{2}{3}<1$이므로 $\lim\limits_{n \to \infty}\left(\dfrac{2}{3}\right)^n = 0$ (수렴)

(2) 공비가 $-\sqrt{2}$이고, $-\sqrt{2}<-1$이므로 **진동(발산)**

(3) ❶공비가 $-\dfrac{1}{3}$이고, $-1<-\dfrac{1}{3}<1$이므로 $\lim\limits_{n \to \infty}\dfrac{1}{(-3)^n} = 0$ (수렴)

(4) ❷공비가 $\dfrac{5}{2}$이고, $\dfrac{5}{2}>1$이므로 $\lim\limits_{n \to \infty}\dfrac{5^n}{2^{n+1}} = \infty$ (발산)

❶ $\dfrac{1}{(-3)^n} = \left(-\dfrac{1}{3}\right)^n$
이므로 공비가 $-\dfrac{1}{3}$이다.

❷ $\dfrac{5^n}{2^{n+1}} = \dfrac{1}{2} \times \left(\dfrac{5}{2}\right)^n$이므로
공비가 $\dfrac{5}{2}$이다.

확인 문제 정답과 해설 | **15**쪽 MY 셀파

09-1 다음 수열의 수렴, 발산을 조사하고, 수렴하면 그 극한값을 구하시오.

(1) $\{5^n\}$

(2) $\{(-0.3)^n\}$

(3) $\left\{\dfrac{3^n}{2^{2n}}\right\}$

(4) $\left\{\left(-\dfrac{1}{4}\right)^{1-n}\right\}$

09-1

(3) $\dfrac{3^n}{2^{2n}} = \dfrac{3^n}{4^n} = \left(\dfrac{3}{4}\right)^n$

(4) $\left(-\dfrac{1}{4}\right)^{1-n} = \left(-\dfrac{1}{4}\right) \times \left(-\dfrac{1}{4}\right)^{-n}$
$= \left(-\dfrac{1}{4}\right) \times (-4)^n$

해법 10 　 등비수열의 극한

❶ $\lim\limits_{n\to\infty}\dfrac{c^n+d^n}{a^n+b^n}$ 꼴인 경우

➡ $|a|>|b|$이면 분모, 분자를 각각 a^n으로 나눈다.

　$|a|<|b|$이면 분모, 분자를 각각 b^n으로 나눈다.

❷ $\lim\limits_{n\to\infty}(a^n+b^n)$ 또는 $\lim\limits_{n\to\infty}(a^n-b^n)$ 꼴인 경우

➡ $|a|>|b|$이면 a^n으로 묶고, $|a|<|b|$이면 b^n으로 묶는다.

a^n과 b^n 중 밑의 절댓값이 큰 거듭제곱으로 분모, 분자를 각각 나누거나 묶는 것은
$-1<r<1$일 때, $\lim\limits_{n\to\infty}r^n=0$임을 이용하기 위해서이다.

(예제) **1.** 다음 수열의 수렴, 발산을 조사하고, 수렴하면 그 극한값을 구하시오.

(1) $\left\{\dfrac{2^n+3^n}{2^{2n}}\right\}$ 　　(2) $\left\{\dfrac{3^n-3^{2n}}{7^n}\right\}$ 　　(3) $\{4^n-5^n\}$

2. 수렴하는 수열 $\{a_n\}$에 대하여 $\lim\limits_{n\to\infty}\dfrac{2^na_n-3^{n+1}}{3^na_n+2^{n+1}}=1$일 때, $\lim\limits_{n\to\infty}a_n$의 값을 구하시오.

해법 코드

1. (1) 분모, 분자를 각각 4^n으로 나눈다.
　(3) 5^n으로 묶는다.

2. $\dfrac{2^na_n-3^{n+1}}{3^na_n+2^{n+1}}$의 분모, 분자를 각각 3^n으로 나눈다.

(셀파) $-1<r<1$이면 ➡ $\lim\limits_{n\to\infty}r^n=0$

(풀이) **1.** (1) $\lim\limits_{n\to\infty}\dfrac{2^n+3^n}{2^{2n}}=\lim\limits_{n\to\infty}\dfrac{2^n+3^n}{4^n}\overset{\text{ⓐ}}{=}\underline{\lim\limits_{n\to\infty}\left(\dfrac{1}{2}\right)^n+\lim\limits_{n\to\infty}\left(\dfrac{3}{4}\right)^n}=\mathbf{0}\,(\text{수렴})$

(2) $\lim\limits_{n\to\infty}\dfrac{3^n-3^{2n}}{7^n}=\lim\limits_{n\to\infty}\dfrac{3^n-9^n}{7^n}=\lim\limits_{n\to\infty}\left(\dfrac{3}{7}\right)^n-\overset{\text{ⓑ}}{\underline{\lim\limits_{n\to\infty}\left(\dfrac{9}{7}\right)^n}}=-\infty\,(\text{발산})$

(3) $\lim\limits_{n\to\infty}(4^n-5^n)=\lim\limits_{n\to\infty}5^n\left\{\left(\dfrac{4}{5}\right)^n-1\right\}=-\infty\,(\text{발산})$

2. 분모, 분자를 각각 3^n으로 나누면

$$\lim_{n\to\infty}\dfrac{2^na_n-3^{n+1}}{3^na_n+2^{n+1}}=\lim_{n\to\infty}\dfrac{a_n\left(\dfrac{2}{3}\right)^n-3}{a_n+2\times\left(\dfrac{2}{3}\right)^n}\overset{\text{ⓒ}}{=}\dfrac{\lim\limits_{n\to\infty}a_n\times\lim\limits_{n\to\infty}\left(\dfrac{2}{3}\right)^n-3}{\lim\limits_{n\to\infty}a_n+2\lim\limits_{n\to\infty}\left(\dfrac{2}{3}\right)^n}=\dfrac{-3}{\lim\limits_{n\to\infty}a_n}$$

이때 $\dfrac{-3}{\lim\limits_{n\to\infty}a_n}=1$이므로 $\lim\limits_{n\to\infty}a_n=\mathbf{-3}$

ⓐ $|r|<1$일 때, $\lim\limits_{n\to\infty}r^n=0$이므로
$\lim\limits_{n\to\infty}\left(\dfrac{1}{2}\right)^n=0,\ \lim\limits_{n\to\infty}\left(\dfrac{3}{4}\right)^n=0$

ⓑ $r>1$일 때, $\lim\limits_{n\to\infty}r^n=\infty$이므로
$\lim\limits_{n\to\infty}\left(\dfrac{9}{7}\right)^n=\infty$

ⓒ $\lim\limits_{n\to\infty}\left(\dfrac{2}{3}\right)^n=0$이므로
분모 ➡ $\lim\limits_{n\to\infty}a_n+2\times0=\lim\limits_{n\to\infty}a_n$
분자 ➡ $\lim\limits_{n\to\infty}a_n\times0-3=-3$

확인 문제 　　　　　　　　정답과 해설 | **15**쪽 　　　　　　　**MY 셀파**

10-1 다음 수열의 수렴, 발산을 조사하고, 수렴하면 그 극한값을 구하시오.
(상)(중)(하)

(1) $\left\{\dfrac{(-3)^{n+2}}{2^n+3^{n+1}}\right\}$ 　　(2) $\left\{\dfrac{2^{2n}-3^{n+2}}{3^{n+1}-4^{n+2}}\right\}$ 　　(3) $\{2^{2n}-3^n\}$

10-1
(1) 분모, 분자를 각각 3^n으로 나눈다.
(2) 분모, 분자를 각각 4^n으로 나눈다.

10-2 수렴하는 수열 $\{a_n\}$에 대하여 $\lim\limits_{n\to\infty}\dfrac{2^n-3^{n+1}a_n}{2^{n+1}-3^n}=3$일 때, $\lim\limits_{n\to\infty}a_n$의 값을 구하시오.
(상)(중)(하)

10-2
$\dfrac{2^n-3^{n+1}a_n}{2^{n+1}-3^n}$의 분모, 분자를 각각 3^n으로 나눈다.

등비수열 $\{r^n\}$은 공비 r의 값에 따라 수렴, 발산이 정해진다. 그래프를 그려서 다음 각 경우의 예를 살펴보자.

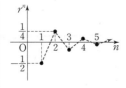

❶ $r=2$일 때

$\{2^n\}: 2, 4, 8, 16,$
$\quad\quad 32, \cdots$

❷ $r=1$일 때

$\{1^n\}: 1, 1, 1, \cdots$

❸ $r=\dfrac{1}{2}$일 때

$\left\{\left(\dfrac{1}{2}\right)^n\right\}: \dfrac{1}{2}, \dfrac{1}{4}, \dfrac{1}{8},$
$\quad\quad \dfrac{1}{16}, \cdots$

❹ $r=0$일 때

$\{0^n\}: 0, 0, 0, \cdots$

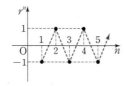

❺ $r=-\dfrac{1}{2}$일 때

$\left\{\left(-\dfrac{1}{2}\right)^n\right\}: -\dfrac{1}{2}, \dfrac{1}{4}, -\dfrac{1}{8},$
$\quad\quad \dfrac{1}{16}, -\dfrac{1}{32}, \cdots$

❻ $r=-1$일 때

$\{(-1)^n\}: -1, 1, -1,$
$\quad\quad 1, -1, \cdots$

❼ $r=-2$일 때

$\{(-2)^n\}: -2, 4, -8, 16,$
$\quad\quad -32, \cdots$

▣ $r>1$일 때, $r=1+h\,(h>0)$로 놓으면

$r^n=(1+h)^n \geq 1+nh$

이때 $h>0$이므로

$\displaystyle\lim_{n\to\infty}(1+nh)=\infty$

따라서 $r^n \geq 1+nh$에서

$\displaystyle\lim_{n\to\infty}r^n=\infty$

▶❶ $|r|>1$일 때
  $\Rightarrow \displaystyle\lim_{n\to\infty}r^n=\infty$
  $\Rightarrow \displaystyle\lim_{n\to\infty}\dfrac{1}{r^n}=0$
❷ $|r|<1$일 때
  $\Rightarrow \displaystyle\lim_{n\to\infty}r^n=0$
❸ $r=1$일 때
  $\Rightarrow \displaystyle\lim_{n\to\infty}r^n=1$
❹ $r=-1$일 때
  $\Rightarrow$ 수열 $\{r^n\}$은 진동(발산)

따라서 공비 r의 값에 따른 등비수열 $\{r^n\}$의 수렴과 발산을 정리하면 다음과 같다.

❶ $\underline{r>1}$일 때 $\Rightarrow \displaystyle\lim_{n\to\infty}r^n=\infty$ (발산)

❷ $r=1$일 때 $\Rightarrow \displaystyle\lim_{n\to\infty}r^n=1$ (수렴)

❸ $0<r<1$일 때 $\Rightarrow \displaystyle\lim_{n\to\infty}r^n=0$ (수렴)

❹ $r=0$일 때 $\Rightarrow \displaystyle\lim_{n\to\infty}r^n=0$ (수렴)

❺ $-1<r<0$일 때 $\Rightarrow \displaystyle\lim_{n\to\infty}r^n=0$ (수렴)

❻ $r=-1$일 때 $\Rightarrow$ 수열 $\{r^n\}$은 진동(발산)

❼ $r<-1$일 때 $\Rightarrow$ 수열 $\{r^n\}$은 진동(발산)

$\left.\begin{array}{}\\\\\\\\\end{array}\right\}$ (수렴)

$-1<r\leq 1$일 때 등비수열 $\{r^n\}$이 수렴해!

등비수열 $\{r^n\}$은 언제 수렴하는 거예요?

등비수열 $\{r^n\}$이 수렴할 조건은 $-1<r\leq 1$이고, 그때 극한값은 $r=1$일 때는 $\displaystyle\lim_{n\to\infty}r^n=1$, $-1<r<1$일 때는 $\displaystyle\lim_{n\to\infty}r^n=0$ 이야.

확인 체크 02 정답과 해설 | **15**쪽

다음 등비수열의 수렴, 발산을 조사하시오.

(1) $\left\{\left(\dfrac{1}{3}\right)^n\right\}$ (2) $\{(-5)^n\}$ (3) $\left\{\left(-\dfrac{6}{7}\right)^{n-1}\right\}$

해법 11 등비수열의 수렴 조건 PLUS ⊕

❶ 첫째항과 공비가 같은 $\{r^n\}$ 꼴의 등비수열이 수렴하기 위한 필요충분조건은

$-1 < r \leq 1$ → 공비만 따진다.

❷ 첫째항과 공비가 다른 $\{ar^{n-1}\}$ 꼴의 등비수열이 수렴하기 위한 필요충분조건은

$a = 0$ 또는 $-1 < r \leq 1$ → 첫째항과 공비를 모두 따진다.

❶ 첫째항과 공비가 같은 등비수열 $\{r^n\}$ 꼴이면 수렴하기 위한 조건 $-1 < r \leq 1$에서 (첫째항)$= r = 0$인 조건도 포함하므로 (첫째항)$= 0$인 경우는 따지지 않아도 된다.

[예제] 다음 수열이 수렴하도록 하는 실수 x의 값의 범위를 구하시오.

(1) $\{(x^2 - 2x)^n\}$　　　　　　　(2) $\{(x+1)(x-2)^{n-1}\}$

해법 코드
(1) 첫째항 $x^2 - 2x$, 공비 $x^2 - 2x$
(2) 첫째항 $x+1$, 공비 $x-2$

[셀파] 등비수열 $\{ar^n\}$의 수렴 조건 ⇨ $a = 0$ 또는 $-1 < r \leq 1$

[풀이] (1) 수열 $\{(x^2 - 2x)^n\}$은 첫째항과 공비가 모두 $x^2 - 2x$인 등비수열이므로

이 수열이 수렴하려면

$-1 < x^2 - 2x \leq 1$

(ⅰ) $-1 < x^2 - 2x$에서 $x^2 - 2x + 1 > 0$

즉, $(x-1)^2 > 0$이므로 $x \neq 1$인 모든 실수 x에 대하여 성립한다.

(ⅱ) $x^2 - 2x \leq 1$에서 $x^2 - 2x - 1 \leq 0$

$\{x - (1 - \sqrt{2})\}\{x - (1 + \sqrt{2})\} \leq 0$ ∴ $1 - \sqrt{2} \leq x \leq 1 + \sqrt{2}$

(ⅰ), (ⅱ)에서 $1 - \sqrt{2} \leq x < 1$ 또는 $1 < x \leq 1 + \sqrt{2}$

(2) 수열 $\{(x+1)(x-2)^{n-1}\}$은 첫째항이 $x+1$, 공비가 $x-2$인 등비수열이므로

이 수열이 수렴하려면

$x+1 = 0$ 또는 $-1 < x - 2 \leq 1$

(ⅰ) $x+1 = 0$에서 $x = -1$

(ⅱ) $-1 < x - 2 \leq 1$에서 $1 < x \leq 3$

(ⅰ), (ⅱ)에서 $x = -1$ 또는 $1 < x \leq 3$

🅐 부등식 (ⅰ)과 부등식 (ⅱ)가 동시에 성립하는 x의 값의 범위를 구해야 하므로 (ⅰ)과 (ⅱ)의 교집합을 구한다.

🅑 첫째항과 공비가 서로 다르므로 (첫째항)$= 0$인 조건, 즉 $x+1 = 0$에서 $x = -1$을 반드시 구해야 한다.

확인 문제　　　　　　　　　　　정답과 해설 | **16**쪽　　　　　　　　**MY 셀파**

11-1 상 중 하
다음 수열이 수렴하도록 하는 실수 x의 값의 범위를 구하시오.

(1) $\left\{ \dfrac{(3x+1)^n}{2^n} \right\}$　　　　　　(2) $\left\{ (x+1)\left(\dfrac{x-2}{3} \right)^{n-1} \right\}$

11-1
(2) 첫째항이 $x+1$이고, 공비가 $\dfrac{x-2}{3}$인 등비수열이다.

11-2 상 중 하
수열 $\{(x-2)^{2n}\}$이 수렴하도록 하는 정수 x의 값의 개수를 구하시오.

11-2
$(x-2)^{2n} = \{(x-2)^2\}^n$이므로 첫째항과 공비가 모두 $(x-2)^2$이다.

❶ $|r|>1$일 때 ⇨ $\lim\limits_{n \to \infty} \dfrac{1}{r^n}=0$을 이용

❷ $|r|<1$일 때 ⇨ $\lim\limits_{n \to \infty} r^n=0$을 이용

❸ $r=1$일 때 ⇨ $\lim\limits_{n \to \infty} r^n=1$을 이용

❹ $r=-1$일 때 ⇨ 수열 $\{r^n\}$이 진동하여 극한값이 존재하지 않는다.

$r>1$일 때 $\lim\limits_{n \to \infty} r^n=\infty$이므로

$\lim\limits_{n \to \infty} \dfrac{1}{r^n}=0$이고, $r<-1$일 때 수열 $\{r^n\}$은 진동(발산)하지만

$\lim\limits_{n \to \infty} \dfrac{1}{r^n}=0$이다.

따라서 $|r|>1$일 때, $\lim\limits_{n \to \infty} \dfrac{1}{r^n}=0$을 이용한다.

예제 다음 수열의 극한값을 구하시오.

(1) $\left\{\dfrac{r^n}{1+r^n}\right\}$ (단, $r \neq -1$) (2) $\left\{\dfrac{r}{r^{2n}+2}\right\}$

해법 코드
(2) $|r|>1$일 때, 수열 $\{r^{2n}\}$에서
공비 $r^2>1$이므로
$\lim\limits_{n \to \infty} r^{2n}=\infty$

셀파 $|r|>1$, $|r|<1$, $r=1$, $r=-1$로 범위를 나누어 구한다.

풀이 (1)(ⅰ) $|r|>1$일 때, $\lim\limits_{n \to \infty} \dfrac{1}{r^n}=0$이므로 ❶ $\lim\limits_{n \to \infty} \dfrac{r^n}{1+r^n}=\lim\limits_{n \to \infty} \dfrac{1}{\frac{1}{r^n}+1}=\dfrac{1}{0+1}=\mathbf{1}$

(ⅱ) $|r|<1$일 때, $\lim\limits_{n \to \infty} r^n=0$이므로 $\lim\limits_{n \to \infty} \dfrac{r^n}{1+r^n}=\dfrac{0}{1+0}=\mathbf{0}$

(ⅲ) $r=1$일 때, $\lim\limits_{n \to \infty} r^n=1$이므로 $\lim\limits_{n \to \infty} \dfrac{r^n}{1+r^n}=\dfrac{1}{1+1}=\dfrac{\mathbf{1}}{\mathbf{2}}$

❶ 분모와 분자를 각각 r^n으로 나누고 $\lim\limits_{n \to \infty} \dfrac{1}{r^n}=0$을 이용한다.

(2)(ⅰ) $|r|>1$일 때, $\lim\limits_{n \to \infty} \dfrac{1}{r^{2n}}=0$이므로 ❷ $\lim\limits_{n \to \infty} \dfrac{r}{r^{2n}+2}=\lim\limits_{n \to \infty} \dfrac{\frac{1}{r^{2n-1}}}{1+\frac{2}{r^{2n}}}=\dfrac{0}{1+0}=\mathbf{0}$

(ⅱ) $|r|<1$일 때, $\lim\limits_{n \to \infty} r^{2n}=0$이므로 $\lim\limits_{n \to \infty} \dfrac{r}{r^{2n}+2}=\dfrac{r}{0+2}=\dfrac{\mathbf{r}}{\mathbf{2}}$

(ⅲ) $r=1$일 때, $\lim\limits_{n \to \infty} r^{2n}=1$이므로 $\lim\limits_{n \to \infty} \dfrac{r}{r^{2n}+2}=\dfrac{1}{1+2}=\dfrac{\mathbf{1}}{\mathbf{3}}$

(ⅳ)❸ $r=-1$일 때, $\lim\limits_{n \to \infty} r^{2n}=1$이므로 $\lim\limits_{n \to \infty} \dfrac{r}{r^{2n}+2}=\dfrac{-1}{1+2}=-\dfrac{\mathbf{1}}{\mathbf{3}}$

❷ 분모와 분자를 각각 r^{2n}으로 나누고 $\lim\limits_{n \to \infty} \dfrac{1}{r^{2n}}=0$을 이용한다.

❸ $r=-1$일 때 수열 $\{r^n\}$은 -1, 1, -1, 1, $\cdots$로 진동하므로 그 극한값을 구할 수 없지만 수열 $\{r^{2n}\}$은 1, 1, 1, $\cdots$이므로 극한값이 1이다.

확인 문제 정답과 해설 | **16**쪽 MY 셀파

12-1 ㉲㉴㉵ $r>0$일 때, 수열 $\left\{\dfrac{4r^n-3}{2r^n+1}\right\}$의 극한값을 구하시오.

12-1
$0<r<1$, $r=1$, $r>1$로 범위를 나누어 극한값을 구한다.

12-2 ㉲㉴㉵ 수열 $\left\{\dfrac{r^n-2}{1+r^{2n}}\right\}$의 극한값이 $-\dfrac{1}{2}$일 때, r의 값을 구하시오. (단, $r \neq -1$)

12-2
$|r|>1$일 때,
$\lim\limits_{n \to \infty} \dfrac{1}{r^n}=0$, $\lim\limits_{n \to \infty} \dfrac{1}{r^{2n}}=0$

해법 13   귀납적으로 정의된 수열의 극한   PLUS ⊕

먼저 일반항을 구하고 이를 이용하여 극한값을 구한다.

$a_{n+1}=pa_n+q$ ($p \ne 1$, $pq \ne 0$) 꼴

$\Rightarrow a_{n+1}-\alpha=p(a_n-\alpha)$로 변형한다. $\left(\text{단, } \alpha=\dfrac{q}{1-p}\right)$

$pa_{n+2}+qa_{n+1}+ra_n=0$
$\qquad\qquad (p+q+r=0)$ 꼴

$\Rightarrow a_{n+2}-a_{n+1}=\dfrac{r}{p}(a_{n+1}-a_n)$으로 변형한다.

예제 $a_1=4$, $a_{n+1}=\dfrac{2}{3}a_n+1$ ($n=1, 2, 3, \cdots$)로 정의된 수열 $\{a_n\}$에 대하여 $\lim\limits_{n \to \infty} a_n$의 값을 구하시오.

해법 코드

$a_{n+1}-\alpha=\dfrac{2}{3}(a_n-\alpha)$로 변형한다.

셀파   귀납적으로 정의된 수열의 극한 ⇨ 먼저 일반항을 구한다.

풀이 $a_{n+1}-\alpha=\dfrac{2}{3}(a_n-\alpha)$로 놓으면 $\underline{a_{n+1}=\dfrac{2}{3}a_n+\dfrac{\alpha}{3}}$ ⓐ

$\dfrac{\alpha}{3}=1$이므로 $\alpha=3$

$\therefore \underline{a_{n+1}-3=\dfrac{2}{3}(a_n-3)}$ ⓑ

$a_n-3=1 \times \left(\dfrac{2}{3}\right)^{n-1}$ $\therefore a_n=3+\left(\dfrac{2}{3}\right)^{n-1}$

$\therefore \lim\limits_{n \to \infty} a_n=\lim\limits_{n \to \infty}\left\{3+\left(\dfrac{2}{3}\right)^{n-1}\right\}=3+0=\mathbf{3}$

ⓐ $a_{n+1}=\dfrac{2}{3}a_n+1$과 같으므로 $\dfrac{\alpha}{3}=1$

ⓑ 수열 $\{a_n-3\}$은 첫째항이 $a_1-3=4-3=1$, 공비가 $\dfrac{2}{3}$인 등비수열이다.

다른 풀이 $a_{n+1}=\dfrac{2}{3}a_n+1$에서 $\underline{-1<\dfrac{2}{3}<1}$이므로 수열 $\{a_n\}$은 수렴한다. ⓒ

$\lim\limits_{n \to \infty} a_{n+1}=\lim\limits_{n \to \infty}\left(\dfrac{2}{3}a_n+1\right)$이므로 $\lim\limits_{n \to \infty} a_{n+1}=\dfrac{2}{3}\lim\limits_{n \to \infty} a_n+1$

이때 $\lim\limits_{n \to \infty} a_n=\alpha$로 놓으면 $\lim\limits_{n \to \infty} a_{n+1}=\lim\limits_{n \to \infty} a_n=\alpha$이므로

$\alpha=\dfrac{2}{3}\alpha+1$, $\dfrac{1}{3}\alpha=1$ $\therefore \alpha=3$

ⓒ $a_{n+1}=pa_n+q$ 꼴인 경우 $-1<p<1$일 때, 일반항 a_n을 구하지 않고 $\lim\limits_{n \to \infty} a_n=\lim\limits_{n \to \infty} a_{n+1}$임을 이용하여 $\lim\limits_{n \to \infty} a_n$의 값을 구할 수 있다.

확인 문제   정답과 해설 | **16**쪽   **MY 셀파**

13-1   상 중 하 $a_1=3$, $a_{n+1}=\dfrac{1}{3}a_n+12$ ($n=1, 2, 3, \cdots$)로 정의된 수열 $\{a_n\}$에 대하여 $\lim\limits_{n \to \infty} a_n$의 값을 구하시오.

13-1

$a_{n+1}-\alpha=\dfrac{1}{3}(a_n-\alpha)$로 변형한다.

13-2   상 중 하 $a_1=0$, $a_{n+1}=4a_n+3$ ($n=1, 2, 3, \cdots$)으로 정의된 수열 $\{a_n\}$에 대하여 $\lim\limits_{n \to \infty} \dfrac{a_n}{4^n}$의 값을 구하시오.

13-2

$a_{n+1}-\alpha=4(a_n-\alpha)$로 변형한다.

수열의 수렴과 발산

01 다음 | 보기 |의 수열 중에서 수렴하는 것을 모두 고르
시오.

$(상)(중)(하)$

> | 보기 |
>
> ㄱ. $\left\{\dfrac{n-1}{3}\right\}$ ㄴ. $\left\{1+\left(-\dfrac{1}{2}\right)^n\right\}$
>
> ㄷ. $\left\{\dfrac{1}{n^2+10}\right\}$ ㄹ. $\left\{\left(\dfrac{2}{\sqrt{3}}\right)^n\right\}$

수열의 극한값

02 다음 극한값을 구하시오.

$(상)(중)(하)$

(1) $\displaystyle\lim_{n\to\infty}\left(\dfrac{1}{n}-2\right)$

(2) $\displaystyle\lim_{n\to\infty}\dfrac{1+\dfrac{1}{n}}{1-\dfrac{1}{n}}$

$\dfrac{\infty}{\infty}$ 꼴의 극한   `융합형`

03 이차방정식 $x^2+nx-n^2+1=0$의 두 근을 a_n, b_n이
라 할 때, $\displaystyle\lim_{n\to\infty}\left(\dfrac{b_n}{a_n}+\dfrac{a_n}{b_n}\right)$의 값을 구하시오.

$(상)(중)(하)$

(단, n은 상수)

$\infty-\infty$ 꼴의 극한   `창의력`

04 오른쪽 그림과 같이 곡선
$y=\sqrt{x}$ 위의 점 $\mathrm{P}_n(n,\sqrt{n})$
에서 x축에 내린 수선의 발
을 Q_n이라 할 때,
$\displaystyle\lim_{n\to\infty}(\overline{\mathrm{OP}_n}-\overline{\mathrm{OQ}_n})$의 값을 구하시오.

$(상)(중)(하)$

(단, $n=1, 2, 3, \cdots$)

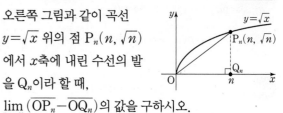

$\infty-\infty$ 꼴의 미정계수의 결정

05 $\displaystyle\lim_{n\to\infty}\dfrac{1}{\sqrt{n^2+kn}-n-k}=2$일 때, 상수 k의 값을 구하
시오.

$(상)(중)(하)$

치환을 이용하여 극한값 구하기

06 수렴하는 수열 $\{a_n\}$에 대하여 $\displaystyle\lim_{n\to\infty}\dfrac{3a_n-4}{a_n-1}=2$일 때,
$\displaystyle\lim_{n\to\infty}a_n$의 값을 구하시오.

$(상)(중)(하)$

치환을 이용하여 극한값 구하기

07 두 수열 $\{a_n\}$, $\{b_n\}$이 모두 양의 무한대로 발산하고
$\lim\limits_{n \to \infty}(a_n - b_n) = 1$일 때, $\lim\limits_{n \to \infty}\dfrac{b_n - 2}{2a_n + 2}$의 값을 구하시오.

수열의 극한의 대소 관계

08 수열 $\{a_n\}$이 모든 자연수 n에 대하여
$3n^2 - n \le (n+1)^2 a_n \le 3n^2 + n$을 만족시킬 때,
$\lim\limits_{n \to \infty} a_n$의 값을 구하시오.

등비수열의 극한

09 수열 $\{a_n\}$에 대하여 $\lim\limits_{n \to \infty}\dfrac{a_n}{5^n} = 2$일 때,
$\lim\limits_{n \to \infty}\dfrac{a_n + 4^{n+1} - 5^{n-1}}{4^n + 5^n}$의 값을 구하시오.

등비수열의 극한

10 수열 $\{a_n\}$이 모든 자연수 n에 대하여
$3^n - 2^n < (3^{n-1} + 2^n)a_n < 3^n + 2^n$을 만족시킬 때,
$\lim\limits_{n \to \infty} a_n$의 값을 구하시오.

등비수열의 수렴 조건

11 다음 등비수열이 수렴하도록 하는 실수 r의 값의 범위를 구하시오.

(1) $1, -3r, 9r^2, -27r^3, \cdots$

(2) $1, \dfrac{r}{2}, \dfrac{r^2}{4}, \dfrac{r^3}{8}, \cdots$

등비수열의 수렴 조건

12 수열 $\left\{\left(\dfrac{x^2 + x}{2}\right)^n\right\}$이 수렴하도록 하는 모든 정수 x의 값의 합을 구하시오.

r^n을 포함한 수열의 극한 서술형

13 함수 $f(x) = \lim\limits_{n \to \infty}\dfrac{x^{n+1} - 1}{x^n + 1}$에 대하여 $f\left(\dfrac{1}{3}\right) + f(3)$의 값을 구하시오.

2

급수

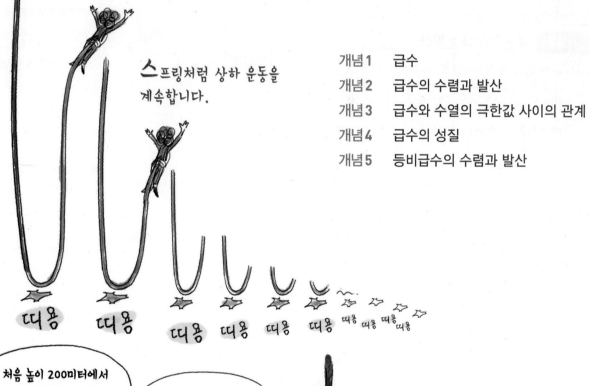

스프링처럼 상하 운동을
계속합니다.

띠용   띠용   띠용   띠용   띠용   띠용   띠용 띠용 띠용 띠용

처음 높이 200미터에서
수직으로 떨어지면
떨어진 높이의 3/4만큼
튀어오르거든요.

이렇게 상하 운동을
계속하다 보면
떨어진 길이가
300미터가 넘거든요.

2. 급수

개념 1 급수

(1) 수열 $\{a_n\}$의 각 항을 차례로 덧셈 기호 $+$로 연결한 식 $a_1+a_2+a_3+\cdots+a_n+\cdots$
을 **급수**라 한다. 이 급수를 기호 [❶]를 사용하여 $\sum\limits_{n=1}^{\infty}a_n$과 같이 나타낸다.

(2) 급수 $\sum\limits_{n=1}^{\infty}a_n$에서 첫째항부터 제 [❷] 항까지의 합 $S_n=a_1+a_2+\cdots+a_n=\sum\limits_{k=1}^{n}a_k$를
이 급수의 제 n항까지의 **부분합**이라 한다.

답 ❶ $\sum$ ❷ n

개념 플러스

🅐 발산하는 급수에 대해서는 그 합을 생각하지 않는다.

개념 2 급수의 수렴과 발산

(1) 급수 $\sum\limits_{n=1}^{\infty}a_n$의 부분합으로 이루어진 수열 $\{S_n\}$이 일정한 값 S에 수렴할 때, 즉
$\lim\limits_{n\to\infty}S_n=\lim\limits_{n\to\infty}\sum\limits_{k=1}^{n}a_k=S$일 때, 이 급수는 [❶]에 수렴한다고 한다.

이때 S를 이 **급수의 합**이라 하고, 다음과 같이 나타낸다.
$$a_1+a_2+a_3+\cdots+a_n+\cdots=S \text{ 또는 } \sum\limits_{n=1}^{\infty}[❷]=S$$

(2) 급수 $\sum\limits_{n=1}^{\infty}a_n$의 부분합으로 이루어진 수열 $\{S_n\}$이 발산할 때, 이 급수는 **발산**한다고 한다.

답 ❶ S ❷ a_n

🅑 첫째항이 a, 공비가 r인 등비수열의 첫째항부터 제 n항까지의 합 S_n은 $S_n=\dfrac{a(1-r^n)}{1-r}$ 이므로
$a=1, r=\dfrac{1}{2}$을 대입한다.

보기 급수 $1+\dfrac{1}{2}+\left(\dfrac{1}{2}\right)^2+\left(\dfrac{1}{2}\right)^3+\cdots$의 합을 구하시오.

연구 첫째항이 1, 공비가 $\dfrac{1}{2}$인 등비수열의 첫째항부터 제 n항까지의 합을 S_n이라 하면

$$S_n=\frac{1-\left(\dfrac{1}{2}\right)^n}{1-\dfrac{1}{2}}=2\left\{1-\left(\dfrac{1}{2}\right)^n\right\} \qquad \therefore \lim_{n\to\infty}S_n=\lim_{n\to\infty}2\left\{1-\left(\dfrac{1}{2}\right)^n\right\}=2$$

🅒 ❷는 ❶의 대우이다.
또 ❶의 역 '$\lim\limits_{n\to\infty}a_n=0$이면 급수 $\sum\limits_{n=1}^{\infty}a_n$은 수렴한다.'는 성립하지 않는다.
즉, 수열 $\{a_n\}$에서 $\lim\limits_{n\to\infty}a_n=0$인 경우 $\sum\limits_{n=1}^{\infty}a_n$은 수렴할 때도 있고, 발산할 때도 있다.

개념 3 급수와 수열의 극한값 사이의 관계

❶ 급수 $\sum\limits_{n=1}^{\infty}a_n$이 수렴하면 $\lim\limits_{n\to\infty}a_n=0$이다.

❷ $\lim\limits_{n\to\infty}a_n\neq0$이면 급수 $\sum\limits_{n=1}^{\infty}a_n$은 [❶] 한다.

예 수열 $a_n=\dfrac{2n-1}{n}$에서 $\lim\limits_{n\to\infty}a_n=\lim\limits_{n\to\infty}\left(2-\dfrac{1}{n}\right)=[❷]\neq0$이므로 급수 $\sum\limits_{n=1}^{\infty}a_n$은 발산한다.

답 ❶ 발산 ❷ 2

$\sum\limits_{n=1}^{\infty}a_n$의 수렴과 발산을 판단할 때 우선 $\lim\limits_{n\to\infty}a_n=0$인지 확인해 봐.
$\lim\limits_{n\to\infty}a_n\neq0$이면 $\sum\limits_{n=1}^{\infty}a_n$은 발산하거든.

해설 ❶ 급수 $\sum\limits_{n=1}^{\infty}a_n$이 S에 수렴할 때, 제 n항까지의 부분합을 S_n이라 하면 $\lim\limits_{n\to\infty}S_n=\lim\limits_{n\to\infty}S_{n-1}=S$
이때 수열의 합과 일반항 사이의 관계에 의하여 $a_n=S_n-S_{n-1}(n\geq2)$이므로
$\lim\limits_{n\to\infty}a_n=\lim\limits_{n\to\infty}(S_n-S_{n-1})=\lim\limits_{n\to\infty}S_n-\lim\limits_{n\to\infty}S_{n-1}=S-S=0$
따라서 급수 $\sum\limits_{n=1}^{\infty}a_n$이 수렴하면 $\lim\limits_{n\to\infty}a_n=0$이다.

🅓 수열 $\{a_n\}$의 첫째항부터 제 n항까지의 합을 S_n이라 하면
❶ $a_1=S_1$
❷ $a_n=S_n-S_{n-1}(n\geq2)$

034 I. 수열의 극한

개념 익히기

1-1 | 급수의 수렴과 발산 |

다음 급수의 합을 구하시오.

$$\frac{1}{1\times 2}+\frac{1}{2\times 3}+\frac{1}{3\times 4}+\frac{1}{4\times 5}+\cdots$$

연구

주어진 급수의 제n항을 a_n이라 하면

$$a_n=\frac{1}{n(n+1)}=\frac{1}{n}-\frac{1}{\boxed{}}$$

제n항까지의 부분합을 S_n이라 하면

$$S_n=\left(1-\frac{1}{2}\right)+\left(\frac{1}{2}-\frac{1}{3}\right)+\cdots+\left(\frac{1}{n}-\frac{1}{n+1}\right)$$

$$=1-\frac{1}{n+1}=\frac{n}{n+1}$$

$$\therefore \lim_{n\to\infty}S_n=\lim_{n\to\infty}\frac{n}{n+1}=\boxed{}$$

1-2 | 따라풀기 |

다음 급수의 합을 구하시오.

(1) $\dfrac{1}{2}+\left(\dfrac{1}{2}\right)^2+\left(\dfrac{1}{2}\right)^3+\left(\dfrac{1}{2}\right)^4+\cdots$

(2) $\dfrac{4}{1\times 3}+\dfrac{4}{2\times 4}+\dfrac{4}{3\times 5}+\dfrac{4}{4\times 6}+\cdots$

풀이

2-1 | 급수와 수열의 극한값 사이의 관계 |

다음 급수가 발산함을 보이시오.

(1) $\displaystyle\sum_{n=1}^{\infty}\frac{2n+1}{2n}$ (2) $\displaystyle\sum_{n=1}^{\infty}\frac{n^2-2}{3n+1}$

연구

(1) $\displaystyle\sum_{n=1}^{\infty}\frac{2n+1}{2n}$에서 $a_n=\dfrac{2n+1}{2n}$이라 하면

$$\lim_{n\to\infty}a_n=\lim_{n\to\infty}\frac{2n+1}{2n}=\lim_{n\to\infty}\frac{2+\frac{1}{n}}{2}=\boxed{}$$

따라서 $\displaystyle\lim_{n\to\infty}a_n\neq 0$이므로 주어진 급수는 발산한다.

(2) $\displaystyle\sum_{n=1}^{\infty}\frac{n^2-2}{3n+1}$에서 $a_n=\dfrac{n^2-2}{3n+1}$라 하면

$$\lim_{n\to\infty}a_n=\lim_{n\to\infty}\frac{n^2-2}{3n+1}=\lim_{n\to\infty}\frac{n-\frac{2}{n}}{3+\frac{1}{n}}=\frac{\infty}{\boxed{}}=\infty$$

따라서 $\displaystyle\lim_{n\to\infty}a_n\neq 0$이므로 주어진 급수는 발산한다.

2-2 | 따라풀기 |

다음 급수가 발산함을 보이시오.

(1) $\displaystyle\sum_{n=1}^{\infty}2$ (2) $\displaystyle\sum_{n=1}^{\infty}\sqrt{n+2}$

(3) $\displaystyle\sum_{n=1}^{\infty}\frac{3n^2+1}{n^2+3}$ (4) $\displaystyle\sum_{n=1}^{\infty}\frac{n^2}{n-1}$

풀이

개념 4 급수의 성질

두 급수 $\sum\limits_{n=1}^{\infty} a_n$, $\sum\limits_{n=1}^{\infty} b_n$이 **❶** □ 할 때

❶ $\sum\limits_{n=1}^{\infty} ca_n = c\sum\limits_{n=1}^{\infty} a_n$ (단, c는 상수)

❷ $\sum\limits_{n=1}^{\infty} (a_n + b_n) = \sum\limits_{n=1}^{\infty} a_n$ **❷** □ $\sum\limits_{n=1}^{\infty} b_n$

❸ $\sum\limits_{n=1}^{\infty} (a_n - b_n) = \sum\limits_{n=1}^{\infty} a_n - \sum b_n$

급수의 성질은 두 급수가 수렴할 때만 성립함에 주의해야 해!

답 **❶** 수렴 **❷** +

보기 $\sum\limits_{n=1}^{\infty} a_n = 1$, $\sum\limits_{n=1}^{\infty} b_n = 2$일 때, 다음 급수의 합을 구하시오.

(1) $\sum\limits_{n=1}^{\infty} 4a_n$ (2) $\sum\limits_{n=1}^{\infty} (a_n + b_n)$

연구 (1) $\sum\limits_{n=1}^{\infty} 4a_n = 4\sum\limits_{n=1}^{\infty} a_n = 4 \times 1 = \mathbf{4}$

(2) $\sum\limits_{n=1}^{\infty} (a_n + b_n) = \sum\limits_{n=1}^{\infty} a_n + \sum\limits_{n=1}^{\infty} b_n = 1 + 2 = \mathbf{3}$

개념 5 등비급수의 수렴과 발산

(1) 첫째항이 a, 공비가 r인 등비수열 $\{ar^{n-1}\}$에서 얻은 급수
$$\sum\limits_{n=1}^{\infty} ar^{n-1} = a + ar + ar^2 + \cdots + ar^{n-1} + \cdots$$
을 첫째항이 **❶** □, 공비가 r인 **등비급수**라 한다.

(2) 등비급수 $\sum\limits_{n=1}^{\infty} ar^{n-1} = a + ar + ar^2 + \cdots + ar^{n-1} + \cdots$ **㉠** $(a \neq 0)$은

❶ ㉡ $|r| < 1$일 때, 수렴하고 그 합은 $\dfrac{\boxed{❷}}{1-r}$이다.

❷ $|r| \geq 1$일 때, 발산한다.

답 **❶** a **❷** a

해설 (2) **❶** 등비급수 $\sum\limits_{n=1}^{\infty} ar^{n-1}$에서 제 n항까지의 부분합을 S_n이라 하면 $S_n = \dfrac{a(1-r^n)}{1-r}$

이때 $|r| < 1$일 때 $\lim\limits_{n \to \infty} r^n = 0$이므로 $\lim\limits_{n \to \infty} S_n = \lim\limits_{n \to \infty} \dfrac{a(1-r^n)}{1-r} = \dfrac{a}{1-r}$

보기 다음 등비급수의 수렴, 발산을 조사하고, 수렴하면 그 합을 구하시오.

(1) $\dfrac{1}{2} + \left(\dfrac{1}{2}\right)^2 + \left(\dfrac{1}{2}\right)^3 + \cdots$ (2) $2 + 2^2 + 2^3 + \cdots$

연구 (1) 첫째항이 $\dfrac{1}{2}$, 공비가 $\dfrac{1}{2}$인 등비급수이다.

이때 $\left|\dfrac{1}{2}\right| < 1$이므로 주어진 등비급수는 **수렴**하고, 그 합은 $\dfrac{\dfrac{1}{2}}{1-\dfrac{1}{2}} = \mathbf{1}$

(2) 첫째항이 2, 공비가 2인 등비급수이다.

이때 $|2| > 1$이므로 주어진 등비급수는 **발산**한다.

개념 플러스

▶ 다음은 수열의 극한에서는 성립하지만 급수에서는 성립하지 않는다.

❶ $\lim\limits_{n \to \infty} a_n b_n = \lim\limits_{n \to \infty} a_n \lim\limits_{n \to \infty} b_n$

이지만 $\sum\limits_{n=1}^{\infty} a_n b_n \neq \sum\limits_{n=1}^{\infty} a_n \sum\limits_{n=1}^{\infty} b_n$

❷ $\lim\limits_{n \to \infty} \dfrac{a_n}{b_n} = \dfrac{\lim\limits_{n \to \infty} a_n}{\lim\limits_{n \to \infty} b_n}$이지만

$\sum\limits_{n=1}^{\infty} \dfrac{a_n}{b_n} \neq \dfrac{\sum\limits_{n=1}^{\infty} a_n}{\sum\limits_{n=1}^{\infty} b_n}$

등비급수는 급수의 특별한 경우야. 급수에서는 일반적인 수열을 다루었고, 등비급수에서는 등비수열인 경우를 다뤄.

㉠ $a = 0$일 때
$$\sum\limits_{n=1}^{\infty} ar^{n-1} = 0 + 0 + 0 + \cdots$$
이므로 등비급수 $\sum\limits_{n=1}^{\infty} ar^{n-1}$은 0에 수렴한다.

㉡ 등비급수 $\sum\limits_{n=1}^{\infty} ar^{n-1}$ $(a \neq 0)$의 수렴 조건 ⇨ $|r| < 1$
등비수열 $\{ar^{n-1}\}$ $(a \neq 0)$의 수렴 조건 ⇨ $-1 < r \leq 1$

▶ 등비수열 $1, 1, 1, \cdots$은 1에 수렴한다. 등비급수 $1 + 1 + 1 + \cdots$은 ∞로 발산한다.

3-1 | 급수의 성질 |

$\sum\limits_{n=1}^{\infty} a_n = -2$, $\sum\limits_{n=1}^{\infty} b_n = 3$일 때, 다음 급수의 합을 구하시오.

(1) $\sum\limits_{n=1}^{\infty} (3a_n - b_n)$ (2) $\sum\limits_{n=1}^{\infty} \left(\dfrac{a_n}{2} + \dfrac{b_n}{6} \right)$

연구

(1) $\sum\limits_{n=1}^{\infty} (3a_n - b_n) = \boxed{} \sum\limits_{n=1}^{\infty} a_n - \sum\limits_{n=1}^{\infty} b_n$

$= 3 \times (-2) - 3 = \boldsymbol{-9}$

(2) $\sum\limits_{n=1}^{\infty} \left(\dfrac{a_n}{2} + \dfrac{b_n}{6} \right) = \dfrac{1}{2} \sum\limits_{n=1}^{\infty} a_n + \dfrac{1}{\boxed{}} \sum\limits_{n=1}^{\infty} b_n$

$= \dfrac{1}{2} \times (-2) + \dfrac{\boxed{}}{6} \times 3 = \boldsymbol{-\dfrac{1}{2}}$

3-2 | 따라풀기 |

$\sum\limits_{n=1}^{\infty} a_n = 3$, $\sum\limits_{n=1}^{\infty} b_n = -4$일 때, 다음 급수의 합을 구하시오.

(1) $\sum\limits_{n=1}^{\infty} (a_n + 2b_n)$ (2) $\sum\limits_{n=1}^{\infty} (2a_n - 3b_n)$

풀이

4-1 | 등비급수의 수렴과 발산 |

다음 등비급수의 수렴, 발산을 조사하고, 수렴하면 그 합을 구하시오.

(1) $1 - \dfrac{1}{2} + \dfrac{1}{4} - \dfrac{1}{8} + \dfrac{1}{16} - \cdots$

(2) $\dfrac{\sqrt{5}}{2} + \dfrac{5}{4} + \dfrac{5\sqrt{5}}{8} + \dfrac{25}{16} + \cdots$

연구

(1) 첫째항이 $\boxed{}$, 공비가 $-\dfrac{1}{2}$인 등비급수이다.

이때 $\left| -\dfrac{1}{2} \right| \boxed{\phantom{<}} 1$이므로 주어진 등비급수는 **수렴**하고,

그 합은 $\dfrac{1}{1 - \left(-\dfrac{1}{2} \right)} = \dfrac{1}{\dfrac{3}{2}} = \boldsymbol{\dfrac{2}{3}}$

(2) 첫째항이 $\dfrac{\sqrt{5}}{2}$, 공비가 $\dfrac{\sqrt{5}}{2}$인 등비급수이다.

이때 $\left| \dfrac{\sqrt{5}}{2} \right| \boxed{} 1$이므로 주어진 등비급수는 $\boxed{}$한다.

4-2 | 따라풀기 |

다음 등비급수의 수렴, 발산을 조사하고, 수렴하면 그 합을 구하시오.

(1) $0.3 + 0.03 + 0.003 + 0.0003 + \cdots$

(2) $1 - \sqrt{2} + 2 - 2\sqrt{2} + 4 - \cdots$

풀이

급수 $\sum\limits_{n=1}^{\infty} a_n$에서

❶ a_n이 $\dfrac{1}{AB}$과 같이 분모가 두 개 이상의 인수의 곱으로 이루어진 꼴이면

⇨ $\dfrac{1}{AB}=\dfrac{1}{B-A}\left(\dfrac{1}{A}-\dfrac{1}{B}\right)$을 이용하여 변형한 다음 부분합 S_n을 구한다.

❷ a_n에 근호가 포함되어 있으면

⇨ 유리화한 다음 부분합 S_n을 구한다.

수열 $\{a_n\}$의 수렴, 발산
⇨ $\lim\limits_{n\to\infty} a_n$을 조사

급수 $\sum\limits_{n=1}^{\infty} a_n$의 수렴, 발산
⇨ $\lim\limits_{n\to\infty} S_n$을 조사

예제 다음 급수의 수렴, 발산을 조사하고, 수렴하면 그 합을 구하시오.

(1) $\sum\limits_{n=1}^{\infty} \dfrac{2}{(2n-1)(2n+1)}$ (2) $\sum\limits_{n=1}^{\infty} \dfrac{1}{\sqrt{2n+1}+\sqrt{2n-1}}$

해법 코드
(1) 부분분수로 변형한다.
(2) 분모를 유리화한다.

셀파 부분합으로 이루어진 수열의 수렴, 발산을 조사한다.

풀이 (1) 제n항까지의 부분합을 S_n이라 하면

$S_n=\sum\limits_{k=1}^{n} \dfrac{2}{(2k-1)(2k+1)}=\sum\limits_{k=1}^{n}\left(\dfrac{1}{2k-1}-\dfrac{1}{2k+1}\right)$

$=\left(\dfrac{1}{1}-\dfrac{1}{3}\right)+\left(\dfrac{1}{3}-\dfrac{1}{5}\right)+\cdots+\left(\dfrac{1}{2n-1}-\dfrac{1}{2n+1}\right)=1-\dfrac{1}{2n+1}$

$\therefore \lim\limits_{n\to\infty} S_n=\lim\limits_{n\to\infty}\left(1-\dfrac{1}{2n+1}\right)=\mathbf{1}$ **(수렴)**

(2) 제n항까지의 부분합을 S_n이라 하면

$S_n=\sum\limits_{k=1}^{n} \dfrac{1}{\sqrt{2k+1}+\sqrt{2k-1}}=\dfrac{1}{2}\sum\limits_{k=1}^{n}(\sqrt{2k+1}-\sqrt{2k-1})$

$=\dfrac{1}{2}\{(\sqrt{3}-1)+(\sqrt{5}-\sqrt{3})+(\sqrt{7}-\sqrt{5})+\cdots+(\sqrt{2n+1}-\sqrt{2n-1})\}$

$=\dfrac{1}{2}(-1+\sqrt{2n+1})$

$\therefore \lim\limits_{n\to\infty} S_n=\dfrac{1}{2}\lim\limits_{n\to\infty}(-1+\sqrt{2n+1})=\infty$ **(발산)**

❶ $\dfrac{1}{AB}=\dfrac{1}{B-A}\left(\dfrac{1}{A}-\dfrac{1}{B}\right)$을

이용한다. 즉, $2k-1=A$,
$2k+1=B$로 놓으면
$B-A=(2k+1)-(2k-1)=2$
이므로

$\dfrac{2}{(2k-1)(2k+1)}$

$=\dfrac{2}{AB}=\dfrac{2}{B-A}\left(\dfrac{1}{A}-\dfrac{1}{B}\right)$

$=\dfrac{1}{2k-1}-\dfrac{1}{2k+1}$

❷ $\dfrac{1}{\sqrt{2k+1}+\sqrt{2k-1}}$의 분모, 분자
에 $\sqrt{2k+1}-\sqrt{2k-1}$을 곱하여
분모를 유리화한다.

확인 문제 정답과 해설 | **20**쪽 MY 셀파

01-1 다음 급수의 수렴, 발산을 조사하고, 수렴하면 그 합을 구하시오.
(상 중 하)

(1) $\sum\limits_{n=1}^{\infty} \dfrac{1}{(3n-1)(3n+2)}$ (2) $\sum\limits_{n=1}^{\infty} \dfrac{1}{\sqrt{n}+\sqrt{n+1}}$

01-1
(1) 부분분수로 변형한다.
(2) 분모를 유리화한다.

양의 항과 음의 항이 교대로 나타나는 급수는 홀수 번째 항까지의 부분합 S_{2n-1}과 짝수 번째 항까지의 부분합 S_{2n}의 극한값을 비교한다. (단, n은 자연수)

❶ $\lim\limits_{n\to\infty} S_{2n-1} = \lim\limits_{n\to\infty} S_{2n} = \alpha$ ⇨ 급수는 α에 수렴하고, 그 합은 α이다.

❷ $\lim\limits_{n\to\infty} S_{2n-1} \neq \lim\limits_{n\to\infty} S_{2n}$ ⇨ 급수는 발산하고, 그 합은 없다.

> S_{2n-1}과 S_{2n}의 극한값을 구해 서로 비교한다.

예제 다음 급수의 수렴, 발산을 조사하고, 수렴하면 그 합을 구하시오.

(1) $2-2+2-2+2-2+2-2+\cdots$

(2) $1-\dfrac{1}{2}+\dfrac{1}{2}-\dfrac{1}{3}+\dfrac{1}{3}-\dfrac{1}{4}+\dfrac{1}{4}-\cdots$

> **해법 코드**
> $+$, $-$가 번갈아 나타나는 급수가 주어지면 S_{2n-1}과 S_{2n}의 극한값을 구해 본다.

셀파 홀수 번째 항까지의 합 S_{2n-1}과 짝수 번째 항까지의 합 S_{2n}의 극한값을 서로 비교한다.

풀이 제n항까지의 부분합을 S_n이라 하면

(1) (ⅰ) $S_{2n-1} = 2-2+2-2+\cdots+2=2$

$\therefore \lim\limits_{n\to\infty} S_{2n-1}=2$

(ⅱ) $S_{2n} = 2-2+2-2+\cdots+2-2=0$

$\therefore \lim\limits_{n\to\infty} S_{2n}=0$

(ⅰ), (ⅱ)에서 $\lim\limits_{n\to\infty} S_{2n-1} \neq \lim\limits_{n\to\infty} S_{2n}$이므로 주어진 급수는 **발산**한다.

(2) (ⅰ) $S_1=1$, $S_3=1-\dfrac{1}{2}+\dfrac{1}{2}=1$, $S_5=1-\dfrac{1}{2}+\dfrac{1}{2}-\dfrac{1}{3}+\dfrac{1}{3}=1$, $\cdots$, $S_{2n-1}=1$

$\therefore \lim\limits_{n\to\infty} S_{2n-1}=1$

(ⅱ) $S_2=1-\dfrac{1}{2}$, $S_4=1-\dfrac{1}{3}$, $S_6=1-\dfrac{1}{4}$, $\cdots$, $S_{2n}=1-\dfrac{1}{n+1}$

$\therefore \lim\limits_{n\to\infty} S_{2n}=\lim\limits_{n\to\infty}\left(1-\dfrac{1}{n+1}\right)=1$

(ⅰ), (ⅱ)에서 $S_{2n-1}=\lim\limits_{n\to\infty} S_{2n}=1$이므로 주어진 급수는 **1**에 **수렴**한다.

> **참고**
> $(2-2)+(2-2)+(2-2)$ $+(2-2)+\cdots$
> 와 같이 괄호가 있는 급수이면 제n항 $a_n=2-2=0$이다.
> 이때 $S_n=0+0+\cdots+0=0$이므로 $\lim\limits_{n\to\infty} S_n=0$에서 이 급수는 0으로 수렴한다.

> (1)에서 $2-2=0$이니까 0을 계속 더하는 것과 같다고 생각해 급수가 0으로 수렴한다고 답하면 안 돼.

02-1
상중하 급수 $1-1+2-2+3-3+\cdots$의 수렴, 발산을 조사하고, 수렴하면 그 합을 구하시오.

> **02-1**
> $+$, $-$가 번갈아 나타나므로 홀수 번째 항까지의 부분합과 짝수 번째 항까지의 부분합을 구해 본다.

다음 급수의 수렴, 발산을 조사하시오.

(1) $\displaystyle\sum_{n=1}^{\infty}\dfrac{n}{2n-1}$　　　　　(2) $\displaystyle\sum_{n=1}^{\infty}(\sqrt{n+1}-\sqrt{n})$

Q (1)에서 $\displaystyle\lim_{n\to\infty}\dfrac{n}{2n-1}=\dfrac{1}{2}\neq0$이니까 급수 $\displaystyle\sum_{n=1}^{\infty}\dfrac{n}{2n-1}$은 발산해요.

A 잘했어. ⓐ'$\displaystyle\lim_{n\to\infty}a_n\neq0$이면 $\displaystyle\sum_{n=1}^{\infty}a_n$은 발산한다.'는 명제를 잘 기억하고 있구나.

Q (2)에서는 ⓑ$\displaystyle\lim_{n\to\infty}(\sqrt{n+1}-\sqrt{n})=0$이니까 $\displaystyle\sum_{n=1}^{\infty}(\sqrt{n+1}-\sqrt{n})$은 수렴하나요?

A 아니야. $\displaystyle\lim_{n\to\infty}a_n=0$이라고 해서 급수 $\displaystyle\sum_{n=1}^{\infty}a_n$이 반드시 수렴한다고 할 수는 없어.
$\displaystyle\lim_{n\to\infty}a_n=0$인 경우에는 부분합 S_n을 직접 구한 다음 $\displaystyle\sum_{n=1}^{\infty}a_n$이 수렴하는지 발산하는지 확인해야 해.

Q 부분합이요?

A 응. 급수 $\displaystyle\sum_{n=1}^{\infty}a_n$의 제$n$항까지의 부분합 S_n을 구해서 수열 $\{S_n\}$이 수렴하면 급수도 수렴하고, 수열 $\{S_n\}$이 발산하면 급수도 발산하지.
(2)에서 부분합 S_n을 구하면 ⓒ$S_n=\displaystyle\sum_{k=1}^{n}(\sqrt{k+1}-\sqrt{k})=\sqrt{n+1}-1$이고,
$\displaystyle\lim_{n\to\infty}S_n=\lim_{n\to\infty}(\sqrt{n+1}-1)=\infty$가 되어 $\displaystyle\sum_{n=1}^{\infty}(\sqrt{n+1}-\sqrt{n})$은 발산해.

Q 아하, (2)와 같이 $\displaystyle\lim_{n\to\infty}a_n=0$이어도 급수 $\displaystyle\sum_{n=1}^{\infty}a_n$이 발산할 수 있군요!

급수 $\displaystyle\sum_{n=1}^{\infty}a_n$의 수렴, 발산

❶ $\displaystyle\lim_{n\to\infty}a_n\neq0$이면 급수 $\displaystyle\sum_{n=1}^{\infty}a_n$은 발산한다.

❷ $\displaystyle\lim_{n\to\infty}a_n=0$인 경우에는 부분합 S_n을 구해서 $\displaystyle\lim_{n\to\infty}S_n$이 수렴하는지 발산하는지 판단한다.

ⓐ 참인 명제 '$\displaystyle\sum_{n=1}^{\infty}a_n$이 수렴하면 $\displaystyle\lim_{n\to\infty}a_n=0$이다.'의 대우 명제이다. 이때 역 '$\displaystyle\lim_{n\to\infty}a_n=0$이면 $\displaystyle\sum_{n=1}^{\infty}a_n$이 수렴한다.'는 성립하지 않는다.

ⓑ $\displaystyle\lim_{n\to\infty}(\sqrt{n+1}-\sqrt{n})$
$=\displaystyle\lim_{n\to\infty}\dfrac{(\sqrt{n+1}-\sqrt{n})(\sqrt{n+1}+\sqrt{n})}{\sqrt{n+1}+\sqrt{n}}$
$=\displaystyle\lim_{n\to\infty}\dfrac{(n+1)-n}{\sqrt{n+1}+\sqrt{n}}$
$=\displaystyle\lim_{n\to\infty}\dfrac{1}{\sqrt{n+1}+\sqrt{n}}=0$

ⓒ $\displaystyle\sum_{k=1}^{n}(\sqrt{k+1}-\sqrt{k})$
$=(\sqrt{2}-1)+(\sqrt{3}-\sqrt{2})$
$\quad+(\sqrt{4}-\sqrt{3})+\cdots$
$\quad+(\sqrt{n+1}-\sqrt{n})$
$=\sqrt{n+1}-1$

▶ $\displaystyle\lim_{n\to\infty}a_n=0$일 때, $\displaystyle\sum_{n=1}^{\infty}a_n$은 발산할 수 있다.

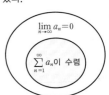

확인 체크 01　　　　　　　　　정답과 해설 | **20**쪽

다음 급수의 수렴, 발산을 조사하시오.

(1) $\displaystyle\sum_{n=1}^{\infty}\dfrac{3n}{n+1}$　　　　　(2) $\displaystyle\sum_{n=1}^{\infty}(\sqrt{n+2}-\sqrt{n})$

급수 $\sum\limits_{n=1}^{\infty} a_n$이 수렴하면 $\lim\limits_{n\to\infty} a_n=0$이므로

$\sum\limits_{n=1}^{\infty}(a_n+k)$ (k는 상수)가 수렴하면 $\lim\limits_{n\to\infty}(a_n+k)=0$이다.

즉, $\lim\limits_{n\to\infty}(a_n+k)=0$에서 $\lim\limits_{n\to\infty} a_n=-k$이다.

급수 $\sum\limits_{n=1}^{\infty}(a_n+2)$가 수렴하면
$\lim\limits_{n\to\infty}(a_n+2)=0$이므로
$\lim\limits_{n\to\infty} a_n=-2$이다.

예제

1. 수열 $\{a_n\}$에 대하여 급수 $\sum\limits_{n=1}^{\infty}\left(\dfrac{a_n}{\sqrt{n}}-3\right)$이 수렴할 때, $\lim\limits_{n\to\infty}\dfrac{a_n-\sqrt{n}}{a_n+\sqrt{n}}$의 값을 구하시오.

2. 급수 $\left(a_1-\dfrac{1^2}{1}\right)+\left(a_2-\dfrac{2^2}{1+2}\right)+\cdots+\left(a_n-\dfrac{n^2}{1+2+\cdots+n}\right)+\cdots$이 수렴할 때, $\lim\limits_{n\to\infty} a_n$의 값을 구하시오.

해법 코드

1. $\lim\limits_{n\to\infty}\left(\dfrac{a_n}{\sqrt{n}}-3\right)=0$

2. $\lim\limits_{n\to\infty}\left(a_n-\dfrac{n^2}{1+2+\cdots+n}\right)=0$

셀파 $\sum\limits_{n=1}^{\infty}\{a_n-f(n)\}$이 수렴하면 $\Rightarrow$ $\lim\limits_{n\to\infty} a_n=\lim\limits_{n\to\infty} f(n)$

풀이 **1.** 급수 $\sum\limits_{n=1}^{\infty}\left(\dfrac{a_n}{\sqrt{n}}-3\right)$이 수렴하므로 $\lim\limits_{n\to\infty}\left(\dfrac{a_n}{\sqrt{n}}-3\right)=0$에서 $\lim\limits_{n\to\infty}\dfrac{a_n}{\sqrt{n}}=3$

$\therefore \lim\limits_{n\to\infty}\dfrac{a_n-\sqrt{n}}{a_n+\sqrt{n}}=\lim\limits_{n\to\infty}\dfrac{\dfrac{a_n}{\sqrt{n}}-1}{\dfrac{a_n}{\sqrt{n}}+1}=\dfrac{3-1}{3+1}=\dfrac{1}{2}$

● $\lim\limits_{n\to\infty}\dfrac{a_n}{\sqrt{n}}=3$을 이용하기 위해 $\lim\limits_{n\to\infty}\dfrac{a_n-\sqrt{n}}{a_n+\sqrt{n}}$에서 분모, 분자를 $\sqrt{n}$으로 나눈다.

2. $1+2+\cdots+n=\dfrac{n(n+1)}{2}$에서 $\dfrac{n^2}{1+2+\cdots+n}=\dfrac{2n}{n+1}$

이때 급수 $\sum\limits_{n=1}^{\infty}\left(a_n-\dfrac{2n}{n+1}\right)$이 수렴하므로 $\lim\limits_{n\to\infty}\left(a_n-\dfrac{2n}{n+1}\right)=0$

$\therefore \lim\limits_{n\to\infty} a_n=\lim\limits_{n\to\infty}\dfrac{2n}{n+1}=\lim\limits_{n\to\infty}\dfrac{2}{1+\dfrac{1}{n}}=2$

$\sum\limits_{n=1}^{\infty}\{a_n-f(n)\}$이 수렴할 때,
$a_n-f(n)=b_n$이라 하면
$\sum\limits_{n=1}^{\infty} b_n$이 수렴 $\Rightarrow$ $\lim\limits_{n\to\infty} b_n=0$
이므로
$\lim\limits_{n\to\infty}\{a_n-f(n)\}=0$이야.

확인 문제
정답과 해설 | **21**쪽

MY 셀파

03-1
(상)(중)**하**
수열 $\{a_n\}$에 대하여 $\sum\limits_{n=1}^{\infty}\left(\dfrac{a_n}{n}-4\right)=6$일 때, $\lim\limits_{n\to\infty}\dfrac{a_n}{2n+1}$의 값을 구하시오.

03-1
$\sum\limits_{n=1}^{\infty}\left(\dfrac{a_n}{n}-4\right)$가 수렴하므로
$\lim\limits_{n\to\infty}\left(\dfrac{a_n}{n}-4\right)=0$이다.

03-2
(상)**중**(하)
급수 $\left(a_1-\dfrac{1^2}{1^3}\right)+\left(a_2-\dfrac{1^2+2^2}{2^3}\right)+\cdots+\left(a_n-\dfrac{1^2+2^2+3^2+\cdots+n^2}{n^3}\right)+\cdots$ 이 수렴할 때, $\lim\limits_{n\to\infty} a_n$의 값을 구하시오.

03-2
$\sum\limits_{k=1}^{n} k^2=\dfrac{n(n+1)(2n+1)}{6}$을 이용한다.

두 급수 $\sum\limits_{n=1}^{\infty} a_n$, $\sum\limits_{n=1}^{\infty} b_n$이 수렴할 때

❶ $\sum\limits_{n=1}^{\infty} ca_n = c\sum\limits_{n=1}^{\infty} a_n$ (단, c는 상수)

❷ $\sum\limits_{n=1}^{\infty} (a_n + b_n) = \sum\limits_{n=1}^{\infty} a_n + \sum\limits_{n=1}^{\infty} b_n$

❸ $\sum\limits_{n=1}^{\infty} (a_n - b_n) = \sum\limits_{n=1}^{\infty} a_n - \sum\limits_{n=1}^{\infty} b_n$

$$\sum\limits_{n=1}^{\infty} a_n b_n \neq \sum\limits_{n=1}^{\infty} a_n \sum\limits_{n=1}^{\infty} b_n$$

$$\sum\limits_{n=1}^{\infty} \frac{a_n}{b_n} \neq \frac{\sum\limits_{n=1}^{\infty} a_n}{\sum\limits_{n=1}^{\infty} b_n}$$

예제 두 급수 $\sum\limits_{n=1}^{\infty} a_n$, $\sum\limits_{n=1}^{\infty} b_n$이 수렴하고

$$\sum\limits_{n=1}^{\infty} (a_n - b_n) = 4,\ \sum\limits_{n=1}^{\infty} (a_n + 2b_n) = -2$$

일 때, 급수 $\sum\limits_{n=1}^{\infty} (2a_n - b_n)$의 합을 구하시오.

해법 코드

$\sum\limits_{n=1}^{\infty} a_n = \alpha$, $\sum\limits_{n=1}^{\infty} b_n = \beta$로 놓는다.

셀파 $\sum\limits_{n=1}^{\infty} (pa_n + qb_n) = p\sum\limits_{n=1}^{\infty} a_n + q\sum\limits_{n=1}^{\infty} b_n$ (단, p, q는 상수)

풀이 두 급수 $\sum\limits_{n=1}^{\infty} a_n$, $\sum\limits_{n=1}^{\infty} b_n$이 수렴하므로

$\sum\limits_{n=1}^{\infty} a_n = \alpha$, $\sum\limits_{n=1}^{\infty} b_n = \beta$로 놓으면

$\sum\limits_{n=1}^{\infty} (a_n - b_n) = 4$에서 $\sum\limits_{n=1}^{\infty} a_n - \sum\limits_{n=1}^{\infty} b_n = 4$

$\therefore \alpha - \beta = 4$　　$\cdots\cdots$ ㉠

$\sum\limits_{n=1}^{\infty} (a_n + 2b_n) = -2$에서 $\sum\limits_{n=1}^{\infty} a_n + 2\sum\limits_{n=1}^{\infty} b_n = -2$

$\therefore \alpha + 2\beta = -2$　　$\cdots\cdots$ ㉡

㉠, ㉡을 연립하여 풀면 $\alpha = 2$, $\beta = -2$

$\therefore \sum\limits_{n=1}^{\infty} (2a_n - b_n) = 2\sum\limits_{n=1}^{\infty} a_n - \sum\limits_{n=1}^{\infty} b_n = 2\alpha - \beta$

$\qquad\qquad = 2 \times 2 - (-2) = \mathbf{6}$

❶ ㉠$-$㉡을 하면

$-3\beta = 6$　$\therefore \beta = -2$

$\beta = -2$를 ㉠에 대입하면

$\alpha - (-2) = 4$　$\therefore \alpha = 2$

급수의 성질은 두 급수가 수렴할 때만 성립해!

확인 문제

정답과 해설 | **21**쪽

MY 셀파

04-1 (상)(중)(하) 두 급수 $\sum\limits_{n=1}^{\infty} a_n$, $\sum\limits_{n=1}^{\infty} b_n$이 수렴하고

$$\sum\limits_{n=1}^{\infty} (a_n + b_n) = 6,\ \sum\limits_{n=1}^{\infty} (a_n - b_n) = 2$$

일 때, 급수 $\sum\limits_{n=1}^{\infty} (2a_n + 3b_n)$의 합을 구하시오.

04-1

$\sum\limits_{n=1}^{\infty} (2a_n + 3b_n) = 2\sum\limits_{n=1}^{\infty} a_n + 3\sum\limits_{n=1}^{\infty} b_n$

04-2 (상)(중)(하) 두 급수 $\sum\limits_{n=1}^{\infty} a_n$, $\sum\limits_{n=1}^{\infty} b_n$에 대하여 $\sum\limits_{n=1}^{\infty} b_n = 2$, $\sum\limits_{n=1}^{\infty} (3a_n + b_n) = -4$일 때, 급수 $\sum\limits_{n=1}^{\infty} a_n$의 합을 구하시오.

04-2

$3a_n + b_n = c_n$으로 놓으면

$a_n = -\dfrac{1}{3} b_n + \dfrac{1}{3} c_n$

등비급수 $\sum\limits_{n=1}^{\infty} ar^{n-1}=a+ar+ar^2+\cdots+ar^{n-1}+\cdots\,(a\neq0)$은

❶ $-1<r<1$일 때, 수렴하고 그 합은 $\Rightarrow \dfrac{a}{1-r}$

❷ $r\leq-1$ 또는 $r\geq1$일 때, 발산한다.

$S_n=\dfrac{a(1-r^n)}{1-r}$에서

$-1<r<1$이면 $\lim\limits_{n\to\infty}r^n=0$이므로

$\sum\limits_{n=1}^{\infty}ar^{n-1}=\lim\limits_{n\to\infty}S_n=\dfrac{a}{1-r}$

예제 다음 급수의 합을 구하시오.

(1) $\sum\limits_{n=1}^{\infty}3^{n-1}\left(\dfrac{1}{4}\right)^n$ (2) $\sum\limits_{n=1}^{\infty}\dfrac{5^{n+2}-4^{n+2}}{6^n}$ (3) $\sum\limits_{n=1}^{\infty}\left(-\dfrac{1}{3}\right)^n\sin^n\dfrac{\pi}{6}$

해법 코드

(3) $\sin\dfrac{\pi}{6}=\dfrac{1}{2}$이므로

$\left(-\dfrac{1}{3}\right)^n\left(\dfrac{1}{2}\right)^n=\left(-\dfrac{1}{6}\right)^n$

셀파 첫째항이 a, 공비가 $r\,(-1<r<1)$일 때 $\Rightarrow \sum\limits_{n=1}^{\infty}ar^{n-1}=\dfrac{a}{1-r}$

풀이 (1) $\sum\limits_{n=1}^{\infty}3^{n-1}\left(\dfrac{1}{4}\right)^n=\sum\limits_{n=1}^{\infty}\left\{\dfrac{1}{3}\times3^n\times\left(\dfrac{1}{4}\right)^n\right\}=\dfrac{1}{3}\sum\limits_{n=1}^{\infty}\left(\dfrac{3}{4}\right)^n$

$=\dfrac{1}{3}\times\dfrac{\dfrac{3}{4}}{1-\dfrac{3}{4}}=\dfrac{1}{3}\times3=\mathbf{1}$

❼ 두 급수 $\left(\dfrac{5}{6}\right)^n$, $\left(\dfrac{2}{3}\right)^n$이 수렴하므로 급수의 성질에 의하여

$\sum\limits_{n=1}^{\infty}\left\{25\times\left(\dfrac{5}{6}\right)^n-16\times\left(\dfrac{2}{3}\right)^n\right\}$

$=25\sum\limits_{n=1}^{\infty}\left(\dfrac{5}{6}\right)^n-16\sum\limits_{n=1}^{\infty}\left(\dfrac{2}{3}\right)^n$

(2) $\sum\limits_{n=1}^{\infty}\dfrac{5^{n+2}-4^{n+2}}{6^n}\overset{❼}{=}\sum\limits_{n=1}^{\infty}\left\{5^2\times\left(\dfrac{5}{6}\right)^n-4^2\times\left(\dfrac{4}{6}\right)^n\right\}=25\sum\limits_{n=1}^{\infty}\left(\dfrac{5}{6}\right)^n-16\sum\limits_{n=1}^{\infty}\left(\dfrac{2}{3}\right)^n$

$=25\times\dfrac{\dfrac{5}{6}}{1-\dfrac{5}{6}}-16\times\dfrac{\dfrac{2}{3}}{1-\dfrac{2}{3}}=25\times5-16\times2=\mathbf{93}$

(3) $\sum\limits_{n=1}^{\infty}\left(-\dfrac{1}{3}\right)^n\sin^n\dfrac{\pi}{6}=\sum\limits_{n=1}^{\infty}\left(-\dfrac{1}{3}\right)^n\left(\dfrac{1}{2}\right)^n=\sum\limits_{n=1}^{\infty}\left(-\dfrac{1}{6}\right)^n$

$=\dfrac{-\dfrac{1}{6}}{1-\left(-\dfrac{1}{6}\right)}=\dfrac{-\dfrac{1}{6}}{\dfrac{7}{6}}=-\dfrac{1}{7}$

확인 문제   정답과 해설 | **22**쪽   **MY 셀파**

05-1 다음 급수의 합을 구하시오.
(상)(중)(하)

(1) $\sum\limits_{n=1}^{\infty}(\sqrt{2}-1)^n$ (2) $\sum\limits_{n=1}^{\infty}\left\{\left(\dfrac{1}{2}\right)^{2n}+\left(\dfrac{1}{3}\right)^{n+1}\right\}$

(3) $\sum\limits_{n=1}^{\infty}\dfrac{1}{2^n}\cos n\pi$ (4) $\sum\limits_{n=2}^{\infty}(2^{2n-1}+3)\left(\dfrac{1}{5}\right)^n$

05-1

(4) 두 급수 $\left(\dfrac{4}{5}\right)^n$, $\left(\dfrac{1}{5}\right)^n$이 수렴하므로

$\sum\limits_{n=2}^{\infty}(2^{2n-1}+3)\left(\dfrac{1}{5}\right)^n$

$=\dfrac{1}{2}\sum\limits_{n=2}^{\infty}\left(\dfrac{4}{5}\right)^n+3\sum\limits_{n=2}^{\infty}\left(\dfrac{1}{5}\right)^n$

해법 06   등비급수의 수렴 조건

PLUS ⊕

❶ 등비급수 $\sum\limits_{n=1}^{\infty} r^n$의 수렴 조건 ⇨ $-1<r<1$

❷ 등비급수 $\sum\limits_{n=1}^{\infty} ar^{n-1}$의 수렴 조건 ⇨ $a=0$ 또는 $-1<r<1$

등비수열 $\{ar^{n-1}\}$의 수렴 조건
⇨ $a=0$ 또는 $-1<r\leq1$

> **참고** $r=1$은 등비수열 $\{ar^{n-1}\}$의 수렴 조건이지만 등비급수 $\sum\limits_{n=1}^{\infty} ar^{n-1}$의 수렴 조건은 아니다.

> **예제** 다음 등비급수가 수렴하도록 하는 실수 x의 값의 범위를 구하시오.
>
> (1) $\sum\limits_{n=1}^{\infty} \sqrt{3}(2x-1)^n$
>
> (2) $x+x(1-2x)+x(1-2x)^2+\cdots$

해법 코드
(1) 첫째항 $\sqrt{3}(2x-1)$,
   공비 $2x-1$
(2) 첫째항 x, 공비 $1-2x$

> **셀파** $\sum\limits_{n=1}^{\infty} ar^{n-1}$이 수렴 ⇨ $a=0$ 또는 $-1<r<1$

풀이 (1) 공비가 $2x-1$이므로 이 등비급수가 수렴하려면

$-1<2x-1<1$, $0<2x<2$ ∴ $\mathbf{0<x<1}$

(2) 첫째항이 x, 공비가 $1-2x$이므로 이 등비급수가 수렴하려면

$x=0$ 또는 $-1<1-2x<1$

(ⅰ) $x=0$일 때

$0+0+0+\cdots=0$이므로 수렴한다.

(ⅱ) $-1<1-2x<1$일 때

$-2<-2x<0$이므로 $0<x<1$

(ⅰ), (ⅱ)에서 $\mathbf{0\leq x<1}$

❶ $-1<1-2x$와 $1-2x<1$을 각각
  풀어 x의 공통 범위를 구하면
  (ⅰ) $-1<1-2x$에서
     $2x<2$, 즉 $x<1$
  (ⅱ) $1-2x<1$에서
     $-2x<0$, 즉 $x>0$
  (ⅰ), (ⅱ)에서 $0<x<1$

> **참고** (1) 등비급수 $\sum\limits_{n=1}^{\infty} \sqrt{3}(2x-1)^n$의 첫째항은 $\sqrt{3}(2x-1)$인데 등비급수가 수렴하기 위한 조건 중
> (첫째항)$=0$에서 $\sqrt{3}(2x-1)=0$인 $x=\dfrac{1}{2}$은 $-1<$(공비)<1의 조건 $-1<2x-1<1$,
> 즉 $0<x<1$에 포함되어 있다. 이와 같이 첫째항이 공비의 상수배이면 (첫째항)$=0$인 조건을 생각하
> 지 않아도 된다.

확인 문제   정답과 해설 | **22**쪽   MY 셀파

06-1
(상)(중)(하)
다음 등비급수가 수렴하도록 하는 실수 x의 값 또는 x의 값의 범위를 구하시오.

(1) $\sum\limits_{n=1}^{\infty} (x^2-x+1)^n$

(2) $\sum\limits_{n=1}^{\infty} (x-3)(x+2)^{n-1}$

06-1
(1) 첫째항과 공비가 모두 x^2-x+1
   이다.
(2) 첫째항은 $x-3$, 공비는 $x+2$이다.

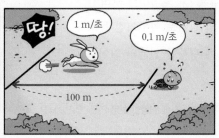

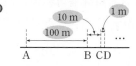

위 그림에서 토끼가 거북이의 출발점 B까지 가려면 100초가 걸리는데, 그 100초 동안 거북이도 역시 달리므로 거북이는 B에서 10 m 앞 지점인 C에 가 있다. 또 토끼가 10 m를 가는 동안 거북이는 C에서 1 m 앞 지점인 D까지 간다.

A 위 만화에서 토끼와 거북이가 달리기 경주를 하면 누가 이길까?

Q 음… 거북이가 이길 거예요. 거북이는 100 m 앞서 출발하고 토끼는 거북이가 있었던 100 m 지점을 향해 열심히 달리더라도 토끼가 달리고 있는 동안 거북이도 역시 달리니까 토끼가 100 m 지점에 도착했을 때 거북이는 토끼보다 앞서요. 또 그 지점까지 토끼가 달리더라도 거북이는 또다시 조금 앞서요. 이렇게 한없이 되풀이되니까 토끼가 거북이를 따라잡을 수 없잖아요.

A 근데 말이야. 뭔가 이상하지 않아? 이번에는 토끼가 거북이를 따라잡는 시간을 가지고 생각해 보자. 토끼가 거북이를 따라잡으려면 거북이가 100 m 앞부터 달리니 우선 토끼는 100 m를 가야 하는데 그때 100초가 걸리지. 그리고 그 100초 동안 거북이는 10 m 움직였으니 토끼는 10 m를 또 따라가야 해. 그 시간은 얼마나 걸릴까?

t_n은 첫째항이 100이고 공비가 $\frac{1}{10}$인 등비수열의 첫째항부터 제 n항까지의 합이다.

Q 토끼는 1초에 1 m를 가니까 10초가 걸려요. 어? 시간이 확 줄어드네요?

$$\lim_{n \to \infty} t_n = \lim_{n \to \infty} \frac{1000}{9}\left(1 - \frac{1}{10^n}\right)$$
$$= \frac{1000}{9} \lim_{n \to \infty}\left(1 - \frac{1}{10^n}\right)$$
$$= \frac{1000}{9}$$

A 그렇지. 그 다음 10초 동안 거북이가 1 m를 갔으므로 토끼가 거북이를 따라가는 데는 1초가 걸려. 이런 식으로 토끼가 거북이를 따라가는 시간이 $\frac{1}{10}$배로 점점 줄어들지. 이러한 과정을 n번 반복할 때, 토끼가 거북이를 따라가는 데 걸리는 시간 t_n은

$$t_n = 100 + \frac{100}{10} + \frac{100}{10^2} + \frac{100}{10^3} + \cdots + \frac{100}{10^{n-1}}$$

$$= \frac{100\left(1 - \frac{1}{10^n}\right)}{1 - \frac{1}{10}} = \frac{1000}{9}\left(1 - \frac{1}{10^n}\right) < \frac{1000}{9}$$

즉, 위 과정을 아무리 여러 번 반복해도 t_n은 $\frac{1000}{9}$초를 넘지 못하고, 이러한 과정을 무한히 반복하면 $\lim_{n \to \infty} t_n = \frac{1000}{9}$ (초)가 돼.

따라서 토끼는 $\frac{1000}{9}$초 (약 1분 51초)만에 거북이를 따라잡는 거지.

또 이때 토끼는 $1 \, (\text{m/초}) \times \frac{1000}{9} \, (\text{초}) = \frac{1000}{9} \, (\text{m})$를 달리는 거야.

느림보 거북이가 토끼를 이기는 상황이 좀 이상하긴 했어요. 근데 제가 뭘 잘못 생각한 거죠?

아무리 작은 값이라도 무한히 더하면 그 합이 무한히 커진다고 생각한 게 잘못됐지. 아마 시간 개념을 가지고 생각했다면 무한히 더하더라도 그 합이 일정한 값에 도달한다는 걸 알아낼 수 있었을 거야.

네. 무한히 더한다고 항상 점점 커지는 것이 아니라 어떤 값에 가까워질 수도 있는 거군요!

오른쪽 그림에서 점 P_1, P_2, P_3, $\cdots$, P_n, $\cdots$의 좌표가 일정한 규칙에 따라 움직일 때, 점 P_n의 좌표를 (x_n, y_n)이라 하면 $\lim\limits_{n \to \infty} x_n$의 값은 x축에 평행한 선분의 길이로 이루어진 등비급수의 합이고, $\lim\limits_{n \to \infty} y_n$의 값은 y축에 평행한 선분의 길이로 이루어진 등비급수의 합이다.

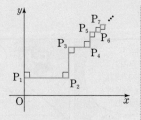

좌표평면에서 점 $P(x, y)$가
❶ a만큼 오른쪽으로 움직이면
  ⇨ $P(x+a, y)$
  a만큼 왼쪽으로 움직이면
  ⇨ $P(x-a, y)$
❷ b만큼 위로 움직이면
  ⇨ $P(x, y+b)$
  b만큼 아래로 움직이면
  ⇨ $P(x, y-b)$

[참고] x축에 평행한 선분 $\overline{P_1P_2}$, $\overline{P_3P_4}$, $\overline{P_5P_6}$, $\cdots$과 y축에 평행한 선분 $\overline{P_2P_3}$, $\overline{P_4P_5}$, $\overline{P_6P_7}$, $\cdots$에서 각각의 규칙을 찾아야 한다.

[예제] 오른쪽 그림과 같이 좌표평면 위의 점 A가 원점 O를 출발하여 A_1, A_2, A_3, $\cdots$으로 움직인다.

$$\overline{OA_1}=2, \ \overline{A_1A_2}=\frac{1}{2}\overline{OA_1}, \ \overline{A_2A_3}=\frac{1}{2}\overline{A_1A_2}, \ \cdots$$

일 때, 점 A_n이 한없이 가까워지는 점의 좌표를 구하시오.

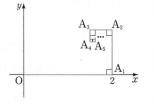

해법 코드
인접한 항 사이의 규칙이 발견되지 않을 때는 한 칸씩 건너 뛰어서 관찰해 본다.

[셀파] $\overline{OA_1}$, $\overline{A_1A_2}$, $\overline{A_2A_3}$, $\overline{A_3A_4}$, $\overline{A_4A_5}$, $\overline{A_5A_6}$, $\cdots$을 구해 본다.

[풀이] $\overline{OA_1}=2$, $\overline{A_1A_2}=1$, $\overline{A_2A_3}=\frac{1}{2}$, $\overline{A_3A_4}=\frac{1}{4}$, $\overline{A_4A_5}=\frac{1}{8}$, $\overline{A_5A_6}=\frac{1}{16}$, $\cdots$에서

점 A_n의 좌표를 (x_n, y_n)으로 놓고, 점 A_n이 한없이 가까워지는 점의 좌표를 (x, y)라 하면

$$x=\lim_{n \to \infty} x_n \overset{❶}{=} \overline{OA_1}-\overline{A_2A_3}+\overline{A_4A_5}-\cdots=2-\frac{1}{2}+\frac{1}{8}-\cdots=\frac{2}{1-\left(-\frac{1}{4}\right)}=\frac{8}{5}$$

$$y=\lim_{n \to \infty} y_n \overset{❷}{=} \overline{A_1A_2}-\overline{A_3A_4}+\overline{A_5A_6}-\cdots=1-\frac{1}{4}+\frac{1}{16}-\cdots=\frac{1}{1-\left(-\frac{1}{4}\right)}=\frac{4}{5}$$

따라서 점 A_n이 한없이 가까워지는 점의 좌표는 $\left(\dfrac{8}{5}, \dfrac{4}{5}\right)$

❶ 점 A_n의 x좌표 x_n을 구할 때는 선분 $\overline{OA_1}$, $\overline{A_2A_3}$, $\overline{A_4A_5}$, $\cdots$의 길이로 계산한다. 이때 왼쪽으로 이동할 경우는 '$-$', 오른쪽으로 이동할 경우는 '$+$'이다.

❷ 점 A_n의 y좌표 y_n을 구할 때는 선분 $\overline{A_1A_2}$, $\overline{A_3A_4}$, $\overline{A_5A_6}$, $\cdots$의 길이로 계산한다. 이때 위로 이동할 경우는 '$+$', 아래로 이동할 경우는 '$-$'이다.

확인 문제 | 정답과 해설 | **22**쪽 | MY 셀파

07-1 (상)(중)(하) 오른쪽 그림과 같이 좌표평면 위의 점 P가 원점 O를 출발하여 P_1, P_2, P_3, $\cdots$으로 움직인다.

$$\overline{OP_1}=1, \ \overline{P_1P_2}=\frac{1}{2}\overline{OP_1}, \ \overline{P_2P_3}=\frac{1}{2}\overline{P_1P_2}, \ \cdots$$

일 때, 점 P_n이 한없이 가까워지는 점의 좌표를 구하시오.

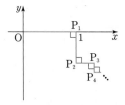

07-1
점 $P_n(x_n, y_n)$이 한없이 가까워지는 점의 좌표를 (x, y)라 하면
$$x=\lim_{n \to \infty} x_n$$
$$=\overline{OP_1}+\overline{P_2P_3}+\overline{P_4P_5}+\cdots$$
$$y=\lim_{n \to \infty} y_n$$
$$=-\overline{P_1P_2}-\overline{P_3P_4}-\overline{P_5P_6}-\cdots$$

규칙에 따라 한없이 움직이는 도형의 길이의 합은 다음과 같이 구한다.

1️⃣ 문제의 뜻에 맞게 도형의 길이를 차례대로 구한다.

2️⃣ n번째 도형의 길이를 a_n이라 하고 a_{n+1}과 a_n 사이에서 공비를 구한다.

3️⃣ 등비급수의 합을 이용하여 길이의 합을 구한다.

먼저 공비를 구한다. 이때 첫째항이 a, 공비가 r $(-1<r<1)$이면
$$\sum_{n=1}^{\infty} ar^{n-1}=\frac{a}{1-r}$$이다.

예제 오른쪽 그림과 같이 길이가 2인 선분 A_1A_2를 $1:1$로 내분하는 점을 A_3, 선분 A_2A_3을 $1:1$로 내분하는 점을 A_4라 한다. 이와 같은 과정을 한없이 반복하여 선분 A_nA_{n+1}을 지름으로 하는 반원의 호의 길이를 l_n이라 할 때, 급수 $\sum_{n=1}^{\infty} l_n$의 합을 구하시오.

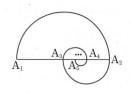

해법 코드

$\overline{A_nA_{n+1}}$을 지름으로 하는 반원의 호의 길이 l_n에 대하여 l_1, l_2, l_3, $\cdots$을 차례대로 구한다.

이때 l_1, l_2, l_3 사이에서 공비를 구한다.

셀파 선분을 $1:1$로 내분하는 점은 그 선분의 중점이다.

풀이 $\overline{A_{n-2}A_{n-1}}$을 $1:1$로 내분하는 점이 A_n이므로

$\overline{A_1A_2}=2$, $\overline{A_2A_3}=1$, $\overline{A_3A_4}=\frac{1}{2}$, $\cdots$

이때 $\overline{A_nA_{n+1}}$을 지름으로 하는 반원의 호의 길이는 l_n이므로

❶ $l_1=\pi$, $l_2=\frac{\pi}{2}$, $l_3=\frac{\pi}{4}$, $\cdots$

$\therefore \sum_{n=1}^{\infty} l_n=\pi+\frac{\pi}{2}+\frac{\pi}{4}+\cdots$

$=\dfrac{\pi}{1-\dfrac{1}{2}}=\mathbf{2\pi}$

❶ $l_1=\pi\times 1=\pi$

$l_2=\pi\times\frac{1}{2}=\frac{\pi}{2}$

$l_3=\pi\times\frac{1}{4}=\frac{\pi}{4}$

$\vdots$

참고 반원의 호의 길이는 지름의 길이에 비례하므로 $l_{n+1}=\frac{1}{2}l_n$이다.

즉, 수열 $\{l_n\}$은 공비가 $\frac{1}{2}$인 등비수열이다.

반지름의 길이가 r인 원의 둘레의 길이는 $2\pi r$, 반원의 호의 길이는 πr야.

확인 문제   정답과 해설 | **22**쪽   **MY 셀파**

08-1 (상⊙하) 오른쪽 그림과 같이 $\angle XOY=30°$일 때, 반직선 OX 위의 한 점 P_1에서 $\overline{OY}$에 내린 수선의 발을 P_2, 점 P_2에서 $\overline{OX}$에 내린 수선의 발을 P_3이라 한다. 이와 같은 과정을 한없이 반복할 때,
$$\overline{P_1P_2}+\overline{P_2P_3}+\overline{P_3P_4}+\overline{P_4P_5}+\cdots$$
의 값을 구하시오. (단, $\overline{P_1P_2}=1$)

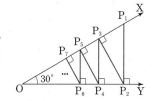

08-1

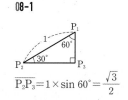

$\overline{P_2P_3}=1\times\sin 60°=\dfrac{\sqrt{3}}{2}$

한 변의 길이가 1인 정사각형에서 한 변의 길이가 $\frac{1}{2}$배로 줄어드는 정사각형을 한없이 반복해서 만들면 각각의 정사각형의 넓이는 $\frac{1}{4}$배로 줄어든다.

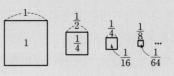

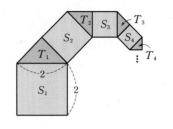

도형의 닮음비 $m : n$ ⇒ 도형의 넓이의 비 $m^2 : n^2$

예제 오른쪽 그림과 같이 한 변의 길이가 2인 정사각형 S_1이 있다. S_1의 한 변에 직각이등변삼각형 T_1을 붙이고, 다시 T_1의 빗변이 아닌 한 변에 정사각형 S_2를 붙인다. 이와 같이 T_2, S_3, T_3, $\cdots$을 계속하여 붙여 나갈 때, 정사각형과 직각이등변삼각형의 넓이의 합을 구하시오.

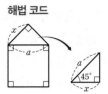

해법 코드

$a : x = \sqrt{2} : 1$이므로

$\sqrt{2}x = a$ $\quad \therefore x = \frac{\sqrt{2}}{2}a$

셀파 정사각형의 넓이의 합과 직각이등변삼각형의 넓이의 합을 각각 구한다.

풀이 정사각형 S_n의 한 변의 길이를 a_n이라 하면 a_{n+1}은 직각이등변삼각형 T_n의 빗변이 아닌 한 변의 길이이므로

$a_n : a_{n+1} = \sqrt{2} : 1$ $\quad \therefore a_{n+1} = \frac{\sqrt{2}}{2}a_n$

이때 $a_1 = 2$, $a_2 = \frac{\sqrt{2}}{2} \times 2 = \sqrt{2}$, $a_3 = \frac{\sqrt{2}}{2} \times \sqrt{2} = 1$, $a_4 = \frac{\sqrt{2}}{2} \times 1 = \frac{\sqrt{2}}{2}$, $\cdots$이므로

정사각형의 넓이의 합은

$a_1{}^2 + a_2{}^2 + a_3{}^2 + \cdots = \underline{2^2 + (\sqrt{2})^2 + 1^2 + \cdots} = \frac{4}{1 - \frac{1}{2}} = 8$

$\underline{\text{직각이등변삼각형의 넓이의 합은}}$

$\frac{1}{2}a_2{}^2 + \frac{1}{2}a_3{}^2 + \frac{1}{2}a_4{}^2 + \cdots = \frac{1}{2} \times (\sqrt{2})^2 + \frac{1}{2} \times 1^2 + \frac{1}{2} \times \left(\frac{\sqrt{2}}{2}\right)^2 + \cdots = \frac{1}{1 - \frac{1}{2}} = 2$

따라서 구하는 넓이의 합은 $8 + 2 = \mathbf{10}$

❶ $2^2 = 4$, $(\sqrt{2})^2 = 2$, $1^2 = 1$, $\cdots$이므로 첫째항이 4, 공비가 $\frac{1}{2}$인 등비급수이다.

❷ $T_1 = \frac{1}{2} \times a_2 \times a_2 = \frac{1}{2}a_2{}^2$
$T_2 = \frac{1}{2} \times a_3 \times a_3 = \frac{1}{2}a_3{}^2$
$T_3 = \frac{1}{2} \times a_4 \times a_4 = \frac{1}{2}a_4{}^2$
$\vdots$
$\therefore T_1 + T_2 + T_3 + \cdots$
$= \frac{1}{2}a_2{}^2 + \frac{1}{2}a_3{}^2 + \frac{1}{2}a_4{}^2 + \cdots$
$= 1 + \frac{1}{2} + \frac{1}{4} + \cdots$

확인 문제 정답과 해설 **23**쪽 | **MY 셀파**

09-1 오른쪽 그림과 같이 반지름의 길이가 r인 원을 O_1이라 하고, O_1에 내접하면서 O_1의 중심을 지나는 원을 O_2, O_2에 내접하면서 O_2의 중심을 지나는 원을 O_3이라 하자.
이와 같은 과정을 한없이 반복할 때, 원 O_1, O_2, O_3, $\cdots$의 넓이의 합을 구하시오.

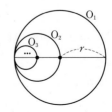

09-1
원 O_1, O_2, O_3의 넓이를 각각 구하여 등비급수의 첫째항과 공비를 구한다.

등비급수를 이용하여 순환소수를 분수로 나타낼 때, 다음과 같이 구한다.

1 순환소수를 등비급수로 나타낸다.

2 첫째항 a와 공비 $r\,(|r|<1)$를 구한다.

3 등비급수의 합이 $\dfrac{a}{1-r}$임을 이용하여 순환소수를 분수로 나타낸다.

0 또는 10보다 작은 자연수 a, b, c에 대하여

$$0.\dot{a}b\dot{c}=\frac{abc}{999}$$

$$0.a\dot{b}\dot{c}=\frac{abc-a}{990}$$

$$0.ab\dot{c}=\frac{abc-ab}{900}$$

예제 등비급수를 이용하여 다음 순환소수를 분수로 나타내시오.

(1) $0.\dot{2}\dot{1}$ (2) $1.2\dot{3}\dot{4}$

해법 코드

(1) $0.\dot{2}\dot{1}=0.212121\cdots$

(2) $1.2\dot{3}\dot{4}=1.2343434\cdots$

셀파 순환소수를 분수로 나타내기 ⇨ 등비급수의 합을 이용한다.

풀이 (1) 주어진 순환소수를 등비급수로 나타내면

$$0.\dot{2}\dot{1}=0.21+0.0021+0.000021+\cdots$$

$$=\frac{21}{100}+\frac{21}{100^2}+\frac{21}{100^3}+\cdots$$

$$=\frac{\dfrac{21}{100}}{1-\dfrac{1}{100}}=\frac{21}{99}=\boldsymbol{\frac{7}{33}}$$

❶ 첫째항이 $\dfrac{21}{100}$, 공비가 $\dfrac{1}{100}$인 등비급수이다.

(2) 주어진 순환소수를 등비급수로 나타내면

$$1.2\dot{3}\dot{4}=1.2+0.034+0.00034+0.0000034$$

$$=1.2+\left(\frac{34}{10^3}+\frac{34}{10^5}+\frac{34}{10^7}+\cdots\right)$$

$$=1.2+\frac{\dfrac{34}{1000}}{1-\dfrac{1}{100}}=\frac{12}{10}+\frac{34}{990}=\boldsymbol{\frac{611}{495}}$$

❷ 첫째항이 $\dfrac{34}{1000}$, 공비가 $\dfrac{1}{100}$인 등비급수이다.

확인 문제   정답과 해설 | **23**쪽   **MY 셀파**

10-1 등비급수를 이용하여 다음 순환소수를 분수로 나타내시오.
상중하

(1) $0.\dot{1}\dot{5}$ (2) $0.3\dot{6}$

10-1

(1) $0.\dot{1}\dot{5}=0.151515\cdots$

(2) $0.3\dot{6}=0.3+0.0\dot{6}$

$\phantom{(2) 0.3\dot{6}}=0.3+0.0666\cdots$

10-2 순환소수 $0.\dot{2}0\dot{4}$의 소수 첫째 자리의 수를 a_1, 소수 둘째 자리의 수를 a_2, 소수 셋
상중하 째 자리의 수를 a_3, $\cdots$이라 할 때, 수열 $\{a_n\}$에 대하여 급수 $\displaystyle\sum_{n=1}^{\infty}\frac{a_n}{3^n}$의 합을 구하
시오.

10-2

$a_1=2$, $a_2=0$, $a_3=4$, $a_4=2$, $a_5=0$,

$a_6=4$, $\cdots$

급수의 수렴과 발산

01 다음 급수의 합을 구하시오.

(상)(중)(하)

(1) $\displaystyle\sum_{n=1}^{\infty}\dfrac{1}{1+2+3+\cdots+n}$

(2) $\displaystyle\sum_{n=1}^{\infty}\log\left\{1-\dfrac{1}{(n+1)^2}\right\}$

급수의 수렴과 발산

02 수열 $\{a_n\}$에 대하여 $a_1=3$, $\displaystyle\lim_{n\to\infty}a_n=8$일 때,

(상)(중)(하)

급수 $\displaystyle\sum_{n=1}^{\infty}(a_{n+1}-a_n)$의 합을 구하시오.

항의 부호가 교대로 바뀌는 급수

03 다음 보기의 급수 중 수렴하는 것을 모두 고르시오.

(상)(중)(하)

┌ 보기 ┐
ㄱ. $1-1+1-1+1-1+\cdots$
ㄴ. $(1-1)+(1-1)+(1-1)+\cdots$
ㄷ. $1-(1-1)-(1-1)-(1-1)-\cdots$
└────────────┘

급수의 수렴 조건

04 각 항이 양수인 수렴하는 수열 $\{a_n\}$에 대하여

(상)(중)(하)

$\displaystyle\sum_{n=1}^{\infty}\left(\dfrac{a_n+3}{a_n^{\,2}}-2\right)=1$일 때, $\displaystyle\lim_{n\to\infty}a_n$의 값을 구하시오.

급수의 성질

05 두 급수 $\displaystyle\sum_{n=1}^{\infty}a_n$, $\displaystyle\sum_{n=1}^{\infty}b_n$에 대하여 $\displaystyle\sum_{n=1}^{\infty}b_n=6$,

(상)(중)(하)

$\displaystyle\sum_{n=1}^{\infty}(3a_n+2b_n)=18$일 때, 급수 $\displaystyle\sum_{n=1}^{\infty}a_n$의 합을 구하시오.

등비급수의 합

06 다음 급수의 합을 구하시오.

(상)(중)(하)

(1) $\displaystyle\sum_{n=1}^{\infty}\left(\dfrac{1}{2^n}-\dfrac{1}{4^n}\right)$

(2) $\displaystyle\sum_{n=1}^{\infty}\dfrac{1+2^{n-1}}{5^n}$

(3) $\displaystyle\sum_{n=1}^{\infty}(3^{n+1}-1)\left(\dfrac{1}{9}\right)^n$

등비급수의 합

07 첫째항이 $0.\dot{5}$, 제3항이 $0.0\dot{2}$이고 각 항이 모두 양수인

(상)(중)(하)

등비수열 $\{a_n\}$에 대하여 급수 $\displaystyle\sum_{n=1}^{\infty}a_n$의 합을 구하시오.

등비급수의 수렴 조건

08 다음 등비급수가 수렴하도록 하는 x의 값 또는 x의 값의 범위를 구하시오.

(1) $1 - \dfrac{x}{3} + \dfrac{x^2}{9} - \dfrac{x^3}{27} + \cdots$

(2) $x + x(x-2) + x(x-2)^2 + x(x-2)^3 + \cdots$

등비급수의 수렴 조건 　　　　　　　　　**서술형**

09 두 등비급수 $\displaystyle\sum_{n=1}^{\infty}\left(\dfrac{x+1}{2}\right)^{n-1}$과 $\displaystyle\sum_{n=1}^{\infty}(1-x^2)^n$이 모두 수렴하도록 하는 실수 x의 값의 범위를 구하시오.

등비급수의 활용 - 점의 좌표 　　　　　　**융합형**

10 오른쪽 그림과 같이 수직선 위에 두 점

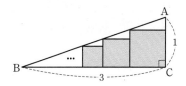

$P_1(0)$과 $P_2(100)$이 있다. 선분 P_1P_2를 $1:2$로 내분하는 점의 좌표를 $P_3(x_3)$, 선분 P_2P_3을 $1:2$로 내분하는 점의 좌표를 $P_4(x_4)$, $\cdots$, 선분 P_nP_{n+1}을 $1:2$로 내분하는 점의 좌표를 $P_{n+2}(x_{n+2})$라 할 때, $\displaystyle\lim_{n\to\infty}x_n$의 값을 구하시오.

등비급수의 활용 - 선분의 길이의 합 　　　　**창의력**

11 오른쪽 그림과 같이 낙하한 거리의 $\dfrac{4}{5}$만큼 튀어 오르는 공을 $1\,\mathrm{m}$ 높이에서 수직으로 떨어뜨렸다. 공이 한없이 운동한다고 가정할 때, 공이 움직인 거리를 구하시오.

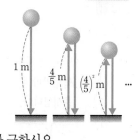

등비급수의 활용 - 도형의 넓이의 합 　　　　**창의·융합**

12 다음 그림과 같이 $\overline{\mathrm{AC}}=1$, $\overline{\mathrm{BC}}=3$이고 $\angle\mathrm{C}=90°$인 직각삼각형에 내접하는 정사각형을 한없이 그릴 때, 정사각형의 넓이의 합을 구하시오.

등비급수의 활용 - 순환소수

13 수열 $\{a_n\}$에서 $a_1=0.\dot{1}$, $a_2=0.\dot{1}\dot{0}$, $a_3=0.\dot{1}0\dot{0}$, $\cdots$, $a_n=0.\underbrace{\dot{1}00\cdots0\dot{0}}_{n개}$일 때, 급수 $\displaystyle\sum_{n=1}^{\infty}\left(\dfrac{1}{a_{n+1}}-\dfrac{1}{a_n}\right)$의 합을 구하시오.

3

지수함수와 로그함수의 미분

3. 지수함수와 로그함수의 미분

개념 1 지수함수와 로그함수의 극한

(1) 지수함수 $y=a^x(a>0,\ a\neq1)$의 극한 → a의 값에 관계없이 $\lim\limits_{x\to0}a^x=1$

  ❶ $a>1$일 때 $\lim\limits_{x\to\infty}a^x=\infty$, $\lim\limits_{x\to-\infty}a^x=0$

  ❷ $0<a<1$일 때 $\lim\limits_{x\to\infty}a^x=0$, $\lim\limits_{x\to-\infty}a^x=\infty$

  [예] $\lim\limits_{x\to\infty}2^x=$ ❶ , $\lim\limits_{x\to\infty}\left(\dfrac{1}{2}\right)^x=$ ❷

(2) 로그함수 $y=\log_ax(a>0,\ a\neq1)$의 극한 → a의 값에 관계없이 $\lim\limits_{x\to1}\log_ax=0$

  ❶ $a>1$일 때 $\lim\limits_{x\to0+}\log_ax=-\infty$, $\lim\limits_{x\to\infty}\log_ax=\infty$

  ❷ $0<a<1$일 때 $\lim\limits_{x\to0+}\log_ax=\infty$, $\lim\limits_{x\to\infty}\log_ax=-\infty$

  [예] $\lim\limits_{x\to0+}\log_2x=$ ❸ , $\lim\limits_{x\to\infty}\log_{\frac12}x=-\infty$, $\lim\limits_{x\to0+}\log_{\frac12}x=$ ❹

[답] ❶ ∞ ❷ 0   ❸ $-\infty$ ❹ ∞

개념 플러스

㉠ 지수함수의 극한

개념 2 무리수 e와 자연로그

(1) x의 값이 0에 한없이 가까워질 때, $(1+x)^{\frac{1}{x}}$의 값은 어떤 일정한 값에 가까워진다. 이 극한값을 무리수 e로 나타낸다. 즉,

$$\lim_{x\to0}(1+x)^{\frac{1}{x}}=e \ (\text{단},\ e=2.7182\cdots)$$

[참고] ㉢ $\lim\limits_{x\to\infty}\left(1+\dfrac{1}{x}\right)^x=e$

(2) 무리수 e를 ❶ 으로 하는 로그 $\log_ex$를 x의 **자연로그**라 하고, 이것을 간단히 $\underline{\ln x}$ ㉣ 와 같이 나타낸다.

  [예] $\ln e=\log_ee=1$, $\ln1=\log_e1=0$, $\ln e^3=3\ln e=$ ❷ , $\ln\sqrt{e}=\dfrac{1}{2}\ln e=\dfrac{1}{2}$

[답] ❶ 밑   ❷ 3

㉡ 로그함수의 극한

개념 3 지수함수와 로그함수의 도함수

(1) $a>0$, $a\neq$ ❶ 일 때

  ❶ $(e^x)'=e^x$ ❷ $(a^x)'=a^x\ln a$

(2) $a>0$, $a\neq1$, $x>0$일 때

  ❶ $(\ln x)'=\dfrac{1}{x}$ ❷ $(\log_ax)'=\dfrac{1}{x\ln\ ❷}$

[답] ❶ 1   ❷ a

㉢ $\lim\limits_{x\to0}(1+x)^{\frac{1}{x}}=e$에서 $\dfrac{1}{x}=t$로 놓으면 $x\to0+$일 때 $t\to\infty$이므로
$$\lim_{x\to0}(1+x)^{\frac{1}{x}}=\lim_{t\to\infty}\left(1+\dfrac{1}{t}\right)^t$$
$$=e$$

㉣ $\ln$은 자연로그를 뜻하는 영어 natural logarithm의 첫 글자에서 순서를 바꿔 쓴 것이다.

[보기] 다음 함수를 미분하시오.

  (1) $y=3^{x+1}$ (2) $y=\ln 3x$

[연구] (1) $y=3^{x+1}=3\times3^x$이므로 $y'=3\times(3^x)'=3\times3^x\ln3=\mathbf{3^{x+1}\ln3}$

      (2) $y'=(\ln3x)'=(\ln3+\ln x)'=\dfrac{1}{x}$

1-1 | 지수함수의 극한 |

다음 극한을 조사하시오.

(1) $\lim\limits_{x \to \infty} 3^x$

(2) $\lim\limits_{x \to -\infty} 3^x$

(3) $\lim\limits_{x \to \infty} \left(\dfrac{1}{3}\right)^x$

(4) $\lim\limits_{x \to -\infty} \left(\dfrac{1}{3}\right)^x$

연구

(1) ③ > 1이므로 $\lim\limits_{x \to \infty} 3^x = \infty$

(2) ③ > 1이므로 $\lim\limits_{x \to -\infty} 3^x = \boxed{}$

(3) $0 < \dfrac{1}{3} < 1$이므로 $\lim\limits_{x \to \infty} \left(\dfrac{1}{3}\right)^x = \boxed{}$

(4) $0 < \dfrac{1}{3} < 1$이므로 $\lim\limits_{x \to -\infty} \left(\dfrac{1}{3}\right)^x = \infty$

1-2 | 따라풀기 |

다음 극한을 조사하시오.

(1) $\lim\limits_{x \to \infty} 5^x$

(2) $\lim\limits_{x \to -\infty} 5^x$

(3) $\lim\limits_{x \to \infty} \left(\dfrac{2}{3}\right)^x$

(4) $\lim\limits_{x \to -\infty} \left(\dfrac{2}{3}\right)^x$

풀이

2-1 | 무리수 e와 자연로그 |

다음 극한값을 구하시오.

(1) $\lim\limits_{x \to 0} (1+2x)^{\frac{1}{x}}$

(2) $\lim\limits_{x \to \infty} \left(1+\dfrac{1}{x}\right)^{2x}$

(3) $\lim\limits_{x \to \infty} \left(1+\dfrac{1}{2x}\right)^x$

(4) $\lim\limits_{x \to 0} (1-x)^{\frac{1}{x}}$

연구

(1) $\lim\limits_{x \to 0} (1+2x)^{\frac{1}{x}} = \lim\limits_{x \to 0} \{(1+2x)^{\frac{1}{2x}}\}^2 = \boxed{}$

(2) $\lim\limits_{x \to \infty} \left(1+\dfrac{1}{x}\right)^{2x} = \lim\limits_{x \to \infty} \left\{\left(1+\dfrac{1}{x}\right)^x\right\}^{\boxed{}} = e^2$

(3) $\lim\limits_{x \to \infty} \left(1+\dfrac{1}{2x}\right)^x = \lim\limits_{x \to \infty} \left\{\left(1+\dfrac{1}{2x}\right)^{\boxed{}}\right\}^{\frac{1}{2}} = e^{\frac{1}{2}} = \sqrt{e}$

(4) $-x = t$로 놓으면 $x \to 0$일 때 $t \to 0$이므로

$\lim\limits_{x \to 0} (1-x)^{\frac{1}{x}} = \lim\limits_{t \to 0} (1+t)^{-\frac{1}{t}}$

$\quad = \lim\limits_{t \to 0} \{(1+t)^{\frac{1}{t}}\}^{\boxed{}} = e^{-1} = \dfrac{1}{e}$

2-2 | 따라풀기 |

다음 극한값을 구하시오.

(1) $\lim\limits_{x \to 0} (1+x)^{\frac{2}{x}}$

(2) $\lim\limits_{x \to \infty} \left(1+\dfrac{2}{x}\right)^{2x}$

(3) $\lim\limits_{x \to 0} (1+2x)^{-\frac{1}{x}}$

(4) $\lim\limits_{x \to \infty} \left(1-\dfrac{1}{2x}\right)^x$

풀이

$x \to \infty$일 때, 지수함수의 극한은 다음과 같이 주어진 식을 변형하여 구한다.

❶ $\lim\limits_{x \to \infty} \dfrac{a^x}{b^x+c^x}$ 꼴 ⇨ 분모에서 밑이 가장 큰 항으로 분모, 분자를 나눈다.

❷ $\lim\limits_{x \to \infty} (a^x-b^x)$ 꼴 ⇨ 밑이 가장 큰 항으로 묶어낸다.

$$\lim_{x \to \infty} a^x = \begin{cases} \infty \ (a>1) \\ 0 \ (0<a<1) \end{cases}$$

$$\lim_{x \to -\infty} a^x = \begin{cases} 0 \ (a>1) \\ \infty \ (0<a<1) \end{cases}$$

예제 **1.** 다음 극한을 조사하시오.

(1) $\lim\limits_{x \to \infty} \dfrac{1}{3^{x+1}}$　　(2) $\lim\limits_{x \to \infty} \dfrac{2+2^x}{1+3^x}$　　(3) $\lim\limits_{x \to \infty} (3^x-5^x)$

2. $\lim\limits_{x \to \infty} (2^x+3^x)^{\frac{1}{x}}$의 극한값을 구하시오.

해법 코드

1. (1) $\dfrac{1}{3^{x+1}} = \dfrac{1}{3}\left(\dfrac{1}{3}\right)^x$
　(2) 3^x으로 분모, 분자를 나눈다.
　(3) 5^x으로 묶어낸다.

2. 3^x으로 묶어낸다.

셀파 $a>1$일 때 $\lim\limits_{x \to \infty} a^x = \infty$, $\lim\limits_{x \to -\infty} a^x = 0$

$0<a<1$일 때 $\lim\limits_{x \to \infty} a^x = 0$, $\lim\limits_{x \to -\infty} a^x = \infty$

풀이 **1.** (1) $\lim\limits_{x \to \infty} \dfrac{1}{3^{x+1}} = \lim\limits_{x \to \infty} \dfrac{1}{3}\left(\dfrac{1}{3}\right)^x = \dfrac{1}{3}\lim\limits_{x \to \infty} \left(\dfrac{1}{3}\right)^x = \dfrac{1}{3} \times 0 = \mathbf{0}$

(2) 3^x으로 분모, 분자를 나누면

$$\lim_{x \to \infty} \frac{2+2^x}{1+3^x} = \lim_{x \to \infty} \frac{2 \times \left(\dfrac{1}{3}\right)^x + \left(\dfrac{2}{3}\right)^x}{\left(\dfrac{1}{3}\right)^x + 1} = \frac{0+0}{0+1} = \mathbf{0}$$

(3) $\lim\limits_{x \to \infty} (3^x-5^x) = \lim\limits_{x \to \infty} 5^x\left\{\left(\dfrac{3}{5}\right)^x - 1\right\} = \mathbf{-\infty}$

❶ 분모에서 밑이 더 큰 항 3^x으로 분모, 분자를 나눈다.

❷ 3^x, 5^x 중 밑이 더 큰 항인 5^x으로 묶어낸다.

2. $\lim\limits_{x \to \infty} (2^x+3^x)^{\frac{1}{x}} = \lim\limits_{x \to \infty} \left[3^x\left\{\left(\dfrac{2}{3}\right)^x+1\right\}\right]^{\frac{1}{x}} = 3\lim\limits_{x \to \infty} \left\{\left(\dfrac{2}{3}\right)^x+1\right\}^{\frac{1}{x}}$

$$= 3(0+1)^0 = \mathbf{3}$$

확인 문제　　　　　　　　　　　　　　　정답과 해설 | **27**쪽　　　　　　**MY 셀파**

01-1
(상)(중)(하)
다음 극한을 조사하시오.

(1) $\lim\limits_{x \to -\infty} \dfrac{5^x}{4^x}$　　(2) $\lim\limits_{x \to \infty} \dfrac{2^x-1}{2^x+1}$　　(3) $\lim\limits_{x \to \infty} (4^x-2^x)$

01-1

(1) $\dfrac{5^x}{4^x} = \left(\dfrac{5}{4}\right)^x$

(2) 2^x으로 분모, 분자를 나눈다.

(3) 4^x으로 묶어낸다.

01-2

9^x으로 묶어낸다.

01-2
(상)(중)(하)
$\lim\limits_{x \to \infty} (8^x+9^x)^{\frac{1}{2x}}$의 극한값을 구하시오.

PLUS ⊕

❶ $a>1$일 때 $\lim_{x \to 0+} \log_a x = -\infty$, $\lim_{x \to \infty} \log_a x = \infty$

❷ $0<a<1$일 때 $\lim_{x \to 0+} \log_a x = \infty$, $\lim_{x \to \infty} \log_a x = -\infty$

❸ $\lim_{x \to \infty} \{\log_a f(x) - \log_a g(x)\} = \lim_{x \to \infty} \log_a \dfrac{f(x)}{g(x)} = \log_a \lim_{x \to \infty} \dfrac{f(x)}{g(x)}$

$f(x)$에 대하여 $f(x)>0$이고 $\lim_{x \to \infty} f(x)$의 값이 존재하면 $\lim_{x \to \infty} \log_a f(x) = \log_a \lim_{x \to \infty} f(x)$ 이므로 ❸이 성립한다.

예제 1. 다음 극한을 조사하시오.

    (1) $\lim_{x \to \infty} \log_4 x$ (2) $\lim_{x \to 0+} \log_{\frac{1}{2}} x$

2. 다음 극한값을 구하시오.

    (1) $\lim_{x \to 1} \log_2 \dfrac{3x+5}{x+1}$ (2) $\lim_{x \to \infty} \{\log_2(x+1) - \log_2 x\}$

해법 코드
2. (2) $\log_2(x+1) - \log_2 x$
    $= \log_2 \dfrac{x+1}{x}$

셀파 $\lim_{x \to \infty} \{\log_a f(x) - \log_a g(x)\}$ 꼴 $\Rightarrow \lim_{x \to \infty} \log_a \dfrac{f(x)}{g(x)}$

풀이 1. (1) $4>1$이므로 $\lim_{x \to \infty} \log_4 x = \infty$

    (2) $0 < \dfrac{1}{2} < 1$이므로 $\lim_{x \to 0+} \log_{\frac{1}{2}} x = \infty$

2. (1) $\lim_{x \to 1} \log_2 \dfrac{3x+5}{x+1} = \log_2 \dfrac{3+5}{1+1} = \log_2 4 = 2$

    (2) $\lim_{x \to \infty} \{\log_2(x+1) - \log_2 x\} = \lim_{x \to \infty} \log_2 \dfrac{x+1}{x} = \lim_{x \to \infty} \log_2 \left(1 + \dfrac{1}{x}\right)$
           $= \log_2 1 = 0$

❶ $\lim_{x \to \infty} \log_2 \left(1 + \dfrac{1}{x}\right)$
  $= \log_2 \lim_{x \to \infty} \left(1 + \dfrac{1}{x}\right)$
  $= \log_2(1+0) = \log_2 1 = 0$

참고
$a>0$, $a \neq 1$, $M>0$, $N>0$일 때
$\log_a M - \log_a N = \log_a \dfrac{M}{N}$

확인 문제   정답과 해설 | **27**쪽   **MY 셀파**

02-1 다음 극한값을 구하시오.

    (1) $\lim_{x \to 2} \log_3 \dfrac{x^3+1}{x-1}$ (2) $\lim_{x \to \infty} \{\log_3(9x+3) - \log_3 x\}$

    (3) $\lim_{x \to \infty} \{\log_{\frac{1}{3}}(3x+1) - \log_{\frac{1}{3}} x\}$ (4) $\lim_{x \to 1} (\log_2 |x^4-1| - \log_2 |x^2-1|)$

02-1
(2), (3) $\log_a A - \log_a B = \log_a \dfrac{A}{B}$를 이용한다.
(4) $\dfrac{|A|}{|B|} = \left|\dfrac{A}{B}\right|$

3 지수함수와 로그함수의 미분

A $(1+x)^{\frac{1}{x}}$에 x 대신 $\pm 0.1,\ \pm 0.01,\ \pm 0.001,\ \cdots$을 차례로 대입하여 그 값을 계산하면 다음과 같아.

x	0.1	0.01	0.001	0.0001	0.00001
$(1+x)^{\frac{1}{x}}$	$2.59374\cdots$	$2.70481\cdots$	$2.71692\cdots$	$2.71814\cdots$	$2.71826\cdots$
x	-0.1	-0.01	-0.001	-0.0001	-0.00001
$(1+x)^{\frac{1}{x}}$	$2.86797\cdots$	$2.73199\cdots$	$2.71964\cdots$	$2.71841\cdots$	$2.71829\cdots$

Q 표에서 ⓐx의 값이 0에 한없이 가까워지면 $(1+x)^{\frac{1}{x}}$의 값은 어떤 일정한 값에 수렴하는 것을 알 수 있네요.

A 맞아. $\lim\limits_{x \to 0}(1+x)^{\frac{1}{x}}$ 의 값은 $2.71828\cdots$로 무리수인데, 이 값을 간단히 e로 나타내.

$$\lim_{x \to 0}(1+x)^{\frac{1}{x}}=e$$

이때 $\dfrac{1}{x}=t$로 놓으면 $x \to 0+$일 때 $t \to \infty$이므로 $\lim\limits_{t \to \infty}\left(1+\dfrac{1}{t}\right)^{t}=e$로 나타낼 수도 있어.

Q 결국 ⓑ$\lim\limits_{\bullet \to 0}(1+\bullet)^{\frac{1}{\bullet}}$ 꼴과 $\lim\limits_{\blacktriangle \to \infty}\left(1+\dfrac{1}{\blacktriangle}\right)^{\blacktriangle}$ 꼴의 값은 모두 e로 나타낼 수 있네요.

A 그렇지. 이 내용을 정리하면 다음과 같아.

$\lim\limits_{\bullet \to 0}(1+\bullet)^{\frac{1}{\bullet}}=e$	$\lim\limits_{x \to 0}(1+x)^{\frac{1}{x}}=e,\ \lim\limits_{x \to 0}(1+2x)^{\frac{1}{2x}}=e,\ \lim\limits_{x \to 0}(1+3x)^{\frac{1}{3x}}=e,\ \cdots$
$\lim\limits_{\blacktriangle \to \infty}\left(1+\dfrac{1}{\blacktriangle}\right)^{\blacktriangle}=e$	$\lim\limits_{x \to \infty}\left(1+\dfrac{1}{x}\right)^{x}=e,\ \lim\limits_{x \to \infty}\left(1+\dfrac{1}{2x}\right)^{2x}=e,\ \lim\limits_{x \to \infty}\left(1+\dfrac{1}{3x}\right)^{3x}=e,\ \cdots$

ⓐ $\lim\limits_{x \to 0-}(1+x)^{\frac{1}{x}}=\lim\limits_{x \to 0+}(1+x)^{\frac{1}{x}}$

ⓑ 예를 들어 $\lim\limits_{x \to \infty}\left(1+\dfrac{1}{2x}\right)^{2x}$의 값을 구하기 위해 $\dfrac{1}{2x}=t$로 치환하면 $x \to \infty$일 때 $t \to 0$이므로

$\lim\limits_{x \to \infty}\left(1+\dfrac{1}{2x}\right)^{2x}$
$=\lim\limits_{t \to 0}(1+t)^{\frac{1}{t}}=e$

▶ 그래프 그리기 프로그램으로 함수 $y=(1+x)^{\frac{1}{x}}$의 그래프를 그려 보면 다음과 같다.

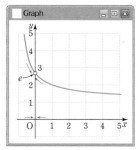

이 그래프에서 $x \to 0$일 때

$\lim\limits_{x \to 0-}(1+x)^{\frac{1}{x}}=\lim\limits_{x \to 0+}(1+x)^{\frac{1}{x}}$
$\qquad\qquad =e$

인 것을 확인할 수 있다.

확인 체크 01　　　　　　　정답과 해설 | **28**쪽

다음 극한값을 구하시오.

(1) $\lim\limits_{x \to 0}(1+3x)^{\frac{1}{x}}$

(2) $\lim\limits_{x \to 0}(1+x)^{\frac{1}{2x}}$

(3)ⓒ$\lim\limits_{x \to \infty}\left(1+\dfrac{3}{x}\right)^{x}$

(4) $\lim\limits_{x \to \infty}\left(1+\dfrac{1}{x}\right)^{3x}$

ⓒ $\lim\limits_{\blacktriangle \to \infty}\left(1+\dfrac{1}{\blacktriangle}\right)^{\blacktriangle}$ 꼴로 변형한다.

무리수 e의 정의 $\lim\limits_{x \to 0}(1+x)^{\frac{1}{x}}=e$, $\lim\limits_{x \to \infty}\left(1+\frac{1}{x}\right)^{x}=e$를 이용하여 극한값을 구하는 문제는 지수법칙을 이용하여 다음과 같이 주어진 식을 변형한다.

❶ $\lim\limits_{x \to 0}(1+ax)^{\frac{1}{bx}}=\lim\limits_{x \to 0}(1+ax)^{\frac{1}{ax} \times \frac{a}{b}}=\lim\limits_{x \to 0}\left\{(1+ax)^{\frac{1}{ax}}\right\}^{\frac{a}{b}}=e^{\frac{a}{b}}$

❷ $\lim\limits_{x \to \infty}\left(1+\frac{1}{ax}\right)^{bx}=\lim\limits_{x \to \infty}\left(1+\frac{1}{ax}\right)^{ax \times \frac{b}{a}}=\lim\limits_{x \to \infty}\left\{\left(1+\frac{1}{ax}\right)^{ax}\right\}^{\frac{b}{a}}=e^{\frac{b}{a}}$

$\lim\limits_{x \to 0}(1-x)^{-\frac{1}{x}}=e$

$\lim\limits_{x \to \infty}\left(1-\frac{1}{x}\right)^{-x}=e$

(예제) **1.** 다음 극한값을 구하시오.

(1) $\lim\limits_{x \to 0}(1+3x)^{\frac{1}{2x}}$

(2) $\lim\limits_{x \to \infty}\left(1-\frac{3}{x}\right)^{-x}$

2. 다음 극한값을 구하시오.

(1) $\lim\limits_{x \to -\infty}\left(1-\frac{1}{x}\right)^{2x}$

(2) $\lim\limits_{x \to -1}(x+2)^{\frac{1}{x+1}}$

해법 코드

1. (1) $\lim\limits_{\bullet \to 0}(1+\bullet)^{\frac{1}{\bullet}}$을 포함한 꼴로 변형한다.

(2) $\lim\limits_{\blacktriangle \to \infty}\left(1+\frac{1}{\blacktriangle}\right)^{\blacktriangle}$을 포함한 꼴로 변형한다.

2. (2) $x+1=t$로 치환한다.

(셀파) $\lim\limits_{\bullet \to 0}(1+\bullet)^{\frac{1}{\bullet}}=e$, $\lim\limits_{\blacktriangle \to \infty}\left(1+\frac{1}{\blacktriangle}\right)^{\blacktriangle}=e$

(풀이) **1.** (1) $\lim\limits_{x \to 0}(1+3x)^{\frac{1}{2x}}=\lim\limits_{x \to 0}(1+3x)^{\frac{1}{3x} \times \frac{3}{2}}=\lim\limits_{x \to 0}\left\{(1+3x)^{\frac{1}{3x}}\right\}^{\frac{3}{2}}=e^{\frac{3}{2}}$

(2) $-\dfrac{3}{x}=t$로 치환하면 $x \to \infty$일 때 $t \to 0$이므로

$\lim\limits_{x \to \infty}\left(1-\dfrac{3}{x}\right)^{-x}=\lim\limits_{t \to 0}(1+t)^{\frac{3}{t}}=\lim\limits_{t \to 0}\left\{(1+t)^{\frac{1}{t}}\right\}^{3}=e^{3}$

2. (1) $-x=t$로 치환하면 $x \to -\infty$일 때 $t \to \infty$이므로

$\lim\limits_{x \to -\infty}\left(1-\dfrac{1}{x}\right)^{2x}=\lim\limits_{t \to \infty}\left(1+\dfrac{1}{t}\right)^{-2t}=\lim\limits_{t \to \infty}\left\{\left(1+\dfrac{1}{t}\right)^{t}\right\}^{-2}=e^{-2}=\dfrac{1}{e^{2}}$

(2) $x+1=t$로 치환하면 $x \to -1$일 때 $t \to 0$이므로

$\lim\limits_{x \to -1}(x+2)^{\frac{1}{x+1}}=\lim\limits_{t \to 0}(1+t)^{\frac{1}{t}}=e$

(다른 풀이)

1. (2) $\lim\limits_{x \to \infty}\left(1-\dfrac{3}{x}\right)^{-x}$

$=\lim\limits_{x \to \infty}\left(1-\dfrac{3}{x}\right)^{-\frac{x}{3} \times 3}$

$\doteqdot\lim\limits_{x \to \infty}\left\{\left(1-\dfrac{3}{x}\right)^{-\frac{x}{3}}\right\}^{3}=e^{3}$

3 지수함수와 로그함수의 미분

확인 문제

정답과 해설 | **28**쪽

MY 셀파

03-1 다음 극한값을 구하시오.

(1) $\lim\limits_{x \to 0}(1+2x)^{\frac{2}{x}}$

(2) $\lim\limits_{x \to \infty}\left(1+\dfrac{1}{2x}\right)^{-x}$

03-2 다음 극한값을 구하시오.

(1) $\lim\limits_{x \to -\infty}\left(1-\dfrac{1}{x}\right)^{-3x}$

(2) $\lim\limits_{x \to 1}x^{\frac{3}{2x-2}}$

03-1

(2) $\left(1+\dfrac{1}{2x}\right)^{-x}=\left(1+\dfrac{1}{2x}\right)^{2x \times \left(-\frac{1}{2}\right)}$

03-2

(1) $-x=t$로 치환하면

$x \to -\infty$일 때 $t \to \infty$이다.

(2) $x-1=t$로 치환하면

$x \to 1$일 때 $t \to 0$이다.

무리수 e를 밑으로 하는 로그 $\log_e x$를 <u>자연로그</u>라 하고, 간단히 $\ln x$와 같이 나타낸다.
무리수 e의 정의 $\lim_{x \to 0}(1+x)^{\frac{1}{x}}=e$, <u>로그의 정의</u>, <u>로그의 성질</u>을 이용하여 자연로그의
극한을 알아보자.

---

1   밑이 e인 지수함수와 로그함수의 극한

> ❶ $\lim_{x \to 0}\dfrac{\ln(1+x)}{x}=1$ ❷ $\lim_{x \to 0}\dfrac{e^x-1}{x}=1$

[해설] ❶ $\lim_{x \to 0}(1+x)^{\frac{1}{x}}=e$이므로

$$\lim_{x \to 0}\frac{\ln(1+x)}{x}=\lim_{x \to 0}\frac{1}{x}\ln(1+x)=\lim_{x \to 0}\ln(1+x)^{\frac{1}{x}}=\ln e=1$$

❷ $e^x-1=t$로 치환하면 $x \to 0$일 때 $t \to 0$이고, $x=\ln(1+t)$이므로

$$\lim_{x \to 0}\frac{e^x-1}{x}=\lim_{t \to 0}\frac{t}{\ln(1+t)}=\lim_{t \to 0}\frac{1}{\dfrac{\ln(1+t)}{t}}$$

$$=\lim_{t \to 0}\frac{1}{\ln(1+t)^{\frac{1}{t}}}=\frac{1}{\ln e}=1$$

2   밑이 e가 아닌 지수함수와 로그함수의 극한

> $a>0$이고, $a \neq 1$일 때
> ❶ $\lim_{x \to 0}\dfrac{\log_a(1+x)}{x}=\dfrac{1}{\ln a}$ ❷ $\lim_{x \to 0}\dfrac{a^x-1}{x}=\ln a$

[해설] ❶ $\lim_{x \to 0}\dfrac{\log_a(1+x)}{x}=\lim_{x \to 0}\dfrac{1}{x}\log_a(1+x)=\lim_{x \to 0}\log_a(1+x)^{\frac{1}{x}}$

$$=\log_a e=\frac{1}{\log_e a}=\frac{1}{\ln a}$$

❷ $a^x-1=t$로 치환하면 $x \to 0$일 때 $t \to 0$이고, $x=\log_a(1+t)$이므로

$$\lim_{x \to 0}\frac{a^x-1}{x}=\lim_{t \to 0}\frac{t}{\log_a(1+t)}=\lim_{t \to 0}\frac{1}{\dfrac{\log_a(1+t)}{t}}$$

$$=\lim_{t \to 0}\frac{1}{\log_a(1+t)^{\frac{1}{t}}}=\frac{1}{\log_a e}=\ln a$$

🔵 자연로그는 e를 밑으로 하는 로그
이므로 함수 $y=\ln x$의 역함수는
e를 밑으로 하는 지수함수 $y=e^x$
이다. 또 그 역도 성립한다.
즉, 두 함수 $y=\ln x$와 $y=e^x$은
서로 역함수의 관계에 있으므로
두 함수의 그래프는 직선 $y=x$에
대하여 대칭이다.

🔵 $a>0,\ a \neq 1,\ b>0$일 때
$$a^x=b \Longleftrightarrow x=\log_a b$$

🔵 자연로그에서도 로그의 성질이
성립한다. 즉, $x>0,\ y>0$일 때
$\ln x+\ln y=\ln xy$
$\ln x-\ln y=\ln \dfrac{x}{y}$
$\ln x^k=k \ln x$ (단, k는 실수)
$\ln 1=0,\ \ln e=1$

🔵 로그의 밑 변환 공식
$$\log_a b=\frac{1}{\log_b a}$$을 이용한다.
(단, $a>0,\ a \neq 1,\ b>0,\ b \neq 1$)

❶ $\lim\limits_{x \to 0} \dfrac{\ln(1+ax)}{ax} = 1$

❷ $\lim\limits_{x \to 0} \dfrac{\ln(1+ax)}{bx} = \lim\limits_{x \to 0} \dfrac{\ln(1+ax)}{ax} \times \dfrac{a}{b} = \dfrac{a}{b}$

❸ $\lim\limits_{x \to 0} \dfrac{e^{ax}-1}{ax} = 1$

❹ $\lim\limits_{x \to 0} \dfrac{e^{ax}-1}{bx} = \lim\limits_{x \to 0} \dfrac{e^{ax}-1}{ax} \times \dfrac{a}{b} = \dfrac{a}{b}$

해설 ❶ $\lim\limits_{x \to 0} \dfrac{\ln(1+ax)}{ax} = \lim\limits_{x \to 0} \ln(1+ax)^{\frac{1}{ax}} = \ln e = 1$

❸ $e^{ax}-1=t$로 치환하면 $x \longrightarrow 0$일 때 $t \longrightarrow 0$이고, $ax = \ln(1+t)$이므로

$$\lim\limits_{x \to 0} \dfrac{e^{ax}-1}{ax} = \lim\limits_{t \to 0} \dfrac{t}{\ln(1+t)} = \lim\limits_{t \to 0} \dfrac{1}{\dfrac{\ln(1+t)}{t}} = \dfrac{1}{\ln e} = 1$$

01 다음 극한값을 구하시오.

(1) $\lim\limits_{x \to 0} \dfrac{\ln(1+x)}{3x}$

(2) $\lim\limits_{x \to 0} \dfrac{\ln(1+3x)}{x}$

(3) $\lim\limits_{x \to 0} \dfrac{\ln(1+2x)}{8x}$

(4) $\lim\limits_{x \to 0} \dfrac{\ln(1+4x)}{2x}$

(5) $\lim\limits_{x \to 0} \dfrac{\ln(1-2x)}{x}$

02 다음 극한값을 구하시오.

(1) $\lim\limits_{x \to 0} \dfrac{e^x-1}{2x}$

(2) $\lim\limits_{x \to 0} \dfrac{e^{2x}-1}{x}$

(3) $\lim\limits_{x \to 0} \dfrac{e^{3x}-1}{x}$

(4) $\lim\limits_{x \to 0} \dfrac{e^{-2x}-1}{x}$

(5) $\lim\limits_{x \to 0} \dfrac{e^{1-x}-e}{x}$

❶ $\displaystyle\lim_{x \to 0}\frac{\log_a(1+x)}{x}=\frac{1}{\ln a}$

❷ $\displaystyle\lim_{x \to 0}\frac{a^x-1}{x}=\ln a$ (단, $a>0$, $a \neq 1$)

$\displaystyle\lim_{● \to 0}(1+●)^{\frac{1}{●}}=e$이므로

$\displaystyle\lim_{x \to 0}\frac{\log_a(1+bx)}{bx}=\frac{1}{\ln a}$도 성립한다.

예제 다음 극한값을 구하시오.

(1) $\displaystyle\lim_{x \to 0}\frac{\log_3(1+x)}{x}$

(2) $\displaystyle\lim_{x \to 0}\frac{5x}{\log_5(1+x)}$

(3) $\displaystyle\lim_{x \to 0}\frac{2^x-1}{e^x-1}$

(4) $\displaystyle\lim_{x \to 0}\frac{6^x-2^x}{x}$

해법 코드

(2) $\displaystyle\lim_{x \to 0}\frac{5x}{\log_5(1+x)}$

$=\displaystyle\lim_{x \to 0}\frac{5}{\dfrac{\log_5(1+x)}{x}}$

(4) 분자에서 1을 빼고 더한다.

$6^x-2^x=(6^x-1)-(2^x-1)$

셀파 $\displaystyle\lim_{x \to 0}\frac{\log_a(1+x)}{x}=\frac{1}{\ln a}$, $\displaystyle\lim_{x \to 0}\frac{a^x-1}{x}=\ln a$

풀이 (1) (주어진 식)$=\dfrac{1}{\ln 3}$

(2) (주어진 식)$=\displaystyle\lim_{x \to 0}\frac{5}{\dfrac{\log_5(1+x)}{x}}=\frac{5}{\dfrac{1}{\ln 5}}=\mathbf{5\ln 5}$

(3) (주어진 식)$=\displaystyle\lim_{x \to 0}\left\{\frac{2^x-1}{x} \times \frac{x}{e^x-1}\right\}=\ln 2 \times 1=\mathbf{\ln 2}$

(4) (주어진 식)$=\displaystyle\lim_{x \to 0}\frac{(6^x-1)-(2^x-1)}{x}=\lim_{x \to 0}\frac{6^x-1}{x}-\lim_{x \to 0}\frac{2^x-1}{x}$

$=\ln 6 - \ln 2=\ln\dfrac{6}{2}=\mathbf{\ln 3}$

❷ 로그의 정의에 의하여 $2=e^{\ln 2}$이므로

$\displaystyle\lim_{x \to 0}\frac{2^x-1}{x}$

$=\displaystyle\lim_{x \to 0}\frac{e^{x\ln 2}-1}{x}$

$=\displaystyle\lim_{x \to 0}\left(\frac{e^{x\ln 2}-1}{x\ln 2} \times \ln 2\right)$

$=1 \times \ln 2=\ln 2$

확인 문제   정답과 해설 | **29**쪽   MY 셀파

04-1 다음 극한값을 구하시오.

상 중 하

(1) $\displaystyle\lim_{x \to 0}\frac{\log_3(1+3x)}{9x}$

(2) $\displaystyle\lim_{x \to 0}\frac{3^x-1}{2x}$

(3) $\displaystyle\lim_{x \to 0}\frac{3x}{\log_2(1+9x)}$

(4) $\displaystyle\lim_{x \to 0}\frac{3^x-5^x}{x}$

04-1

(3) $\displaystyle\lim_{x \to 0}\frac{9x}{\log_2(1+9x)} \times \frac{1}{3}$

$=\dfrac{1}{3}\displaystyle\lim_{x \to 0}\frac{1}{\dfrac{\log_2(1+9x)}{9x}}$

❶ $\lim_{x \to 0} \dfrac{\ln(1+x)}{x} = 1$, $\lim_{x \to 0} \dfrac{e^x - 1}{x} = 1$

❷ $\lim_{x \to 0} \dfrac{\log_a(1+x)}{x} = \dfrac{1}{\ln a}$, $\lim_{x \to 0} \dfrac{a^x - 1}{x} = \ln a$

함수의 극한을 구할 때 바로 공식을 이용하기 어려운 경우는 치환한 다음 함수의 극한에 대한 공식을 이용할 수 있는 꼴로 고친다.

예제 다음 극한값을 구하시오.

(1) $\lim_{x \to 1} \dfrac{\ln x}{x-1}$

(2) $\lim_{x \to 1} \dfrac{e^x - e}{ex - e}$

(3) $\lim_{x \to -1} \dfrac{\log_3(x+2)}{x+1}$

(4) $\lim_{x \to -1} \dfrac{8^{x+1} - x^2}{x+1}$

해법 코드

(1), (2) $x-1 = t$로 치환한다.

(3), (4) $x+1 = t$로 치환한다.

셀파 $x \to a$일 때, 자연로그의 극한은 $x - a = t$로 치환한다.

풀이 (1) $x - 1 = t$로 치환하면 $x \to 1$일 때 $t \to 0$이고, $x = t + 1$이므로

(주어진 식) $= \lim_{t \to 0} \dfrac{\ln(1+t)}{t} = \mathbf{1}$

(2) $x - 1 = t$로 치환하면 $x \to 1$일 때 $t \to 0$이고, $x = t + 1$이므로

(주어진 식) $= \lim_{t \to 0} \dfrac{e^{t+1} - e}{et} = \lim_{t \to 0} \dfrac{e(e^t - 1)}{et} = \lim_{t \to 0} \dfrac{e^t - 1}{t} = \mathbf{1}$

(3) $x + 1 = t$로 치환하면 $x \to -1$일 때 $t \to 0$이고, $x = t - 1$이므로

(주어진 식) $= \lim_{t \to 0} \dfrac{\log_3(1+t)}{t} = \dfrac{\mathbf{1}}{\mathbf{\ln 3}}$

(4) $x + 1 = t$로 치환하면 $x \to -1$일 때 $t \to 0$이고, $x = t - 1$이므로

(주어진 식) $\overset{\text{❶}}{=} \lim_{t \to 0} \dfrac{8^t - t^2 + 2t - 1}{t} = \lim_{t \to 0} \left(\dfrac{8^t - 1}{t} - t + 2 \right)$
$= \mathbf{\ln 8 + 2}$

❶ $\lim_{t \to 0} \dfrac{8^t - t^2 + 2t - 1}{t}$
$= \lim_{t \to 0} \left(\dfrac{8^t - 1}{t} - \dfrac{t^2 - 2t}{t} \right)$
$= \lim_{t \to 0} \dfrac{8^t - 1}{t} - \lim_{t \to 0} (t - 2)$
$= \ln 8 + 2$

3 지수함수와 로그함수의 미분

확인 문제 · 정답과 해설 | **29**쪽 · **MY 셀파**

05-1 다음 극한값을 구하시오.
(상 중 하)

(1) $\lim_{x \to 2} \dfrac{\ln(x-1)}{x-2}$

(2) $\lim_{x \to \infty} e^x \ln(1 + e^{-x})$

(3) $\lim_{x \to 1} \dfrac{\log_{10} x}{x-1}$

(4) $\lim_{x \to -1} \dfrac{x^3 + e^{x+1}}{x+1}$

05-1

(1) $x - 2 = t$로 치환한다.

(2) $e^{-x} = t$로 치환한다.

(3) $x - 1 = t$로 치환한다.

(4) $x + 1 = t$로 치환한다.

두 함수 $f(x)$, $g(x)$에 대하여 $\lim\limits_{x \to a} \dfrac{g(x)}{f(x)} = k$ (k는 상수)일 때

❶ $\lim\limits_{x \to a} f(x) = 0$이면 $\lim\limits_{x \to a} g(x) = 0$

❷ $k \neq 0$, $\lim\limits_{x \to a} g(x) = 0$이면 $\lim\limits_{x \to a} f(x) = 0$

$$\lim_{x \to 0} \frac{e^x - 1}{x} = 1$$

$$\lim_{x \to 0} \frac{\ln(1+x)}{x} = 1$$

을 이용하려면 $t \to 0$이 되는 값을 t로 치환한다.

예제 다음 등식을 만족시키는 상수 a, b의 값을 구하시오.

(1) $\lim\limits_{x \to 1} \dfrac{e^{x-1} - a}{x^2 - 1} = b$

(2) $\lim\limits_{x \to 0} \dfrac{bx}{\ln(a+4x)} = \dfrac{1}{2}$

해법 코드
a의 값을 먼저 구하고 극한값을 구한다.

셀파 $\lim\limits_{x \to a} \dfrac{g(x)}{f(x)} = k$ (k는 상수)가 주어지고 $x \to a$일 때, $f(x) \to 0$이면 $g(x) \to 0$이다.

풀이 (1) $x \to 1$일 때 (분모) $\to 0$이고 극한값이 존재하므로 (분자) $\to 0$이다. 즉,

$$\lim_{x \to 1}(e^{x-1} - a) = 0, \quad 1 - a = 0 \qquad \therefore a = 1$$

$a = 1$을 주어진 식에 대입하고 $x - 1 = t$로 치환하면 $x \to 1$일 때 $t \to 0$이므로

$$\lim_{x \to 1} \frac{e^{x-1} - 1}{x^2 - 1} = \lim_{t \to 0} \frac{e^t - 1}{t^2 + 2t} = \lim_{t \to 0}\left(\frac{e^t - 1}{t} \times \frac{1}{t+2} \right) = 1 \times \frac{1}{2} = \frac{1}{2}$$

$$\therefore b = \frac{1}{2}$$

$x \to a$일 때, (분모) $\to 0$이면 그 극한값이 0이든 아니든 상관없이 (분자) $\to 0$이야.
그러나 $x \to a$일 때, (분자) $\to 0$이면 극한값이 0이 아닌 경우에만 (분모) $\to 0$이야.

(2) $x \to 0$일 때 (분자) $\to 0$이고 0이 아닌 극한값이 존재하므로 (분모) $\to 0$이다.

$$\lim_{x \to 0} \ln(a + 4x) = 0, \quad \ln a = 0 \qquad \therefore a = 1$$

$a = 1$을 주어진 식에 대입하면

$$\lim_{x \to 0} \frac{bx}{\ln(1+4x)} \overset{❶}{=} \lim_{x \to 0}\left\{ \frac{4x}{\ln(1+4x)} \times \frac{b}{4} \right\} = \frac{b}{4}$$

따라서 $\dfrac{b}{4} = \dfrac{1}{2}$이므로 $\qquad \therefore b = 2$

❶ $\lim\limits_{x \to 0} \dfrac{4x}{\ln(1+4x)}$

$= \lim\limits_{x \to 0} \dfrac{1}{\dfrac{\ln(1+4x)}{4x}} = 1$

확인 문제

정답과 해설 | **29**쪽

MY 셀파

06-1
(상중하) $\lim\limits_{x \to 0} \dfrac{e^{x+3p} + q}{3x} = 2$를 만족시키는 상수 q의 값을 구하시오.

06-1
분수 꼴의 극한값이 상수일 때 (분모) $\to 0$이면 (분자) $\to 0$이다.

06-2
(상중하) $\lim\limits_{x \to 0} \dfrac{\ln(1+cx)}{e^{ax+b} - 1} = 5$를 만족시키는 상수 a, b, c에 대하여 $\dfrac{b+c}{a}$의 값을 구하시오.

06-2
분수 꼴의 극한값이 0이 아닌 상수일 때 (분자) $\to 0$이면 (분모) $\to 0$이다.

지수함수와 로그함수의 도함수

❶ $y=e^x$이면 $\qquad\qquad\qquad\qquad y'=e^x$

❷ $y=a^x\,(a>0,\,a\neq1)$이면 $\qquad\quad y'=a^x\ln a$

❸ $y=\ln x$이면 $\qquad\qquad\qquad\quad y'=\dfrac{1}{x}$

❹ $y=\log_a x\,(a>0,\,a\neq1)$이면 $\quad y'=\dfrac{1}{x\ln a}$

▶미분가능한 함수 $y=f(x)$의 도함수는

$$f'(x)=\lim_{h\to0}\frac{f(x+h)-f(x)}{h}$$

해설 ❶ 지수함수 $y=e^x$에서 도함수의 정의에 의하여

$$y'=\lim_{h\to0}\frac{e^{x+h}-e^x}{h}=\lim_{h\to0}\frac{e^x(e^h-1)}{h}=e^x\lim_{h\to0}\frac{e^h-1}{h}=e^x\times1=e^x$$

$$\therefore\ \boldsymbol{y=e^x \Rightarrow y'=e^x}$$

예 $y=2e^x$이면 $y'=2e^x$

㉠ $\displaystyle\lim_{h\to0}\frac{e^h-1}{h}=1$

㉡ $y=2e^x$의 도함수는
$$y'=(2e^x)'=2(e^x)'=2e^x$$

❷ 지수함수 $y=a^x\,(a>0,\,a\neq1)$에서 도함수의 정의에 의하여

$$y'=\lim_{h\to0}\frac{a^{x+h}-a^x}{h}=\lim_{h\to0}\frac{a^x(a^h-1)}{h}=a^x\lim_{h\to0}\frac{a^h-1}{h}=a^x\ln a$$

$$\therefore\ \boldsymbol{y=a^x \Rightarrow y'=a^x\ln a}$$

예 $y=2^x$이면 $y'=2^x\ln 2$

❸ 로그함수 $y=\ln x$에서 도함수의 정의에 의하여

$$y'=\lim_{h\to0}\frac{\ln(x+h)-\ln x}{h}=\lim_{h\to0}\frac{1}{h}\ln\frac{x+h}{x}$$
$$=\lim_{h\to0}\left\{\frac{1}{x}\times\frac{x}{h}\ln\left(1+\frac{h}{x}\right)\right\}=\frac{1}{x}\lim_{h\to0}\ln\left(1+\frac{h}{x}\right)^{\frac{x}{h}}=\frac{1}{x}\ln e=\frac{1}{x}$$

$$\therefore\ \boldsymbol{y=\ln x \Rightarrow y'=\dfrac{1}{x}}$$

예 $y=\ln 2x$이면 $y'=(\ln 2+\ln x)'=\dfrac{1}{x}$

▶$a>0,\,a\neq1,\,b>0,\,b\neq1,\,N>0$일 때,
$$\log_a N=\frac{\log_b N}{\log_b a}$$

❹ 로그함수 $y=\log_a x\,(a>0,\,a\neq1)$에서 $\log_a x=\dfrac{\ln x}{\ln a}$이므로

$$y'=\left(\frac{\ln x}{\ln a}\right)'=\frac{1}{\ln a}(\ln x)'=\frac{1}{\ln a}\times\frac{1}{x}=\frac{1}{x\ln a}$$

$$\therefore\ \boldsymbol{y=\log_a x \Rightarrow y'=\dfrac{1}{x\ln a}}$$

예 $y=\log_2 x$이면 $y'=\dfrac{1}{x\ln 2}$

㉢ $y=\log_2 x$의 도함수는
$$y'=(\log_2 x)'=\left(\frac{\ln x}{\ln 2}\right)'$$
$$=\frac{1}{x\ln 2}$$

3 지수함수와 로그함수의 미분

(1) 지수함수의 도함수

❶ $y=e^x \Rightarrow y'=e^x$　　　　　❷ $y=a^x\,(a>0,\,a\neq1) \Rightarrow y'=a^x \ln a$

(2) 로그함수의 도함수

❶ $y=\ln x \Rightarrow y'=\dfrac{1}{x}$　　　❷ $y=\log_a x\,(a>0,\,a\neq1) \Rightarrow y'=\dfrac{1}{x\ln a}$

$\{cf(x)\}'=cf'(x)$ (단, c는 상수)
$\{f(x)\pm g(x)\}'$
$=f'(x)\pm g'(x)$
$\{f(x)g(x)\}'$
$=f'(x)g(x)+f(x)g'(x)$

예제 다음 함수를 미분하시오.

(1) $y=(x+e^x)^2$　　　　　　(2) $y=5^x\times2x^2$

(3) $y=x\ln x-x$　　　　　　(4) $y=x\log_2 x$

해법 코드
(1) $\{(x+e^x)^2\}'$
　$=2(x+e^x)(x+e^x)'$
(3) $(x\ln x-x)'$
　$=(x)'\ln x+x\,(\ln x)'-(x)'$

셀파 지수함수의 미분법 $\Rightarrow (e^x)'=e^x,\ (a^x)'=a^x\ln a$

　　로그함수의 미분법 $\Rightarrow (\ln x)'=\dfrac{1}{x},\ (\log_a x)'=\dfrac{1}{x\ln a}$

풀이 (1) $y'=2(x+e^x)(x+e^x)'=\mathbf{2(x+e^x)(1+e^x)}$

(2) $y'=(5^x)'2x^2+5^x(2x^2)'=5^x\ln5\times2x^2+5^x\times4x$
　　$=\mathbf{2x(x\ln5+2)5^x}$

(3) $y'=(x\ln x)'-(x)'=(x)'\ln x+x(\ln x)'-1$
　　$=\ln x+x\times\dfrac{1}{x}-1=\mathbf{\ln x}$

(4) $y'=(x)'\log_2 x+x(\log_2 x)'=\log_2 x+x\times\dfrac{1}{x\ln2}$
　　$=\mathbf{\log_2 x+\dfrac{1}{\ln2}}$

다른 풀이
(1) $y=x^2+2xe^x+e^{2x}$에서
　$y'=2x+(2e^x+2xe^x)+2e^{2x}$
　　$=2x(e^x+1)+2e^x(1+e^x)$
　　$=2(x+e^x)(1+e^x)$

복잡한 함수의 미분은 곱의 미분법
$\{f(x)g(x)\}'$
$=f'(x)g(x)+f(x)g'(x),$
$[\{f(x)\}^n]'=n\{f(x)\}^{n-1}f'(x)$
를 적용하여 해결해!

확인 문제　　　　　　　　　　정답과 해설 | **30**쪽　　　　　　MY 셀파

07-1 다음 함수를 미분하시오.

(1) $y=xe^x$　　　　　　(2) $y=(x-3)2^x$

(3) $y=e^x\ln x$　　　　　(4) $y=x\log_5 3x$

07-1
(4) $(x\log_5 3x)'$
　$=(x)'\log_5 3x+x(\log_5 3x)'$
　$=1\times\log_5 3x$
　　$+x(\log_5 3+\log_5 x)'$

함수 $f(x)=\begin{cases}g(x) & (x\geq a)\\ h(x) & (x<a)\end{cases}$ 가 $x=a$에서 미분가능하면

❶ $x=a$에서 연속이므로 $g(a)=\displaystyle\lim_{x\to a-}h(x)$

❷ $x=a$에서 미분계수가 존재하므로 $\displaystyle\lim_{x\to a+}g'(x)=\lim_{x\to a-}h'(x)$

> 구간으로 나누어진 함수에서 두 함수가 미분가능하면 두 함수는 연속함수이다. 따라서 경계가 되는 x의 값에서 두 함수가 연속이고, 미분가능하다는 것을 생각한다.

예제 함수 $f(x)=\begin{cases}ae^{-x} & (x\geq 1)\\ x^2+bx-1 & (x<1)\end{cases}$ 이 $x=1$에서 미분가능할 때, 상수 a,b의 값을 구하시오.

> **해법 코드**
> $f(1)=\displaystyle\lim_{x\to 1-}f(x)$가 성립한다.

셀파 함수 $f(x)$가 $x=a$에서 미분가능 ⇨ $x=a$에서 연속이고 미분계수가 존재한다.

풀이 함수 $f(x)$가 $x=1$에서 미분가능하므로 $x=1$에서 연속이다. 즉,
$f(1)=\displaystyle\lim_{x\to 1-}f(x)$에서 $ae^{-1}=b$　　……㉠

함수 $f(x)$의 도함수 $f'(x)$는 $f'(x)=\begin{cases}-ae^{-x} & (x>1)\\ 2x+b & (x<1)\end{cases}$

또 $f(x)$의 $x=1$에서 미분계수가 존재하므로
$\displaystyle\lim_{x\to 1+}f'(x)=\lim_{x\to 1-}f'(x)$
$-ae^{-1}=2+b$　　……㉡
㉠을 ㉡에 대입하면
$-b=2+b$　　∴ $b=-1$
$b=-1$을 ㉠에 대입하면 $a=-e$

> ❺ 함수 $f(x)$가 $x=1$에서 미분가능하면
> (ⅰ) $x=1$에서 연속이다. 즉,
> $f(1)=\displaystyle\lim_{x\to 1-}f(x)$
> (ⅱ) $x=1$에서 미분계수가 존재한다. 즉,
> $\displaystyle\lim_{x\to 1-}f'(x)=\lim_{x\to 1+}f'(x)$

3
지수함수와 로그함수의 미분

확인 문제　　　　　　　　　　　　　　　　　　정답과 해설 | **30**쪽　　　　　　　　MY 셀파

08-1 함수 $f(x)=\begin{cases}px^2-3x-1 & (x\geq 2)\\ e^{x-2}+q & (x<2)\end{cases}$ 가 $x=2$에서 미분가능할 때, 상수 p,q의 값을 구하시오.
(상)(중)(하)

> **08-1**
> $f(2)=\displaystyle\lim_{x\to 2-}f(x)$
> $\displaystyle\lim_{x\to 2+}f'(x)=\lim_{x\to 2-}f'(x)$

08-2 함수 $f(x)=\begin{cases}\ln x & (x\geq 1)\\ ax+b & (x<1)\end{cases}$ 가 $x=1$에서 미분가능할 때, 상수 a,b의 값을 구하시오.
(상)(중)(하)

> **08-2**
> $f(1)=\displaystyle\lim_{x\to 1-}f(x)$
> $\displaystyle\lim_{x\to 1+}f'(x)=\lim_{x\to 1-}f'(x)$

지수함수의 극한

01 다음 극한값을 구하시오.

(1) $\lim_{x \to \infty} (8^x + 3^x)^{\frac{1}{3x}}$ (2) $\lim_{x \to -\infty} \dfrac{5^x - 5^{-x}}{5^x + 5^{-x}}$

로그함수의 극한

02 $\lim_{x \to \infty} \{\log_2 (5x+2) - \log_2 x\}$ 의 값은?

① 1 ② $\log_2 5$ ③ 2

④ $\log_2 \dfrac{1}{5}$ ⑤ 3

무리수 e

03 다음 극한값을 구하시오.

(1) $\lim_{x \to 0} (1+x)^{\frac{3}{x}}$ (2) $\lim_{x \to \infty} \left(1+\dfrac{4}{x}\right)^x$

(3) $\lim_{x \to 0} (1-x)^{\frac{1}{2x}}$ (4) $\lim_{x \to \infty} \left(1-\dfrac{2}{x}\right)^x$

밑이 e인 지수함수의 극한

04 $\lim_{x \to 0} \dfrac{e^{3x}-1}{x^2+2x}$ 의 극한값을 구하시오.

밑이 e인 로그함수의 극한

05 $\lim_{x \to 0} \dfrac{\ln (1+5x) + 7x}{2x}$ 의 극한값을 구하시오.

밑이 e인 로그함수의 극한

06 두 함수 $f(x)$, $g(x)$에 대하여 $\lim_{x \to 0} xf(x) = 1$, $g(x) = \ln(1+x)$일 때, $\lim_{x \to 0} f(x)g(x)$의 값을 구하시오.

밑이 e가 아닌 지수함수, 로그함수의 극한

07 다음 극한값을 구하시오.

(1) $\lim_{x \to 0} \dfrac{2^x - 1}{3x}$ (2) $\lim_{x \to 0} \dfrac{\log_5 (1+2x)}{x}$

지수함수의 극한의 활용

08 오른쪽 그림과 같이 지수함수 $y=2^x$의 그래프 위를 움직이는 점 $P(x, y)$에서 x축, y축에 내린 수선의 발을 각각 A, B라 하자. 점 P는 $y=2^x$의

그래프가 y축과 만나는 점 C에 한없이 가까워질 때, $\dfrac{\overline{BC}}{\overline{OA}}$의 극한값을 구하시오. (단, $x>0$)

치환을 이용한 지수함수, 로그함수의 극한

09 $\lim\limits_{x \to 1} \dfrac{x^3 - e^{x-1}}{x-1}$의 극한값을 구하시오.

미정계수의 결정

10 다음 두 등식을 모두 만족시키는 양수 a, b의 값을 구하시오.

$$\lim_{x \to 0} \frac{\ln(1+ax)}{2x} = b, \qquad \lim_{x \to 0} \frac{e^x - 1}{bx} = a$$

미정계수의 결정

11 다음 등식을 만족시키는 상수 a, b의 값을 구하시오.

$$\lim_{x \to 0} \frac{\ln(a+3x)}{x} = b$$

지수함수의 도함수

12 다음 함수를 미분하시오.

(1) $y = e^{3x}$ (2) $y = 3^{2x}$

(3) $y = x^2 e^{-x}$ (4) $y = x \times 3^x$

지수함수의 도함수

13 함수 $f(x) = (2x+1)e^x$에 대하여 $f'(1)$의 값을 구하시오.

로그함수의 도함수

14 다음 함수를 미분하시오.

(1) $y = \ln 4x$ (2) $y = \log_3 2x$

(3) $y = (\ln x)^2$ (4) $y = x^3 \log_3 x$

로그함수의 도함수 융합형

15 $f(x) = x^2 \ln x$에 대하여 $\lim\limits_{x \to 1} \dfrac{f(x)}{x-1}$의 값을 구하시오.

로그함수의 미분가능성 서술형

16 함수 $f(x) = \begin{cases} 2x+b & (x \le 1) \\ a \ln x + 4 & (x > 1) \end{cases}$가 $x=1$에서 미분가능할 때, 상수 a, b에 대하여 $a+b$의 값을 구하시오.

3

지수함수와 로그함수의 미분

4

삼각함수의 미분

4. 삼각함수의 미분

개념 1 삼각함수의 덧셈정리

❶ $\sin(\alpha+\beta)=\sin\alpha\cos\beta+\cos\alpha\sin\beta$

$\sin(\alpha-\beta)=\sin\alpha\cos\beta-\cos\alpha\sin\beta$

❷ $\cos(\alpha+\beta)=\cos\alpha\cos\beta-\sin\alpha\sin\beta$

$\cos(\alpha-\beta)=\cos\alpha\cos\beta\ \boxed{❶}\ \sin\alpha\sin\beta$

❸ $\tan(\alpha+\beta)=\dfrac{\tan\alpha+\tan\beta}{1-\tan\alpha\tan\beta}$

$\tan(\alpha-\beta)=\dfrac{\tan\alpha\ \boxed{❷}\ \tan\beta}{1+\tan\alpha\tan\beta}$

답 ❶ + ❷ −

> 삼각함수의 덧셈정리에서 α, β는 주어진 식의 각을 분해하여 $30°$, $45°$, $60°$ 등으로 나타내.

보기 $\cos 15°$의 값을 구하시오.

연구 $\cos 15°=\cos(45°-30°)=\cos 45°\cos 30°+\sin 45°\sin 30°$

$=\dfrac{\sqrt{2}}{2}\times\dfrac{\sqrt{3}}{2}+\dfrac{\sqrt{2}}{2}\times\dfrac{1}{2}=\dfrac{\sqrt{6}+\sqrt{2}}{4}$

> ⊙ 삼각함수의 각의 변환에서
> $\cos(90°-\theta)=\sin\theta$이므로
> $\cos 15°=\cos(90°-75°)$
> $\quad\quad\quad=\sin 75°$
> 를 이용하여 $\cos 15°$의 값을 구해도 된다.

개념 2 사인함수의 덧셈정리의 활용

$$a\sin\theta+b\cos\theta=\sqrt{a^2+b^2}\sin(\theta+\alpha)\left(\text{단, }\sin\alpha=\dfrac{b}{\sqrt{a^2+b^2}},\ \cos\alpha=\dfrac{a}{\sqrt{\boxed{❶}}}\right)$$

답 ❶ a^2+b^2

> ▶ $\displaystyle\lim_{x\to 0}\dfrac{\sin bx}{bx}$에서
> $bx=t$로 놓으면
> $x\to 0$일 때 $t\to 0$이므로
> $\displaystyle\lim_{x\to 0}\dfrac{\sin bx}{bx}=\lim_{t\to 0}\dfrac{\sin t}{t}=1$

개념 3 삼각함수의 극한

(1) 삼각함수의 극한

❶ 임의의 실수 a에 대하여

$\displaystyle\lim_{x\to a}\sin x=\sin a,\ \lim_{x\to a}\cos x=\cos a$

❷ $a\neq n\pi+\dfrac{\pi}{2}$ (n은 정수)인 임의의 실수 a에 대하여 $\displaystyle\lim_{x\to a}\tan x=\tan a$

(2) ❶ $\displaystyle\lim_{x\to 0}\dfrac{\sin x}{x}=1,\ \lim_{x\to 0}\dfrac{\tan x}{x}=1$ (단, x의 단위는 라디안)

❷ $\displaystyle\lim_{x\to 0}\dfrac{\sin bx}{ax}=\dfrac{\boxed{❶}}{a},\ \lim_{x\to 0}\dfrac{\tan bx}{ax}=\dfrac{b}{a},\ \lim_{x\to 0}\dfrac{\sin bx}{\tan ax}=\dfrac{b}{\boxed{❷}}$

답 ❶ b ❷ a

> ⊙ $\displaystyle\lim_{x\to 0}\dfrac{\sin bx}{ax}$
> $=\displaystyle\lim_{x\to 0}\left(\dfrac{\sin bx}{bx}\times\dfrac{b}{a}\right)$
> $=\dfrac{b}{a}\displaystyle\lim_{x\to 0}\dfrac{\sin bx}{bx}$
> $=\dfrac{b}{a}\times 1=\dfrac{b}{a}$

개념 4 사인함수와 코사인함수의 도함수

❶ $y=\sin x$이면 $y'=\cos x$

❷ $y=\cos x$이면 $y'=-\boxed{❶}$

답 ❶ $\sin x$

1-1 | 삼각함수의 덧셈정리 |

다음 삼각함수의 값을 구하시오.

(1) $\sin 15°$　　　　　　　　(2) $\cos 105°$

연구

(1) $\sin 15° = \sin(45° - 30°)$

$\qquad = \sin 45° \cos 30° - \cos 45° \sin 30°$

$\qquad = \dfrac{\boxed{}}{2} \times \dfrac{\sqrt{3}}{2} - \dfrac{\sqrt{2}}{2} \times \dfrac{1}{2}$

$\qquad = \dfrac{\boxed{} - \sqrt{2}}{4}$

(2) $\cos 105° = \cos(60° + 45°)$

$\qquad = \cos 60° \cos 45° - \sin 60° \sin 45°$

$\qquad = \dfrac{1}{2} \times \dfrac{\sqrt{2}}{2} - \dfrac{\sqrt{3}}{2} \times \dfrac{\boxed{}}{2}$

$\qquad = \dfrac{\sqrt{2} - \boxed{}}{4}$

1-2 | 따라풀기 |

다음 삼각함수의 값을 구하시오.

(1) $\sin 105°$　　　　　　　　(2) $\tan 15°$

풀이

2-1 | 삼각함수의 극한 |

다음 극한값을 구하시오.

(1) $\displaystyle\lim_{x \to 0} \dfrac{\sin x}{3x}$　　　　　　(2) $\displaystyle\lim_{x \to 0} \dfrac{3x}{\tan 6x}$

연구

(1) $\displaystyle\lim_{x \to 0} \dfrac{\sin x}{3x} = \lim_{x \to 0} \left(\dfrac{\sin x}{x} \times \dfrac{1}{3} \right)$

$\qquad = \dfrac{1}{3} \lim_{x \to 0} \dfrac{\sin x}{x}$

$\qquad = \dfrac{1}{3} \times \boxed{} = \dfrac{\boxed{}}{3}$

(2) $\displaystyle\lim_{x \to 0} \dfrac{3x}{\tan 6x} = \lim_{x \to 0} \left(\dfrac{6x}{\tan 6x} \times \dfrac{1}{2} \right)$

$\qquad = \dfrac{1}{2} \lim_{x \to 0} \dfrac{6x}{\tan 6x}$

$\qquad = \dfrac{1}{2} \times \boxed{} = \dfrac{\boxed{}}{2}$

2-2 | 따라풀기 |

다음 극한값을 구하시오.

(1) $\displaystyle\lim_{x \to 0} \dfrac{\sin 2x}{3x}$　　　　　　(2) $\displaystyle\lim_{x \to 0} \dfrac{x}{\tan 2x}$

풀이

두 각 α, β에 대하여 $\alpha+\beta$, $\alpha-\beta$의 삼각함수를 α, β의 삼각함수로 나타내 보자.

좌표평면에서 각 α, β를 나타내는 동경과 단위원의 교점을 각각 P, Q라 하면

$$P(\cos\alpha, \sin\alpha), Q(\cos\beta, \sin\beta)$$

$$\overline{PQ}^2 = (\cos\alpha-\cos\beta)^2 + (\sin\alpha-\sin\beta)^2$$

$$= 2 - 2(\cos\alpha\cos\beta + \sin\alpha\sin\beta) \quad \cdots\cdots \ \bigcirc$$

삼각형 POQ에서 코사인법칙에 의하여

$$\overline{PQ}^2 = \overline{OP}^2 + \overline{OQ}^2 - 2\times\overline{OP}\times\overline{OQ}\times\cos(\angle POQ)$$

$$= 1^2 + 1^2 - 2\times1\times1\times\cos(\alpha-\beta) = 2 - 2\cos(\alpha-\beta) \quad \cdots\cdots \ \bigcirc$$

$\bigcirc$, $\bigcirc$에서

$$2 - 2(\cos\alpha\cos\beta + \sin\alpha\sin\beta) = 2 - 2\cos(\alpha-\beta)$$

$$\therefore \ \boldsymbol{\cos(\alpha-\beta) = \cos\alpha\cos\beta + \sin\alpha\sin\beta} \quad \cdots\cdots \ \bigcirc$$

이때 β 대신 $-\beta$를 $\bigcirc$에 대입하여 정리하면

$$\cos\{\alpha-(-\beta)\} = \underline{\cos\alpha\cos(-\beta) + \sin\alpha\sin(-\beta)}\text{이므로}$$

$$\boldsymbol{\cos(\alpha+\beta) = \cos\alpha\cos\beta - \sin\alpha\sin\beta}$$

한편 α 대신 $\dfrac{\pi}{2}-\alpha$를 $\bigcirc$에 대입하면

$$\underline{\cos\left(\frac{\pi}{2}-\alpha-\beta\right)} = \underline{\cos\left(\frac{\pi}{2}-\alpha\right)\cos\beta + \sin\left(\frac{\pi}{2}-\alpha\right)\sin\beta}\text{이므로}$$

$$\boldsymbol{\sin(\alpha+\beta) = \sin\alpha\cos\beta + \cos\alpha\sin\beta} \quad \cdots\cdots \ \text{②}$$

이때 β 대신 $-\beta$를 ②에 대입하여 정리하면

$$\sin(\alpha-\beta) = \underline{\sin\alpha\cos(-\beta) + \cos\alpha\sin(-\beta)}\text{이므로}$$

$$\boldsymbol{\sin(\alpha-\beta) = \sin\alpha\cos\beta - \cos\alpha\sin\beta}$$

사인함수와 코사인함수의 덧셈정리에 의하여

$$\tan(\alpha+\beta) = \frac{\sin(\alpha+\beta)}{\cos(\alpha+\beta)} = \frac{\sin\alpha\cos\beta + \cos\alpha\sin\beta}{\cos\alpha\cos\beta - \sin\alpha\sin\beta}$$

분자와 분모를 $\cos\alpha\cos\beta \ (\cos\alpha\cos\beta \neq 0)$로 나누어 정리하면

$$\tan(\alpha+\beta) = \frac{\dfrac{\sin\alpha}{\cos\alpha} + \dfrac{\sin\beta}{\cos\beta}}{1 - \dfrac{\sin\alpha}{\cos\alpha}\times\dfrac{\sin\beta}{\cos\beta}} = \frac{\tan\alpha + \tan\beta}{1 - \tan\alpha\tan\beta} \quad \cdots\cdots \ \text{◎}$$

이때 β 대신 $-\beta$를 ◎에 대입하여 정리하면

$$\tan(\alpha-\beta) = \frac{\tan\alpha + \tan(-\beta)}{1 - \tan\alpha\tan(-\beta)}\text{이므로}$$

$$\boldsymbol{\tan(\alpha-\beta) = \frac{\tan\alpha - \tan\beta}{1 + \tan\alpha\tan\beta}}$$

⊙ $\cos(-\beta) = \cos\beta$,
$\sin(-\beta) = -\sin\beta$이므로
$\cos\alpha\cos(-\beta) + \sin\alpha\sin(-\beta)$
$= \cos\alpha\cos\beta - \sin\alpha\sin\beta$

⊙ $\cos\left(\dfrac{\pi}{2}-\alpha-\beta\right)$
$= \cos\left\{\dfrac{\pi}{2}-(\alpha+\beta)\right\}$
$= \sin(\alpha+\beta)$

⊙ $\cos\left(\dfrac{\pi}{2}-\alpha\right) = \sin\alpha$,
$\sin\left(\dfrac{\pi}{2}-\alpha\right) = \cos\alpha$이므로
$\cos\left(\dfrac{\pi}{2}-\alpha\right)\cos\beta$
$\qquad + \sin\left(\dfrac{\pi}{2}-\alpha\right)\sin\beta$
$= \sin\alpha\cos\beta + \cos\alpha\sin\beta$

⊙ $\cos(-\beta) = \cos\beta$,
$\sin(-\beta) = -\sin\beta$이므로
$\sin(\alpha-\beta)$
$= \sin\alpha\cos(-\beta)$
$\qquad + \cos\alpha\sin(-\beta)$
$= \sin\alpha\cos\beta - \cos\alpha\sin\beta$

⊙ $\tan(-\beta) = -\tan\beta$이므로
$\dfrac{\tan\alpha + \tan(-\beta)}{1 - \tan\alpha\tan(-\beta)}$
$= \dfrac{\tan\alpha - \tan\beta}{1 + \tan\alpha\tan\beta}$

❶ $\sin(\alpha+\beta)=\sin\alpha\cos\beta+\cos\alpha\sin\beta$

   $\sin(\alpha-\beta)=\sin\alpha\cos\beta-\cos\alpha\sin\beta$

❷ $\cos(\alpha+\beta)=\cos\alpha\cos\beta-\sin\alpha\sin\beta$

   $\cos(\alpha-\beta)=\cos\alpha\cos\beta+\sin\alpha\sin\beta$

$\alpha+\beta$의 삼각함수의 덧셈정리 공식에서 β 대신 $-\beta$를 대입하면 $\alpha-\beta$의 삼각함수의 덧셈정리 공식을 얻을 수 있다.

예제 1. $\sin\alpha=\dfrac{3}{5}$, $\sin\beta=\dfrac{12}{13}$일 때, 다음 값을 구하시오. $\left(\text{단, } 0<\alpha<\dfrac{\pi}{2}, \dfrac{\pi}{2}<\beta<\pi\right)$

   (1) $\sin(\alpha+\beta)$ (2) $\cos(\alpha-\beta)$

2. 다음 값을 구하시오.

   (1) $\sin35°\cos10°+\cos35°\sin10°$ (2) $\cos80°\cos20°+\sin80°\sin20°$

해법 코드

1. $\sin^2\alpha+\cos^2\alpha=1$, $\sin^2\beta+\cos^2\beta=1$을 이용하여 $\cos\alpha$, $\cos\beta$의 값을 구한다.

2. 삼각함수의 덧셈정리를 이용한다.

셀파 $\alpha+\beta$, $\alpha-\beta$ ⇨ 삼각함수의 덧셈정리를 생각한다.

풀이 1. $\sin\alpha=\dfrac{3}{5}$에서 $\underset{\text{ⓐ}}{\cos\alpha}=\sqrt{1-\sin^2\alpha}=\sqrt{1-\left(\dfrac{3}{5}\right)^2}=\dfrac{4}{5}$

   $\sin\beta=\dfrac{12}{13}$에서 $\underset{\text{ⓑ}}{\cos\beta}=-\sqrt{1-\sin^2\beta}=-\sqrt{1-\left(\dfrac{12}{13}\right)^2}=-\dfrac{5}{13}$

   (1) $\sin(\alpha+\beta)=\sin\alpha\cos\beta+\cos\alpha\sin\beta$

                $=\dfrac{3}{5}\times\left(-\dfrac{5}{13}\right)+\dfrac{4}{5}\times\dfrac{12}{13}=\dfrac{33}{65}$

   (2) $\cos(\alpha-\beta)=\cos\alpha\cos\beta+\sin\alpha\sin\beta$

                $=\dfrac{4}{5}\times\left(-\dfrac{5}{13}\right)+\dfrac{3}{5}\times\dfrac{12}{13}=\dfrac{16}{65}$

2. (1) $\sin35°\cos10°+\cos35°\sin10°=\sin(35°+10°)=\sin45°=\dfrac{\sqrt{2}}{2}$

   (2) $\cos80°\cos20°+\sin80°\sin20°=\cos(80°-20°)=\cos60°=\dfrac{1}{2}$

ⓐ $0<\alpha<\dfrac{\pi}{2}$에서 $\cos\alpha>0$이다.

이때 $\sin^2\alpha+\cos^2\alpha=1$이므로

$\cos^2\alpha=1-\sin^2\alpha$

$\therefore \cos\alpha=\sqrt{1-\sin^2\alpha}$

ⓑ $\dfrac{\pi}{2}<\beta<\pi$에서 $\cos\beta<0$이다.

이때 $\sin^2\beta+\cos^2\beta=1$이므로

$\cos^2\beta=1-\sin^2\beta$

$\therefore \cos\beta=-\sqrt{1-\sin^2\beta}$

4 — 삼각함수의 미분

확인 문제   정답과 해설 | **33**쪽   MY 셀파

01-1 $\cos\alpha=\dfrac{3}{4}$, $\cos\beta=\dfrac{1}{2}$일 때, 다음 값을 구하시오. $\left(\text{단, } 0<\alpha<\dfrac{\pi}{2}, 0<\beta<\dfrac{\pi}{2}\right)$

   (1) $\sin(\alpha-\beta)$ (2) $\cos(\alpha+\beta)$

01-1

$\sin\alpha=\sqrt{1-\cos^2\alpha}$

$\sin\beta=\sqrt{1-\cos^2\beta}$

01-2 다음 값을 구하시오.

   (1) $\sin51°\cos21°-\cos51°\sin21°$ (2) $\cos105°\cos30°-\sin105°\sin30°$

01-2

(2) $\cos(\pi-\theta)=-\cos\theta$

A 그래프 그리기 프로그램을 이용하여 두 함수 $y=\sin x+\sqrt{3}\cos x$, $y=2\sin x$의 그래프를 그렸더니 다음 그림처럼 그 모양이 같게 나왔어.

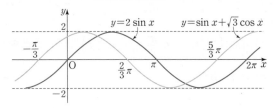

🅐 두 그래프의 모양이 같으므로 한 그래프를 평행이동하면 두 그래프가 겹쳐진다.

Q 위의 그림에서 함수 $y=\sin x+\sqrt{3}\cos x$의 그래프는 함수 $y=2\sin x$의 그래프를 x축의 방향으로 $-\dfrac{\pi}{3}$만큼 평행이동한 거예요. 이때 평행이동한 그래프의 식은

$y=2\sin\left(x+\dfrac{\pi}{3}\right)$이므로 🅑$\sin x+\sqrt{3}\cos x=2\sin\left(x+\dfrac{\pi}{3}\right)$임을 알 수 있네요.

🅑 $\sin x$, $\cos x$의 합을

$\sin x+\sqrt{3}\cos x=2\sin\left(x+\dfrac{\pi}{3}\right)$

와 같이 하나의 삼각함수로 나타낼 수 있다.

A 맞아. 그런데 삼각함수의 덧셈정리를 이용하면 그래프 그리기 프로그램을 쓰지 않고도 주어진 식을 변형해서 두 함수가 서로 같다는 걸 확인할 수 있지. 여기서 $\sin x$, $\cos x$의 합을 하나의 삼각함수로 나타내는 방법을 알아보자.

오른쪽 그림과 같이 좌표평면 위에 점 $P(a, b)$를 잡으면 동경 OP의 각 α에 대하여

$\cos\alpha=\dfrac{a}{\sqrt{a^2+b^2}}$, $\sin\alpha=\dfrac{b}{\sqrt{a^2+b^2}}$이므로

$a\sin\theta+b\cos\theta$

$=\sqrt{a^2+b^2}\left(\dfrac{a}{\sqrt{a^2+b^2}}\sin\theta+\dfrac{b}{\sqrt{a^2+b^2}}\cos\theta\right)$

$=\sqrt{a^2+b^2}\,(\sin\theta\cos\alpha+\cos\theta\sin\alpha)$

$=\sqrt{a^2+b^2}\,\sin(\theta+\alpha)$

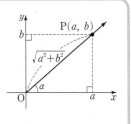

사인함수의 덧셈정리를 거꾸로 이용하는 것이 하나의 삼각함수로 나타내는 원리야.

예 $\sin\theta+\sqrt{3}\cos\theta$에서 $\sin\theta$의 계수 1을 x좌표, $\cos\theta$의 계수 $\sqrt{3}$을 y좌표로 하는 점 $P(1, \sqrt{3})$을 오른쪽 그림과 같이 좌표평면 위에 놓으면

$\overline{OP}=\sqrt{1^2+(\sqrt{3})^2}=2$이므로

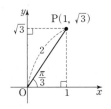

$\sin\theta+\sqrt{3}\cos\theta=2\left(\dfrac{1}{2}\sin\theta+\dfrac{\sqrt{3}}{2}\cos\theta\right)$

$\qquad\qquad\qquad\quad=2\left(\sin\theta\cos\dfrac{\pi}{3}+\cos\theta\sin\dfrac{\pi}{3}\right)$

$\qquad\qquad\qquad\quad=2\sin\left(\theta+\dfrac{\pi}{3}\right)$

$$a\sin\theta+b\cos\theta=\sqrt{a^2+b^2}\sin(\theta+\alpha)\left(\text{단, }\sin\alpha=\frac{b}{\sqrt{a^2+b^2}},\ \cos\alpha=\frac{a}{\sqrt{a^2+b^2}}\right)$$

> 덧셈정리의 활용에서는 $\sin\theta$, $\cos\theta$와 같이 $\sin$과 $\cos$의 각 θ의 크기가 같아야 한다.

[예제] 1. 다음을 $r\sin(\theta+\alpha)$ 꼴로 나타내시오. (단, $r>0$, $0\le\alpha<2\pi$)

(1) $\sin\theta+\cos\theta$　　　　　　　　(2) $-\sqrt{3}\sin\theta+\cos\theta$

2. $\sin\left(\theta-\dfrac{\pi}{6}\right)+\cos\theta$를 $r\sin(\theta+\alpha)$ 꼴로 나타내시오. (단, $r>0$, $0\le\alpha<2\pi$)

해법 코드

1. (1) $\sqrt{1^2+1^2}$으로 묶어낸다.
　(2) $\sqrt{(-\sqrt{3})^2+1^2}$으로 묶어낸다.

[셀파] $a\sin\theta+b\cos\theta=\sqrt{a^2+b^2}\sin(\theta+\alpha)$로 나타낼 수 있다.

[풀이] 1. (1) $\underline{\sin\theta+\cos\theta}^{\text{㉠}}=\sqrt{2}\left(\dfrac{\sqrt{2}}{2}\sin\theta+\dfrac{\sqrt{2}}{2}\cos\theta\right)$

$\qquad\qquad\qquad=\sqrt{2}\left(\sin\theta\cos\dfrac{\pi}{4}+\cos\theta\sin\dfrac{\pi}{4}\right)$

$\qquad\qquad\qquad=\sqrt{2}\sin\left(\theta+\dfrac{\pi}{4}\right)$

$\quad$ (2) $\underline{-\sqrt{3}\sin\theta+\cos\theta}^{\text{㉡}}=2\left(-\dfrac{\sqrt{3}}{2}\sin\theta+\dfrac{1}{2}\cos\theta\right)$

$\qquad\qquad\qquad\qquad=2\left(\sin\theta\cos\dfrac{5}{6}\pi+\cos\theta\sin\dfrac{5}{6}\pi\right)$

$\qquad\qquad\qquad\qquad=2\sin\left(\theta+\dfrac{5}{6}\pi\right)$

2. $\underline{\sin\left(\theta-\dfrac{\pi}{6}\right)}^{\text{㉢}}+\cos\theta=\dfrac{\sqrt{3}}{2}\sin\theta+\dfrac{1}{2}\cos\theta$

$\qquad\qquad\qquad\qquad=\sin\theta\cos\dfrac{\pi}{6}+\cos\theta\sin\dfrac{\pi}{6}$

$\qquad\qquad\qquad\qquad=\sin\left(\theta+\dfrac{\pi}{6}\right)$

㉠ $\sqrt{1^2+1^2}=\sqrt{2}$

㉡ $\sqrt{(-\sqrt{3})^2+1^2}=\sqrt{4}=2$

㉢ $\sin\left(\theta-\dfrac{\pi}{6}\right)$
$=\sin\theta\cos\dfrac{\pi}{6}-\cos\theta\sin\dfrac{\pi}{6}$
$=\dfrac{\sqrt{3}}{2}\sin\theta-\dfrac{1}{2}\cos\theta$

4
삼각함수의 미분

확인 문제　　　　　　　　　　　정답과 해설 **34**쪽　　　　　　　　**MY 셀파**

02-1 다음을 $r\sin(\theta+\alpha)$ 꼴로 나타내시오. (단, $r>0$, $-\pi\le\alpha<\pi$)
(상중[하])

(1) $\sin\theta-\cos\theta$　　　　　　　(2) $3\sin\theta+\sqrt{3}\cos\theta$

02-1
(1) $\sqrt{1^2+(-1)^2}$으로 묶어낸다.
(2) $\sqrt{3^2+(\sqrt{3})^2}$으로 묶어낸다.

02-2 함수 $y=-\sin x+\sqrt{3}\cos x$의 그래프는 $y=p\sin x$의 그래프를 x축의 방향으
(상중[하]) 로 q만큼 평행이동한 것이다. 이때 상수 p, q의 값을 구하시오.

$\qquad\qquad\qquad\qquad\qquad\qquad$ (단, $p>0$, $-\pi<q<0$)

02-2
$y=p\sin x$의 그래프를 x축의 방향으로 q만큼 평행이동한 그래프의 식은
$y=p\sin(x-q)$

함수 $y=a\sin\theta+b\cos\theta+c$의 최댓값, 최솟값을 구할 때는

$$a\sin\theta+b\cos\theta+c=\sqrt{a^2+b^2}\sin(\theta+\alpha)+c\left(\sin\alpha=\frac{b}{\sqrt{a^2+b^2}},\ \cos\alpha=\frac{a}{\sqrt{a^2+b^2}}\right)$$

를 이용하면 최댓값은 $\sqrt{a^2+b^2}+c$, 최솟값은 $-\sqrt{a^2+b^2}+c$이다.

$-1\leq\sin(\theta+\alpha)\leq1$이므로
$$-\sqrt{a^2+b^2}+c$$
$$\leq\sqrt{a^2+b^2}\sin(\theta+\alpha)+c$$
$$\leq\sqrt{a^2+b^2}+c$$

예제 오른쪽 그림과 같이 길이가 2인 선분 AB를 지름으로 하는 원주 위의 점 P에 대하여 $3\overline{AP}+4\overline{BP}$의 최댓값을 구하시오.

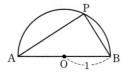

해법 코드
$\angle BAP=\theta$로 놓고 $\overline{AP}$, $\overline{BP}$를 θ에 대한 함수로 나타낸다.

셀파 $y=a\sin x+b\cos x$의 최댓값과 최솟값 ⇨ 사인함수의 덧셈정리의 활용을 이용한다.

풀이 삼각형 ABP는 $\angle APB$가 직각인 직각삼각형이다.

이때 $\angle BAP=\theta\left(0<\theta<\dfrac{\pi}{2}\right)$로 놓으면

❶ $\overline{AP}=2\cos\theta,\ \overline{BP}=2\sin\theta$

$\therefore 3\overline{AP}+4\overline{BP}=\overset{❷}{6\cos\theta+8\sin\theta}$

$\qquad\qquad\qquad\quad=10\left(\dfrac{4}{5}\sin\theta+\dfrac{3}{5}\cos\theta\right)$

$\qquad\qquad\qquad\quad=10\left(\sin\theta\cos\alpha+\cos\theta\sin\alpha\right)$

$\qquad\qquad\qquad\quad=10\sin(\theta+\alpha)\left(단,\ \sin\alpha=\dfrac{3}{5},\ \cos\alpha=\dfrac{4}{5}\right)$

$\overline{AP}>0,\ \overline{BP}>0$이고 $0<\sin(\theta+\alpha)\leq1$이므로

$0<10\sin(\theta+\alpha)\leq10$

따라서 $3\overline{AP}+4\overline{BP}$의 최댓값은 **10**

❶ 삼각형 ABP에서
$\overline{AB}=2$이므로
$$\cos\theta=\frac{\overline{AP}}{2},\ \sin\theta=\frac{\overline{BP}}{2}$$
$$\therefore \overline{AP}=2\cos\theta,$$
$$\overline{BP}=2\sin\theta$$

❷ $\sqrt{6^2+8^2}=\sqrt{100}=10$이므로
$$8\sin\theta+6\cos\theta$$
$$=10\left(\frac{4}{5}\sin\theta+\frac{3}{5}\cos\theta\right)$$

참고 $3\overline{AP}+4\overline{BP}>0$이므로 $10\sin(\theta+\alpha)>0$이다. $\therefore 0<\sin(\theta+\alpha)\leq1$

확인 문제   정답과 해설 | **34**쪽   MY 셀파

03-1 다음 함수의 최댓값과 최솟값을 구하시오.
(상)(중)(하)

   (1) $y=3\sin x-\sqrt{3}\cos x$

   (2) $y=2\cos x-2\sin\left(x+\dfrac{\pi}{6}\right)+3$

03-1
(1) $y=a\sin x+b\cos x$
$\quad=\sqrt{a^2+b^2}\sin(x+\theta)$
(2) 삼각함수의 덧셈정리를 이용하여
$\sin\left(x+\dfrac{\pi}{6}\right)$를 전개한다.

❶ $\tan(\alpha+\beta)=\dfrac{\tan\alpha+\tan\beta}{1-\tan\alpha\tan\beta}$ ❷ $\tan(\alpha-\beta)=\dfrac{\tan\alpha-\tan\beta}{1+\tan\alpha\tan\beta}$

> 도형에서 두 각도의 차를 이용할 때는 삼각함수의 덧셈정리를 이용한다.

예제 **1.** 이차방정식 $x^2+6x+7=0$의 두 근이 $\tan\alpha$, $\tan\beta$일 때, $\cos^2(\alpha+\beta)$의 값을 구하시오.

2. 오른쪽 그림과 같이 빗변이 아닌 두 변의 길이가 각각 2, 3인 두 직각삼각형 ABC와 ADE가 있다. $\angle\text{CAE}=\theta$일 때, $\tan\theta$의 값을 구하시오.
(단, 점 B는 선분 AD 위의 점이다.)

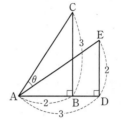

해법 코드

1. $\tan\alpha+\tan\beta=-6$
$\tan\alpha\tan\beta=7$

2. $\angle\text{BAC}=\alpha$, $\angle\text{DAE}=\beta$로 놓으면 $\theta=\alpha-\beta$이고
$\triangle\text{ABC}$에서 $\tan\alpha=\dfrac{3}{2}$
$\triangle\text{ADE}$에서 $\tan\beta=\dfrac{2}{3}$

셀파 $\tan(\alpha-\beta)=\dfrac{\tan\alpha-\tan\beta}{1+\tan\alpha\tan\beta}$

풀이 **1.** 근과 계수의 관계에서 $\tan\alpha+\tan\beta=-6$, $\tan\alpha\tan\beta=7$

이때 $\tan(\alpha+\beta)=\dfrac{\tan\alpha+\tan\beta}{1-\tan\alpha\tan\beta}=\dfrac{-6}{1-7}=1$

$\therefore \cos^2(\alpha+\beta)=\dfrac{1}{\sec^2(\alpha+\beta)}=\dfrac{1}{1+\tan^2(\alpha+\beta)}=\dfrac{1}{1+1}=\dfrac{1}{2}$

$\tan(\alpha-\beta)$
$=\dfrac{\tan\alpha-\tan\beta}{1+\tan\alpha\tan\beta}$
부호에 주의해!

2. $\angle\text{BAC}=\alpha$, $\angle\text{DAE}=\beta$로 놓으면 $\theta=\alpha-\beta$이고

$\tan\alpha=\dfrac{\overline{\text{BC}}}{\overline{\text{AB}}}=\dfrac{3}{2}$, $\tan\beta=\dfrac{\overline{\text{ED}}}{\overline{\text{AD}}}=\dfrac{2}{3}$

$\therefore \tan\theta=\tan(\alpha-\beta)=\dfrac{\tan\alpha-\tan\beta}{1+\tan\alpha\tan\beta}=\dfrac{\dfrac{3}{2}-\dfrac{2}{3}}{1+\dfrac{3}{2}\times\dfrac{2}{3}}=\dfrac{5}{12}$

확인 문제   정답과 해설 | **34**쪽   **MY 셀파**

04-1 (상)(중)**하** $A+B=45°$일 때, $(1+\tan A)(1+\tan B)$의 값을 구하시오.

04-1
$(1+\tan A)(1+\tan B)$
$=1+\tan A+\tan B+\tan A\tan B$

04-2 (상)(중)**하** 오른쪽 그림과 같이 $\overline{\text{AB}}\perp\overline{\text{BC}}$, $\overline{\text{AC}}\perp\overline{\text{CD}}$, $\overline{\text{AB}}=4$, $\overline{\text{BC}}=3$, $\overline{\text{CD}}=3$일 때, 점 D에서 선분 AB에 내린 수선의 발 H에 대하여 선분 DH의 길이를 구하시오.

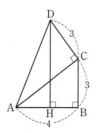

04-2
① 피타고라스 정리를 이용하여 두 선분 AC, AD의 길이를 구한다.
② $\angle\text{BAC}=\alpha$, $\angle\text{CAD}=\beta$로 놓고 $\triangle\text{ADH}$에서
$\sin(\alpha+\beta)=\dfrac{\overline{\text{DH}}}{\overline{\text{AD}}}$임을 이용한다.

4
삼각함수의 미분

두 직선이 x축의 양의 방향과 이루는 각의 크기가 각각 α, $\beta\,(\alpha>\beta)$이면 두 직선이 이루는 예각의 크기는 $\alpha-\beta$이다. 이때

$$\tan(\alpha-\beta)=\frac{\tan\alpha-\tan\beta}{1+\tan\alpha\tan\beta}$$

직선 $y=ax+b$가 x축의 양의 방향과 이루는 각의 크기를 θ라 하면 $\tan\theta$는 직선의 기울기 a와 같다.

(예제) 두 직선 $y=-2x+6$과 $y=3x+2$가 이루는 예각의 크기를 구하시오.

해법 코드

두 직선 $y=-2x+6$, $y=3x+2$가 x축의 양의 방향과 이루는 각에 대한 탄젠트의 값을 각각 구한다.

(셀파) $\tan(\alpha-\beta)=\dfrac{\tan\alpha-\tan\beta}{1+\tan\alpha\tan\beta}$

(풀이) 오른쪽 그림과 같이 두 직선 $y=-2x+6$, $y=3x+2$가 x축의 양의 방향과 이루는 각의 크기를 각각 α, β라 하면

$\underline{\tan\alpha=-2,\ \tan\beta=3}$ ❶

이때 두 직선이 이루는 예각의 크기를 θ라 하면 $\underline{\theta=\alpha-\beta}$ ❷

$\tan\theta=\tan(\alpha-\beta)=\dfrac{\tan\alpha-\tan\beta}{1+\tan\alpha\tan\beta}$

$\qquad=\dfrac{-2-3}{1+(-2)\times3}=1$

따라서 구하는 예각의 크기는 $\dfrac{\pi}{4}$

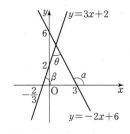

❶ 직선 $y=-2x+6$이 x축의 양의 방향과 이루는 각의 크기가 α이면 직선의 기울기는 $\tan\alpha$이므로 $\tan\alpha=-2$

❷ 두 직선을 x축 위의 점에서 만나도록 평행이동하면 다음 그림과 같이 두 직선이 이루는 각의 크기가 $\alpha-\beta$임을 확인할 수 있다.

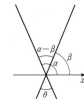

(참고) 두 직선 l, m이 x축의 양의 방향과 이루는 각의 크기를 α, β라 하고, 두 직선 l, m이 이루는 예각의 크기를 θ라 하면

$\Rightarrow \tan\theta=|\tan(\alpha-\beta)|=\left|\dfrac{\tan\alpha-\tan\beta}{1+\tan\alpha\tan\beta}\right|$

확인 문제

정답과 해설 | **35**쪽

MY 셀파

05-1 (상)(중)(하) 두 직선 $y=2x+1$, $y=-x+3$이 이루는 예각의 크기를 θ라 할 때, $\tan\theta$의 값을 구하시오.

05-1

$\tan\alpha=-1$, $\tan\beta=2$로 놓고 $\tan(\alpha-\beta)$의 값을 구한다.

05-2 (상)(중)(하) 직선 $y=\dfrac{1}{2}x$를 원점을 중심으로 θ만큼 회전하면 직선 $y=3x$와 겹쳐질 때, $\tan\theta$의 값을 구하시오. $\left(\text{단, } 0<\theta<\dfrac{\pi}{2}\right)$

05-2

두 직선 $y=\dfrac{1}{2}x$, $y=3x$가 이루는 예각의 크기가 θ이다.

A 삼각함수의 그래프를 이용하여 삼각함수의 극한을 알아보자.

❶ 사인함수와 코사인함수의 극한

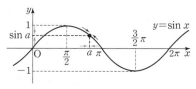
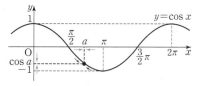

함수 $y=\sin x$, $y=\cos x$의 그래프에서

$$\lim_{x\to 0}\sin x=0,\ \lim_{x\to\frac{\pi}{2}}\sin x=1,\ \lim_{x\to 0}\cos x=1,\ \lim_{x\to\frac{\pi}{2}}\cos x=0$$

이므로 $y=\sin x$, $y=\cos x$의 정의역인 실수 전체의 집합에 속하는 임의의 실수 a에 대하여 다음이 성립한다.

$$\lim_{x\to a}\sin x=\sin a,\quad \lim_{x\to a}\cos x=\cos a$$

❷ 탄젠트함수의 극한

오른쪽 함수 $y=\tan x$의 그래프에서

$$\lim_{x\to\frac{\pi}{4}}\tan x=1,\ \lim_{x\to\frac{3}{4}\pi}\tan x=-1$$이고

$$\lim_{x\to\frac{\pi}{2}}\tan x,\ \lim_{x\to\frac{3}{2}\pi}\tan x$$의 값은 존재하지

않으므로 탄젠트함수의 정의역에 속하는 임의의 실수 a에 대하여 다음이 성립한다.

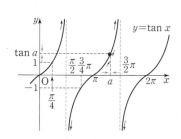

$$\lim_{x\to a}\tan x=\tan a\left(단,\ a\neq n\pi+\frac{\pi}{2},\ n은\ 정수\right)$$

또 정의역에 속하지 않는 실수 $b=n\pi+\frac{\pi}{2}$ (n은 정수)에 대하여

$$\lim_{x\to b-}\tan x=\infty,\ \lim_{x\to b+}\tan x=-\infty$$이다.

Q ❶, ❷에서 삼각함수의 극한에 대해 다음과 같이 정리할 수 있네요.

삼각함수의 정의역에 속하는 임의의 실수 a에 대하여
$x\to a$일 때의 극한값은 $x=a$에서의 함숫값과 같다.

▶ $-1\leq\sin x\leq 1$, $-1\leq\cos x\leq 1$
이지만 $x\to\infty$일 때 함수 $y=\sin x$, $y=\cos x$의 값은 일정한 값에 가까워지지 않는다.
즉, $\lim_{x\to\infty}\sin x$, $\lim_{x\to\infty}\cos x$의 극한값은 존재하지 않는다.
또 $\lim_{x\to\infty}\tan x$의 극한값도 존재하지 않는다.

❶ 탄젠트함수의 정의역에 속하지 않는 점에서는 좌극한과 우극한의 부호가 서로 다르다.
따라서 정의역에 속하지 않는 점에서는 탄젠트함수의 극한값이 존재하지 않는다.

❷ 삼각함수의 정의역
$y=\sin x$ ⇨ 실수 전체의 집합
$y=\cos x$ ⇨ 실수 전체의 집합
$y=\tan x$
⇨ $x\neq n\pi+\frac{\pi}{2}$ (n은 정수)인 실수 전체의 집합

정답과 해설 | **35**쪽

확인 체크 **01**

다음 극한값을 구하시오.

(1) $\displaystyle\lim_{x\to\frac{\pi}{3}}\sin x\cos x$

(2) $\displaystyle\lim_{x\to\frac{\pi}{4}}\sin 2x$

4 ─ 삼각함수의 미분

❶ 삼각함수 $y=f(x)$에서 정의역의 원소 a에 대하여 $\lim\limits_{x \to a} f(x)=f(a)$이다.

특히 $x \to a$일 때 $\dfrac{0}{0}$ 꼴이면 분모가 0이 아닌 식이 되도록 변형한다.

❷ 함수의 극한의 대소 관계를 이용하여 삼각함수와 관련된 극한값을 구할 수 있다.

즉, $f(x) \leq g(x) \leq h(x)$이고 $\lim\limits_{x \to a} f(x)=\lim\limits_{x \to a} h(x)=\alpha$이면 $\lim\limits_{x \to a} g(x)=\alpha$이다.

> 극한값을 직접 구하기 어려운 경우에는 $\sin^2 x+\cos^2 x=1$,
> $\tan x=\dfrac{\sin x}{\cos x}$와 같은 삼각함수 사이의 관계식을 이용한다.

예제 1. 다음 극한값을 구하시오.

(1) $\lim\limits_{x \to \pi} \dfrac{\sin^2 x}{1+\cos x}$ 　　　 (2) $\lim\limits_{x \to 0} \dfrac{\tan x}{\sin x}$

2. $\lim\limits_{x \to 0} \sin x \cos \dfrac{1}{x}$의 값을 구하시오.

해법 코드

1. (1) $\sin^2 x=1-\cos^2 x$

(2) $\tan x=\dfrac{\sin x}{\cos x}$

2. $\left| \cos \dfrac{1}{x} \right| \leq 1$

셀파 정의역의 원소 a에 대하여 $\lim\limits_{x \to a} \sin x=\sin a$, $\lim\limits_{x \to a} \cos x=\cos a$, $\lim\limits_{x \to a} \tan x=\tan a$

풀이 1. (1) $\lim\limits_{x \to \pi} \dfrac{\sin^2 x}{1+\cos x}=\lim\limits_{x \to \pi} \dfrac{1-\cos^2 x}{1+\cos x}=\lim\limits_{x \to \pi} \dfrac{(1+\cos x)(1-\cos x)}{1+\cos x}$

$\qquad =\lim\limits_{x \to \pi} (1-\cos x)=1-(-1)=\boldsymbol{2}$

(2) $\lim\limits_{x \to 0} \dfrac{\tan x}{\sin x}=\lim\limits_{x \to 0} \dfrac{\frac{\sin x}{\cos x}}{\sin x}=\lim\limits_{x \to 0} \dfrac{1}{\cos x}=\boldsymbol{1}$

2. $x \neq 0$인 모든 실수 x에 대하여 $\left| \cos \dfrac{1}{x} \right| \leq 1$이므로

$\left| \sin x \cos \dfrac{1}{x} \right| \leq |\sin x|$에서 $-|\sin x| \leq \sin x \cos \dfrac{1}{x} \leq |\sin x|$

이때 $\lim\limits_{x \to 0} |\sin x|=0$이므로 함수의 극한의 대소 관계에 의하여

$\lim\limits_{x \to 0} \sin x \cos \dfrac{1}{x}=\boldsymbol{0}$

❶ $x \to \pi$일 때 $\sin^2 x \to 0$,
$1+\cos x \to 0$이므로 $\dfrac{0}{0}$ 꼴이다.
따라서 분모가 0이 아닌 식이 되도록 변형해야 하므로
$\sin^2 x=1-\cos^2 x$를 이용한다.

❷ $\left| \cos \dfrac{1}{x} \right| \leq 1$에서 양변에 $|\sin x|$를 곱하면 $|\sin x| \geq 0$이므로
$|\sin x| \left| \cos \dfrac{1}{x} \right| \leq |\sin x|$
$\therefore \left| \sin x \cos \dfrac{1}{x} \right| \leq |\sin x|$

확인 문제 　　　　 정답과 해설 | **35**쪽 　　　　 MY 셀파

06-1 $\lim\limits_{x \to \frac{\pi}{2}} \dfrac{1-\sin x}{\cos^2 x}$의 값을 구하시오.
(상)(중)(하)

06-2 $\lim\limits_{x \to 0} \tan x \cos \dfrac{1}{x}$의 값을 구하시오.
(상)(중)(하)

06-1
$\cos^2 x=1-\sin^2 x$를 이용한다.

06-2
$\left| \cos \dfrac{1}{x} \right| \leq 1$이고, 함수의 극한의 대소 관계를 이용한다.

❶ $\lim\limits_{x \to 0} \dfrac{\sin x}{x}$의 값

(i) $0 < x < \dfrac{\pi}{2}$일 때

오른쪽 그림과 같이 중심이 O인 단위원에 대하여
부채꼴 OAB의 중심각의 크기를 x라디안이라 하
고, 점 A에서의 원 O의 접선과 선분 OB의 연장선
이 만나는 점을 T라 하자.

이때 ^❺△OAB<(부채꼴 OAB의 넓이)<△OAT

이므로 $\dfrac{1}{2} \sin x < \dfrac{1}{2} x < \dfrac{1}{2} \tan x$

∴ $\sin x < x < \tan x$ ······ ㉠

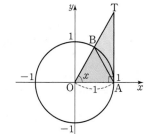

$0 < x < \dfrac{\pi}{2}$일 때, $\sin x > 0$이므로

㉠의 각 변을 $\sin x$로 나누고 역수를 취하면

$1 < \dfrac{x}{\sin x} < \dfrac{1}{\cos x}$ $\quad$ ∴ $\cos x < \dfrac{\sin x}{x} < 1$

이때 $\lim\limits_{x \to 0+} \cos x = 1$, $\lim\limits_{x \to 0+} 1 = 1$이므로 $\lim\limits_{x \to 0+} \dfrac{\sin x}{x} = 1$

(ii) $-\dfrac{\pi}{2} < x < 0$일 때

$x = -t$로 놓으면 $0 < t < \dfrac{\pi}{2}$이고 $x \to 0-$일 때 $t \to 0+$이므로

$\lim\limits_{x \to 0-} \dfrac{\sin x}{x} = \lim\limits_{t \to 0+} \dfrac{\sin(-t)}{-t} = \lim\limits_{t \to 0+} \dfrac{\sin t}{t} = 1$

^❻(i), (ii)에서 $\lim\limits_{x \to 0} \dfrac{\sin x}{x} = 1$

❷ $\lim\limits_{x \to 0} \dfrac{\tan x}{x}$의 값

$\tan x = \dfrac{\sin x}{\cos x}$이므로

$\lim\limits_{x \to 0} \dfrac{\tan x}{x} = \lim\limits_{x \to 0} \dfrac{\sin x}{x \cos x} = \lim\limits_{x \to 0} \left(\dfrac{\sin x}{x} \times \dfrac{1}{\cos x} \right) = 1 \times 1 = 1$

∴ $\lim\limits_{x \to 0} \dfrac{\tan x}{x} = 1$

$$\lim\limits_{x \to 0} \dfrac{\sin x}{x} = 1, \lim\limits_{x \to 0} \dfrac{\tan x}{x} = 1 \ (단, x의 단위는 라디안)$$

---

❺ △OAB의 넓이

점 B에서 $\overline{OA}$에 내린 수선의 발
을 H라 하면

$\sin x = \dfrac{\overline{BH}}{\overline{OB}}$에서 $\overline{BH} = \sin x$

∴ △OAB $= \dfrac{1}{2} \times \overline{OA} \times \overline{BH}$

$\qquad = \dfrac{1}{2} \sin x$

부채꼴 OAB의 넓이

(부채꼴 OAB의 넓이)

$= \dfrac{1}{2} \times 1^2 \times x = \dfrac{1}{2} x$

△OAT의 넓이

$\tan x = \dfrac{\overline{AT}}{\overline{OA}}$에서 $\overline{AT} = \tan x$

∴ △OAT $= \dfrac{1}{2} \times \overline{OA} \times \overline{AT}$

$\qquad = \dfrac{1}{2} \tan x$

❻ $\lim\limits_{x \to 0+} \dfrac{\sin x}{x} = 1$, $\lim\limits_{x \to 0-} \dfrac{\sin x}{x} = 1$

이므로 $\lim\limits_{x \to 0} \dfrac{\sin x}{x} = 1$

▶ $\lim\limits_{x \to 0} \dfrac{\cos x}{x}$는 발산한다.

❶ $\lim\limits_{x \to 0} \dfrac{x}{\sin x} = 1$ ❷ $\lim\limits_{x \to 0} \dfrac{x}{\tan x} = 1$

❸ $\lim\limits_{x \to 0} \dfrac{\sin bx}{ax} = \dfrac{b}{a}$ ❹ $\lim\limits_{x \to 0} \dfrac{\tan bx}{ax} = \dfrac{b}{a}$

해설 ❶ $\lim\limits_{x \to 0} \dfrac{x}{\sin x} = \lim\limits_{x \to 0} \dfrac{1}{\dfrac{\sin x}{x}} = \dfrac{1}{1} = 1$ ❷ $\lim\limits_{x \to 0} \dfrac{x}{\tan x} = \lim\limits_{x \to 0} \dfrac{1}{\dfrac{\tan x}{x}} = \dfrac{1}{1} = 1$

❸ $\lim\limits_{x \to 0} \dfrac{\sin bx}{ax} = \lim\limits_{x \to 0} \left(\dfrac{\sin bx}{bx} \times \dfrac{b}{a} \right) = 1 \times \dfrac{b}{a} = \dfrac{b}{a}$ ❹ $\lim\limits_{x \to 0} \dfrac{\tan bx}{ax} = \lim\limits_{x \to 0} \left(\dfrac{\tan bx}{bx} \times \dfrac{b}{a} \right) = 1 \times \dfrac{b}{a} = \dfrac{b}{a}$

01 다음 극한값을 구하시오.

(1) $\lim\limits_{x \to 0} \dfrac{\sin 5x}{x}$

(2) $\lim\limits_{x \to 0} \dfrac{\sin 6x}{4x}$

(3) $\lim\limits_{x \to 0} \dfrac{2x}{\tan x}$

(4) $\lim\limits_{x \to 0} \dfrac{\sin 2x}{\sin 3x}$

(5) $\lim\limits_{x \to 0} \dfrac{\tan 5x}{4x}$

(6) $\lim\limits_{x \to 0} \dfrac{\sin 3x}{\tan 9x}$

(7) $\lim\limits_{x \to 0} \dfrac{\sin 7x - \sin x}{\sin 3x}$

(8) $\lim\limits_{x \to 0} \dfrac{\tan (\sin x)}{x}$ $\dfrac{\tan (\sin x)}{x} = \dfrac{\tan (\sin x)}{\sin x} \times \dfrac{\sin x}{x}$

(9) $\lim\limits_{x \to 0} \dfrac{\sin (\sin 2x)}{\sin 3x}$

(10) $\lim\limits_{x \to 0} \dfrac{\sin 2x}{x + \tan 3x}$

❶ $\displaystyle\lim_{x \to a} \frac{\sin(x-a)}{x-a}$ 꼴 ⇨ $x-a=t$로 치환

    $x \to a$일 때 $t \to 0$이므로 $\displaystyle\lim_{x \to a} \frac{\sin(x-a)}{x-a} = \lim_{t \to 0} \frac{\sin t}{t} = 1$

❷ $\displaystyle\lim_{x \to \infty} x \sin \frac{1}{x}$ 꼴 ⇨ $\frac{1}{x}=t$로 치환

    $x \to \infty$일 때 $t \to 0$이므로 $\displaystyle\lim_{x \to \infty} x \sin \frac{1}{x} = \lim_{t \to 0} \frac{\sin t}{t} = 1$

❶ $x \to a\,(a \neq 0)$일 때 함수의 극한
  ⇨ $x-a=t$로 치환하여 $t \to 0$일 때의 극한값을 구한다.
❷ $x \to \infty$일 때 함수의 극한
  ⇨ $\frac{1}{x}=t$로 치환하여 $t \to 0$일 때의 극한값을 구한다.

예제 다음 극한값을 구하시오.

(1) $\displaystyle\lim_{x \to \frac{\pi}{2}} \frac{\cos x}{\pi - 2x}$ (2) $\displaystyle\lim_{x \to 1} \frac{\cos \frac{\pi}{2}x}{1-x^2}$ (3) $\displaystyle\lim_{x \to \infty} 2x \sin \frac{3}{x}$

해법 코드
(1) $x - \frac{\pi}{2} = t$로 치환한다.
(2) $x - 1 = t$로 치환한다.
(3) $\frac{1}{x} = t$로 치환한다.

셀파 $x \to a$일 때 $x-a=t$로 치환한다. 또 $x \to \infty$일 때 $\frac{1}{x}=t$로 치환한다.

풀이 (1) $x - \frac{\pi}{2} = t$로 치환하면 $x \to \frac{\pi}{2}$일 때 $t \to 0$이고, $x = t + \frac{\pi}{2}$이므로

$$\lim_{x \to \frac{\pi}{2}} \frac{\cos x}{\pi - 2x} = \lim_{t \to 0} \frac{\cos\left(\frac{\pi}{2} + t\right)}{-2t} = \lim_{t \to 0} \frac{-\sin t}{-2t}$$

$$= \lim_{t \to 0} \left(\frac{\sin t}{t} \times \frac{1}{2}\right) = 1 \times \frac{1}{2} = \boldsymbol{\frac{1}{2}}$$

❶ $x = t + \frac{\pi}{2}$에서
   $2x = 2t + \pi$이므로
   $\pi - 2x = -2t$

(2) $x - 1 = t$로 치환하면 $x \to 1$일 때 $t \to 0$이고, $x = t + 1$이므로

$$\lim_{x \to 1} \frac{\cos \frac{\pi}{2}x}{1-x^2} = \lim_{t \to 0} \frac{\cos\left(\frac{\pi}{2} + \frac{\pi}{2}t\right)}{1-(1+t)^2} = \lim_{t \to 0} \frac{-\sin \frac{\pi}{2}t}{-t(t+2)}$$

$$= \lim_{t \to 0} \left\{ \frac{\sin \frac{\pi}{2}t}{\frac{\pi}{2}t} \times \frac{\pi}{2} \times \frac{1}{t+2} \right\} = 1 \times \frac{\pi}{2} \times \frac{1}{2} = \boldsymbol{\frac{\pi}{4}}$$

❷ 삼각함수의 각의 변환
   $\sin\left(\frac{\pi}{2} + \theta\right) = \cos\theta$
   $\cos\left(\frac{\pi}{2} + \theta\right) = -\sin\theta$
   $\tan\left(\frac{\pi}{2} + \theta\right) = -\frac{1}{\tan\theta}$

(3) $\frac{1}{x} = t$로 치환하면 $x \to \infty$일 때 $t \to 0$이므로

$$\lim_{x \to \infty} 2x \sin \frac{3}{x} = \lim_{t \to 0} \frac{2 \sin 3t}{t} = \lim_{t \to 0} \left(2 \times \frac{\sin 3t}{3t} \times 3\right) = 2 \times 1 \times 3 = \boldsymbol{6}$$

4 삼각함수의 미분

확인 문제   정답과 해설 | **36**쪽   **MY 셀파**

07-1 다음 극한값을 구하시오.
(상)(중)(하)

(1) $\displaystyle\lim_{x \to 1} \frac{\sin \pi x}{x-1}$ (2) $\displaystyle\lim_{x \to \frac{\pi}{2}} (\pi - 2x) \tan x$

07-1
(1) $x - 1 = t$로 치환한다.
(2) $x - \frac{\pi}{2} = t$로 치환한다.

분모 또는 분자에 $1-\cos kx$ 꼴을 포함하고 있는 삼각함수의 극한값을 구할 때, 다음과 같이 푼다.

1️⃣ 분모, 분자에 $1+\cos kx$를 곱한다.

2️⃣ $1-\cos^2 kx = \sin^2 kx$로 바꾼 다음 $\displaystyle\lim_{x \to 0} \frac{\sin^2 kx}{k^2 x^2}$ 꼴로 나타낸다.

3️⃣ $\displaystyle\lim_{x \to 0} \frac{\sin x}{x} = 1$을 이용하여 극한값을 구한다.

$$\lim_{x \to 0} \frac{\sin^2 kx}{k^2 x^2}$$
$$= \lim_{x \to 0} \left(\frac{\sin kx}{kx} \right)^2 = 1$$

예제 다음 극한값을 구하시오.

(1) $\displaystyle\lim_{x \to 0} \frac{1-\cos 3x}{x}$

(2) $\displaystyle\lim_{x \to 0} \frac{x^2}{1-\cos x}$

해법 코드
(1) 분모, 분자에 $1+\cos 3x$를 곱한다.
(2) 분모, 분자에 $1+\cos x$를 곱한다.

셀파 $1-\cos kx$가 있으면 분모, 분자에 $1+\cos kx$를 곱한다.

풀이 (1) $\displaystyle\lim_{x \to 0} \frac{1-\cos 3x}{x} = \lim_{x \to 0} \frac{(1-\cos 3x)(1+\cos 3x)}{x(1+\cos 3x)} = \lim_{x \to 0} \frac{1-\cos^2 3x}{x(1+\cos 3x)}$

$\displaystyle = \lim_{x \to 0} \frac{\sin^2 3x}{x(1+\cos 3x)} = \lim_{x \to 0} \left(\frac{\sin 3x}{x} \times \frac{\sin 3x}{1+\cos 3x} \right)$

$\displaystyle = \lim_{x \to 0} \left(\frac{\sin 3x}{3x} \times 3 \times \frac{\sin 3x}{1+\cos 3x} \right) = 1 \times 3 \times \frac{0}{2} = \mathbf{0}$

다른 풀이

(1) $\displaystyle\lim_{x \to 0} \frac{\sin^2 3x}{x(1+\cos 3x)}$

$\displaystyle = \lim_{x \to 0} \left\{ \left(\frac{\sin 3x}{3x} \right)^2 \times \frac{9x}{1+\cos 3x} \right\}$
$= 1 \times 0 = 0$

(2) $\displaystyle\lim_{x \to 0} \frac{x^2}{1-\cos x} = \lim_{x \to 0} \frac{x^2(1+\cos x)}{(1-\cos x)(1+\cos x)}$

$\displaystyle = \lim_{x \to 0} \frac{x^2(1+\cos x)}{1-\cos^2 x} = \lim_{x \to 0} \frac{x^2(1+\cos x)}{\sin^2 x}$

$\displaystyle \overset{\text{➊}}{=} \lim_{x \to 0} \left\{ \left(\frac{x}{\sin x} \right)^2 \times (1+\cos x) \right\}$

$= 1 \times 2 = \mathbf{2}$

➊ $\displaystyle\lim_{x \to 0} \left(\frac{x}{\sin x} \right)^2 = \left(\lim_{x \to 0} \frac{x}{\sin x} \right)^2$

$\displaystyle = \left(\lim_{x \to 0} \frac{1}{\frac{\sin x}{x}} \right)^2$

$= 1^2 = 1$

확인 문제
정답과 해설 | **36**쪽
MY 셀파

08-1 다음 극한값을 구하시오.
(상)(중)(하)

(1) $\displaystyle\lim_{x \to 0} \frac{1-\cos x}{x}$

(2) $\displaystyle\lim_{x \to 0} \frac{x \tan x}{1-\cos x}$

08-1
분모, 분자에 $1+\cos x$를 곱한다.

08-2 $\displaystyle\lim_{x \to 0} \frac{1-\cos kx}{3x^2} = \frac{8}{3}$을 만족시키는 상수 k의 값을 구하시오.
(상)(중)(하)

08-2
좌변의 분모, 분자에 $1+\cos kx$를 곱한다.

미정계수가 있는 분수 꼴 함수의 극한값이 $\lim_{x \to a} \dfrac{g(x)}{f(x)} = k$ (k는 상수)일 때

❶ $\lim_{x \to a} f(x) = 0$이면 $\lim_{x \to a} g(x) = 0$

❷ $k \neq 0$, $\lim_{x \to a} g(x) = 0$이면 $\lim_{x \to a} f(x) = 0$

분수 꼴 함수에서 분모 또는 분자에 삼각함수가 있으면
$\lim_{x \to 0} \sin x = 0$, $\lim_{x \to 0} \tan x = 0$,
$\lim_{x \to 0} \dfrac{\sin x}{x} = 1$을 이용한다.

예제 다음 등식을 만족시키는 상수 a, b의 값을 구하시오.

(1) $\lim_{x \to 0} \dfrac{x^2 + ax + b}{\sin x} = 2$

(2) $\lim_{x \to 0} \dfrac{\sin 2x}{\sqrt{ax + b} - 1} = 4$

해법 코드

(1) $x \to 0$일 때
$\lim_{x \to 0} \sin x = 0$이므로
$\lim_{x \to 0} (x^2 + ax + b) = 0$

셀파 $\lim_{x \to a} \dfrac{g(x)}{f(x)} = k$ (k는 상수)가 주어지고, $x \to a$일 때 $f(x) \to 0$이면 $g(x) \to 0$이다.

풀이 (1) $x \to 0$일 때 (분모) $\to 0$이고 극한값이 존재하므로 (분자) $\to 0$이다.

즉, $\lim_{x \to 0} (x^2 + ax + b) = 0$이므로 $\boldsymbol{b = 0}$

$b = 0$을 주어진 식의 좌변에 대입하면

ⓐ $\lim_{x \to 0} \dfrac{x^2 + ax}{\sin x} = \lim_{x \to 0} \dfrac{x(x + a)}{\sin x} = \lim_{x \to 0} \left\{ \dfrac{x}{\sin x} \times (x + a) \right\} = 1 \times a = a$ ∴ $\boldsymbol{a = 2}$

ⓐ $x \to 0$일 때 $\dfrac{0}{0}$ 꼴이므로
$\lim_{x \to 0} \dfrac{\sin x}{x} = 1$을 이용할 수 있도록 식을 변형한다. 이때 인수분해할 수 있는 식은 먼저 인수분해한다.

(2) $x \to 0$일 때 (분자) $\to 0$이고 0이 아닌 극한값이 존재하므로 (분모) $\to 0$이다.

즉, $\lim_{x \to 0} (\sqrt{ax + b} - 1) = 0$이므로 $\sqrt{b} - 1 = 0$ ∴ $\boldsymbol{b = 1}$

$b = 1$을 주어진 식의 좌변에 대입하면

ⓑ $\lim_{x \to 0} \dfrac{\sin 2x}{\sqrt{ax + 1} - 1} = \lim_{x \to 0} \dfrac{\sin 2x (\sqrt{ax + 1} + 1)}{ax} = \lim_{x \to 0} \left(\dfrac{\sin 2x}{x} \times \dfrac{\sqrt{ax + 1} + 1}{a} \right)$

$= \lim_{x \to 0} \left(\dfrac{\sin 2x}{2x} \times 2 \times \dfrac{\sqrt{ax + 1} + 1}{a} \right) = 1 \times 2 \times \dfrac{2}{a} = \dfrac{4}{a}$

따라서 $\dfrac{4}{a} = 4$이므로 $\boldsymbol{a = 1}$

ⓑ $\lim_{x \to 0} \dfrac{\sin 2x}{\sqrt{ax + 1} - 1}$

$= \lim_{x \to 0} \dfrac{\sin 2x (\sqrt{ax + 1} + 1)}{(\sqrt{ax + 1} - 1)(\sqrt{ax + 1} + 1)}$

$= \lim_{x \to 0} \dfrac{\sin 2x (\sqrt{ax + 1} + 1)}{ax}$

4 삼각함수의 미분

확인 문제 정답과 해설 **37**쪽

MY 셀파

09-1 다음 등식을 만족시키는 상수 p, q의 값을 구하시오.
(상)(중)(하)

(1) $\lim_{x \to 0} \dfrac{x^2 + px + q}{\sin 3x} = 1$

(2) $\lim_{x \to 0} \dfrac{x^2}{p - q \cos x} = 2$

09-1

(1) $\lim_{x \to 0} (x^2 + px + q) = 0$

(2) $\lim_{x \to 0} (p - q \cos x) = 0$

09-2 $\lim_{x \to 0} \dfrac{1 + a \cos x}{bx \sin x} = \dfrac{1}{4}$을 만족시키는 상수 a, b의 값을 구하시오.
(상)(중)(하)

09-2

$\lim_{x \to 0} (1 + a \cos x) = 0$

❶ 삼각함수의 덧셈정리와 삼각함수의 극한을 이용하여 $y=\sin x$의 도함수를 구해 보자.

> 삼각함수 $y=\sin x$에서 도함수의 정의에 의하여
>
> $$y'=\lim_{h\to 0}\frac{\overset{\text{❶}}{\sin(x+h)}-\sin x}{h}$$
>
> $$=\lim_{h\to 0}\frac{\sin x\cos h+\cos x\sin h-\sin x}{h}$$
>
> $$=\lim_{h\to 0}\frac{\cos x\sin h-\sin x(1-\cos h)}{h}$$
>
> $$=\lim_{h\to 0}\frac{\cos x\sin h}{h}-\lim_{h\to 0}\frac{\sin x(1-\cos h)}{h}$$
>
> $$=\cos x\underset{\text{❷}}{\lim_{h\to 0}\frac{\sin h}{h}}-\sin x\underset{\text{❸}}{\lim_{h\to 0}\frac{1-\cos h}{h}}$$
>
> $$=\cos x\times 1-\sin x\times 0=\cos x$$
>
> $$\therefore\ \boldsymbol{y=\sin x\text{이면}\ y'=\cos x}$$

❷ 같은 방법으로 $y=\cos x$의 도함수도 구해 보자.

> 삼각함수 $y=\cos x$에서 도함수의 정의에 의하여
>
> $$y'=\lim_{h\to 0}\frac{\cos(x+h)-\cos x}{h}$$
>
> $$=\lim_{h\to 0}\frac{\cos x\cos h-\sin x\sin h-\cos x}{h}$$
>
> $$=\lim_{h\to 0}\frac{\cos x(\cos h-1)-\sin x\sin h}{h}$$
>
> $$=\lim_{h\to 0}\frac{\cos x(\cos h-1)}{h}-\lim_{h\to 0}\frac{\sin x\sin h}{h}$$
>
> $$=\cos x\underset{\text{❹}}{\lim_{h\to 0}\frac{\cos h-1}{h}}-\sin x\lim_{h\to 0}\frac{\sin h}{h}$$
>
> $$=\cos x\times 0-\sin x\times 1=-\sin x$$
>
> $$\therefore\ \boldsymbol{y=\cos x\text{이면}\ y'=-\sin x}$$

이상을 정리하면 다음과 같다.

> **사인함수와 코사인함수의 도함수**
> ❶ $y=\sin x$이면 $y'=\cos x$
> ❷ $y=\cos x$이면 $y'=-\sin x$

예 $y=2\sin x+\cos x$이면 $y'=2\cos x-\sin x$

▶ **삼각함수의 덧셈정리**
❶ $\sin(\alpha\pm\beta)$
  $=\sin\alpha\cos\beta\pm\cos\alpha\sin\beta$
❷ $\cos(\alpha\pm\beta)$
  $=\cos\alpha\cos\beta\mp\sin\alpha\sin\beta$
  (단, 복부호 동순)

▶ $y=f(x)$**의 도함수**
함수 $y=f(x)$에 대하여
$$f'(x)=\lim_{h\to 0}\frac{f(x+h)-f(x)}{h}$$

❶ 삼각함수의 덧셈정리에 의하여
$\sin(x+h)$
$=\sin x\cos h+\cos x\sin h$

❷ $\displaystyle\lim_{h\to 0}\frac{\sin h}{h}=1$

❸ $\displaystyle\lim_{h\to 0}\frac{1-\cos h}{h}$
$=\displaystyle\lim_{h\to 0}\frac{(1-\cos h)(1+\cos h)}{h(1+\cos h)}$
$=\displaystyle\lim_{h\to 0}\frac{1-\cos^2 h}{h(1+\cos h)}$
$=\displaystyle\lim_{h\to 0}\frac{\sin^2 h}{h(1+\cos h)}$
$=\displaystyle\lim_{h\to 0}\left(\frac{\sin h}{h}\times\frac{\sin h}{1+\cos h}\right)$
$=1\times\dfrac{0}{2}=0$

❹ $\displaystyle\lim_{h\to 0}\frac{\cos h-1}{h}$
$=-\displaystyle\lim_{h\to 0}\frac{1-\cos h}{h}=0\ (\because\ \text{❸})$

① $y=\sin x \Rightarrow y'=\cos x$

② $y=\cos x \Rightarrow y'=-\sin x$

> sin을 미분하면 부호가 그대로,
> cos을 미분하면 부호가 반대로

곱의 미분법
$$\{f(x)g(x)\}'$$
$$=f'(x)g(x)+f(x)g'(x)$$

예제 다음 함수를 미분하시오.

(1) $y=2x^2+3\sin x$

(2) $y=\sin x \cos x$

(3) $y=e^x(3\cos x+1)$

(4) $y=\ln x \times \sin x$

해법 코드
(2) $\sin x=f(x), \cos x=g(x)$로
놓으면 $y=f(x)g(x)$이고
$y'=f'(x)g(x)+f(x)g'(x)$

셀파 $(\sin x)'=\cos x, (\cos x)'=-\sin x$

풀이 (1) $y'=(2x^2)'+(3\sin x)'=4x+3\cos x$

(2) $y'=(\sin x \cos x)'$
$=(\sin x)'\cos x+\sin x(\cos x)'$
$=\cos x \cos x+\sin x(-\sin x)$
$=\cos^2 x-\sin^2 x$

(3) $y'=(e^x)'(3\cos x+1)+e^x(3\cos x+1)'$
$=e^x(3\cos x+1)+e^x(-3\sin x)$
$=e^x(3\cos x-3\sin x+1)$

(4) $y'=(\ln x)'\sin x+\ln x(\sin x)'$
$=\dfrac{\sin x}{x}+\ln x \times \cos x$

➊ $y=e^x(3\cos x+1)$에서
$f(x)=e^x, g(x)=3\cos x+1$
로 생각하여 곱의 미분법을 이용하
면
$y'=\{e^x(3\cos x+1)\}'$
$=(e^x)'(3\cos x+1)$
$\quad +e^x(3\cos x+1)'$

➋ $(\ln x)'=\dfrac{1}{x}$

확인 문제

정답과 해설 | **37**쪽

10-1 다음 함수를 미분하시오.
상 중 하

(1) $y=2\cos x+x^3$

(2) $y=\ln x+4\sin x$

(3) $y=x\sin x+x^2$

(4) $y=e^x \cos x+2$

10-2 함수 $f(x)=x^2\sin x$일 때, $\displaystyle\lim_{h\to 0}\dfrac{f(\pi+2h)-f(\pi)}{h}$의 값을 구하시오.
상 중 하

MY 셀파

10-1
(4) $y'=(e^x)'\cos x+e^x(\cos x)'+(2)'$

10-2
$\displaystyle\lim_{h\to 0}\dfrac{f(\pi+2h)-f(\pi)}{h}$
$=\displaystyle\lim_{h\to 0}\dfrac{f(\pi+2h)-f(\pi)}{2h}\times 2$
$=2f'(\pi)$

4 삼각함수의 미분

코사인함수의 덧셈정리

01 $\sin \alpha = \dfrac{2}{3}$, $\cos \beta = -\dfrac{1}{3}$일 때, $\cos(\alpha+\beta)$의 값을 구
하시오. $\left(\text{단, } 0 < \alpha < \dfrac{\pi}{2}, \dfrac{\pi}{2} < \beta < \pi \right)$

사인함수와 코사인함수의 덧셈정리

02 $\sin 75° + \cos 75°$의 값을 구하시오.

코사인함수의 덧셈정리

03 오른쪽 그림과 같이 한
변의 길이가 1인 3개의
정사각형을 붙여 만든
직사각형 $ABCD$에서
$\angle EBC = \alpha$, $\angle DBC = \beta$라 할 때, $\cos(\alpha-\beta)$의 값을
구하시오.

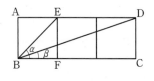

사인함수의 덧셈정리

04 함수 $y = a\sin x + b\cos x$의 그래프가 다음 그림과
같을 때, 상수 a, b의 값을 구하시오.

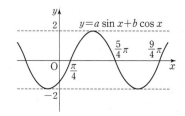

사인함수의 덧셈정리의 활용

05 $0 \le x \le \pi$일 때, 함수 $y = 2\sqrt{3}\sin x + 3\cos\left(x + \dfrac{\pi}{3}\right)$
의 최솟값을 구하시오.

탄젠트함수의 덧셈정리　　　　　　　　　`융합형`

06 이차방정식 $x^2 + kx + 2k + 1 = 0$의 두 근이 $\tan \alpha$,
$\tan \beta$일 때, $\tan(\alpha+\beta)$의 값을 구하시오.
（단, $k \ne 0$인 상수이다.）

탄젠트함수의 덧셈정리　　　　　　　　`창의력`

07 오른쪽 그림과 같이 등대
로부터 8 m 떨어진 지점
에서 눈높이가 160 cm
인 사람이 등대의 밑부
분을 내려다본 각이 θ이
고, 등대의 꼭대기를 올
려다본 각이 $\theta + \dfrac{\pi}{4}$일 때,
등대의 높이를 구하시오.

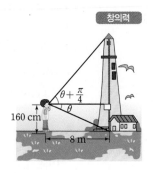

두 직선이 이루는 각의 크기

08 두 직선 $y = 3x - 1$과 $y = \dfrac{1}{2}x + 3$이 이루는 예각의 크
기를 구하시오.

삼각함수의 극한

09 극한값 $\lim\limits_{x \to 0} \dfrac{\tan 2x}{x - \sin 3x}$ 를 구하시오.

삼각함수의 극한

10 함수 $f(x) = x^2 - 3x$에 대하여 $\lim\limits_{x \to 0} \dfrac{f(\sin x)}{\sin f(x)}$ 의 값을 구하시오.

$x \to a$일 때 삼각함수의 극한

11 다음 극한값을 구하시오.

(1) $\lim\limits_{x \to \pi} \dfrac{\pi - x}{\sin x}$ (2) $\lim\limits_{x \to \frac{\pi}{2}} \dfrac{\cos x}{\frac{\pi}{2} - x}$

$x \to a$일 때 삼각함수의 극한

12 $\lim\limits_{x \to 1} \dfrac{k \sin (x^3 - 1)}{x^2 - 1} = 3$일 때, 상수 k의 값을 구하시오.

$1 - \cos kx$ 꼴을 포함하는 삼각함수의 극한값

13 $\lim\limits_{x \to 0} \dfrac{x(e^x - 1)}{1 - \cos x}$ 의 값은?

① 1 ② 2 ③ 3
④ 4 ⑤ 5

미정계수의 결정

14 다음 등식을 만족시키는 상수 a, b의 값을 구하시오.

$$\lim_{x \to 1} \frac{\cos \frac{\pi}{2}x}{ax + b} = \frac{1}{2}$$

사인함수의 도함수 　　　　　　　　　 서술형

15 함수 $f(x) = \begin{cases} ax + b & (-1 < x < 0) \\ \sin x & (0 \le x < 1) \end{cases}$ 가 $x = 0$에서 미분

가능할 때, 상수 a, b에 대하여 $a + b$의 값을 구하시오.

코사인함수의 도함수

16 곡선 $y = 3 + 2 \cos x$ 위의 점 $\left(\dfrac{\pi}{3}, 4 \right)$에서의 접선의 기울기를 구하시오.

4
삼각함수의 미분

5

여러 가지 미분법

5. 여러 가지 미분법

개념 플러스

개념 1 함수의 몫의 미분법

(1) 함수의 몫의 미분법

두 함수 $f(x)$, $g(x)$ $(g(x) \neq 0)$가 미분가능할 때,

❶ $\left\{ \dfrac{1}{g(x)} \right\}' = -\dfrac{g'(x)}{\{g(x)\}^2}$ **❷** $\left\{ \dfrac{f(x)}{g(x)} \right\}' = \dfrac{f'(x)g(x) - f(x)g'(x)}{\{g(x)\}^2}$

(2) 함수 $y = x^n$ (n은 정수)의 도함수

n이 정수일 때, $(x^n)' = \boxed{\text{❶}} \, x^{n-1}$

🅐 ❶은 ❷의 $\dfrac{f(x)}{g(x)}$에서 $f(x)=1$ 인 특수한 경우이다.

답 ❶ n

🅑 $\csc x$, $\sec x$, $\cot x$를 차례로 x 에 대한 코시컨트함수, 시컨트함수, 코탄젠트함수라 한다.

개념 2 삼각함수

(1) 삼각함수의 정의

❶ $\csc x = \dfrac{1}{\sin x}$ **❷** $\sec x = \dfrac{\boxed{\text{❶}}}{\cos x}$ **❸** $\cot x = \dfrac{1}{\tan x}$

(2) 삼각함수 사이의 관계

❶ $1 + \tan^2 x = \sec^2 x$ **❷** $1 + \cot^2 x = \csc^2 x$

(3) 탄젠트함수의 도함수

$(\tan x)' = \sec^2 x$

▶ 삼각함수의 도함수와 합성함수의 미분법에서 다음 사실을 알 수 있다.
$\{\sin f(x)\}' = f'(x)\cos f(x)$
$\{\cos f(x)\}' = -f'(x)\sin f(x)$
$\{\tan f(x)\}' = f'(x)\sec^2 f(x)$

답 ❶ 1

개념 3 합성함수의 미분법

(1) 합성함수의 미분법

미분가능한 두 함수 $y = f(u)$, $u = g(x)$에 대하여 합성함수 $y = f(g(x))$의 도함수는

$$\dfrac{dy}{dx} = \dfrac{dy}{du} \times \dfrac{\boxed{\text{❶}}}{dx} \ \text{또는} \ \{f(g(x))\}' = f'(g(x))g'(x)$$

(2) 로그함수의 도함수

❶ $(\ln |x|)' = \dfrac{1}{x}$ **❷** $(\log_a |x|)' = \dfrac{1}{\boxed{\text{❷}} \ln a}$

❸ $(\ln |f(x)|)' = \dfrac{f'(x)}{f(x)}$ (단, 함수 $f(x)$는 미분가능하고 $f(x) \neq 0$)

▶ $y = \{f(x)\}^n$이면
$y' = n\{f(x)\}^{n-1}f'(x)$
(단, n은 정수)

🅒 $a > 0$, $a \neq 1$일 때
함수 $y = \log_a x = \dfrac{\ln x}{\ln a}$에서
$(\log_a x)' = \dfrac{1}{\ln a} \times \dfrac{1}{x}$
$= \dfrac{1}{x \ln a}$

답 ❶ du ❷ x

보기 $y = (2-x)^3$을 미분하시오.

연구 $y = (2-x)^3$에서 $u = 2-x$라 하면 $y = u^3$이므로 $\dfrac{dy}{du} = 3u^2$, $\dfrac{du}{dx} = -1$

$\therefore \dfrac{dy}{dx} = \dfrac{dy}{du} \times \dfrac{du}{dx} = 3u^2 \times (-1) = \mathbf{-3(2-x)^2}$

1-1 | 함수의 몫의 미분법 |

다음 함수를 미분하시오.

(1) $y=\dfrac{1}{2x^2+1}$　　(2) $y=\dfrac{x+1}{x^2}$

연구

(1) $y'=-\dfrac{(2x^2+1)'}{(2x^2+1)^2}$

$=-\dfrac{\boxed{}}{(2x^2+1)^2}$

(2) $y'=\dfrac{(x+1)'x^2-(x+1)(x^2)'}{(x^2)^2}$

$=\dfrac{x^2-(x+1)\times 2x}{x^4}$

$=\dfrac{-x^2-2x}{x^4}=-\dfrac{x+2}{\boxed{}}$

1-2 | 따라풀기 |

다음 함수를 미분하시오.

(1) $y=\dfrac{1}{x^2}$　　(2) $y=\dfrac{x}{2x-1}$

풀이

2-1 | 합성함수의 미분법 |

다음 함수를 미분하시오.

(1) $y=(3x+2)^3$　　(2) $y=(x^2+2)^2$

연구

(1) $y'=3(3x+2)^2(3x+2)'=\boxed{}(3x+2)^2$

(2) $y'=2(x^2+2)(x^2+2)'=\boxed{}(x^2+2)$

다른 풀이

(1) $y=(3x+2)^3$에서 $u=3x+2$라 하면 $y=u^3$

이때 $\dfrac{dy}{du}=3u^2$, $\dfrac{du}{dx}=3$이므로

$\dfrac{dy}{dx}=\dfrac{dy}{du}\times\dfrac{du}{dx}=3u^2\times 3=9u^2=9(3x+2)^2$

(2) $y=(x^2+2)^2$에서 $u=x^2+2$라 하면 $y=u^2$

이때 $\dfrac{dy}{du}=2u$, $\dfrac{du}{dx}=2x$이므로

$\dfrac{dy}{dx}=\dfrac{dy}{du}\times\dfrac{du}{dx}=2u\times 2x=4ux=4x(x^2+2)$

2-2 | 따라풀기 |

다음 함수를 미분하시오.

(1) $y=(x^2+2x)^4$　　(2) $y=\left(x+\dfrac{1}{x}\right)^3$

풀이

개념 4 매개변수로 나타낸 함수의 미분법

(1) 매개변수로 나타낸 함수

두 변수 x, y 사이의 관계가 변수 t를 매개로 하여 $x=f(t)$, $y=g(t)$의 꼴로 주어질 때, 변수 t를 **매개변수**라 하고, $x=f(t)$, $y=g(t)$를 <u>❶</u> 변수로 나타낸 함수라 한다.

(2) 매개변수로 나타낸 함수의 미분법

두 함수 $x=f(t)$, $y=g(t)$가 t에 대하여 미분가능하고 ❷ $\neq 0$이면

$$\frac{dy}{dx}=\frac{\dfrac{dy}{dt}}{\dfrac{dx}{dt}}=\frac{g'(t)}{f'(t)}$$

답 ❶ 매개 ❷ $f'(t)$

개념 플러스

❏ $\begin{cases} x=f(t) \\ y=g(t) \end{cases}$ 가 성립하는 점 $(f(t), g(t))$를 좌표평면 위에 나타내면 하나의 곡선이 된다.

▶ $y=x^n$의 도함수 $y'=nx^{n-1}$을 증명하는 방법
❶ n이 자연수일 때
  ⇨ 도함수의 정의를 이용
❷ n이 정수일 때
  ⇨ 몫의 미분법을 이용
❸ n이 유리수일 때
  ⇨ 합성함수의 미분법을 이용
❹ n이 실수일 때
  ⇨ 로그미분법을 이용

개념 5 음함수와 역함수의 미분법

(1) 음함수

x의 함수 y가 방정식 $f(x, y)=0$의 꼴로 주어졌을 때, y를 x의 **음함수**라 한다.

(2) 음함수의 미분법

방정식 $f(x, y)=0$에서 y를 <u>❶</u> 의 함수로 보고, 각 항을 x에 대하여 미분하여 $\dfrac{dy}{dx}$를 구한다.

(3) 함수 $y=x^n$ (n은 실수)의 도함수

n이 실수일 때, 함수 $y=x^n$의 도함수는 $y'=$ ❷ x^{n-1}

(4) 역함수의 미분법

미분가능한 함수 $y=f(x)$의 역함수 $y=f^{-1}(x)$가 존재하고 미분가능할 때, 함수 $y=f^{-1}(x)$의 도함수는

$$(f^{-1})'(x)=\frac{1}{f'(f^{-1}(x))} \quad \text{또는} \quad \frac{dy}{dx}=\frac{1}{\dfrac{dx}{dy}}$$

답 ❶ x ❷ n

❏ 함수 $y=f(x)$가 일대일 대응일 때, 함수 $y=f(x)$의 역함수 $y=f^{-1}(x)$가 존재한다.

역함수의 미분법은 미분가능한 함수 $y=f(x)$의 역함수가 존재하면 $\dfrac{dy}{dx}=\dfrac{1}{\dfrac{dx}{dy}}$ 이 성립하는 것을 뜻해!

개념 6 이계도함수

함수 $y=f(x)$의 도함수 $f'(x)$가 x에 대하여 미분가능할 때, 함수 $f'(x)$의 <u>❶</u>

$$\lim_{h \to 0}\frac{f'(x+h)-f'(x)}{h}$$ 를 함수 $f(x)$의 **이계도함수**라 하고, 기호로

$$f''(x), \boxed{❷}, \frac{d^2y}{dx^2}, \frac{d^2}{dx^2}f(x)$$

와 같이 나타낸다.

답 ❶ 도함수 ❷ y''

3-1 | 음함수의 미분법 |

다음 방정식에서 $\dfrac{dy}{dx}$ 를 구하시오.

(1) $x^2 - y^2 = 1$　　　　　　(2) $2x + y^3 = 0$

연구

(1) 각 항을 x에 대하여 미분하면

$$2x - 2y\dfrac{dy}{dx} = \boxed{},\ 2y\dfrac{dy}{dx} = 2x$$

$$\therefore \dfrac{dy}{dx} = \dfrac{2x}{2y} = \dfrac{x}{y}\ (단,\ y \neq 0)$$

(2) 각 항을 x에 대하여 미분하면

$$2 + 3y^2\dfrac{dy}{dx} = 0,\ 3y^2\dfrac{dy}{dx} = -2$$

$$\therefore \dfrac{dy}{dx} = -\dfrac{\boxed{}}{3y^2}\ (단,\ y \neq 0)$$

3-2 | 따라풀기 |

다음 방정식에서 $\dfrac{dy}{dx}$ 를 구하시오.

(1) $xy = 3$　　　　　　(2) $x^3 + y^2 - 4y = 0$

풀이

4-1 | 이계도함수 |

다음 함수의 이계도함수를 구하시오.

(1) $y = \dfrac{1}{x}$　　　　　　(2) $y = x + \cos x$

연구

(1) $y' = -\dfrac{(x)'}{x^2} = -\dfrac{1}{x^2}$

$$\therefore y'' = -\left\{ -\dfrac{(x^2)'}{(x^2)^2} \right\} = \dfrac{\boxed{}}{x^4} = \dfrac{2}{x^3}$$

(2) $y' = (x)' + (\cos x)' = 1 - \sin x$

$$\therefore y'' = (\boxed{})' - (\sin x)' = -\cos x$$

4-2 | 따라풀기 |

다음 함수의 이계도함수를 구하시오.

(1) $y = (2x - 1)^3$　　　　　　(2) $y = \sqrt{x}$

풀이

A 함수 $g(x)$ $(g(x) \neq 0)$가 미분가능할 때, 함수 $y = \dfrac{1}{g(x)}$의 도함수는 다음과 같이 구할 수 있어.

> 도함수의 정의에서 함수 $y = f(x)$의 도함수는
> $f'(x) = \lim\limits_{h \to 0} \dfrac{f(x+h) - f(x)}{h}$
> 를 이용해.

$$
\begin{aligned}
\left\{ \frac{1}{g(x)} \right\}' &= \lim_{h \to 0} \frac{\dfrac{1}{g(x+h)} - \dfrac{1}{g(x)}}{h} \\
&= \lim_{h \to 0} \frac{g(x) - g(x+h)}{h\,g(x+h)g(x)} \\
&= -\lim_{h \to 0} \left\{ \frac{g(x+h) - g(x)}{h} \times \frac{1}{g(x+h)g(x)} \right\} \\
&= -\lim_{h \to 0} \frac{g(x+h) - g(x)}{h} \times \underset{\text{❶}}{\lim_{h \to 0}} \frac{1}{g(x+h)g(x)} \\
&= -\frac{g'(x)}{\{g(x)\}^2}
\end{aligned}
$$

> ❶ 미분가능한 함수 $g(x)$는 연속이므로 $\lim\limits_{h \to 0} g(x+h) = g(x)$

또 두 함수 $f(x)$, $g(x)$가 미분가능할 때, 함수 $y = \dfrac{f(x)}{g(x)}$ $(g(x) \neq 0)$의 도함수는 함수의 **❷**곱의 미분법을 이용하면 다음과 같이 구할 수 있어.

$$
\begin{aligned}
\left\{ \frac{f(x)}{g(x)} \right\}' &= f'(x) \times \frac{1}{g(x)} + f(x) \times \underset{\text{❸}}{\left\{ \frac{1}{g(x)} \right\}'} \\
&= \frac{f'(x)}{g(x)} - \frac{f(x)g'(x)}{\{g(x)\}^2} \\
&= \frac{f'(x)g(x) - f(x)g'(x)}{\{g(x)\}^2}
\end{aligned}
$$

> ❷ 미분가능한 두 함수 $f(x)$, $g(x)$에 대하여
> $\{f(x)g(x)\}'$
> $= f'(x)g(x) + f(x)g'(x)$

> ❸ $\left\{ \dfrac{1}{g(x)} \right\}' = -\dfrac{g'(x)}{\{g(x)\}^2}$

Q 한편 함수 $y = x^n$ (n은 정수)의 도함수는 어떻게 구해요?

A n이 0 또는 양의 정수일 때, 함수 $y = x^n$의 도함수가 $y' = nx^{n-1}$임을 이용하면 돼.

> $n = -m$ (m은 양의 정수)이라 하면
> $x^n = x^{-m} = \dfrac{1}{x^m}$이므로 함수의 몫의 미분법에 의하여
> $$(x^n)' = \underset{\text{❸}}{\left(\frac{1}{x^m} \right)'} = -\frac{(x^m)'}{(x^m)^2} = -\frac{mx^{m-1}}{x^{2m}} = -mx^{-m-1} = nx^{n-1}$$

> ▶ $y = x^0 = 1$로 정의하면 $y' = 0$이다. 따라서 $y = x^n$에서 $n = 0$일 때에도 $y' = nx^{n-1}$이 성립한다.

(1) 두 함수 $f(x), g(x)$ $(g(x) \neq 0)$가 미분가능할 때

  ❶ $y = \dfrac{1}{g(x)} \Rightarrow y' = -\dfrac{g'(x)}{\{g(x)\}^2}$

  ❷ $y = \dfrac{f(x)}{g(x)} \Rightarrow y' = \dfrac{f'(x)g(x) - f(x)g'(x)}{\{g(x)\}^2}$

(2) n이 정수일 때, $y = x^n \Rightarrow y' = nx^{n-1}$

> 두 함수 $f(x), g(x)$가 미분가능
> 할 때,
> $\{f(x)g(x)\}'$
> $= f'(x)g(x) + f(x)g'(x)$

(예제) 다음 함수를 미분하시오.

(1) $y = \dfrac{1}{3x+2}$ (2) $y = \dfrac{\ln x}{x}$ (3) $y = \dfrac{x^3 + 2x - 3}{x^2}$

> **해법 코드**
> (3) $\dfrac{x^3 + 2x - 3}{x^2} = x + 2x^{-1} - 3x^{-2}$
> 에서 $(x^n)' = nx^{n-1}$ (n은 정수)
> 을 이용한다.

(셀파) $y = \dfrac{1}{g(x)}$의 도함수 $\Rightarrow y' = -\dfrac{g'(x)}{\{g(x)\}^2}$

(풀이) (1) $y' = \left(\dfrac{1}{3x+2}\right)' = -\dfrac{(3x+2)'}{(3x+2)^2} = -\dfrac{3}{(3x+2)^2}$

(2) $y' = \dfrac{(\ln x)' \times x - \ln x \times (x)'}{x^2} = \dfrac{\dfrac{1}{x} \times x - \ln x}{x^2} = \dfrac{1 - \ln x}{x^2}$

(3) $y = \dfrac{x^3 + 2x - 3}{x^2} = x + 2x^{-1} - 3x^{-2}$에서

  $y' = (x + 2x^{-1} - 3x^{-2})'$

    $= 1 + 2 \times (-1) \times x^{-1-1} - 3 \times (-2) \times x^{-2-1}$

    $= 1 - 2x^{-2} + 6x^{-3} = \dfrac{x^3 - 2x + 6}{x^3}$

> **(다른 풀이)**
> (3) $y' = \left(\dfrac{x^3 + 2x - 3}{x^2}\right)'$
> $= \dfrac{(x^3+2x-3)' \times x^2 - (x^3+2x-3)(x^2)'}{(x^2)^2}$
> $= \dfrac{(3x^2+2) \times x^2 - (x^3+2x-3) \times 2x}{x^4}$
> $= \dfrac{x^3 - 2x + 6}{x^3}$

확인 문제   정답과 해설 | **42**쪽   **MY 셀파**

01-1 (상)(중)(하) 다음 함수를 미분하시오.

(1) $y = \dfrac{3}{x^2 + 1}$ (2) $y = \dfrac{x^2 - 3}{x - 2}$

(3) $y = \dfrac{e^x}{e^x + 1}$ (4) $y = \dfrac{x^6 - 2x^3 + 5}{x^4}$

> **01-1**
> (4) $\dfrac{x^6 - 2x^3 + 5}{x^4} = x^2 - 2x^{-1} + 5x^{-4}$
> 에서 $(x^n)' = nx^{n-1}$ (n은 정수)
> 을 이용한다.

01-2 (상)(중)(하) 함수 $f(x) = \dfrac{x+1}{x^2+3}$에 대하여 부등식 $f'(x) > 0$을 만족시키는 정수 x의 개수를 구하시오.

> **01-2**
> 몫의 미분법을 이용하여 $f'(x)$를 구한다.

삼각함수의 도함수

❶ $y=\sin x$이면 $y'=\cos x$ ❷ $y=\cos x$이면 $y'=-\sin x$

❸ $y=\tan x$이면 $y'=\sec^2 x$ ❹ $y=\csc x$이면 $y'=-\csc x \cot x$

❺ $y=\sec x$이면 $y'=\sec x \tan x$ ❻ $y=\cot x$이면 $y'=-\csc^2 x$

▶ $\csc x=\dfrac{1}{\sin x}$, $\sec x=\dfrac{1}{\cos x}$, $\cot x=\dfrac{1}{\tan x}$

해설 위 삼각함수의 도함수 공식 중에서 ❶, ❷는 앞에서 공부하였으므로 여기서는 삼각함수 $y=\sin x$, $y=\cos x$의 도함수와 함수의 몫의 미분법을 이용하여 ❸~❻의 도함수를 구해 보자.

▶ $y=\sin x$, $y=\cos x$는 모든 실수에서 미분가능하고, $y=\tan x$는 $x=n\pi+\dfrac{\pi}{2}$ (n은 정수)를 제외한 모든 실수에서 미분가능하다.

❸ $y=\tan x$이면 $y'=\sec^2 x$

    $\tan x=\dfrac{\overset{\text{ⓐ}}{\sin x}}{\cos x}$이므로 함수의 몫의 미분법을 이용하면

    $(\tan x)'=\left(\dfrac{\sin x}{\cos x}\right)'=\dfrac{(\sin x)'\cos x-\sin x(\cos x)'}{\cos^2 x}$

            $=\dfrac{\cos^2 x+\sin^2 x}{\cos^2 x}=\dfrac{1}{\cos^2 x}=\sec^2 x$

ⓐ 몫의 미분법

$\left\{\dfrac{f(x)}{g(x)}\right\}'$

$=\dfrac{f'(x)g(x)-f(x)g'(x)}{\{g(x)\}^2}$

에서

$\left(\dfrac{\sin x}{\cos x}\right)'$

$=\dfrac{(\sin x)'\cos x-\sin x(\cos x)'}{\cos^2 x}$

❹ $y=\csc x$이면 $y'=-\csc x \cot x$

    $(\csc x)'\overset{\text{ⓑ}}{=}\left(\dfrac{1}{\sin x}\right)'=-\dfrac{(\sin x)'}{\sin^2 x}=-\dfrac{\cos x}{\sin^2 x}$

          $=-\dfrac{1}{\sin x}\times\dfrac{\cos x}{\sin x}=-\csc x \cot x$

ⓑ 몫의 미분법

$\left\{\dfrac{1}{g(x)}\right\}'=-\dfrac{g'(x)}{\{g(x)\}^2}$에서

$\left(\dfrac{1}{\sin x}\right)'=-\dfrac{(\sin x)'}{\sin^2 x}$

❺ $y=\sec x$이면 $y'=\sec x \tan x$

    $(\sec x)'\overset{\text{ⓒ}}{=}\left(\dfrac{1}{\cos x}\right)'=-\dfrac{(\cos x)'}{\cos^2 x}=-\dfrac{-\sin x}{\cos^2 x}$

          $=\dfrac{1}{\cos x}\times\dfrac{\sin x}{\cos x}=\sec x \tan x$

ⓒ ⓑ과 마찬가지로 몫의 미분법에서

$\left(\dfrac{1}{\cos x}\right)'=-\dfrac{(\cos x)'}{\cos^2 x}$

❻ $y=\cot x$이면 $y'=-\csc^2 x$

    $(\cot x)'=\left(\dfrac{1}{\tan x}\right)'=-\dfrac{(\tan x)'}{\tan^2 x}=-\dfrac{\sec^2 x}{\tan^2 x}$

          $=-\dfrac{\dfrac{1}{\cos^2 x}}{\dfrac{\sin^2 x}{\cos^2 x}}=-\dfrac{1}{\sin^2 x}=-\csc^2 x$

❶ $\csc\theta=\dfrac{1}{\sin\theta}$, $\sec\theta=\dfrac{1}{\cos\theta}$, $\cot\theta=\dfrac{1}{\tan\theta}$

❷ $\tan\theta=\dfrac{\sin\theta}{\cos\theta}$, $\cot\theta=\dfrac{\cos\theta}{\sin\theta}$

❸ $1+\tan^2\theta=\sec^2\theta$, $1+\cot^2\theta=\csc^2\theta$

❸ $1+\tan^2\theta$

$=1+\dfrac{\sin^2\theta}{\cos^2\theta}$

$=\dfrac{\cos^2\theta+\sin^2\theta}{\cos^2\theta}$

$=\dfrac{1}{\cos^2\theta}=\sec^2\theta$

예제 θ가 제2사분면의 각이고 $\sin\theta=\dfrac{4}{5}$일 때, 다음을 구하시오.

(1) $\csc\theta$ (2) $\cot\theta$ (3) $\sec\theta$

해법 코드

(1) $\csc\theta=\dfrac{1}{\sin\theta}$

셀파 $\csc\theta=\dfrac{1}{\sin\theta}$, $\sec\theta=\dfrac{1}{\cos\theta}$, $\cot\theta=\dfrac{1}{\tan\theta}$

풀이 (1) $\csc\theta=\dfrac{1}{\sin\theta}=\dfrac{5}{4}$

(2) θ가 제2사분면의 각이므로 $\cot\theta<0$이고 $1+\cot^2\theta=\csc^2\theta$에서

$\cot\theta=-\sqrt{\csc^2\theta-1}=-\sqrt{\left(\dfrac{5}{4}\right)^2-1}=-\dfrac{3}{4}$

(3) $\cot\theta=\dfrac{\cos\theta}{\sin\theta}=\dfrac{\csc\theta}{\sec\theta}$에서 $\sec\theta=\dfrac{\csc\theta}{\cot\theta}=\dfrac{\dfrac{5}{4}}{-\dfrac{3}{4}}=-\dfrac{5}{3}$

참고

각 사분면에서 삼각함수의 값의 부호가 +인 것을 나타내면 다음과 같다.

다른 풀이 (2) θ가 제2사분면의 각이므로 $\cos\theta=-\sqrt{1-\sin^2\theta}=-\sqrt{1-\left(\dfrac{4}{5}\right)^2}=-\dfrac{3}{5}$

$\therefore\cot\theta=\dfrac{\cos\theta}{\sin\theta}=\dfrac{-\dfrac{3}{5}}{\dfrac{4}{5}}=-\dfrac{3}{4}$

(3) $\sec\theta=\dfrac{1}{\cos\theta}=-\dfrac{5}{3}$

확인 문제

정답과 해설 | **42**쪽

MY 셀파

02-1 θ가 제4사분면의 각이고 $\sec\theta=\dfrac{5}{3}$일 때, 다음 값을 구하시오.
(상)(중)(하)

(1) $\cos\theta$ (2) $\tan\theta$ (3) $\csc\theta$

02-1

(2) θ가 제4사분면의 각이므로

$\tan\theta<0$

02-2 $\tan\theta=\dfrac{1}{3}$일 때, $\sec\theta+\csc\theta$의 값을 구하시오.
(상)(중)(하)

02-2

$\tan\theta>0$이므로 θ는 제1사분면 또는 제3사분면의 각이다.

5

여러 가지 미분법

삼각함수가 포함된 식의 미분은 다음 공식을 이용한다.

❶ $(\sin x)' = \cos x$, $(\cos x)' = -\sin x$, $(\tan x)' = \sec^2 x$

❷ $(\csc x)' = -\csc x \cot x$, $(\sec x)' = \sec x \tan x$, $(\cot x)' = -\csc^2 x$

삼각함수가 포함된 식의 꼴에 따라 곱의 미분법, 몫의 미분법을 이용한다.

예제 다음 함수를 미분하시오.

(1) $y = \tan x - 2\sin x$ (2) $y = 3\sin x \tan x$

(3) $y = \dfrac{1-\cos x}{1+\cos x}$ (4) $y = \dfrac{\cos x}{1+\tan x}$

해법 코드
(1) 삼각함수의 도함수 공식을 이용한다.
(2) 곱의 미분법을 이용한다.
(3), (4) 몫의 미분법을 이용한다.

셀파 $(\sin x)' = \cos x$, $(\cos x)' = -\sin x$, $(\tan x)' = \sec^2 x$

풀이 (1) $y' = (\tan x)' - 2(\sin x)' = \sec^2 x - 2\cos x$

(2) $y' = 3(\sin x)'\tan x + 3\sin x(\tan x)'$
$= 3\cos x \tan x + 3\sin x \sec^2 x$
$= 3\sin x + 3\sin x \sec^2 x = \mathbf{3\sin x(1+\sec^2 x)}$

(3) $y' = \dfrac{(1-\cos x)'(1+\cos x) - (1-\cos x)(1+\cos x)'}{(1+\cos x)^2}$

$= \dfrac{\sin x(1+\cos x) + \sin x(1-\cos x)}{(1+\cos x)^2} = \dfrac{\mathbf{2\sin x}}{\mathbf{(1+\cos x)^2}}$

(4) $y' = \dfrac{(\cos x)'(1+\tan x) - \cos x(1+\tan x)'}{(1+\tan x)^2}$

$= \dfrac{-\sin x(1+\tan x) - \cos x \sec^2 x}{(1+\tan x)^2}$

$= \dfrac{\mathbf{-\sin x \cos x - \sin^2 x - 1}}{\mathbf{\cos x(1+\tan x)^2}}$

참고
실수배, 합, 차의 미분법
두 함수 $f(x)$, $g(x)$가 미분가능할 때
❶ $y = cf(x)$ (c는 상수)이면
$y' = cf'(x)$
❷ $y = f(x) \pm g(x)$이면
$y' = f'(x) \pm g'(x)$ (복부호 동순)

❶ (분자)
$= -\sin x - \sin x \times \dfrac{\sin x}{\cos x}$
$\qquad -\cos x \times \dfrac{1}{\cos^2 x}$
$= -\sin x - \dfrac{\sin^2 x}{\cos x} - \dfrac{1}{\cos x}$
$= \dfrac{-\sin x \cos x - \sin^2 x - 1}{\cos x}$

확인 문제   정답과 해설 | **43**쪽   MY 셀파

03-1 다음 함수를 미분하시오.
(상)(중)(하)

(1) $y = 2\tan x + \cot x$ (2) $y = x^2 \csc x$

(3) $y = \tan x \sec x$ (4) $y = \dfrac{1+\sec x}{\tan x}$

03-1
(2), (3) 곱의 미분법을 이용한다.
(4) 몫의 미분법을 이용한다.

A 미분가능한 두 함수 $y=f(u)$, $u=g(x)$에 대하여 합성함수 $y=f(g(x))$의 도함수를 구해 보자.

> $u=g(x)$에서 x의 증분 $\varDelta x$에 대한 u의 증분을 $\varDelta u$라 하고,
> $y=f(u)$에서 u의 증분 $\varDelta u$에 대한 y의 증분을 $\varDelta y$라 하면
>
> $\dfrac{\varDelta y}{\varDelta x}=\dfrac{\varDelta y}{\varDelta u}\times\dfrac{\varDelta u}{\varDelta x}$ (단, $\varDelta u\neq0$)
>
> 이때 두 함수 $y=f(u)$, $u=g(x)$가 미분가능하므로
>
> $\lim\limits_{\varDelta u\to0}\dfrac{\varDelta y}{\varDelta u}=\dfrac{dy}{du}$, $\lim\limits_{\varDelta x\to0}\dfrac{\varDelta u}{\varDelta x}=\dfrac{du}{dx}$
>
> 그런데 미분가능한 ⓐ 함수 $u=g(x)$는 연속이므로 $\varDelta x\to0$이면 $\varDelta u\to0$
> 따라서 다음이 성립한다.
>
> $\dfrac{dy}{dx}=\lim\limits_{\varDelta x\to0}\dfrac{\varDelta y}{\varDelta x}=\lim\limits_{\varDelta x\to0}\left(\dfrac{\varDelta y}{\varDelta u}\times\dfrac{\varDelta u}{\varDelta x}\right)=\lim\limits_{\varDelta x\to0}\dfrac{\varDelta y}{\varDelta u}\times\lim\limits_{\varDelta x\to0}\dfrac{\varDelta u}{\varDelta x}$
>
> $\qquad=\lim\limits_{\varDelta u\to0}\dfrac{\varDelta y}{\varDelta u}\times\lim\limits_{\varDelta x\to0}\dfrac{\varDelta u}{\varDelta x}=\dfrac{dy}{du}\times\dfrac{du}{dx}$
>
> 여기서 $\dfrac{dy}{du}=f'(u)=f'(g(x))$, $\dfrac{du}{dx}=g'(x)$이므로
>
> $$\{f(g(x))\}'=f'(g(x))g'(x)$$

ⓐ $u=g(x)$가 연속함수이므로
$\lim\limits_{\varDelta x\to0}g(x+\varDelta x)=g(x)$
$\therefore \lim\limits_{\varDelta x\to0}\varDelta u$
$\quad=\lim\limits_{\varDelta x\to0}\{g(x+\varDelta x)-g(x)\}$
$\quad=g(x)-g(x)=0$
즉, $\varDelta x\to0$이면 $\varDelta u\to0$

▶ $\varDelta x$, $\varDelta u$, $\varDelta y$, …는 '증가량', 즉 값 이므로 계산해서 약분이 가능하지 만 $\dfrac{dy}{dx}$, $\dfrac{dy}{du}$, $\dfrac{du}{dx}$ 등은 기호이 므로 약분하여 나타낼 수 없다.
$\dfrac{\varDelta y}{\varDelta u}\times\dfrac{\varDelta u}{\varDelta x}=\dfrac{\varDelta y}{\varDelta x}$ … (○)
$\dfrac{dy}{du}\times\dfrac{du}{dx}=\dfrac{dy}{dx}$ … (×)

Q 합성함수의 미분법에 의하여 $y=f(ax+b)$, ⓑ $y=\{f(x)\}^n$의 도함수도 구할 수 있어 요.

> ❶ $y=f(ax+b)$에서 $u=ax+b$라 하면 $y=f(u)$
>
> 여기서 $\dfrac{dy}{du}=f'(u)$, $\dfrac{du}{dx}=a$이므로
>
> $\dfrac{dy}{dx}=\dfrac{dy}{du}\times\dfrac{du}{dx}=f'(u)\times a$
>
> $\qquad=af'(ax+b)$
>
> $$\{f(ax+b)\}'=af'(ax+b)$$
>
> ❷ $y=\{f(x)\}^n$에서 $u=f(x)$라 하면 $y=u^n$
>
> 여기서 $\dfrac{dy}{du}=nu^{n-1}$, $\dfrac{du}{dx}=f'(x)$이므로
>
> $\dfrac{dy}{dx}=\dfrac{dy}{du}\times\dfrac{du}{dx}=nu^{n-1}\times f'(x)$
>
> $$[\{f(x)\}^n]'=n\{f(x)\}^{n-1}f'(x)$$

ⓑ $y=(2x+1)^2$일 때
[방법 1]
$y'=2(2x+1)(2x+1)'$
$\quad=4(2x+1)$
[방법 2]
$y=(2x+1)^2$
$\quad=4x^2+4x+1$
이므로
$y'=8x+4$

예 $y=(3x+1)^3$에서
$\quad y'=3(3x+1)^2(3x+1)'=9(3x+1)^2$

❶ $y = f(g(x)) \Rightarrow y' = f'(g(x))g'(x)$

❷ $y = f(ax+b) \Rightarrow y' = af'(ax+b)$

❸ $y = \{f(x)\}^n$ (n은 정수) $\Rightarrow y' = n\{f(x)\}^{n-1}f'(x)$

미분가능한 두 함수의 합성함수로 표현된 함수의 도함수는 식을 전개하지 않고도 공식을 이용하여 구할 수 있다.

예제 **1.** 다음 함수를 미분하시오.

(1) $y = \cos(2x+1)$　　　　(2) $y = \left(\dfrac{2x}{x^2+1}\right)^3$

2. 두 함수 $f(x) = \dfrac{x}{x^2-2}$, $g(x) = 3x^2-x-1$의 합성함수 $h(x) = (f \circ g)(x)$에 대하여 $h'(1)$의 값을 구하시오.

해법 코드

1. (2) $y = \{f(x)\}^n$ (n은 정수)
$\Rightarrow y' = n\{f(x)\}^{n-1}f'(x)$

2. $h(x) = (f \circ g)(x)$
$= f(g(x))$
에서 $h'(x) = f'(g(x))g'(x)$

셀파 $y = f(g(x)) \Rightarrow y' = f'(g(x))g'(x)$

풀이 **1.** (1) $y' = \{\cos(2x+1)\}' = -\sin(2x+1) \times (2x+1)' = \mathbf{-2\sin(2x+1)}$

(2) $y' = \left\{\left(\dfrac{2x}{x^2+1}\right)^3\right\}' = 3\left(\dfrac{2x}{x^2+1}\right)^2 \underset{\text{⬤}}{\left(\dfrac{2x}{x^2+1}\right)'}$

$= 3\left(\dfrac{2x}{x^2+1}\right)^2 \times \dfrac{-2(x^2-1)}{(x^2+1)^2} = \dfrac{\mathbf{-24x^2(x^2-1)}}{\mathbf{(x^2+1)^4}}$

2. $h(x) = (f \circ g)(x) = f(g(x))$에서 $h'(x) = f'(g(x))g'(x)$

이때 $f'(x) = \dfrac{(x)'(x^2-2) - x(x^2-2)'}{(x^2-2)^2} = \dfrac{-x^2-2}{(x^2-2)^2}$, $g'(x) = 6x-1$에서

$g(1) = 1, f'(1) = -3, g'(1) = 5$이므로

$h'(1) = f'(1)g'(1) = -3 \times 5 = \mathbf{-15}$

⬤ $\left(\dfrac{2x}{x^2+1}\right)'$

$= \dfrac{(2x)'(x^2+1) - 2x(x^2+1)'}{(x^2+1)^2}$

$= \dfrac{2(x^2+1) - 2x \times 2x}{(x^2+1)^2}$

$= \dfrac{-2x^2+2}{(x^2+1)^2} = \dfrac{-2(x^2-1)}{(x^2+1)^2}$

⬤ $h'(x) = f'(g(x))g'(x)$이므로

$h'(1) = f'(g(1))g'(1)$

$= f'(1)g'(1)$

확인 문제　　　　　　정답과 해설 | **43**쪽　　　　　　**MY 셀파**

04-1 다음 함수를 미분하시오.
(상)(중)(하)

(1) $y = (-2x+1)^2(x^2+1)$　　　(2) $y = (x^2+1)\sin 2x$

(3) $y = \cot(\tan x)$　　　(4) $y = \dfrac{4x-1}{(3x+2)^2}$

04-1

(2), (3) 합성함수의 미분법과 삼각함수의 도함수를 이용한다.

04-2 미분가능한 함수 $f(x)$에 대하여 $f(1) = 2, f'(1) = 3$이고,
(상)(중)(하)

$g(x) = \dfrac{5}{1+f(2x-1)}$일 때, $g'(1)$의 값을 구하시오.

04-2

몫의 미분법과
$\{f(2x-1)\}' = 2f'(2x-1)$을 이용하여 $g'(x)$를 구한다.

합성함수의 미분법을 이용하여 지수함수와 로그함수의 도함수를 구해 보자.

❶ $y=a^x$의 도함수

지수함수 $y=e^x$과 로그함수 $y=\ln x$는 서로 역함수 관계이므로 1이 아닌 양수 a에 대하여 $\underset{❶}{\underline{e^{\ln a}=a}}$이다. 즉, $a^x=(e^{\ln a})^x=e^{x\ln a}$이다.

따라서 함수 $y=a^x\,(a>0,\ a\neq1)$의 도함수는 다음과 같다.

$$(a^x)'=(e^{x\ln a})'=e^{x\ln a}(x\ln a)'=a^x\ln a$$

▶ **❶** $y=e^x$의 도함수
$$\Rightarrow y'=e^x$$
❷ $y=\ln x$의 도함수
$$\Rightarrow y'=\frac{1}{x}$$
❸ $y=\log_a x$의 도함수
$$\Rightarrow y'=\frac{1}{x\ln a}$$

❷ $y=e^{f(x)}$, $y=a^{f(x)}$의 도함수

미분가능한 함수 $f(x)$에 대하여 지수함수 $y=e^{f(x)}$에서 $u=f(x)$로 놓으면 $y=e^u$이므로

$$\{e^{f(x)}\}'=\frac{dy}{dx}=\frac{dy}{du}\times\frac{du}{dx}=e^u\times f'(x)=e^{f(x)}f'(x)$$

같은 방법으로 $\underset{❷}{\underline{y=a^{f(x)}}}$의 도함수는 다음과 같다.

$$\{a^{f(x)}\}'=a^{f(x)}(\ln a)f'(x)$$

❶ $y=\ln x$ 위의 한 점을 $(a,\ln a)(a\neq1)$라 하면 $(\ln a,\,a)$는 $y=e^x$ 위의 점이므로 $e^{\ln a}=a$

▶ $y=a^x$의 도함수는 다음과 같이 구할 수도 있다.
$$y'=\lim_{h\to0}\frac{a^{x+h}-a^x}{h}$$
$$=\lim_{h\to0}\frac{a^x(a^h-1)}{h}$$
$$=a^x\lim_{h\to0}\frac{a^h-1}{h}$$
$$=a^x\ln a$$

❸ $y=\ln|x|$의 도함수

(ⅰ) $x>0$일 때, $y=\ln|x|=\ln x$이므로 $y'=\dfrac{1}{x}$

(ⅱ) $x<0$일 때, $y=\ln|x|=\ln(-x)$이므로 $y'=\dfrac{(-x)'}{-x}=\dfrac{1}{x}$

(ⅰ), (ⅱ)에서 $(\ln|x|)'=\dfrac{1}{x}$

또 $y=\log_a|x|\,(a>0,\ a\neq1)$의 도함수는 다음과 같다.

$$\{\log_a|x|\}'=\left(\frac{\ln|x|}{\ln a}\right)'=\frac{1}{\ln a}(\ln|x|)'=\frac{1}{x\ln a}$$

❷ $y=a^{f(x)}$에서 $u=f(x)$로 놓으면 $y=a^u$이므로
$$y'=\frac{dy}{dx}=\frac{dy}{du}\times\frac{du}{dx}$$
$$=a^u(\ln a)f'(x)$$
$$=a^{f(x)}(\ln a)f'(x)$$

❹ $y=\ln|f(x)|$의 도함수

(ⅰ) $f(x)>0$일 때, $y=\ln f(x)$에서 $u=f(x)$로 놓으면 $y=\ln u$이므로

$$y'=\frac{dy}{dx}=\frac{dy}{du}\times\frac{du}{dx}=\frac{1}{u}\times f'(x)=\frac{f'(x)}{f(x)}$$

(ⅱ) $f(x)<0$일 때, $y=\ln\{-f(x)\}$에서 $u=-f(x)$로 놓으면 $y=\ln u$이므로

$$y'=\frac{dy}{dx}=\frac{dy}{du}\times\frac{du}{dx}=\frac{1}{u}\times\{-f'(x)\}=\frac{f'(x)}{f(x)}$$

(ⅰ), (ⅱ)에서 $\{\ln|f(x)|\}'=\dfrac{f'(x)}{f(x)}$

▶ $y=\log_a|f(x)|$의 도함수
$y=\log_a|f(x)|\,(a>0,\ a\neq1)$에서
$\log_a|f(x)|=\dfrac{\ln|f(x)|}{\ln a}$이므로
$$\{\log_a|f(x)|\}'$$
$$=\frac{1}{\ln a}\{\ln|f(x)|\}'$$
$$=\frac{1}{\ln a}\times\frac{f'(x)}{f(x)}$$
$$=\frac{f'(x)}{f(x)\ln a}$$

5
여러 가지 미분법

❶ $y=e^{f(x)} \Rightarrow y'=e^{f(x)}f'(x)$

❷ $y=a^{f(x)} \Rightarrow y'=a^{f(x)}(\ln a)f'(x)$ (단, $a>0$, $a\neq1$)

$y=a^{f(x)}$을 미분한 것이 $y'=a^{f(x)}f'(x)$인 것으로 착각하지 않도록 한다.

예제 **1.** 다음 함수를 미분하시오.

(1) $y=x^2 e^{-2x+3}$ (2) $y=2^{\sin x}$

2. 함수 $f(x)=e^{-x}$, $g(x)=\cos x$의 합성함수 $h(x)=(f\circ g)(x)$에 대하여 $h'\left(\dfrac{3}{2}\pi\right)$의 값을 구하시오.

해법 코드

1. $(e^{f(x)})'=e^{f(x)}f'(x)$,
$(a^{f(x)})'=a^{f(x)}(\ln a)f'(x)$

2. $h(x)=f(g(x))$이므로
$h(x)=e^{-\cos x}$

셀파 $(e^{f(x)})'=e^{f(x)}f'(x)$, $(a^{f(x)})'=a^{f(x)}(\ln a)f'(x)$ (단, $a>0$, $a\neq1$)

풀이 **1.** (1) $y'=(x^2)'e^{-2x+3}+x^2(e^{-2x+3})'$
$\qquad =2xe^{-2x+3}+x^2 e^{-2x+3}(-2x+3)'=\mathbf{2x(1-x)e^{-2x+3}}$

(2) $y'=(2^{\sin x})'=2^{\sin x}\ln 2(\sin x)'=\mathbf{2^{\sin x}(\ln 2)\cos x}$

2. $h(x)=(f\circ g)(x)=f(g(x))=f(\cos x)=e^{-\cos x}$이므로
$h'(x)=(e^{-\cos x})'=e^{-\cos x}(-\cos x)'=e^{-\cos x}\sin x$
$\therefore h'\left(\dfrac{3}{2}\pi\right)=e^{-\cos\frac{3}{2}\pi}\sin\dfrac{3}{2}\pi=e^0\times(-1)=\mathbf{-1}$

참고

2에서 함수 $h(x)$를 구하지 않고도 합성함수의 미분법을 이용하여 $h'(x)$를 구할 수 있다.
$f'(x)=-e^{-x}$, $g'(x)=-\sin x$이므로
$h(x)=(f\circ g)(x)=f(g(x))$에서
$h'(x)=f'(g(x))\,g'(x)$
$\qquad =-e^{-\cos x}\times(-\sin x)$
$\qquad =e^{-\cos x}\sin x$

확인 문제   정답과 해설 | **44**쪽   MY 셀파

05-1 다음 함수를 미분하시오.
(상)(중)(하)

(1) $y=(x+3)e^{-x^2}$ (2) $y=\dfrac{e^x-e^{-x}}{e^x+e^{-x}}$

(3) $y=5^{x^2+x+1}$ (4) $y=3^{\cos x}$

05-1

(2) 함수의 몫의 미분법과
$(e^x)'=e^x$, $(e^{-x})'=-e^{-x}$
을 이용한다.

05-2 함수 $f(x)=2^{1-x}$에 대하여 $\displaystyle\lim_{h\to 0}\dfrac{f(1+3h)-f(1-2h)}{h}$의 값을 구하시오.
(상)(중)(하)

05-2

$\displaystyle\lim_{h\to 0}\dfrac{f(1+\bullet h)-f(1)}{\bullet h}=f'(1)$
을 이용한다.

❶ $y=\ln|x| \Rightarrow y'=\dfrac{1}{x}$　　　　❷ $y=\log_a|x| \Rightarrow y'=\dfrac{1}{x\ln a}$

❸ $y=\ln|f(x)| \Rightarrow y'=\dfrac{f'(x)}{f(x)}$　　❹ $y=\log_a|f(x)| \Rightarrow y'=\dfrac{f'(x)}{f(x)\ln a}$

밑이 e가 아닌 경우의 도함수는 공식을 이용하지 않아도 밑이 e인 자연로그로 변형하여 도함수를 구할 수 있다. 즉, $y=\log_2 x$일 때,

$$y=\log_2 x=\dfrac{\ln x}{\ln 2}$$ 이므로

$$y'=\dfrac{1}{\ln 2}(\ln x)'=\dfrac{1}{x\ln 2}$$

참고 $y=\ln|f(x)|$에서 $f(x)>0$일 때와 $f(x)<0$일 때 모두 도함수가 같으므로 로그함수를 미분할 경우에는 절댓값 기호를 무시해도 된다.

예제 다음 함수를 미분하시오.

(1) $y=\ln(2x^2+1)$　　　　　(2) $y=\ln\left|\dfrac{1+x}{1-x}\right|$

(3) $y=\log_3(x^2+1)$　　　　(4) $y=\log_2(\ln x)$

해법 코드

(2) $y=\ln\left|\dfrac{1+x}{1-x}\right|$
　$=\ln|1+x|-\ln|1-x|$
에서 $\ln|1+x|=\ln(1+x)$,
$\ln|1-x|=\ln(1-x)$로 생각
해도 된다.

셀파 $\{\ln|f(x)|\}'=\dfrac{f'(x)}{f(x)}$, $\{\log_a|f(x)|\}'=\dfrac{f'(x)}{f(x)\ln a}$

풀이 (1) $y'=\{\ln(2x^2+1)\}'=\dfrac{(2x^2+1)'}{2x^2+1}=\dfrac{4x}{2x^2+1}$

(2) $y'=(\ln|1+x|-\ln|1-x|)'=\dfrac{1}{1+x}-\dfrac{-1}{1-x}=\dfrac{2}{1-x^2}$

❶ $y=\ln\left|\dfrac{1+x}{1-x}\right|$
　$=\ln|1+x|-\ln|1-x|$

(3) $y'=\{\log_3(x^2+1)\}'=\left\{\dfrac{\ln(x^2+1)}{\ln 3}\right\}'=\dfrac{(x^2+1)'}{(x^2+1)\ln 3}=\dfrac{2x}{(x^2+1)\ln 3}$

❷ $\dfrac{1}{\ln 3}\{\ln(x^2+1)\}'$
　$=\dfrac{1}{\ln 3}\times\dfrac{(x^2+1)'}{x^2+1}$

(4) $y'=\{\log_2(\ln x)\}'=\dfrac{(\ln x)'}{\ln x\ln 2}=\dfrac{1}{x\ln x\ln 2}$

확인 문제　　　　　　　　　　　　　정답과 해설 | **44**쪽　　　　　　　MY 셀파

06-1 다음 함수를 미분하시오.
상중하

(1) $y=x^2\ln|x|$　　　　　(2) $y=\ln|e^x-1|$

(3) $y=\log_2|2x-5|$　　　(4) $y=\log_4(\sin^2 x)$

06-1
로그함수의 도함수 공식과 합성함수의 미분법을 이용한다.

06-2 함수 $f(x)=x(\ln x+1)$일 때, $\lim\limits_{x\to 1}\dfrac{f(x)-1}{\sqrt{x}-1}$의 값을 구하시오.
상중하

06-2
$\dfrac{f(x)-1}{\sqrt{x}-1}$의 분모를 유리화한다.

5
여러 가지 미분법

밑과 지수가 모두 변수인 $y=\{f(x)\}^{g(x)}$ $(f(x)>0)$ 꼴 또는 복잡한 분수 꼴 도함수는 다음과 같이 구한다.

❶ $y=\{f(x)\}^{g(x)}$ $(f(x)>0)$ 꼴 ⇨ 양변에 자연로그를 취한 후 미분한다.

❷ $y=\dfrac{g(x)}{f(x)}$ $(f(x)\neq0)$ 꼴 ⇨ 양변의 절댓값에 자연로그를 취한 후 미분한다.

❷는 몫의 미분법을 이용하여 미분할 수도 있지만 식이 복잡한 경우에는 로그미분법을 이용하는 것이 편리하다.

예제 다음 함수를 미분하시오.

(1) $y=x^{\ln x}$ $(x>0)$　　　　　　　(2) $y=\dfrac{(x+1)^2}{x^3(x-2)}$

해법 코드
양변의 절댓값에 자연로그를 취한 후 미분한다.

셀파 특수형 또는 복잡한 식의 도함수 ⇨ 양변의 절댓값에 자연로그를 취한 후 미분한다.

풀이 (1) 양변에 자연로그를 취하면 $\ln y = \ln x \ln x = (\ln x)^2$

양변을 x에 대하여 미분하면 $\dfrac{y'}{y}=2\ln x\,(\ln x)'=\dfrac{2\ln x}{x}$

$\therefore y'=y\times\dfrac{2\ln x}{x}=x^{\ln x}\times\dfrac{2\ln x}{x}=2x^{\ln x-1}\ln x$

⊙ $x>0$, $x^{\ln x}>0$이므로 양변에 절댓값을 취하지 않고 바로 자연로그를 취한다.

(2) 양변의 절댓값에 자연로그를 취하면

$$\ln|y|=\ln\left|\dfrac{(x+1)^2}{x^3(x-2)}\right| \overset{\text{ⓛ}}{=} \ln\dfrac{|x+1|^2}{|x|^3|x-2|}$$
$$=2\ln|x+1|-3\ln|x|-\ln|x-2|$$

양변을 x에 대하여 미분하면

$$\dfrac{y'}{y}=\dfrac{2}{x+1}-\dfrac{3}{x}-\dfrac{1}{x-2}=\dfrac{-2(x^2+x-3)}{x(x+1)(x-2)}$$
$$\therefore y'=y\times\dfrac{-2(x^2+x-3)}{x(x+1)(x-2)}=\dfrac{(x+1)^2}{x^3(x-2)}\times\dfrac{-2(x^2+x-3)}{x(x+1)(x-2)}$$
$$=\dfrac{-2(x+1)(x^2+x-3)}{x^4(x-2)^2}$$

ⓛ 로그의 성질에서
$$\ln\dfrac{|x+1|^2}{|x^3(x-2)|}$$
$$=\ln|x+1|^2-\ln|x^3||x-2|$$
$$=2\ln|x+1|-(\ln|x|^3$$
$$\qquad\qquad+\ln|x-2|)$$
$$=2\ln|x+1|-3\ln|x|$$
$$\qquad\qquad-\ln|x-2|$$

확인 문제　　　　　　　　　　　정답과 해설 | **44**쪽　　　　　MY 셀파

07-1 다음 함수를 미분하시오.
(상)(중)(하)
(1) $y=x^{\sin x}$ $(x>0)$　　　　　　　(2) $y=\dfrac{(x+3)^7}{(x+1)^2(x+2)^3}$

07-1
양변의 절댓값에 자연로그를 취한 후 미분한다.

07-2 함수 $f(x)=\dfrac{e^x\cos x}{1+\sin x}$에 대하여 $f'(\pi)$의 값을 구하시오.
(상)(중)(하)

07-2
로그미분법을 이용하여 $f'(x)$를 구한다.

두 함수 $f(t), g(t)$가 t에 대하여 미분가능하고 $f'(t) \neq 0$일 때, $\begin{cases} x=f(t) \\ y=g(t) \end{cases}$ 이면

x, y를 각각 매개변수 t에 대하여 미분하여 $\dfrac{dx}{dt}, \dfrac{dy}{dt}$를 구한다. $\Rightarrow$ $\dfrac{dy}{dx} = \dfrac{\dfrac{dy}{dt}}{\dfrac{dx}{dt}} = \dfrac{g'(t)}{f'(t)}$

매개변수로 나타낸 함수의 미분은 매개변수 t를 없앤 후 $y=f(x)$ 꼴로 만들어 $\dfrac{dy}{dx}$를 구할 수도 있지만, 매개변수를 없애기 어려운 함수인 경우는 매개변수로 나타낸 함수의 미분법을 이용한다.

(예제) 매개변수로 나타낸 다음 함수에서 $\dfrac{dy}{dx}$를 구하시오.

(1) $x = 2t - 1,\ y = t^2 + 1$

(2) $x = \dfrac{t}{1+t},\ y = \dfrac{t^2}{1+t}$

해법 코드

$x = f(t), y = g(t)$일 때

$\dfrac{dx}{dt} = f'(t),\ \dfrac{dy}{dt} = g'(t)$

$\Rightarrow \dfrac{dy}{dx} = \dfrac{g'(t)}{f'(t)}$

(셀파) x, y가 모두 t에 대한 함수이면 $\dfrac{dy}{dx} = \dfrac{\dfrac{dy}{dt}}{\dfrac{dx}{dt}}$로 구한다. $\left(\text{단, } \dfrac{dx}{dt} \neq 0\right)$

(풀이) (1) $\dfrac{dx}{dt} = 2,\ \dfrac{dy}{dt} = 2t$

$\therefore \dfrac{dy}{dx} = \dfrac{\dfrac{dy}{dt}}{\dfrac{dx}{dt}} = \dfrac{2t}{2} = t$

(2) $\overset{\bigcirc}{\dfrac{dx}{dt}} = \dfrac{1}{(1+t)^2},\ \overset{\bigcirc}{\dfrac{dy}{dt}} = \dfrac{t^2 + 2t}{(1+t)^2}$

$\therefore \dfrac{dy}{dx} = \dfrac{\dfrac{dy}{dt}}{\dfrac{dx}{dt}} = \dfrac{\dfrac{t^2+2t}{(1+t)^2}}{\dfrac{1}{(1+t)^2}} = t^2 + 2t$

㉠ $\dfrac{dx}{dt} = \dfrac{(t)'(1+t) - t(1+t)'}{(1+t)^2}$

$= \dfrac{(1+t) - t}{(1+t)^2} = \dfrac{1}{(1+t)^2}$

㉡ $\dfrac{dy}{dt} = \dfrac{(t^2)'(1+t) - t^2(1+t)'}{(1+t)^2}$

$= \dfrac{2t(1+t) - t^2}{(1+t)^2} = \dfrac{t^2 + 2t}{(1+t)^2}$

확인 문제

정답과 해설 | **45**쪽

MY 셀파

08-1 매개변수로 나타낸 다음 함수에서 $\dfrac{dy}{dx}$를 구하시오.
(상)(중)(하)

(1) $x = t^2 - 2t - 1,\ y = t^3 - \dfrac{1}{t}$

(2) $x = e^{t+1},\ y = e^{3t+2}$

(3) $x = \dfrac{t+1}{3t-1},\ y = (3t-1)^2$

(4) $x = \cos^3 t,\ y = \sin^3 t$

08-1

(4) $\dfrac{dx}{dt} = -3\cos^2 t \sin t$

$\dfrac{dy}{dt} = 3\sin^2 t \cos t$

5 여러 가지 미분법

매개변수로 나타낸 곡선 $x=f(t)$, $y=g(t)$에서 두 함수 $f(t)$, $g(t)$가 t에 대하여 미분가능하고 $f'(t)\neq 0$일 때, $t=t_1$에 대응하는 점에서의 접선의 기울기는 $\dfrac{g'(t_1)}{f'(t_1)}$

$t=t_1$인 점에서의 접선의 기울기는
$$\frac{dy}{dx}=\frac{g'(t_1)}{f'(t_1)}$$

예제 좌표평면 위를 움직이는 점 P의 좌표 (x, y)가 t를 매개변수로 하여 $x=t-\sin t$, $y=1+\cos t$로 나타내어질 때, 점 P가 그리는 곡선에 대하여 접선의 기울기가 1인 점 P의 좌표를 구하시오. (단, $0<t<2\pi$)

해법 코드
$\dfrac{dx}{dt}$, $\dfrac{dy}{dt}$를 이용하여 $\dfrac{dy}{dx}$를 구한다. 이때 $\dfrac{dy}{dx}=1$이다.

셀파 x, y가 모두 t에 대한 함수이면 $\dfrac{dy}{dx}=\dfrac{\dfrac{dy}{dt}}{\dfrac{dx}{dt}}$로 구한다. $\left(단, \dfrac{dx}{dt}\neq 0\right)$

풀이 $\dfrac{dx}{dt}=1-\cos t$, $\dfrac{dy}{dt}=-\sin t$이므로

$$\frac{dy}{dx}=\frac{\dfrac{dy}{dt}}{\dfrac{dx}{dt}}=\frac{-\sin t}{1-\cos t}\ (단,\ \cos t\neq 1)$$

접선의 기울기가 1이므로 $\dfrac{-\sin t}{1-\cos t}=1$에서 $\cos t-\sin t=1$ ...... ㉠

㉠의 양변을 제곱하면 $\cos^2 t+\sin^2 t-2\cos t\sin t=1$, $2\cos t\sin t=0$

$0<t<2\pi$이므로 ㉠ $t=\dfrac{\pi}{2}$ 또는 $t=\pi$ 또는 $t=\dfrac{3}{2}\pi$

㉡ 이 중에서 ㉠을 만족시키는 t의 값은 $t=\dfrac{3}{2}\pi$이므로

$x=\dfrac{3}{2}\pi-\sin\dfrac{3}{2}\pi=\dfrac{3}{2}\pi+1$, $y=1+\cos\dfrac{3}{2}\pi=1$

따라서 구하는 점 P의 좌표는 $\left(\dfrac{3}{2}\pi+1,\ 1\right)$

❶ $0<t<2\pi$에서
$\cos t=0 \Rightarrow t=\dfrac{\pi}{2}$ 또는 $t=\dfrac{3}{2}\pi$
$\sin t=0 \Rightarrow t=\pi$

❷ (ⅰ) $t=\dfrac{\pi}{2}$ 일 때,
$\cos\dfrac{\pi}{2}-\sin\dfrac{\pi}{2}=-1$
(ⅱ) $t=\pi$일 때,
$\cos\pi-\sin\pi=-1$
(ⅲ) $t=\dfrac{3}{2}\pi$일 때,
$\cos\dfrac{3}{2}\pi-\sin\dfrac{3}{2}\pi=1$

확인 문제

정답과 해설 | **45**쪽

MY 셀파

09-1 매개변수로 나타낸 다음 곡선에서 주어진 t의 값에 대응하는 점에서의 접선의
(상)(중)(하) 기울기를 구하시오.

(1) $x=t^2$, $y=2t$ $\quad (t=1)$ $\qquad$ (2) $x=2\cos t$, $y=\sin t$ $\quad \left(t=\dfrac{\pi}{3}\right)$

09-1
(2) $\dfrac{dy}{dx}$에 $t=\dfrac{\pi}{3}$를 대입한 값이 구하는 접선의 기울기이다.

09-2 곡선 $x=t^3$, $y=t^2-at-2a^2$ 위의 $t=1$에 대응하는 점에서의 접선의 기울기가
(상)(중)(하) -1일 때, 상수 a의 값을 구하시오.

09-2
$t=1$일 때의 $\dfrac{dy}{dx}=-1$이다.

x의 함수 y가 음함수 $f(x, y)=0$ 꼴로 주어질 때는 각 항의 y를 x의 함수로 보고 양변을 x에 대해 미분하여 $\dfrac{dy}{dx}$를 구한다.

$f(x, y)=0$을 간단히 음함수라 부른다. 음함수의 미분법은 $f(x, y)=0$을 $y=g(x)$ 꼴로 고치기 어려울 때 이용하면 편리하다.

| 주어진 식을 $y=f(x)$ 꼴로 고치기 어려울 때 | 음함수의 미분법 이용 → | y를 x의 함수로 보고 양변을 x에 대하여 미분한다. |

예제 다음 방정식에서 $\dfrac{dy}{dx}$를 구하시오.

(1) $x-xy+y^3=0$　　　　(2) $x^2+2xy+3y^2=6$

해법 코드
$f(x, y)=0$ 꼴이므로 음함수의 미분법을 이용한다.

셀파 $f(x, y)=0$ 꼴의 미분 ⇨ y를 x에 대한 함수로 보고 x에 대하여 미분한다.

풀이 (1) 양변을 x에 대하여 미분하면

$$1-\left(y+x\dfrac{dy}{dx}\right)+3y^2\dfrac{dy}{dx}=0$$

$$(3y^2-x)\dfrac{dy}{dx}=y-1 \qquad \therefore \dfrac{dy}{dx}=\dfrac{y-1}{3y^2-x} \ (\text{단, } x\neq 3y^2)$$

➊ $x-xy+y^3=0$에서 xy를 x에 대하여 미분하면
$(xy)'=x'y+xy'=y+x\dfrac{dy}{dx}$

(2) 양변을 x에 대하여 미분하면

$$2x+2\left(y+x\dfrac{dy}{dx}\right)+6y\dfrac{dy}{dx}=0$$

$$(2x+6y)\dfrac{dy}{dx}=-2x-2y \qquad \therefore \dfrac{dy}{dx}=-\dfrac{x+y}{x+3y} \ (\text{단, } x\neq -3y)$$

음함수에서 구한 $\dfrac{dy}{dx}$를 반드시 x에 대한 식으로 나타낼 필요는 없어.

확인 문제　　　　　　　　　　　　　　정답과 해설 | **46**쪽　　　　　**MY 셀파**

10-1 다음 방정식에서 $\dfrac{dy}{dx}$를 구하시오.
(상)(중)(하)

(1) $y^2+4x=0$　　　　　　(2) $x-3xy+2y=1$

(3) $(x+y)^2=xy+2$　　　(4) $\dfrac{y^2}{x}+\dfrac{x^2}{y}=1$ (단, $xy\neq 0$)

10-1
(4) $\dfrac{y^2}{x}+\dfrac{x^2}{y}=1$의 양변에 xy를 곱하면 $x^3+y^3=xy$이다.

10-2 곡선 $2x^3+3y^3-axy^2+b=0$ 위의 점 $(0, 1)$에서의 $\dfrac{dy}{dx}$의 값이 1일 때, 상수 a, b의 값을 구하시오.
(상)(중)(하)

10-2
$\dfrac{dy}{dx}$를 구하여 $x=0$, $y=1$을 대입하면 그 값이 1이다.

5 여러 가지 미분법

❶ $y=x^n$ (n은 실수) $\Rightarrow y'=nx^{n-1}$

     참고   지수가 정수일 때와 도함수를 구하는 방법이 같다.

❷ $y=\sqrt{x} \Rightarrow y'=\dfrac{1}{2\sqrt{x}}$

❸ $y=\sqrt{f(x)} \Rightarrow y'=\dfrac{f'(x)}{2\sqrt{f(x)}}$

$y=x^n$에서
$\ln|y|=\ln|x^n|=n\ln|x|$
양변을 x에 대하여 미분하면
$\dfrac{1}{y} \times \dfrac{dy}{dx}=\dfrac{n}{x}$
$\therefore \dfrac{dy}{dx}=y \times \dfrac{n}{x}=x^n \times \dfrac{n}{x}$
        $=nx^{n-1}$

예제   다음 함수를 미분하시오.

(1) $y=\sqrt{x}$

(2) $y=\sqrt[3]{x^2}$

(3) $y=x^2\sqrt{2x-1}$

(4) $y=\sqrt{x^2+1}$

해법 코드

(3) 곱의 미분법과 무리함수의 미분법을 이용한다.

셀파 $y=\sqrt{f(x)} \Rightarrow y'=\dfrac{f'(x)}{2\sqrt{f(x)}}$

풀이   (1) $\sqrt{x}=x^{\frac{1}{2}}$이므로

$$y'=\frac{1}{2}x^{\frac{1}{2}-1}=\frac{1}{2}x^{-\frac{1}{2}}=\frac{1}{2} \times \frac{1}{\sqrt{x}}=\frac{1}{2\sqrt{x}}$$

(2) $\sqrt[3]{x^2}=x^{\frac{2}{3}}$이므로

$$y'=\frac{2}{3}x^{\frac{2}{3}-1}=\frac{2}{3}x^{-\frac{1}{3}}=\frac{2}{3} \times \frac{1}{\sqrt[3]{x}}=\frac{2}{3\sqrt[3]{x}}$$

(3) $y'=(x^2)'\sqrt{2x-1}+x^2(\sqrt{2x-1})'{}^{\text{❿}}=2x\sqrt{2x-1}+x^2 \times \dfrac{(2x-1)'}{2\sqrt{2x-1}}$
     $=2x\sqrt{2x-1}+\dfrac{x^2}{\sqrt{2x-1}}=\dfrac{5x^2-2x}{\sqrt{2x-1}}$

(4) $y'=\dfrac{(x^2+1)'}{2\sqrt{x^2+1}}=\dfrac{2x}{2\sqrt{x^2+1}}=\dfrac{x}{\sqrt{x^2+1}}$

❿ $y=\sqrt{f(x)}$ 꼴의 미분에서
   $f(x)=2x-1$인 경우이다.
$$(\sqrt{2x-1})'=\frac{(2x-1)'}{2\sqrt{2x-1}}$$

❿ $2x\sqrt{2x-1}+\dfrac{x^2}{\sqrt{2x-1}}$
$$=\frac{2x(2x-1)}{\sqrt{2x-1}}+\frac{x^2}{\sqrt{2x-1}}$$
$$=\frac{4x^2-2x+x^2}{\sqrt{2x-1}}$$
$$=\frac{5x^2-2x}{\sqrt{2x-1}}$$

확인 문제   정답과 해설 | **46**쪽   **MY 셀파**

11-1

 다음 함수를 미분하시오.

(1) $y=\sqrt[4]{3x-1}$

(2) $y=\sqrt[3]{x^2+1}$

(3) $y=(x+3)\sqrt{2x+5}$

(4) $y=\dfrac{1}{x+\sqrt{x^2-2}}$

11-1

(3) 곱의 미분법과 무리함수의 미분법을 이용한다.

(4) 분모에 근호가 있으므로 분모를 유리화한다.

미분가능한 함수 $y=f(x)$의 역함수 $f^{-1}(x)$가 존재할 때
$f(f^{-1}(x))=x$에서 양변을 x에 대하여 미분하면

$$f'(f^{-1}(x))(f^{-1})'(x)=1$$

$$\therefore (f^{-1})'(x)=\frac{1}{f'(f^{-1}(x))}$$

미분가능한 함수 $f(x)$의 역함수 $f^{-1}(x)$가 존재하고 미분가능할 때 $y=f^{-1}(x)$의 도함수는

$$(f^{-1})'(x)=\frac{1}{f'(f^{-1}(x))}$$

$$=\frac{1}{f'(y)}\ (f'(y)\neq0)$$

예제 **1.** 역함수의 미분법을 이용하여 $y=\sqrt[3]{x-1}$에서 $\dfrac{dy}{dx}$를 구하시오.

2. 함수 $f(x)=x^2+2x+2\ (x>-1)$의 역함수 $f^{-1}(x)$에 대하여 $(f^{-1})'(5)$의 값을 구하시오.

해법 코드

1. 주어진 식을 y에 대하여 미분하여 $\dfrac{dx}{dy}$를 구한다.

2. $f^{-1}(5)=k$라 하면 $f(k)=5$이다.

셀파 $x=f(y)$로 주어진 경우 $\Rightarrow y'=\dfrac{dy}{dx}=\dfrac{1}{f'(y)}$ (단, $f'(y)\neq0$)

풀이 **1.** $y=\sqrt[3]{x-1}$의 양변을 세제곱하면 $y^3=x-1$, $x=y^3+1$

양변을 y에 대하여 미분하면 $\dfrac{dx}{dy}=3y^2$

$$\therefore \frac{dy}{dx}=\frac{1}{\frac{dx}{dy}}=\frac{1}{3y^2}=\frac{1}{3\sqrt[3]{(x-1)^2}}\ (단,\ x\neq1)$$

2. ⓐ$f^{-1}(5)=k$라 하면 $f(k)=5$이므로 $k^2+2k+2=5$, $k^2+2k-3=0$
$(k+3)(k-1)=0$　　$\therefore k=1\ (\because k>-1)$
따라서 $f^{-1}(5)=1$이고, $f'(x)=2x+2$이므로
ⓑ$(f^{-1})'(5)=\dfrac{1}{f'(f^{-1}(5))}=\dfrac{1}{f'(1)}=\dfrac{1}{4}$

ⓐ $f(x)$의 역함수가 $f^{-1}(x)$이므로
$f(a)=b\Longleftrightarrow f^{-1}(b)=a$
즉, $f^{-1}(5)=k$이면 $f(k)=5$

ⓑ $(f^{-1})'(x)=\dfrac{1}{f'(f^{-1}(x))}$이므로
x 대신 5를 대입하여
$(f^{-1})'(5)=\dfrac{1}{f'(f^{-1}(5))}$

확인 문제　　　　　　　　　　　　정답과 해설 | **47**쪽　　　　　　　　MY 셀파

12-1 역함수의 미분법을 이용하여 다음 함수에서 $\dfrac{dy}{dx}$를 구하시오.
(상)(중)(하)

(1) $y=\sqrt[4]{x}$　　　　　　　　　　　(2) $y=\sqrt[3]{x+3}-2$

12-1

(2) $x=f(y)$ 꼴로 고쳐 $\dfrac{dy}{dx}$를 구한다.

12-2 함수 $f(x)=x^3-3x^2+3x+3$의 역함수 $f^{-1}(x)$에 대하여 $(f^{-1})'(-4)$의 값을
(상)(중)(하) 구하시오.

12-2

$(f^{-1})'(-4)=\dfrac{1}{f'(f^{-1}(-4))}$이므로 $f^{-1}(-4)$의 값을 구한다.

01 다음 함수를 미분하시오.

(1) $y = \dfrac{x^3}{x+3}$

(2) $y = \dfrac{2x+1}{3x+1}$

(3) $y = e^x \tan x$

(4) $y = \cos(x^2 + 2)$

(5) $y = \dfrac{\ln x + 1}{e^x}$

(6) $y = (\ln x)^4 + e^{2x}$

(7) $y = x^2 \sqrt{x}$

(8) $y = 5^{\sin x - \cos x}$

(9) $y = \ln|3x - 1|$

(10) $y = \ln|\cos x|$

(11) $y = \ln|\tan x|$

(12) $y = \dfrac{(2x+1)^3}{(x-3)^2}$

(13) $y = \sqrt{1 - \sin x}$

(14) $y = \sqrt{x} + \dfrac{1}{\sqrt{x}}$

미분가능한 함수 $f(x)$의 도함수 $f'(x)$가 미분가능할 때, $f'(x)$의 도함수를 $f(x)$의 이계도함수라 하고, 이것을 기호로

$$f''(x),\ y'',\ \frac{d^2y}{dx^2},\ \frac{d^2}{dx^2}f(x)$$

와 같이 나타낸다.

> $y=f(x)$의 도함수 $f'(x)$가 미분가능할 때, 함수 $f(x)$의 이계도함수는
> $$f''(x)$$
> $$=\lim_{h\to 0}\frac{f'(x+h)-f'(x)}{h}$$

예제

1. 함수 $f(x)=ae^{2x}+be^{-2x}$일 때, $f''(x)-4f(x)$의 값을 구하시오.

(단, a, b는 상수)

2. 함수 $f(x)=e^x\cos 2x$가 모든 실수 x에 대하여 등식
$f''(x)+af'(x)+5f(x)=0$을 만족시킬 때, 상수 a의 값을 구하시오.

해법 코드

1. $f''(x)$를 구하여 주어진 식에 대입한다.

2. $f'(x)$, $f''(x)$를 구하여 주어진 식에 대입한다.

셀파 $f(x)$에서 $f'(x)$, $f''(x)$를 차례로 구한다.

풀이 **1.** $f'(x)=2ae^{2x}-2be^{-2x}$, $f''(x)=4ae^{2x}+4be^{-2x}$

$\therefore f''(x)-4f(x)=(4ae^{2x}+4be^{-2x})-4(ae^{2x}+be^{-2x})=\mathbf{0}$

2. $f(x)=e^x\cos 2x$에서

$f'(x)=e^x\cos 2x-2e^x\sin 2x=e^x(\cos 2x-2\sin 2x)$

$f''(x)=e^x(\cos 2x-2\sin 2x)+e^x(-2\sin 2x-4\cos 2x)$

$\qquad =e^x(-4\sin 2x-3\cos 2x)$

$f(x)$, $f'(x)$, $f''(x)$를 $f''(x)+af'(x)+5f(x)=0$에 대입하면

$e^x(-4\sin 2x-3\cos 2x)+ae^x(\cos 2x-2\sin 2x)+5e^x\cos 2x=0$

$e^x\{(-2a-4)\sin 2x+(a+2)\cos 2x\}=0$

$\therefore e^x(a+2)(\cos 2x-2\sin 2x)=0$

이 등식이 모든 실수 x에 대하여 성립하므로 $a+2=0$ $\therefore \mathbf{a=-2}$

> ⓐ $(-2a-4)\sin 2x+(a+2)\cos 2x$
> $=-2(a+2)\sin 2x$
> $\qquad +(a+2)\cos 2x$
> $=(a+2)(-2\sin 2x+\cos 2x)$
> $=(a+2)(\cos 2x-2\sin 2x)$

> ⓑ $e^x(a+2)(\cos 2x-2\sin 2x)=0$ 에서 $e^x>0$이고, $\cos 2x-2\sin 2x$의 값은 x의 값에 따라 변하므로 이 등식이 실수 x의 값에 관계없이 항상 성립하려면 $a+2=0$이어야 한다.

확인 문제 | 정답과 해설 | **49**쪽 | MY 셀파

13-1 함수 $f(x)=\tan x$에 대하여 $f'(k)=3$일 때, $\{f''(k)\}^2$의 값을 구하시오.

13-1
$(\tan x)'=\sec^2 x$
$(\sec x)'=\sec x\tan x$

13-2 함수 $f(x)=e^{-2x}\sin x$에 대하여 $f''(x)=0$의 해가 $x=\alpha$일 때, $\tan\alpha$의 값을 구하시오. $\left(\text{단},\ \pi<\alpha<\dfrac{3}{2}\pi\right)$

13-2
α의 값을 직접 구하지 않고 $f''(\alpha)=0$을 이용하여 $\tan\alpha$의 값을 구한다.

5 여러 가지 미분법

함수의 몫의 미분법

01 함수 $y = \dfrac{x^2}{x+1} + \dfrac{1}{x^2-1}$ 을 미분하시오.

(상)(중)(하)

함수의 몫의 미분법

02 실수 전체의 집합에서 미분가능한 함수 $f(x)$에 대하여 함수 $g(x)$를 $g(x) = \dfrac{f(x)}{e^{x-2}}$ 라 하자.

(상)(중)(하)

$\displaystyle\lim_{x \to 2} \dfrac{f(x)-3}{x-2} = 5$일 때, $g'(2)$의 값을 구하시오.

삼각함수의 도함수

03 함수 $f(x) = \dfrac{1 - \tan^2 x}{\sec x}$ 에 대하여 $f'\left(\dfrac{\pi}{3}\right)$의 값을 구하시오.

(상)(중)(하)

합성함수의 미분법   융합형

04 미분가능한 두 함수 $f(x)$, $g(x)$에 대하여 $\displaystyle\lim_{x \to 1} \dfrac{f(x)-3}{x-1} = 4$, $\displaystyle\lim_{x \to 2} \dfrac{g(x)-1}{x-2} = -1$이 성립할 때, 합성함수 $(f \circ g)(x)$에 대하여 $(f \circ g)'(2)$의 값을 구하시오.

(상)(중)(하)

합성함수의 미분법

05 미분가능한 함수 $y = f(x)$의 그래프 위의 점 $(2, f(2))$에서의 접선의 기울기가 2일 때, 양의 실수 전체의 집합에서 정의된 함수 $y = f(\sqrt{x})$의 $x = 4$에서의 미분계수를 구하시오.

(상)(중)(하)

지수함수의 도함수

06 $f(x) = e^{3x}$일 때, $\displaystyle\lim_{x \to 0} \dfrac{f(x)-1}{x}$의 값을 구하시오.

(상)(중)(하)

지수함수, 로그함수의 도함수   융합형

07 $\displaystyle\lim_{x \to 0} \dfrac{1}{x} \ln \dfrac{e^x + e^{2x} + \cdots + e^{nx}}{n} = 5$를 만족시키는 자연수 n의 값을 구하시오.

(상)(중)(하)

로그미분법

08 함수 $f(x) = \dfrac{(x-1)^2 \sqrt{x+1}}{x+2}$ 에 대하여 $f'(0)$의 값을 구하시오.

(상)(중)(하)

매개변수로 나타낸 함수의 미분법

09 매개변수로 나타낸 함수

$$x=t^2+t+1,\ y=\frac{1}{2}t^2+8t-8$$

에서 $t=2$일 때, $\dfrac{dy}{dx}$의 값을 구하시오.

음함수의 미분법

10 다음 방정식에서 $\dfrac{dy}{dx}$를 구하시오.

(1) $x^2-y^2=4$

(2) $y^2-2y+x=0$

음함수의 미분법 **서술형**

11 곡선 $x^3+y^3+axy+b=0$ 위의 점 $(1,2)$에서의 접선

의 기울기가 $\dfrac{1}{10}$일 때, 상수 a,b의 값을 구하시오.

무리함수의 미분법

12 $f(2)=4,f'(2)=1$이 성립하는 미분가능한 함수

$f(x)$에 대하여 $g(x)=x\sqrt{f(x)}$일 때, $g'(2)$의 값을 구하시오.

역함수의 미분법

13 역함수의 미분을 이용하여 $x=y\sqrt{y+1}\ (y>0)$에서

$y=3$일 때, $\dfrac{dy}{dx}$의 값을 구하시오.

역함수의 미분법

14 함수 $f(x)=\sqrt{x^3+2x^2+1}$의 역함수 $f^{-1}(x)$에 대하

여 $(f^{-1})'(2)$의 값을 구하시오.

역함수의 미분법

15 함수 $f(x)$가 미분가능하고 $\displaystyle\lim_{x\to3}\frac{f(x)-5}{x-3}=\frac{1}{4}$이다.

함수 $f(x)$의 역함수를 $g(x)$라 할 때, $g(5)+g'(5)$의 값을 구하시오.

이계도함수

16 함수 $f(x)=(ax+b)\cos x$에 대하여 $f'(0)=1$,

$f''(0)=2$일 때, 상수 a,b의 합 $a+b$의 값을 구하시오.

5 여러 가지 미분법

6

도함수의 활용 (1)

6. 도함수의 활용 (1)

개념 1　접선의 방정식

함수 $f(x)$가 $x=a$에서 미분가능할 때, 곡선 $y=f(x)$ 위의 점 $(a,$ ❶ $)$에서의 접선의 방정식은 $y-f(a)=f'(a)(x-a)$

답 ❶ $f(a)$

> **개념 플러스**
> ▶ 기울기가 m이고 점 (x_1, y_1)을 지나는 직선의 방정식
> $\Rightarrow y-y_1=m(x-x_1)$

개념 2　곡선 $y=f(x)$에 대한 접선의 방정식을 구하는 방법

(1) 접점의 좌표 (x_1, y_1)이 주어진 경우
　　1 접선의 기울기 $f'(x_1)$을 구한다.
　　2 접선의 방정식 $\Rightarrow y-y_1=$ ❶ $(x-x_1)$
(2) 기울기 m의 값이 주어진 경우
　　1 접점의 좌표를 $(t, f(t))$로 놓는다.
　　2 $f'(t)=m$에서 접점의 좌표 (x_1, y_1)을 구한다.
　　3 접선의 방정식 $\Rightarrow y-y_1=$ ❷ $(x-x_1)$
(3) 접선이 지나는 곡선 밖의 한 점의 좌표 (a, b)가 주어진 경우
　　1 접점의 좌표를 $(t, f(t))$로 놓는다.
　　2 $y-f(t)=f'(t)(x-t)$에 x 대신 a, y 대신 b를 대입하여 t의 값을 구한다.
　　3 구한 t의 값을 $y-f(t)=f'(t)(x-t)$에 대입하여 접선의 방정식을 구한다.

답 ❶ $f'(x_1)$　❷ m

> ▶ 곡선 $y=f(x)$에 대하여
> ❶ 임의의 점에서의 접선의 기울기
> 　$\Rightarrow f'(x)$
> ❷ x좌표가 a인 점에서의 접선의 기울기 $\Rightarrow f'(a)$
> ❸ $x=a$에서의 접선이 x축의 양의 방향과 이루는 각의 크기가 θ일 때의 접선의 기울기
> 　$\Rightarrow f'(a)=\tan\theta$

개념 3　매개변수로 나타낸 곡선의 접선의 방정식

매개변수로 나타낸 함수 $x=f(t)$, $y=g(t)$가 $t=t_1$에서 ❶ 가능하고 ❷ $\neq 0$일 때, 곡선 위의 점 $(f(t_1), g(t_1))$에서의 접선의 방정식은

$$y-g(t_1)=\frac{g'(t_1)}{f'(t_1)}\{x-f(t_1)\}$$

답 ❶ 미분　❷ $f'(t_1)$

> ◉ 직선의 방정식을 구하려면 기울기와 그 직선이 지나는 한 점의 좌표를 알아야 한다.
> 　따라서 곡선 $y=f(x)$의 접선의 방정식을 구하기 위해
> ❶ 접점의 좌표가 주어지면 기울기를 구한다.
> ❷ 기울기가 주어지면 접점의 좌표를 구한다.
> ❸ 곡선 밖의 한 점이 주어지면 접점 $(t, f(t))$에서의 접선의 방정식에 주어진 점을 대입하여 t의 값을 구한다.

개념 4　음함수로 나타낸 곡선의 접선의 방정식

음함수 꼴로 주어진 곡선 $f(x, y)=0$ 위의 점 $\mathrm{P}(x_1, y_1)$에서의 접선의 방정식은 다음과 같은 방법으로 구한다.

　1 음함수의 미분법을 이용하여 ❶ 를 구한다.
　2 $\dfrac{dy}{dx}$에 $x=x_1$, $y=y_1$을 대입하여 접선의 ❷ m을 구한다.
　3 m을 $y-y_1=m(x-x_1)$에 대입하여 접선의 방정식을 구한다.

답 ❶ $\dfrac{dy}{dx}$　❷ 기울기

120　Ⅱ. 미분법

1-1 | 곡선 위의 점에서의 접선의 방정식 |

다음 곡선 위의 주어진 점에서의 접선의 방정식을 구하시오.

(1) $y=\cos x$ $\left(\dfrac{\pi}{2},\ 0\right)$

(2) $y=\ln x$ $(e,\ 1)$

연구

(1) $f(x)=\cos x$ 라 하면 $f'(x)=-\sin x$ 이므로

곡선 $y=f(x)$ 위의 점 $\left(\dfrac{\pi}{2},\ 0\right)$에서의 접선의 기울기는

$$f'\left(\dfrac{\pi}{2}\right)=-\sin\boxed{}=-1$$

따라서 점 $\left(\dfrac{\pi}{2},\ 0\right)$에서의 접선의 방정식은

$$y-0=-\left(x-\dfrac{\pi}{2}\right) \quad \therefore\ \boldsymbol{y=\boxed{}+\dfrac{\pi}{2}}$$

(2) $f(x)=\ln x$ 라 하면 $f'(x)=\dfrac{1}{x}$이므로

곡선 $y=f(x)$ 위의 점 $(e,\ 1)$에서의 접선의 기울기는

$$f'(e)=\dfrac{1}{e}$$

따라서 점 $(e,\ 1)$에서의 접선의 방정식은

$$y-1=\dfrac{1}{\boxed{}}(x-e) \quad \therefore\ \boldsymbol{y=\dfrac{1}{e}x}$$

1-2 | 따라풀기 |

다음 곡선 위의 주어진 점에서의 접선의 방정식을 구하시오.

(1) $y=e^x$ $(1,\ e)$

(2) $y=\sin x$ $(\pi,\ 0)$

풀이

2-1 | 기울기가 주어진 접선의 방정식 |

곡선 $y=e^x$에 접하고 기울기가 1인 접선의 방정식을 구하시오.

연구

$f(x)=e^x$이라 하면 $f'(x)=e^x$

접점의 좌표를 $(t,\ e^t)$으로 놓으면 접선의 기울기가 1이므로

$$f'(t)=e^t=\boxed{} \quad \therefore\ t=0$$

따라서 접점의 좌표가 $(0,\ 1)$이므로 구하는 접선의 방정식은

$$y-1=x-0 \quad \therefore\ \boldsymbol{y=x+1}$$

2-2 | 따라풀기 |

다음을 구하시오.

(1) $y=\ln x$에 접하고 기울기가 $\dfrac{1}{2}$인 접선의 방정식

(2) $y=\sqrt{x}$에 접하고 기울기가 $\dfrac{1}{4}$인 접선의 방정식

풀이

개념 5 함수의 증가, 감소

함수 $y=f(x)$가 어떤 구간에 속하는 임의의 두 실수 x_1, x_2에 대하여

❶ $x_1<x_2$일 때, $f(x_1)<f(x_2)$이면 함수 $f(x)$는 이 **❶** 에서 증가한다고 한다.

❷ $x_1<x_2$일 때, $f(x_1)$ **❷** $f(x_2)$이면 함수 $f(x)$는 이 구간에서 감소한다고 한다.

답 ❶ 구간 ❷ >

㉠ 함수 $f(x)$가
　❶ 모든 x에 대하여 $f'(x)>0$
　　⇨ 접선의 기울기가 양수
　❷ 모든 x에 대하여 $f'(x)<0$
　　⇨ 접선의 기울기가 음수

개념 6 함수의 증가, 감소의 판정

함수 $f(x)$가 어떤 열린구간에서 미분가능하고, ㉠이 구간의 모든 x에 대하여

❶ $f'(x)>0$이면 $f(x)$는 이 구간에서 **❶** 한다.

❷ $f'(x)$ **❷** 0이면 $f(x)$는 이 구간에서 감소한다.

답 ❶ 증가 ❷ <

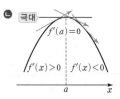

개념 7 함수의 극대, 극소

(1) 함수 $f(x)$가 실수 a를 포함하는 어떤 열린구간에 속하는 모든 x에 대하여 $f(x)\leq f(a)$이면 함수 $f(x)$는 $x=a$에서 **❶** 라 하고, $f(a)$를 **극댓값**이라 한다.

(2) 함수 $f(x)$가 실수 a를 포함하는 어떤 열린구간에 속하는 모든 x에 대하여 $f(x)\geq f(a)$이면 함수 $f(x)$는 $x=a$에서 극소라 하고, $f(a)$를 **극솟값**이라 한다.

이때 극댓값과 극솟값을 통틀어 **❷** 이라 한다.

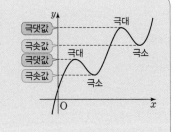

답 ❶ 극대 ❷ 극값

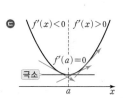

개념 8 함수의 극대, 극소의 판정

(1) 도함수를 이용한 함수의 극대, 극소의 판정

미분가능한 함수 $f(x)$에 대하여 $f'(a)=0$이 되는 $x=a$의 좌우에서 $f'(x)$의 부호가

❶㉡ 양$(+)$에서 음$(-)$으로 바뀌면 $x=a$에서 극대이고 극댓값은 $f(a)$이다.

❷㉢ 음$(-)$에서 양$(+)$으로 바뀌면 $x=a$에서 극소이고 극솟값은 **❶** 이다.

(2) 이계도함수를 이용한 함수의 극대, 극소의 판정

이계도함수를 갖는 함수 $f(x)$에 대하여 $f'(a)=$ **❷** 일 때

❶ $f''(a)<0$이면 $f(x)$는 $x=a$에서 극대이고, 극댓값은 $f(a)$이다.

❷ $f''(a)$ **❸** 0이면 $f(x)$는 $x=a$에서 극소이고, 극솟값은 $f(a)$이다.

답 ❶ $f(a)$ ❷ 0 ❸ >

3-1 | 함수의 증가, 감소 |

함수 $f(x)=\cos x\,(0<x<2\pi)$의 증가, 감소를 조사하시오.

연구

$f(x)=\cos x$에서 $f'(x)=-\sin x$

$f'(x)=0$에서 $x=\boxed{}$

함수 $f(x)$의 증가와 감소를 표로 나타내면 다음과 같다.

x	(0)	$\cdots$	π	$\cdots$	(2π)
$f'(x)$		$-$	0	$+$	
$f(x)$		$\searrow$	-1	$\nearrow$	

따라서 함수 $f(x)$는 반닫힌 구간 $(0,\ \pi]$에서 감소하고, 반닫힌 구간 $[\boxed{},\ 2\pi)$에서 증가한다.

3-2 | 따라풀기 |

다음 함수의 증가, 감소를 조사하시오.

(1) $f(x)=\dfrac{x^2+1}{x}$　　　　　(2) $f(x)=x-2\sqrt{x}$

풀이

4-1 | 함수의 극대, 극소 |

함수 $f(x)=e^x-x$의 극값을 구하시오.

연구

$f(x)=e^x-x$에서 $f'(x)=e^x-1$

$f'(x)=0$에서 $x=0$

함수 $f(x)$의 증가와 감소를 표로 나타내면 다음과 같다.

x	$\cdots$	0	$\cdots$
$f'(x)$	$-$	0	$+$
$f(x)$	$\searrow$	1	$\nearrow$

따라서 함수 $f(x)$는 $x=\boxed{}$에서 **극솟값 1**을 갖는다.

4-2 | 따라풀기 |

다음 함수의 극값을 구하시오.

(1) $f(x)=\sin x\,(0<x<2\pi)$

(2) $f(x)=\ln x-x$

풀이

곡선 $y=f(x)$ 위의 점 $(a, f(a))$에서의 접선의 방정식은 다음과 같이 구한다.

1 접선의 기울기 ⇨ $f'(a)$

2 접선의 방정식은 기울기가 $f'(a)$이고, 점 $(a, f(a))$를 지나는 직선의 방정식이므로
⇨ $y-f(a)=f'(a)(x-a)$

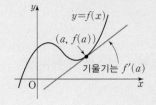

곡선 $y=f(x)$ 위의 $x=a$인 점에서의 접선의 기울기 $f'(a)$는 함수 $f(x)$를 미분한 도함수 $f'(x)$에 x 대신 a를 대입하여 얻은 값이다.

예제 1. 곡선 $y=\sin^2 x$ 위의 점 $\left(\dfrac{\pi}{4}, \dfrac{1}{2}\right)$에서의 접선의 방정식을 구하시오.

2. 곡선 $y=x\ln x$ 위의 점 $(1, 0)$에서의 접선이 점 $(a, e+4)$를 지날 때, 상수 a의 값을 구하시오.

해법 코드
2. $f(x)=x\ln x$라 하면 점 $(1, 0)$에서의 접선의 방정식은
$y=f'(1)(x-1)$

셀파 곡선 $y=f(x)$ 위의 점 $(a, f(a))$에서의 접선의 방정식은
⇨ $y-f(a)=f'(a)(x-a)$

풀이 1. $f(x)=\sin^2 x$라 하면 $f'(x)=2\sin x \cos x$이므로

점 $\left(\dfrac{\pi}{4}, \dfrac{1}{2}\right)$에서의 접선의 기울기는 $f'\left(\dfrac{\pi}{4}\right)=2\sin\dfrac{\pi}{4}\cos\dfrac{\pi}{4}=2\times\dfrac{\sqrt{2}}{2}\times\dfrac{\sqrt{2}}{2}=1$

따라서 구하는 접선의 방정식은

$y-\dfrac{1}{2}=x-\dfrac{\pi}{4}$ ∴ $y=x-\dfrac{\pi}{4}+\dfrac{1}{2}$

2. $f(x)=x\ln x$라 하면 $f'(x)=\ln x+x\times\dfrac{1}{x}=\ln x+1$이므로

점 $(1, 0)$에서의 접선의 기울기는 $f'(1)=\ln 1+1=1$
따라서 접선의 방정식은 $y=x-1$
이 접선이 점 $(a, e+4)$를 지나므로
$e+4=a-1$ ∴ $a=e+5$

❍ $y=\{g(x)\}^2$일 때
$y'=2g(x)g'(x)$이므로
$f(x)=\sin^2 x$일 때
$f'(x)=2\sin x (\sin x)'$
$=2\sin x\cos x$

참고
$f'(a)$의 의미
❶ 함수 $f(x)$의 $x=a$에서의 미분계수
❷ 곡선 $y=f(x)$ 위의 점 $(a, f(a))$에서의 접선의 기울기

확인 문제   정답과 해설 | **53**쪽   MY 셀파

01-1 다음 곡선 위의 주어진 점에서의 접선의 방정식을 구하시오.
(상)(중)(하)

(1) $y=\cos x-\dfrac{1}{2}$ $\left(\dfrac{\pi}{3}, 0\right)$ (2) $y=2\sqrt{x}+1$ $(1, 3)$

01-1
(1) $f(x)=\cos x-\dfrac{1}{2}$이라 하면
접선의 기울기는 $f'\left(\dfrac{\pi}{3}\right)=-\sin\dfrac{\pi}{3}$

01-2 곡선 $f(x)=e^{x+a}$ 위의 점 $(-1, b)$에서의 접선의 기울기가 e일 때, 상수 a, b의
(상)(중)(하) 값을 구하시오.

01-2
$f(-1)=b$, $f'(-1)=e$

해법 02 — 기울기가 주어진 접선의 방정식

PLUS ⊕

곡선 $y=f(x)$에 대한 접선의 기울기가 m일 때, 접선의 방정식은 다음과 같이 구한다.

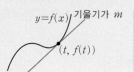
$y=f(x)$ 기울기가 m
$(t, f(t))$

1️⃣ 접점의 좌표를 $(t, f(t))$로 놓는다.

2️⃣ $f'(t)=m$에서 t의 값을 구한다.

3️⃣ m과 2️⃣에서 구한 t, $f(t)$의 값을 $y-f(t)=m(x-t)$에 대입한다.

접점을 $(t, f(t))$로 놓고 방정식 $f'(t)=m$을 세우면 미지수가 t 한 개이므로 이 방정식을 풀어 t의 값을 구할 수 있다.

예제 1. 곡선 $y=\sin 2x \left(0<x<\dfrac{\pi}{4}\right)$에 접하고 기울기가 1인 접선의 방정식을 구하시오.

2. 곡선 $y=\ln(x-1)$에 접하고, 직선 $2x+y-2=0$에 수직인 직선의 방정식을 구하시오.

해법 코드

1. $f'(t)=1$인 t의 값을 구한다.

2. 직선 $2x+y-2=0$에 수직인 직선의 기울기는 $\dfrac{1}{2}$이다.

 셀파 곡선 $y=f(x)$ 위의 접점의 좌표를 $(t, f(t))$로 놓는다.

풀이 1. $f(x)=\sin 2x$라 하면 $f'(x)=\cos 2x(2x)'=2\cos 2x$

접점의 좌표를 $(t, \sin 2t)$로 놓으면 접선의 기울기가 1이므로

$f'(t)=2\cos 2t=1$, $\cos 2t=\dfrac{1}{2}$, $2t=\dfrac{\pi}{3}$ $\therefore t=\dfrac{\pi}{6}$

따라서 접점의 좌표가 $\left(\dfrac{\pi}{6}, \dfrac{\sqrt{3}}{2}\right)$이므로 구하는 접선의 방정식은

$y-\dfrac{\sqrt{3}}{2}=x-\dfrac{\pi}{6}$ $\therefore \boldsymbol{y=x-\dfrac{\pi}{6}+\dfrac{\sqrt{3}}{2}}$

ⓐ $0<t<\dfrac{\pi}{4}$에서 $0<2t<\dfrac{\pi}{2}$

따라서 $\cos 2t=\dfrac{1}{2}$을 만족시키는 t의 값은 $2t=\dfrac{\pi}{3}$

2. $f(x)=\ln(x-1)$이라 하면 $f'(x)=\dfrac{1}{x-1}$

접점의 좌표를 $(t, \ln(t-1))$로 놓으면 접선의 기울기가 $\dfrac{1}{2}$이므로

$f'(t)=\dfrac{1}{t-1}=\dfrac{1}{2}$에서 $t=3$

따라서 접점의 좌표가 $(3, \ln 2)$이므로 구하는 접선의 방정식은

$y-\ln 2=\dfrac{1}{2}(x-3)$ $\therefore \boldsymbol{y=\dfrac{1}{2}x+\ln 2-\dfrac{3}{2}}$

ⓑ 직선 $2x+y-2=0$, 즉 $y=-2x+2$와 접선이 수직이므로 접선의 기울기 $f'(t)$에 대하여 $f'(t)\times(-2)=-1$ $\therefore f'(t)=\dfrac{1}{2}$

확인 문제

정답과 해설 | 53쪽

MY 셀파

02-1 직선 $y=x+a$가 곡선 $y=x+\sin x$에 접할 때, 상수 a의 값을 구하시오.
(상)(중)(하)
(단, $0\le x\le\pi$)

02-1
$f(x)=x+\sin x$, 접점을 $(t, t+a)$라 하면 $f'(t)=1$

02-2 곡선 $y=2x\ln x+px$ 위의 $x=e$인 점에서의 접선의 방정식이 $y=3x+q$일 때, 상수 p, q의 값을 구하시오.
(상)(중)(하)

02-2
$f(x)=2x\ln x+px$라 하면 $f'(e)=3$

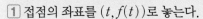

곡선 $y=f(x)$ 밖의 한 점 (a, b)에서 곡선에 그은 접선의
방정식은 다음과 같이 구한다.

① 접점의 좌표를 $(t, f(t))$로 놓는다.

② 접선의 방정식을 t를 이용하여 나타낸다.

$\Rightarrow y-f(t)=f'(t)(x-t)$

③ ②에서 구한 방정식에 $x=a$, $y=b$를 대입하여 t의 값을 구한다.

④ t의 값을 ②에서 구한 방정식에 대입한다.

접선이 지나는 곡선 밖의 한 점의 좌표 (a, b)가 주어져 있으므로 구해야 하는 것은 접점의 x좌표 t이다.
이때 t를 알면 접점의 좌표 $(t, f(t))$와 접선의 기울기 $f'(t)$를 알 수 있다.

예제 점 $(0, 0)$에서 곡선 $y=e^x$에 그은 접선의 방정식을 구하시오.

해법 코드
곡선 위의 점 (t, e^t)에서의 접선의 방정식을 구한다.

셀파 접점의 좌표를 $(t, f(t))$라 하면 접선의 기울기는 $f'(t)$

풀이 $f(x)=e^x$이라 하면 $f'(x)=e^x$

접점의 좌표를 (t, e^t)으로 놓으면 $f'(t)=e^t$이므로 접선의 방정식은

$y-e^t=e^t(x-t)$

$\therefore y=e^t x-e^t(t-1)$ ······ ㉠

이 접선이 점 $(0, 0)$을 지나므로

$0=-e^t(t-1)$ $\therefore t=1$

$t=1$을 ㉠에 대입하면 구하는 접선의 방정식은

$\underline{y=ex}$

곡선 위의 점에서는 접선이 한 개 존재하지만 곡선 밖의 점에서 곡선에 접선을 그을 때는 접선이 한 개 이상 존재할 수도 있어.

확인 문제 정답과 해설 | **54**쪽 MY 셀파

03-1 점 $(1, 0)$에서 곡선 $y=\dfrac{1}{x}$에 그은 접선의 방정식을 구하시오.
(상)(중)(하)

03-2 점 $(0, 0)$에서 곡선 $y=\dfrac{\ln x}{x}$ $(x>0)$에 그은 접선이 점 $\left(a, \dfrac{1}{2}\right)$을 지날 때, 상수 a의 값을 구하시오.
(상)(중)(하)

03-1
접점의 좌표를 $\left(t, \dfrac{1}{t}\right)$로 놓는다.

03-2
접점의 좌표를 $\left(t, \dfrac{\ln t}{t}\right)$라 하고
$y-\dfrac{\ln t}{t}=f'(t)(x-t)$에 곡선
밖의 점 $(0, 0)$을 대입한다.

곡선 $y=f(x)$에 대한 접선의 방정식은 다음과 같이 구한다.

❶ 접점의 좌표 (x_1, y_1)이 주어진 경우 ⇨ $y-y_1=f'(x_1)(x-x_1)$

❷ 기울기 m의 값이 주어진 경우 ⇨ $y-f(t)=m(x-t)$

    접점을 $(t, f(t))$로 놓고 $f'(t)=m$에서 t의 값을 구한 다음 t의 값을 접선의 방정식에 대입한다.

❸ 접선이 지나는 곡선 밖의 한 점의 좌표 (a, b)가 주어진 경우 ⇨ $y-f(t)=f'(t)(x-t)$

    접점을 $(t, f(t))$로 놓고 접선의 방정식에 $x=a$, $y=b$를 대입하여 t의 값을 구한 다음 구한 t의 값을 접선의 방정식에 대입한다.

01 다음 곡선 위의 주어진 점에서의 접선의 방정식을 구하시오.

   (1) $y=\dfrac{1}{x}$ $(1, 1)$

   (2) $y=e^{2x}$ $(0, 1)$

   (3) $y=\ln(x+2)$ $(1, \ln 3)$

02 다음을 구하시오.

   (1) $y=e^{x-3}$에 접하고 기울기가 3인 접선의 방정식

   (2) $y=\ln(2x-1)$에 접하고 기울기가 2인 접선의 방정식

   (3) $y=\sqrt{2}\sin x$에 접하고 기울기가 -1인 접선의 방정식 (단, $0<x<\pi$)

03 다음 주어진 점에서 곡선에 그은 접선의 방정식을 구하시오.

   (1) $y=e^{-x}$ $(1, 0)$

   (2) $y=\sqrt{x+1}$ $(-2, 0)$

곡선 $y=f(x)$ 위의 점 $(a, f(a))$에서의 접선을 l_1, l_1에 수직인 직선을 l_2라 하면 직선 l_2는 기울기가 $-\dfrac{1}{f'(a)}$이고 점 $(a, f(a))$를 지난다. 따라서 직선 l_2의 방정식은

$$\Rightarrow y-f(a)=-\frac{1}{f'(a)}(x-a) \ (\text{단}, f'(a)\neq 0)$$

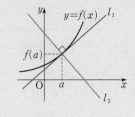

접선 l_1의 기울기가 $f'(a)$이고, 서로 수직인 두 직선의 기울기의 곱이 -1임을 이용하면 직선 l_2의 기울기는 $-\dfrac{1}{f'(a)}$이다.

예제 **1.** 곡선 $y=e^{2x}$ 위의 점 $Q(1, e^2)$에서의 접선에 수직이고, 점 Q를 지나는 직선의 방정식을 구하시오.

2. 두 곡선 $f(x)=\ln(2x+3)$, $g(x)=a-\ln x$의 교점에서의 두 접선이 서로 수직일 때, 상수 a의 값을 구하시오.

해법 코드

1. 곡선 $y=f(x)$ 위의 $x=1$인 점에서의 접선의 기울기는 $f'(1)$

2. 두 곡선의 교점에서 두 접선이 서로 수직이고, $x=a$인 점에서 만나면 $f'(a)\times g'(a)=-1$

셀파 (접선의 기울기) $\times$ (접선에 수직인 직선의 기울기) $=-1$

풀이 **1.** $f(x)=e^{2x}$이라 하면 $f'(x)=2e^{2x}$
점 $Q(1, e^2)$에서의 접선의 기울기는 $f'(1)=2e^2$이므로
구하는 직선의 방정식은

$$\underline{y-e^2=-\frac{1}{2e^2}(x-1)} \qquad \therefore y=-\frac{1}{2e^2}x+\frac{1}{2e^2}+e^2$$

2. 두 곡선 $y=f(x)$, $y=g(x)$의 교점의 x좌표를 $\alpha(\alpha>0)$라 하면
$f(\alpha)=g(\alpha)$에서 $\ln(2\alpha+3)=a-\ln\alpha$ $\qquad$ …… ㉠
$f'(\alpha)\times g'(\alpha)=-1$에서 $\dfrac{2}{2\alpha+3}\times\left(-\dfrac{1}{\alpha}\right)=-1$
$2\alpha^2+3\alpha-2=0$, $(2\alpha-1)(\alpha+2)=0$ $\qquad \therefore \alpha=\dfrac{1}{2}\ (\because \alpha>0)$
$\alpha=\dfrac{1}{2}$을 ㉠에 대입하면 $\ln 4=a-\ln\dfrac{1}{2}$, $2\ln 2=a+\ln 2$ $\qquad \therefore a=\ln 2$

참고

곡선 $y=f(x)$ 위의 점 $P(a, b)$에서의 접선에 수직이고, 점 P를 지나는 직선의 방정식은 다음과 같이 구한다.
① $f'(a)$ 구하기
② $-\dfrac{1}{f'(a)}$ 구하기
③ 구하는 직선의 방정식은
$$y-b=-\frac{1}{f'(a)}(x-a)$$

㉠ 곡선 $y=f(x)$ 위의 $x=1$인 점에서의 접선의 기울기는 $f'(1)$이므로 이 접선에 수직인 직선의 기울기는 $-\dfrac{1}{f'(1)}$이다.

확인 문제 $\qquad$ 정답과 해설 | **55**쪽 $\qquad$ **MY 셀파**

04-1 곡선 $y=\dfrac{x}{x-1}$ 위의 점 $(2, a)$를 지나고 이 점에서의 접선과 수직인 직선이 점 $(-3, b)$를 지날 때, 상수 a, b의 값을 구하시오.
(상)(중)(하)

04-1
곡선 $y=f(x)$ 위의 점 $(2, a)$에서의 접선에 수직인 직선의 기울기는 $-\dfrac{1}{f'(2)}$이다.

04-2 곡선 $y=\cos x$ 위의 점 $P(t, \cos t)$를 지나고 점 P에서의 접선에 수직인 직선의 y절편을 $g(t)$라 할 때, $\lim\limits_{t\to 0}g(t)$의 값을 구하시오.
(상)(중)(하)

04-2
직선의 y절편은 직선이 y축과 만나는 점의 y좌표이다.

곡선 $y=e^x+2$ 위의 점 $(1, e+2)$에서의 접선이 곡선 $y=\ln(x+k)$와 접할 때, 상수 k의 값을 구하시오.

Q ⓐ곡선 $y=e^x+2$ 위의 점 $(1, e+2)$에서의 접선의 방정식은 $y=ex+2$ …… ㉠ 예요. 그런데 이 접선과 곡선 $y=\ln(x+k)$가 접한다는 사실을 어떻게 이용하죠? 이차함수라면 판별식을 사용하겠지만 로그함수에는 판별식도 없고요.

A 문제에서 주어진 식을 그림으로 나타내면 오른쪽과 같아. 이때 곡선 $y=\ln(x+k)$와 접선 ㉠의 접점을 $(t, \ln(t+k))$로 놓고, ⓑ이 점에서의 접선의 방정식을 구해서 접선 ㉠과 비교해 보자.

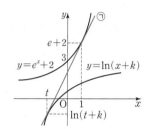

Q ⓒ곡선 $y=\ln(x+k)$ 위의 점 $(t, \ln(t+k))$에서의 접선의 방정식은

$$y=\frac{1}{t+k}x-\frac{t}{t+k}+\ln(t+k) \quad …… ㉡$$예요.

A 그래, 이때 직선 ㉠과 직선 ㉡은 식을 나타내는 방법은 다르지만 위 그림에서 보는 것처럼 ⓓ같은 직선이야.

Q 아, 그러면 직선 ㉠, ㉡에서 기울기와 y절편을 각각 비교하면 되겠어요.

(ⅰ) 기울기가 같으므로 $e=\dfrac{1}{t+k}$　　∴ $k=\dfrac{1}{e}-t$ …… ㉢

(ⅱ) y절편이 같으므로 $2=-\dfrac{t}{t+k}+\ln(t+k)$ …… ㉣

㉢을 ㉣에 대입하면 $2=-te+\ln\dfrac{1}{e}=-te-1$　　∴ $t=-\dfrac{3}{e}$

$t=-\dfrac{3}{e}$을 ㉢에 대입하면 $k=\dfrac{1}{e}-\left(-\dfrac{3}{e}\right)$　　∴ $\boldsymbol{k=\dfrac{4}{e}}$

ⓐ $f(x)=e^x+2$라 하면 $f'(x)=e^x$
$f'(1)=e$이므로 기울기가 e이고 점 $(1, e+2)$를 지나는 접선의 방정식은
$y-(e+2)=e(x-1)$
$\therefore y=ex+2$

ⓑ 접선 ㉠과 곡선 $y=\ln(x+k)$가 접하는 점을 $(t, \ln(t+k))$로 놓고, 이 점에서 접선을 구하면 그 접선은 직선 ㉠과 일치한다.

ⓒ $g(x)=\ln(x+k)$라 하면
$g'(x)=\dfrac{1}{x+k}$
$g'(t)=\dfrac{1}{t+k}$이므로 기울기가 $\dfrac{1}{t+k}$이고 점 $(t, \ln(t+k))$를 지나는 접선의 방정식은
$y-\ln(t+k)=\dfrac{1}{t+k}(x-t)$
$\therefore y=\dfrac{1}{t+k}x-\dfrac{t}{t+k}+\ln(t+k)$

ⓓ 두 직선이 같으면 다음 두 가지가 동시에 성립한다.
(ⅰ) 두 직선의 기울기가 서로 같다.
(ⅱ) 두 직선의 y절편이 서로 같다.

확인 체크 01　　　　　　　　　정답과 해설 **55**쪽

곡선 $y=e^x$ 위의 점 $(1, e)$에서의 접선이 곡선 $y=2\sqrt{x-k}$와 접할 때, 상수 k의 값을 구하시오.

두 곡선 $y=f(x)$, $y=g(x)$에 공통으로 접하는 직선을 공통접선이라 한다. 이때 두 곡선 $y=f(x)$, $y=g(x)$가 $x=a$에서 공통접선을 가지면

❶ $x=a$인 점에서 두 곡선이 만난다.

❷ $x=a$에서 두 곡선의 접선의 기울기가 같다.

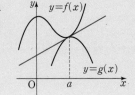

두 곡선 $y=f(x)$, $y=g(x)$에 공통으로 접하는 직선의 방정식은
$y-f(a)=f'(a)(x-a)$ 또는
$y-g(a)=g'(a)(x-a)$이다.
그런데 이 두 직선이 서로 같으므로
$f(a)=g(a)$, $f'(a)=g'(a)$이다.

예제 다음 두 곡선이 한 점에서 접할 때, 상수 a의 값을 구하시오.

(1) $y=ax^2$, $y=\ln x$ (2) $y=ax^2$, $y=e^x$

해법 코드

두 곡선 $y=f(x)$, $y=g(x)$가 $x=t$에서 공통접선을 가지면
$\Rightarrow f(t)=g(t)$, $f'(t)=g'(t)$

셀파 두 곡선 $y=f(x)$, $y=g(x)$가 $x=t$에서 접한다. $\Rightarrow f(t)=g(t)$, $f'(t)=g'(t)$

풀이 (1) $f(x)=ax^2$, $g(x)=\ln x$라 하면 $f'(x)=2ax$, $g'(x)=\dfrac{1}{x}$

두 곡선이 $x=t$인 점에서 접한다고 하면

$f(t)=g(t)$에서 $at^2=\ln t$ ······ ㉠

$f'(t)=g'(t)$에서 $2at=\dfrac{1}{t}$ ······ ㉡

㉮ ㉠, ㉡을 연립하여 풀면 $t=\sqrt{e}$이고, 이때 $\boldsymbol{a=\dfrac{1}{2e}}$

(2) $f(x)=ax^2$, $g(x)=e^x$이라 하면 $f'(x)=2ax$, $g'(x)=e^x$

두 곡선이 $x=t$인 점에서 접한다고 하면

$f(t)=g(t)$에서 $at^2=e^t$ ······ ㉠

$f'(t)=g'(t)$에서 $2at=e^t$ ······ ㉡

㉯ ㉠, ㉡을 연립하여 풀면 $t=2$이고, 이때 $\boldsymbol{a=\dfrac{e^2}{4}}$

㉮ ㉡에서 $at^2=\dfrac{1}{2}$이므로 이것을

㉠에 대입하면

$\dfrac{1}{2}=\ln t$ $\therefore t=\sqrt{e}$

이 값을 ㉡에 대입하면

$2a\sqrt{e}=\dfrac{1}{\sqrt{e}}$ $\therefore a=\dfrac{1}{2e}$

㉯ ㉡을 ㉠에 대입하면

$at^2=2at$, $at(t-2)=0$에서

$t=0$ 또는 $t=2$

그런데 $t=0$일 때, ㉠에서 $0=1$

이 되어 모순이다.

$\therefore t=2$

$t=2$를 ㉠에 대입하면

$4a=e^2$ $\therefore a=\dfrac{e^2}{4}$

확인 문제   정답과 해설 | **56**쪽   **MY 셀파**

05-1 두 곡선 $y=\ln x$와 $y=ax+\dfrac{b}{x}$가 모두 점 $(e^2, 2)$를 지나고 이 점에서 공통접선을 가질 때, 상수 a, b의 값을 구하시오.

05-1

$f(x)=\ln x$, $g(x)=ax+\dfrac{b}{x}$라 하면

$f(e^2)=g(e^2)$, $f'(e^2)=g'(e^2)$

05-2 두 곡선 $y=-x^2+ax+b$와 $y=e^x+c$가 점 $(4, 0)$에서 접할 때, 상수 a, b, c에 대하여 $2a+b-2c$의 값을 구하시오.

05-2

$f(x)=-x^2+ax+b$, $g(x)=e^x+c$라 하면

$f(4)=g(4)=0$, $f'(4)=g'(4)$

해법 06 ┃ 매개변수로 나타낸 곡선의 접선의 방정식 ┃ PLUS ⊕

매개변수로 나타낸 곡선 $x=f(t), y=g(t)$에서 두 함수 $f(t), g(t)$가 t에 대하여 미분가능하고 $f'(t)\neq0$일 때, $t=t_1$에 대응하는 점에서의 접선의 방정식은

$$y-g(t_1)=\frac{g'(t_1)}{f'(t_1)}\{x-f(t_1)\}$$

$t=t_1$에 대응하는 점에서의 접선의 기울기는
$$\frac{dy}{dx}=\frac{g'(t_1)}{f'(t_1)}$$

예제 1. 매개변수로 나타낸 곡선 $x=t-1, y=t^2+1$에 대하여 $t=2$에 대응하는 곡선 위의 점에서의 접선의 방정식을 구하시오.

2. 매개변수로 나타낸 곡선 $x=\ln(t+1)+2, y=\frac{1}{3}t^3-\frac{1}{2}t^2+t+1$ 위의 점 $(2, 1)$에서의 접선의 방정식을 구하시오.

해법 코드
$\frac{dx}{dt}, \frac{dy}{dt}$를 이용하여 $\frac{dy}{dx}$를 구한다.

셀파 $\dfrac{dy}{dx}=\dfrac{dt}{dx}\times\dfrac{dy}{dt}$

풀이 1. $\dfrac{dx}{dt}=1, \dfrac{dy}{dt}=2t$이므로 $\dfrac{dy}{dx}=\dfrac{\dfrac{dy}{dt}}{\dfrac{dx}{dt}}=2t$

따라서 곡선 위의 $t=2$에 대응하는 점에서의 접선의 기울기는 $2\times2=4$
이때 접점의 좌표는 $x=1, y=5$이므로 구하는 접선의 방정식은
$y-5=4(x-1)$ $\therefore \boldsymbol{y=4x+1}$

🅐 $x=t-1, y=t^2+1$에서
$t=2$일 때
$x=2-1=1, y=2^2+1=5$

2. $\ln(t+1)+2=2$에서 $\ln(t+1)=0, t+1=1$ $\therefore t=0$

$\dfrac{dx}{dt}=\dfrac{1}{t+1}, \dfrac{dy}{dt}=t^2-t+1$이므로 $\dfrac{dy}{dx}=\dfrac{\dfrac{dy}{dt}}{\dfrac{dx}{dt}}=(t+1)(t^2-t+1)=t^3+1$

따라서 곡선 위의 점 $(2, 1)$에서의 접선의 기울기는 1이므로 접선의 방정식은
$y-1=x-2$ $\therefore \boldsymbol{y=x-1}$

🅑 $x=2$일 때 $t=0$이므로 접선의 기울기는 t^3+1에 $t=0$을 대입한다.

확인 문제

정답과 해설 | **56**쪽

MY 셀파

06-1 매개변수로 나타낸 곡선 $x=t^2, y=2t$에 대하여 $t=1$에 대응하는 곡선 위의 점에서의 접선의 방정식을 구하시오.
⑧⑧⑨

06-1
$\dfrac{dy}{dx}$에 $t=1$을 대입한 값이 접선의 기울기이다.

06-2 매개변수로 나타낸 곡선 $x=t^3, y=t^2-at-2a^2$에 대하여 $t=1$에 대응하는 곡선 위의 점에서의 접선의 기울기가 -1일 때, 상수 a의 값을 구하시오.
⑧⑧⑨

06-2
$t=1$일 때의 $\dfrac{dy}{dx}$의 값이 -1이다.

곡선이 음함수 $f(x, y)=0$ 꼴로 주어졌을 때, 곡선 위의 점 (x_1, y_1)에서의 접선의 방정식은 다음과 같이 구한다.

점 (x_1, y_1)을 지나고 기울기가 m인 직선의 방정식은
$$y-y_1=m(x-x_1)$$

1 y를 x의 함수로 보고 각 항을 x에 대하여 미분하여 $\dfrac{dy}{dx}$를 구한다.

2 **1**에서 구한 식 $\dfrac{dy}{dx}$에 $x=x_1$, $y=y_1$을 대입하여 접선의 기울기 m을 구한다.

3 $y-y_1=m(x-x_1)$에 각 값을 대입하여 접선의 방정식을 구한다.

예제 음함수의 미분법을 이용하여 다음 곡선 위의 주어진 점에서의 접선의 방정식을 구하시오.

(1) $xy=2$　$(1, 2)$　　　　　　(2) $x^3-y^2=-1$　$(2, 3)$

해법 코드
$\dfrac{dy}{dx}$를 구하고, 주어진 점의 좌표를 대입해 접선의 기울기를 구한다.

셀파 $\dfrac{dy}{dx}$에 $x=x_1$, $y=y_1$을 대입한 접선의 기울기가 m일 때 접선의 방정식
⇨ $y-y_1=m(x-x_1)$

풀이 (1) $xy=2$의 양변을 x에 대하여 미분하면

$$y+x\frac{dy}{dx}=0 \qquad \therefore \frac{dy}{dx}=-\frac{y}{x} \ (단, x\neq 0)$$

따라서 곡선 위의 점 $(1, 2)$에서의 접선의 기울기는 $-\dfrac{2}{1}=-2$이므로 구하는 접선의 방정식은

$$y-2=-2(x-1) \qquad \therefore \boldsymbol{y=-2x+4}$$

(2) $x^3-y^2=-1$의 양변을 x에 대하여 미분하면

$$3x^2-2y\frac{dy}{dx}=0 \qquad \therefore \frac{dy}{dx}=\frac{3x^2}{2y} \ (단, y\neq 0)$$

따라서 곡선 위의 점 $(2, 3)$에서의 접선의 기울기는 $\dfrac{3\times 2^2}{2\times 3}=2$이므로 구하는 접선의 방정식은

$$y-3=2(x-2) \qquad \therefore \boldsymbol{y=2x-1}$$

참고

(1) $xy=2$에서 $x\neq 0$이므로 $y=\dfrac{2}{x}$, 즉 $y=f(x)$ 꼴로 바꾼 후 접선의 기울기를 구할 수도 있다.

$f(x)=\dfrac{2}{x}$라 하면 $f'(x)=-\dfrac{2}{x^2}$ 이므로 곡선 위의 점 $(1, 2)$에서의 접선의 기울기는 $f'(1)=-2$

확인 문제　　　　　　　　　　　　　　　정답과 해설 | **56**쪽　　　　　　**MY 셀파**

07-1 음함수의 미분법을 이용하여 다음 곡선 위의 주어진 점에서의 접선의 방정식을 구하시오.
(상)(중)(하)

(1) $3x^2+y^2=6$　$(-1, \sqrt{3})$　　　　(2) $\sqrt{x}+\sqrt{y}=3$　$(4, 1)$

07-1
음함수의 미분법을 이용하여 접선의 기울기를 구한다.

Q $f'(a)=0$일 때, $f(a)$가 극댓값인지 극솟값인지 혹은 아무것도 아닌지 결정하기 위해서는 증가와 감소를 나타낸 표를 그려서 판정해야 하는데, 그 과정이 좀 귀찮긴 해요.

A 이계도함수를 배웠으니, 이걸 이용하여 극대, 극소를 판정하는 방법을 가르쳐줄게. 알아두면 편할 때가 많을 거야. 우선 $f'(x)$의 도함수 $f''(x)$를 이용해서 $f'(x)$의 증가, 감소를 판정하면 다음과 같아.

> $f''(x)>0 \Rightarrow f'(x)$는 증가한다.
> $f''(x)<0 \Rightarrow f'(x)$는 감소한다.

Q 이걸로 어떻게 $f'(a)=0$일 때, $f(a)$의 극대, 극소를 판정해요?

A $f''(a)>0$이면 $f'(x)$는 $x=a$를 포함하는 구간에서 증가하고, 이때 $f'(a)=0$이니까 오른쪽 그림처럼 $f'(x)$는 $x=a$를 기준으로 부호가 음에서 양으로 바뀐거지! 즉,

$x<a$일 때, $f'(x)$는 음수
$x>a$일 때, $f'(x)$는 양수

가 되어 $f(x)$는 $x=a$에서 극소야.

Q 아~ ㉡그래프를 생각해 봐도 $f''(a)>0$일 때 $f(x)$의 그래프의 모양에서 $f(a)$는 극솟값이 될 수밖에 없겠네요.

A 그렇지, ㉢$f'(a)=0$이고 $f''(a)<0$일 때도 마찬가지 방법으로 생각해 보면 다음과 같이 정리할 수 있어.

> **이계도함수를 이용한 함수의 극대, 극소의 판정**
>
> $f'(a)=0$이고 $\begin{cases} f''(a)>0 \text{이면 } x=a \text{에서 극소이고, 극솟값은 } f(a) \text{이다.} \\ f''(a)<0 \text{이면 } x=a \text{에서 극대이고, 극댓값은 } f(a) \text{이다.} \end{cases}$

㉠ 표로 나타내면 다음과 같다.

x	$\cdots$	a	$\cdots$
$f'(x)$	$-$	0	$+$
$f(x)$	$\searrow$	극소	$\nearrow$

㉡

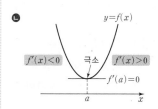

㉢

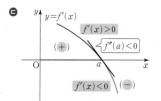

$f''(a)<0$이면 $f'(x)$는 $x=a$에서 감소하고, 이때 $f'(a)=0$이므로 $x<a$일 때 $f'(x)$는 양수, $x>a$일 때 $f'(x)$는 음수 즉, $f(x)$는 $x=a$에서 극대이다.

㉣ $f'(x)=1-\dfrac{1}{x^2}$

$f''(x)=\dfrac{2}{x^3}$

㉤ $f'(x)=e^x(x+1)$

$f''(x)=e^x(x+2)$

확인 체크 02   정답과 해설 | **57**쪽

이계도함수를 이용하여 다음 함수의 극값을 구하시오.

(1) ㉣$f(x)=x+\dfrac{1}{x}$ (2) ㉤$f(x)=xe^x$

| 함수 $y=f(x)$의 증가, 감소하는 구간 구하기 | $\Rightarrow$ | ❶ 부등식 $f'(x)>0$의 해 $\Rightarrow$ 증가하는 구간 |
| | | ❷ 부등식 $f'(x)<0$의 해 $\Rightarrow$ 감소하는 구간 |

함수 $y=f(x)$의 그래프를 주지 않고 함수 $f(x)$에서 증가하는 구간 또는 감소하는 구간을 구하는 문제가 대부분이다. 이때는 도함수 $f'(x)$의 값의 부호를 이용한다.

(예제) 다음 함수의 증가, 감소를 조사하시오.

(1) $f(x)=xe^x$

(2) $f(x)=\ln x - x^2$

해법 코드
함수의 증가와 감소를 표로 나타낸다.

(셀파) $f'(x)>0 \Rightarrow f(x)$는 증가, $f'(x)<0 \Rightarrow f(x)$는 감소

(풀이) (1) $f'(x)=e^x+xe^x=e^x(1+x)$

$f'(x)=0$에서 $x=-1$

함수 $f(x)$의 증가와 감소를 표로 나타내면 다음과 같다.

x	$\cdots$	-1	$\cdots$
$f'(x)$	$-$	0	$+$
$f(x)$	$\searrow$	극소	$\nearrow$

따라서 함수 $f(x)$는 반닫힌 구간 $(-\infty, -1]$에서 감소하고, 반닫힌 구간 $[-1, \infty)$에서 증가한다.

모든 실수 x에 대하여 $e^x>0$이므로 방정식 $e^x(1+x)=0$의 해는 $1+x=0$의 해와 같아.

(2) $f'(x)=\dfrac{1}{x}-2x$

$f'(x)=0$에서 $x^2=\dfrac{1}{2}$ $\quad\therefore x=\dfrac{\sqrt{2}}{2}$ $(\because x>0)$

함수 $f(x)$의 증가와 감소를 표로 나타내면 다음과 같다.

x	(0)	$\cdots$	$\dfrac{\sqrt{2}}{2}$	$\cdots$
$f'(x)$		$+$	0	$-$
$f(x)$		$\nearrow$	극대	$\searrow$

따라서 함수 $f(x)$는 반닫힌 구간 $\left(0, \dfrac{\sqrt{2}}{2}\right]$에서 증가하고, 반닫힌 구간 $\left[\dfrac{\sqrt{2}}{2}, \infty\right)$에서 감소한다.

(참고)
함수 $f(x)$가 어떤 구간에서 미분가능하고, 이 구간의 모든 x에 대하여
(1) $f'(x)>0$이면 $f(x)$는 이 구간에서 증가한다.
(2) $f'(x)<0$이면 $f(x)$는 이 구간에서 감소한다.
$\Rightarrow$ 일반적으로 위의 역은 성립하지 않는다.

확인 문제 정답과 해설 | **57**쪽 | MY 셀파

08-1 다음 함수의 증가, 감소를 조사하시오.

(1) $f(x)=2x+\sin x$

(2) $f(x)=xe^{-x}$

08-1
(1) $f'(x)=2+\cos x$
(2) $f'(x)=e^{-x}(1-x)$

함수가 증가 또는 감소하기 위한 조건

미분가능한 함수 $f(x)$에 대하여
❶ $f(x)$가 실수 전체의 집합에서 증가하면 ⇨ 모든 실수 x에 대하여 $f'(x) \geq 0$
❷ $f(x)$가 실수 전체의 집합에서 감소하면 ⇨ 모든 실수 x에 대하여 $f'(x) \leq 0$

모든 실수 x에 대하여
❶ $ax^2+bx+c \geq 0$ $(a \neq 0)$
  $\Leftrightarrow a>0, D \leq 0$
❷ $ax^2+bx+c \leq 0$ $(a \neq 0)$
  $\Leftrightarrow a<0, D \leq 0$

(예제) **1.** 함수 $f(x)=x-\ln(x^2+k)$가 실수 전체의 집합에서 증가하기 위한 실수 k의 값의 범위를 구하시오.

2. 함수 $f(x)=(x^2+1)e^{kx}$이 실수 전체의 집합에서 감소하기 위한 실수 k의 값의 범위를 구하시오.

해법 코드

1. $f'(x) \geq 0$이 항상 성립하는 k의 값의 범위를 구한다.

2. $f'(x) \leq 0$이 항상 성립하는 k의 값의 범위를 구한다.

(셀파) 함수 $f(x)$가 실수 전체의 집합에서 증가 ⇨ $f'(x) \geq 0$
함수 $f(x)$가 실수 전체의 집합에서 감소 ⇨ $f'(x) \leq 0$

(풀이) **1.** $f(x)=x-\ln(x^2+k)$에서 $x^2+k>0$이고 $f'(x)=1-\dfrac{2x}{x^2+k}=\dfrac{x^2-2x+k}{x^2+k}$

함수 $f(x)$가 실수 전체의 집합에서 증가하려면 모든 실수 x에 대하여 $f'(x) \geq 0$이어야 한다.

이때 $x^2+k>0$이므로 이차방정식 $x^2-2x+k=0$의 판별식을 D라 하면

$$\frac{D}{4}=1-k \leq 0 \quad \therefore k \geq 1$$

2. $f'(x)=2xe^{kx}+k(x^2+1)e^{kx}=e^{kx}(kx^2+2x+k)$

함수 $f(x)$가 실수 전체의 집합에서 감소하려면 모든 실수 x에 대하여 $f'(x) \leq 0$이어야 한다.

이때 $e^{kx}>0$이므로 이차방정식 $kx^2+2x+k=0$의 판별식을 D라 하면

$k<0$이고 $\dfrac{D}{4}=1-k^2 \leq 0$, $(k+1)(k-1) \geq 0$ $\quad \therefore k \leq -1$ $(\because k<0)$

❶ (ⅰ) $k \geq 0$인 경우
모든 실수 x에 대하여 $kx^2+2x+k \leq 0$이 성립하지 않는다.

(ⅱ) $k<0$인 경우
$y=kx^2+2x+k$의 그래프가 다음과 같은 꼴이면 된다.

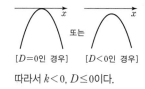

[$D=0$인 경우]   또는   [$D<0$인 경우]

따라서 $k<0$, $D \leq 0$이다.

확인 문제

정답과 해설 | **57**쪽

MY 셀파

09-1
$\overset{\text{상중하}}{}$ 함수 $f(x)=(x^2+kx+1)e^{-x}$이 열린구간 $(-\infty, \infty)$에서 감소하기 위한 실수 k의 값 또는 범위를 구하시오.

09-1
실수 전체의 집합에서 $f'(x) \leq 0$

09-2
$\overset{\text{상중하}}{}$ 함수 $f(x)=(ax^2-1)e^{-x}$이 $x_1<x_2$인 임의의 실수 x_1, x_2에 대하여 $f(x_1)<f(x_2)$가 항상 성립하도록 하는 실수 a의 값의 범위를 구하시오.

09-2
$x_1<x_2$인 임의의 실수 x_1, x_2에 대하여 $f(x_1)<f(x_2)$이면 함수 $f(x)$는 증가한다.

❶ 분수함수를 포함한 유리함수 $f(x)$의 극값을 구할 때,
  $f'(x)=0$의 해와 $f'(x)$의 분모를 0으로 하는 x의 값을 기준으로 표를 만든다.

❷ 무리함수 $\sqrt{g(x)}$를 포함한 함수 $f(x)$의 극값을 구할 때,
  $g(x)\geq 0$이 성립하는 x의 값의 범위, 즉 정의역도 표에서 함께 다룬다.

❶에서 $f'(x)$의 분모를 0으로 만드는 x의 값이 a이면 표에서 x의 행에 a를 추가한다.

예제 다음 함수의 극값을 구하시오.

  (1) $f(x)=\dfrac{-x}{x^2+1}$

  (2) $f(x)=x+\sqrt{1-x^2}$

해법 코드
(2) $\sqrt{1-x^2}$에서 $1-x^2\geq 0$이므로 정의역은 $-1\leq x\leq 1$이다.

셀파 무리함수를 포함한 함수의 극값 ⇨ 정의역을 먼저 구한다.

풀이 (1)❶ $f'(x)=\dfrac{-(x^2+1)-(-x)\times 2x}{(x^2+1)^2}=\dfrac{x^2-1}{(x^2+1)^2}$

$f'(x)=0$에서 $x=-1$ 또는 $x=1$

이때 함수 $f(x)$의 증가와 감소를 표로 나타내면 오른쪽과 같다.

따라서 함수 $f(x)$는

$x=-1$에서 **극댓값** $\dfrac{1}{2}$,

$x=1$에서 **극솟값** $-\dfrac{1}{2}$을 갖는다.

x	$\cdots$	-1	$\cdots$	1	$\cdots$
$f'(x)$	$+$	0	$-$	0	$+$
$f(x)$	↗	$\dfrac{1}{2}$	↘	$-\dfrac{1}{2}$	↗

❶ $f'(x)$의 분모를 0으로 하는 x의 값이 있는지 조사하여야 한다.
이때 (분모)$=(x^2+1)^2>0$이므로 분모를 0으로 하는 x의 값이 존재하지 않는다.

(2) $f(x)=x+\sqrt{1-x^2}$에서 $1-x^2\geq 0$이어야 하므로 $-1\leq x\leq 1$

$f'(x)=1+\dfrac{(1-x^2)'}{2\sqrt{1-x^2}}=1-\dfrac{x}{\sqrt{1-x^2}}=0$에서 $\dfrac{x}{\sqrt{1-x^2}}=1$

❷ $x=\sqrt{1-x^2}\ (x\geq 0)$에서 $x^2=1-x^2,\ 2x^2=1$ $\therefore x=\dfrac{\sqrt{2}}{2}\ (\because x\geq 0)$

이때 $-1\leq x\leq 1$에서 함수 $f(x)$의 증가와 감소를 표로 나타내면 오른쪽과 같다.

따라서 함수 $f(x)$는

$x=\dfrac{\sqrt{2}}{2}$에서 **극댓값** $\sqrt{2}$를 갖는다.

x	-1	$\cdots$	$\dfrac{\sqrt{2}}{2}$	$\cdots$	1
$f'(x)$		$+$	0	$-$	
$f(x)$	-1	↗	$\sqrt{2}$	↘	1

❷ $\dfrac{x}{\sqrt{1-x^2}}=1$의 양변에 $\sqrt{1-x^2}$을 곱하면 $x=\sqrt{1-x^2}$
(우변)$=\sqrt{1-x^2}\geq 0$이므로
(좌변)$=x\geq 0$에서 $x\geq 0$인 조건이 생긴다.

확인 문제   정답과 해설 | **57**쪽   **MY 셀파**

10-1 다음 함수의 극값을 구하시오.
(상)(중)(하)

  (1) $f(x)=2x+\dfrac{1}{x}\ (x>0)$

  (2) $f(x)=\sqrt{x}+\sqrt{2-x}$

10-1

(2) 정의역은 $0\leq x\leq 2$이다.

해법 11 　지수함수, 로그함수의 극대, 극소　　　　PLUS ⊕

❶ 로그함수 $\ln g(x)$를 포함한 함수 $f(x)$의 극값은 로그의 정의에서 (진수)>0이어야 하므로 $g(x)>0$인 x의 값의 범위, 즉 정의역을 구하고 이 정의역에서 $f'(x)$의 부호를 조사한다.

❷ 지수함수는 정의역이 실수 전체의 집합이다.

$$(e^x)'=e^x$$
$$\{e^{f(x)}\}'=f'(x)e^{f(x)}$$
$$(\ln x)'=\frac{1}{x}$$
$$\{\ln f(x)\}'=\frac{f'(x)}{f(x)}$$

예제 다음 함수의 극값을 구하시오.

(1) $f(x)=x^2 e^x$ 　　　　　(2) $f(x)=x^2 \ln x$

해법 코드
(2) 진수 조건에서 $x>0$이다.

셀파 로그함수를 포함한 함수의 극값 ⇨ 정의역을 먼저 구한다.

풀이 (1) $f'(x)=2xe^x+x^2 e^x=x(x+2)e^x$

$e^x>0$이므로 $f'(x)=0$에서

$x(x+2)=0$ 　∴ $x=-2$ 또는 $x=0$

함수 $f(x)$의 증가와 감소를 표로 나타내면 오른쪽과 같다.

따라서 함수 $f(x)$는

$x=-2$에서 **극댓값** $\dfrac{4}{e^2}$,

$x=0$에서 **극솟값 0**을 갖는다.

x	$\cdots$	-2	$\cdots$	0	$\cdots$
$f'(x)$	$+$	0	$-$	0	$+$
$f(x)$	↗	$\dfrac{4}{e^2}$	↘	0	↗

(2) $f'(x)=2x \times \ln x + x^2 \times \dfrac{1}{x}=x(2\ln x+1)$

진수 조건에서 $x>0$이므로 $f'(x)=0$에서

$2\ln x+1=0,\ \ln x=-\dfrac{1}{2}$ 　∴ $x=\dfrac{1}{\sqrt{e}}$

함수 $f(x)$의 증가와 감소를 표로 나타내면 오른쪽과 같다.

따라서 함수 $f(x)$는

$x=\dfrac{1}{\sqrt{e}}$에서 **극솟값** $-\dfrac{1}{2e}$을 갖는다.

x	(0)	$\cdots$	$\dfrac{1}{\sqrt{e}}$	$\cdots$
$f'(x)$		$-$	0	$+$
$f(x)$		↘	$-\dfrac{1}{2e}$	↗

다른 풀이

(2) $f'(x)=x(2\ln x+1)$

$f'(x)=0$에서 $x=\dfrac{1}{\sqrt{e}}$

$f''(x)=(2\ln x+1)+x \times \dfrac{2}{x}$
$\quad\quad\ \ =2\ln x+3$

$f''\!\left(\dfrac{1}{\sqrt{e}}\right)=2\ln\dfrac{1}{\sqrt{e}}+3=2>0$

이므로 $f(x)$는 $x=\dfrac{1}{\sqrt{e}}$에서 극소

이고, 극솟값 $f\!\left(\dfrac{1}{\sqrt{e}}\right)=-\dfrac{1}{2e}$을

갖는다.

$f''(x)$를 구하기 쉬운 함수인 경우 **다른 풀이** (2)처럼 이계도함수를 이용하여 극값을 구해도 돼!

확인 문제　　　　　　　　　　　　정답과 해설 | **58**쪽
　　　　　　　　　　　　　　　　　　　　　　　　MY 셀파

11-1 다음 함수의 극값을 구하시오.

(1) $f(x)=e^{-x+1}+e^2 x+2$ 　　　　(2) $f(x)=x^2-2+\ln(5-x^2)$

11-1
(2) 진수 조건에서 $5-x^2>0$
　∴ $-\sqrt{5}<x<\sqrt{5}$

삼각함수의 극대, 극소

삼각함수를 포함한 함수 $f(x)$는 주어진 범위에서 $f'(x)=0$인 x의 값을 구하고, 함수 $f(x)$의 증가와 감소를 표로 나타내어 극대, 극소를 조사한다.

참고 $f'(x)=0$인 x의 값을 구할 때는 삼각함수 사이의 관계식, 삼각함수의 활용 등을 이용한다.

PLUS ⊕

$(\sin x)'=\cos x$
$(\cos x)'=-\sin x$
$(\tan x)'=\sec^2 x$

예제 다음 함수의 극값을 구하시오. (단, $0<x<2\pi$)

(1) $f(x)=\sin x - x\cos x$ (2) $f(x)=e^{-x}\sin x$

해법 코드
주어진 범위와 $f'(x)=0$인 x의 값을 기준으로 증가, 감소를 알아본다.

셀파 삼각함수의 극값 ⇨ 주어진 범위에서 증가와 감소를 표로 나타낸다.

풀이 (1) $f'(x)=\cos x-(\cos x-x\sin x)=x\sin x$

$f'(x)=0$에서 $x=\pi$

이때 $0<x<2\pi$에서 함수 $f(x)$의 증가와 감소를 표로 나타내면 오른쪽과 같다.

x	(0)	$\cdots$	π	$\cdots$	(2π)
$f'(x)$		$+$	0	$-$	
$f(x)$		↗	π	↘	

따라서 함수 $f(x)$는 $x=\pi$에서 **극댓값** π를 갖는다.

(2) $f'(x)=-e^{-x}\sin x+e^{-x}\cos x=-e^{-x}(\sin x-\cos x)$

$f'(x)=0$에서 $\sin x=\cos x$

$\therefore x=\dfrac{\pi}{4}$ 또는 $x=\dfrac{5}{4}\pi$

이때 $0<x<2\pi$에서 함수 $f(x)$의 증가와 감소를 표로 나타내면 다음과 같다.

x	(0)	$\cdots$	$\dfrac{\pi}{4}$	$\cdots$	$\dfrac{5}{4}\pi$	$\cdots$	(2π)
$f'(x)$		$+$	0	$-$	0	$+$	
$f(x)$		↗	$\dfrac{\sqrt{2}}{2}e^{-\frac{\pi}{4}}$	↘	$-\dfrac{\sqrt{2}}{2}e^{-\frac{5}{4}\pi}$	↗	

따라서 함수 $f(x)$는 $x=\dfrac{\pi}{4}$에서 **극댓값** $\dfrac{\sqrt{2}}{2}e^{-\frac{\pi}{4}}$, $x=\dfrac{5}{4}\pi$에서 **극솟값** $-\dfrac{\sqrt{2}}{2}e^{-\frac{5}{4}\pi}$을 갖는다.

다른 풀이

(1) $f'(x)=x\sin x$

$f'(x)=0$에서 $x=\pi$

$f''(x)=\sin x+x\cos x$

$f''(\pi)=-\pi<0$이므로

$f(x)$는 $x=\pi$에서 극대이고

극댓값 $f(\pi)=\pi$를 갖는다.

(2) $f'(x)=-e^{-x}(\sin x-\cos x)$

$f'(x)=0$에서

$x=\dfrac{\pi}{4}$ 또는 $x=\dfrac{5}{4}\pi$

$f''(x)=-2e^{-x}\cos x$

$f''\!\left(\dfrac{\pi}{4}\right)<0, f''\!\left(\dfrac{5}{4}\pi\right)>0$

이므로 $f(x)$는

$x=\dfrac{\pi}{4}$에서 극댓값 $\dfrac{\sqrt{2}}{2}e^{-\frac{\pi}{4}}$,

$x=\dfrac{5}{4}\pi$에서 극솟값 $-\dfrac{\sqrt{2}}{2}e^{-\frac{5}{4}\pi}$

을 갖는다.

확인 문제

정답과 해설 | **58**쪽

MY 셀파

12-1
(상)(중)(하)

다음 함수 $f(x)$의 극값을 구하시오. (단, $0<x<2\pi$)

(1) $f(x)=x+2\sin x$ (2) $f(x)=e^{\cos x}$

12-1

(1) $f'(x)=1+2\cos x$

(2) $f'(x)=e^{\cos x}(\cos x)'$

함수 $f(x)$가 미분가능할 때

❶ $f(x)$가 극값을 갖는다.

　⇨ $f'(x)=0$인 x의 값이 존재하고, 그 값의 좌우에서 $f'(x)$의 부호가 바뀐다.

❷ $f(x)$가 극값을 갖지 않는다.

　⇨ 모든 실수 x에서 $f'(x)$의 부호가 바뀌지 않는다. 즉, $f'(x) \geq 0$ 또는 $f'(x) \leq 0$

$f'(x)=0$인 x의 값의 좌우에서 $f'(x)$의 부호 변화가 있어야 이 값에서 극값을 갖는다.
따라서 함수 $f(x)$가 극값을 갖지 않을 조건은 $f'(x) \geq 0$ 또는 $f'(x) \leq 0$이다.

(예제) **1.** 함수 $f(x)=(x^2+2x-k)e^x$이 극댓값과 극솟값을 모두 갖도록 하는 실수 k의 값의 범위를 구하시오.

2. 함수 $f(x)=kx-2\cos x$가 극값을 갖지 않도록 하는 양수 k의 최솟값을 구하시오.

해법 코드

1. $f'(x)$의 부호가 음에서 양으로, 양에서 음으로 바뀌는 점이 모두 존재한다.

2. 모든 실수 x에 대하여 $f'(x) \geq 0$ 또는 $f'(x) \leq 0$이다.

(셀파) $f(x)$가 극값을 갖지 않으면 ⇨ $f'(x) \geq 0$ 또는 $f'(x) \leq 0$

(풀이) **1.** $f'(x)=(2x+2)e^x+(x^2+2x-k)e^x=(x^2+4x+2-k)e^x$

$f'(x)=0$에서 $e^x>0$이므로 $x^2+4x+2-k=0$ ······ ㉠

따라서 함수 $f(x)$가 극댓값과 극솟값을 모두 가지려면 이차방정식 ㉠이 서로 다른 두 실근을 가져야 한다. 이때 이차방정식 ㉠의 판별식을 D라 하면

$$\frac{D}{4}=4-(2-k)>0 \qquad \therefore k>-2$$

2. $f'(x)=k+2\sin x$이고, 함수 $f(x)$가 극값을 갖지 않으려면 모든 실수 x에 대하여 $f'(x) \geq 0$ 또는 $f'(x) \leq 0$이어야 한다.

즉, $k+2\sin x \geq 0$ 또는 $k+2\sin x \leq 0$이므로 $\sin x \geq -\dfrac{k}{2}$ 또는 $\sin x \leq -\dfrac{k}{2}$

그런데 $-1 \leq \sin x \leq 1$이므로 $-\dfrac{k}{2} \leq -1$ 또는 $-\dfrac{k}{2} \geq 1$

즉, $k \geq 2$ 또는 $k \leq -2$이므로 양수 k의 최솟값은 **2**

❶ 그림으로 나타내면 다음과 같다.

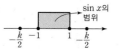

(i) $\sin x \geq -\dfrac{k}{2}$일 때

　$(\sin x$의 최솟값$) \geq -\dfrac{k}{2}$

　이때 $-1 \geq -\dfrac{k}{2}$ 　$\therefore k \geq 2$

(ii) $\sin x \leq -\dfrac{k}{2}$일 때

　$(\sin x$의 최댓값$) \leq -\dfrac{k}{2}$

　이때 $1 \leq -\dfrac{k}{2}$ 　$\therefore k \leq -2$

확인 문제　　　　　　　　정답과 해설 | **59**쪽　　　　　　　　MY 셀파

13-1 (상)(중)(하) 함수 $f(x)=\dfrac{5x^2-2x+k}{e^x}$가 극값을 갖지 않도록 하는 실수 k의 값의 범위를 구하시오.

13-2 (상)(중)(하) 함수 $f(x)=\ln x+\dfrac{k}{x}-x$가 극댓값과 극솟값을 모두 갖도록 하는 실수 k의 값의 범위를 구하시오.

13-2

$f'(x)=\dfrac{1}{x}-\dfrac{k}{x^2}-1$

$\quad =\dfrac{-x^2+x-k}{x^2}$

에서 $x^2>0$이므로
$-x^2+x-k=0$이 정의역에서 서로 다른 두 실근을 가져야 한다.

접점의 좌표가 주어진 접선의 방정식

01 곡선 $y = \ln x^2$ 위의 점 $(e, 2)$에서의 접선이 (a, e)를
지날 때, 상수 a의 값을 구하시오.
⓼⓼⓼

기울기가 주어진 접선의 방정식

02 함수 $y = \ln x$의 그래프 위의 두 점 $A(1, 0)$, $B(e^3, 3)$
을 잇는 선분과 평행인 직선이 $y = \ln x$에 접할 때, 접
점의 x좌표를 구하시오.
⓼⓼⓼

곡선 밖의 한 점에서 곡선에 그은 접선의 방정식

03 점 $(0, -1)$에서 곡선 $y = x \ln x$에 그은 접선의 방정
식을 구하시오.
⓼⓼⓼

곡선 밖의 한 점에서 곡선에 그은 접선의 방정식 　**융합형**

04 x축 위에 있는 점 $P(k, 0)$에서 곡선 $y = xe^{-x}$에 단 한
개의 접선을 그을 수 있을 때, 양수 k의 값을 구하시오.
⓼⓼⓼

접선에 수직인 직선의 방정식

05 곡선 $y = x(1 - \ln x)$ 위의 점 $(e, 0)$을 지나고, 이 점에
서의 접선과 수직인 직선의 방정식을 구하시오.
⓼⓼⓼

두 곡선의 공통접선

06 두 곡선 $f(x) = \ln(2x + 3)$, $g(x) = k - \ln x$의 교점
에서의 두 접선이 서로 수직일 때, 상수 k의 값을 구하
시오.
⓼⓼⓼

매개변수로 나타낸 곡선의 접선의 방정식

07 매개변수로 나타낸 곡선 $x = \dfrac{1 - t^2}{1 + t^2}$, $y = \dfrac{t}{1 + t^2}$ 에 대
하여 $t = 2$에 대응하는 곡선 위의 점에서의 접선의 방
정식을 구하시오.
⓼⓼⓼

음함수로 나타낸 곡선의 접선의 방정식 　**서술형**

08 원 $x^2 + y^2 - ax + by = 0$ 위의 점 $(1, 1)$에서의 접선의
기울기가 2일 때, 음함수의 미분법을 이용하여 상수
a, b의 값을 구하시오.
⓼⓼⓼

함수가 증가 또는 감소하기 위한 조건

09 함수 $f(x)=\ln x+kx$가 열린구간 $(3, 4)$에서 감소하도록 하는 상수 k의 최댓값을 구하시오.
(상)(중)(하)

함수가 증가 또는 감소하기 위한 조건

10 함수 $f(x)=\ln(x^2+x+k)-x$가 실수 전체의 집합에서 감소할 때, 실수 k의 최솟값을 구하시오.
(상)(중)(하)

분수함수의 극대, 극소

11 함수 $f(x)=\dfrac{x^2+ax+b}{x-1}$가 $x=3$에서 극값 -1을 가질 때, 상수 a, b의 값을 구하시오.
(상)(중)(하)

무리함수의 극대, 극소

12 함수 $f(x)=x\sqrt{16-x^2}$의 극댓값을 a, 극솟값을 b라 할 때, a^2+b^2의 값을 구하시오.
(상)(중)(하)

로그함수의 극대, 극소

13 미분가능한 함수 $f(x)$가 $x=e$에서 극댓값 3을 가질 때, 곡선 $y=f(x)\ln x$ 위의 $x=e$인 점에서의 접선의 방정식을 구하시오.
(상)(중)(하)

로그함수, 삼각함수의 극대, 극소

14 함수 $f(x)=\ln(1+\sin x)+\ln(1-\sin x)$가 극댓값을 가질 때의 x의 값을 구하시오. $\left(단, \dfrac{\pi}{2}<x<\dfrac{3}{2}\pi\right)$
(상)(중)(하)

삼각함수의 극대, 극소

15 함수 $f(x)=p\cos x+q\sin x-x$가 $x=\dfrac{\pi}{6}$와 $x=\dfrac{\pi}{2}$에서 극값을 가질 때, 함수 $f(x)$의 극댓값을 구하시오. (단, $0<x<\pi$)
(상)(중)(하)

함수가 극값을 가질 조건

16 다음 중 함수 $f(x)=ax+\sin x$가 극값을 갖지 않도록 하는 상수 a의 값이 <u>아닌</u> 것은?
(상)(중)(하)
① -2 ② -1 ③ 0
④ 1 ⑤ 2

7

도함수의 활용 (2)

7. 도함수의 활용 (2)

개념 1 곡선의 오목과 볼록

함수 $f(x)$가 어떤 구간에서

❶ $f''(x)>0$이면 곡선 $y=f(x)$는 이 구간에서 아래로 볼록
하다.

❷ $f''(x)<0$이면 곡선 $y=f(x)$는 이 구간에서 위로
 ⓪ 　　 하다.

아래로 볼록　　위로 볼록

답 ❶ 볼록

개념 2 변곡점

곡선 $y=f(x)$ 위의 점 $P(a, f(a))$에 대하여 $x=a$의 좌우에서 곡선의 모양이 아래로 볼록에서 위로 볼록으로 바뀌거나 위로 볼록에서 ❶ 　　 로 볼록으로 바뀔 때, 점 P를 곡선 $y=f(x)$의 **변곡점**이라 한다.

이때 함수 $f(x)$에서 $f''(a)=0$이고, $x=a$의 좌우에서 $f''(x)$의 ❷ 　　 가 바뀌면 점 $P(a, f(a))$는 곡선 $y=f(x)$의 변곡점이다.

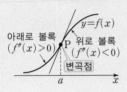

아래로 볼록
$(f''(x)>0)$　P 위로 볼록
$(f''(x)<0)$

변곡점

$y=f(x)$

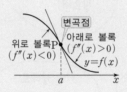

변곡점

위로 볼록 P　아래로 볼록
$(f''(x)<0)$　$(f''(x)>0)$

$y=f(x)$

답 ❶ 아래 ❷ 부호

개념 3 함수의 그래프

함수 $y=f(x)$의 그래프의 개형은 다음을 조사하여 그릴 수 있다.

❶ 함수의 정의역과 치역

❷ 곡선의 대칭성과 주기

❸ 곡선과 좌표축의 교점

❹ 함수의 증가와 ❶ 　　, 극대와 극소

❺ 곡선의 오목과 볼록, 변곡점

❻ $\lim\limits_{x\to\infty} f(x)$, $\lim\limits_{x\to-\infty} f(x)$, ❷ 　　

답 ❶ 감소 ❷ 점근선

개념 4 함수의 최댓값과 최솟값

연속함수 $f(x)$가 닫힌구간 $[a, b]$에서 연속일 때

❶ $f(x)$의 최댓값은 극댓값과 극솟값, 그리고 $f(a)$, $f(b)$ 중 가장 ❶ 　　 값이다.

❷ $f(x)$의 최솟값은 극댓값과 ❷ 　　, 그리고 $f(a)$, $f(b)$ 중 가장 작은 값이다.

답 ❶ 큰 ❷ 극솟값

개념 플러스

㉠ (ⅰ) 아래로 볼록에서 위로 볼록으로 바뀌면
$f''(x)>0 \Rightarrow f''(x)<0$

(ⅱ) 위로 볼록에서 아래로 볼록으로 바뀌면
$f''(x)<0 \Rightarrow f''(x)>0$

$f''(a)=0$이라 해도 $x=a$의 좌우에서 $f''(x)$의 부호가 바뀌지 않으면 점 $P(a, f(a))$는 곡선 $y=f(x)$의 변곡점이 아니다.

또 함수 $f(x)$가 $x=a$에서 변곡점을 갖지만 $f''(a)$가 존재하지 않는 경우도 있음에 주의한다.

ⓛ

최댓값
$f(a)$
$f(b)$
최솟값

$f(b)$
최댓값
$f(a)$

최솟값

$f(b)$
최댓값

$f(a)$
최솟값

ⓒ 연속함수 $f(x)$가 열린구간 (a, b)에서 정의된 경우에는 최댓값과 최솟값이 존재하지 않을 수도 있다.

개념 익히기

1-1 | 곡선의 오목과 볼록 |

다음 곡선의 오목과 볼록을 조사하시오.

(1) $y = 3x \ln x$

(2) $y = -e^x - 3x$

연구

(1) $f(x) = 3x \ln x$로 놓으면

$f'(x) = 3 \ln x + 3$, $f''(x) = \dfrac{3}{\boxed{}}$

$x < 0$일 때 $f''(x) < 0$, $x > 0$일 때 $f''(x) > 0$

따라서 열린구간 $(-\infty, \boxed{})$에서 위로 볼록하고,

열린구간 $(0, \infty)$에서 아래로 볼록하다.

(2) $f(x) = -e^x - 3x$로 놓으면

$f'(x) = -e^x - 3$, $f''(x) = -e^x$이므로

모든 실수 x에 대하여 $f''(x) < 0$이다.

따라서 열린구간 $(\boxed{}, \infty)$에서 위로 볼록하다.

2-1 | 변곡점 |

곡선 $y = x^3 - 3x^2 - 9x + 2$의 변곡점의 좌표를 구하시오.

연구

$f(x) = x^3 - 3x^2 - 9x + 2$로 놓으면

$f'(x) = 3x^2 - 6x - 9$

$f''(x) = 6x - 6 = 6(x-1)$

$f''(x) = 0$에서 $x = 1$

$x < 1$일 때 $f''(x) < 0$

$x > 1$일 때 $f''(x) > 0$

따라서 변곡점의 좌표는 $(1, \boxed{})$

1-2 | 따라풀기 |

다음 곡선의 오목과 볼록을 조사하시오.

(1) $y = \dfrac{1}{x}$

(2) $y = 5x - \sin x$ (단, $0 < x < 2\pi$)

풀이

2-2 | 따라풀기 |

다음 곡선의 변곡점의 좌표를 구하시오.

(1) $y = -x^4 + 2x^3 - 1$

(2) $y = x^2 + 4 \cos x$ (단, $0 < x < 2\pi$)

풀이

개념 5 방정식의 실근의 개수

개념 플러스

(1) 방정식 $f(x)=0$의 실근의 개수

방정식 $f(x)=0$의 실근은 함수 $y=f(x)$의 그래프와 x축의 교점의 x좌표이므로 방정식 $f(x)=0$의 실근의 개수는 함수 $y=f(x)$의 그래프와 **❶** 의 교점의 개수와 같다.

(2) 방정식 $f(x)=g(x)$의 실근의 개수

방정식 $f(x)=g(x)$의 실근은 함수 $y=f(x)$의 그래프와 함수 $y=g(x)$의 그래프의 교점의 x좌표이므로 방정식 $f(x)=g(x)$의 실근의 개수는 함수 $y=f(x)$의 그래프와 함수 $y=$ **❷** 의 그래프의 교점의 개수와 같다.

◗ 함수 $y=f(x)-g(x)$의 그래프가 x축과 만나는 점의 x좌표를 구해도 된다.

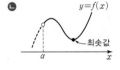

예

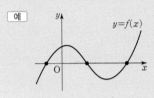

방정식 $f(x)=0$의 실근은 3개

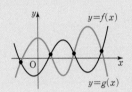

방정식 $f(x)=g(x)$의 실근은 4개

답 ❶ x축 ❷ $g(x)$

개념 6 부등식의 증명

부등식 $f(x)>0$임을 보일 때는 $f'(x)$의 부호를 이용하여 $f(x)$의 최솟값을 찾아.

어떤 부등식이 성립함을 증명할 때는 다음과 같이 함수의 최솟값을 이용한다.

(1) $x>a$에서 부등식 $f(x)>0$이 성립함을 보일 때

❶ 주어진 범위에서 함수 $f(x)$의 최솟값이 존재하는 경우이면
 ⇨ $x>a$에서 $f(x)$의 최솟값을 구한 다음 $\{f(x)$의 최솟값$\}>0$임을 보인다.

❷ 주어진 범위에서 함수 $f(x)$의 최솟값이 존재하지 않는 경우이면
 ⇨ $x>a$에서 $f'(x)>0$이고, $f(a)\geq0$임을 보인다.

(2) 두 함수 $f(x)$, $g(x)$에 대하여 어떤 구간에서 $f(x)\geq g(x)$가 성립함을 보이려면 $h(x)=f(x)-g(x)$로 놓고, 그 구간에서 $h(x)$ **❶** 0임을 보인다.

◖ $x>a$에서 $f'(x)>0$이면 $x>a$에서 $f(x)$는 증가한다.
즉, $x>a$일 때, 함수 $f(x)$의 함숫값은 $f(a)$보다는 크다.
이때 $f(a)\geq0$이면 $x>a$에서 함수 $f(x)$의 함숫값은 항상 0보다 크다.

답 ❶ $\geq$

개념 7 속도와 가속도

평면 위를 움직이는 점의 속도와 가속도

좌표평면 위를 움직이는 점 P의 시각 t에서의 위치 (x, y)가 $x=f(t), y=g(t)$일 때

❶ 속도 : $(f'(t), g'(t))$ ❷ 속도의 크기 : $\sqrt{\{f'(t)\}^2+\{g'(t)\}^2}$

❸ 가속도 : $(f''(t), g''(t))$ ❹ 가속도의 크기 : $\sqrt{\{f''(t)\}^2+\{g''(t)\}^2}$

3-1 | 방정식의 실근의 개수 |

방정식 $e^x - x = 0$의 서로 다른 실근의 개수를 구하시오.

연구

$f(x) = e^x - x$라 하면 $f'(x) = e^x - 1$

$f'(x) = 0$에서 $e^x = 1$ ∴ $x = 0$

함수 $f(x)$의 증가와 감소를 표로 나타내고, 그래프의 개형을 그리면 다음과 같다.

x	$\cdots$	0	$\cdots$
$f'(x)$	$-$	0	$+$
$f(x)$	$\searrow$	1	$\nearrow$

이때 함수 $y = f(x)$의 그래프는 x축과 만나지 않는다.

따라서 방정식 $e^x - x = 0$의 서로 다른 실근의 개수는 ☐

3-2 | 따라풀기 |

다음 방정식의 서로 다른 실근의 개수를 구하시오.

(1) $\sin x + x = 0$ 　　　　 (2) $\ln x - 3x = 0$

풀이

4-1 | 속도, 속력, 가속도 |

좌표평면 위를 움직이는 점 P의 시각 t에서의 위치 (x, y)가 $x = t$, $y = t^2 + 3$일 때, 시각 t에서 점 P의 속도, 속력, 가속도를 구하시오.

연구

(i) $\dfrac{dx}{dt} = 1$, $\dfrac{dy}{dt} = 2t$이므로

시각 t에서 점 P의 **속도**는 $(1, \boxed{})$

(ii) 시각 t에서 점 P의 **속력**은

$\sqrt{1^2 + (2t)^2} = \sqrt{4t^2 + 1}$

(iii) $\dfrac{d^2x}{dt^2} = 0$, $\dfrac{d^2y}{dt^2} = 2$이므로

시각 t에서 점 P의 **가속도**는 $(\boxed{}, 2)$

4-2 | 따라풀기 |

좌표평면 위를 움직이는 점 P의 시각 t에서의 위치 (x, y)가 $x = \cos t$, $y = \sin t$일 때, 시각 t에서 점 P의 속도, 속력, 가속도를 구하시오.

풀이

A 어떤 구간에서 곡선 $y=f(x)$ 위의 임의의 두 점 P, Q를 생각해 보자.

두 점 P, Q 사이에 있는 곡선 부분이 선분 PQ보다 항상 아래쪽에 있으면 곡선 $y=f(x)$는 <u>그 구간에서 아래로 볼록</u>하다고 해.

또 두 점 P, Q 사이에 있는 곡선 부분이 선분 PQ보다 항상 위쪽에 있으면 곡선 $y=f(x)$는 <u>그 구간에서 위로 볼록</u>하다고 해.

아래로 볼록

위로 볼록

Q 아하, 그럼 곡선 $y=f(x)$가 볼록한 방향을 판단하는 방법도 설명해 주세요.

A 이계도함수의 부호를 이용해서 판정할 수 있어.

어떤 구간에서 함수 $y=f(x)$에 대하여 <u>$f''(x)>0$이면 $f'(x)$는 증가해.</u>

즉, 곡선 $y=f(x)$의 접선의 기울기가 이 구간에서 증가하지.

이때 [그림1]처럼 곡선 $y=f(x)$는 이 구간에서 아래로 볼록하다는 걸 알 수 있어.

반대로 <u>$f''(x)<0$이면 $f'(x)$는 감소</u>, 즉 곡선 $y=f(x)$의 접선의 기울기는 이 구간에서 감소하니까 [그림 2]처럼 곡선 $y=f(x)$는 이 구간에서 위로 볼록하지.

📌 어떤 구간에서 $f''(x)>0$이면 $f'(x)$는 그 구간에서 증가하는 함수이므로 x가 증가함에 따라 $f'(x)$도 증가한다. 이때 $f'(x)$는 곡선 $y=f(x)$의 접선의 기울기이므로 x가 증가함에 따라 접선의 기울기는 점점 더 커진다.

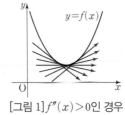 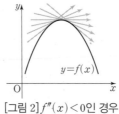

[그림 1] $f''(x)>0$인 경우   [그림 2] $f''(x)<0$인 경우

📌 어떤 구간에서 $f''(x)<0$이면 $f'(x)$는 그 구간에서 감소하는 함수이므로 x가 증가함에 따라 $f'(x)$는 감소한다. 이때 $f'(x)$는 곡선 $y=f(x)$의 접선의 기울기이므로 x가 증가함에 따라 접선의 기울기는 점점 더 작아진다.

Q $f''(x)>0$이면 아래로 볼록, $f''(x)<0$이면 위로 볼록, 이걸 외워야겠어요.

A 함숫값을 이용해서 곡선이 볼록한 방향을 판정하는 방법도 있어.

> 어떤 구간에서 곡선 $y=f(x)$ 위의 임의의 두 점 $P(a, f(a))$, $Q(b, f(b))$ $(a<b)$에 대하여
>
> ❶ $\dfrac{f(a)+f(b)}{2}>f\left(\dfrac{a+b}{2}\right)$이면
>
> 곡선 $y=f(x)$는 이 구간에서 아래로 볼록하다. [그림 3]
>
> ❷ $\dfrac{f(a)+f(b)}{2}<f\left(\dfrac{a+b}{2}\right)$이면
>
> 곡선 $y=f(x)$는 이 구간에서 위로 볼록하다. [그림 4]
>
> 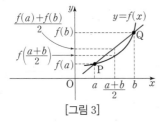   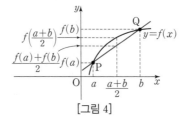
>
> [그림 3]   [그림 4]

📌 예를 들어 구간 $[1, 3]$에서 $f(x)=x^3$일 때
$$\frac{f(1)+f(3)}{2}=\frac{1+27}{2}=14$$
$$>f\left(\frac{1+3}{2}\right)=f(2)=8$$
이므로 곡선 $y=x^3$은 구간 $[1, 3]$에서 아래로 볼록하다.

📌 예를 들어 구간 $[-3, -1]$에서 $f(x)=x^3$일 때
$$\frac{f(-3)+f(-1)}{2}=-14$$
$$<f\left(\frac{-3-1}{2}\right)=f(-2)=-8$$
이므로 곡선 $y=x^3$은 구간 $[-3, -1]$에서 위로 볼록하다.

❶ 함수 $f(x)$가 어떤 구간에서 항상
  (i) $f''(x)>0$이면 곡선 $y=f(x)$는 이 구간에서 아래로 볼록하다.
  (ii) $f''(x)<0$이면 곡선 $y=f(x)$는 이 구간에서 위로 볼록하다.
❷ 함수 $f(x)$에서 $f''(a)=0$이고 $x=a$의 좌우에서 $f''(x)$의 부호가 바뀌면
  점 $(a, f(a))$는 곡선 $y=f(x)$의 변곡점이다.

$f''(a)=0$이라 해도 $x=a$의 좌우에서 $f''(x)$의 부호가 바뀌지 않으면 점 $(a, f(a))$는 곡선 $y=f(x)$의 변곡점이 아니다.

예제 다음 곡선의 오목과 볼록을 조사하고, 변곡점의 좌표를 구하시오.

  (1) $y=(x^2-x)e^{-x}$　　　　　　　(2) $y=x-\sin 2x$ (단, $0<x<\pi$)

해법 코드
변곡점을 구할 경우 $f''(x)=0$인 x의 값을 기준으로 좌우에서 $f''(x)$의 부호를 조사한다.

셀파 $f''(x)>0 \Rightarrow$ 아래로 볼록, $f''(x)<0 \Rightarrow$ 위로 볼록

풀이 (1) $f(x)=(x^2-x)e^{-x}$으로 놓으면
  $\underline{f'(x)=(-x^2+3x-1)e^{-x}}^{\text{ⓐ}}$, $\underline{f''(x)=(x-1)(x-4)e^{-x}}^{\text{ⓑ}}$
  $f''(x)=0$에서 $x=1$ 또는 $x=4$
  $x<1$ 또는 $x>4$일 때 $f''(x)>0$, $1<x<4$일 때 $f''(x)<0$
  따라서 열린구간 $(-\infty, 1)$, $(4, \infty)$에서 아래로 볼록하고 열린구간 $(1, 4)$에서 위로 볼록하다.
  또 $x=1$, $x=4$ 각각의 좌우에서 $f''(x)$의 부호가 바뀌므로 **변곡점의 좌표**는
  $\left(\mathbf{1, 0}\right), \left(\mathbf{4, \dfrac{12}{e^4}}\right)$

ⓐ $f'(x)$
  $=(x^2-x)'e^{-x}+(x^2-x)(e^{-x})'$
  $=(2x-1)e^{-x}+(x^2-x)(-e^{-x})$
  $=(-x^2+3x-1)e^{-x}$

ⓑ $f''(x)$
  $=(-x^2+3x-1)'e^{-x}$
  $\quad+(-x^2+3x-1)(e^{-x})'$
  $=(-2x+3)e^{-x}$
  $\quad+(-x^2+3x-1)(-e^{-x})$
  $=(x^2-5x+4)e^{-x}$
  $=(x-1)(x-4)e^{-x}$

  (2) $f(x)=x-\sin 2x$로 놓으면 $\underline{f'(x)=1-2\cos 2x}^{\text{ⓒ}}$, $f''(x)=4\sin 2x$
  $f''(x)=0$에서 $\sin 2x=0$, $2x=\pi$　∴ $x=\dfrac{\pi}{2}$
  $0<x<\dfrac{\pi}{2}$일 때 $f''(x)>0$, $\dfrac{\pi}{2}<x<\pi$일 때 $f''(x)<0$
  따라서 열린구간 $\left(0, \dfrac{\pi}{2}\right)$에서 아래로 볼록하고, 열린구간 $\left(\dfrac{\pi}{2}, \pi\right)$에서 위로 볼록하다.
  또 $x=\dfrac{\pi}{2}$의 좌우에서 $f''(x)$의 부호가 바뀌므로 **변곡점의 좌표**는 $\left(\dfrac{\pi}{2}, \dfrac{\pi}{2}\right)$

ⓒ $f'(x)=x'-(\sin 2x)'$
  $=1-(\cos 2x)(2x)'$
  $=1-2\cos 2x$

확인 문제　　　　　　　　　　　　　　　　정답과 해설 | **64**쪽　　　　　　　　　MY 셀파

 01-1 다음 곡선의 오목과 볼록을 조사하고, 변곡점의 좌표를 구하시오.
(상)(중)(하)

  (1) $y=\dfrac{1}{x^2+1}$　　　　　　　　(2) $y=x^2\ln x$

01-1
(1) $f(x)=\dfrac{1}{x^2+1}$로 놓고 몫의 미분법을 이용하여 $f''(x)$를 구한다.

7 도함수의 활용 (2)

해법 02　함수의 그래프

PLUS ⊕

함수 $y=f(x)$의 그래프의 개형은 다음을 조사하여 그릴 수 있다.

❶ 함수의 정의역과 치역　　　　**❷** 곡선의 대칭성과 주기

❸ 곡선과 좌표축의 교점　　　　**❹** 함수의 증가와 감소, 극대와 극소

❺ 곡선의 오목과 볼록, 변곡점　　**❻** $\lim\limits_{x\to\infty} f(x)$, $\lim\limits_{x\to-\infty} f(x)$, 점근선

> 분수함수, 무리함수, 지수함수, 로그함수의 그래프는 정의역과 점근선에 주의한다.

예제 함수 $f(x)=\dfrac{x}{x^2+1}$의 그래프의 개형을 그리시오.

> **해법 코드**
> $f'(x)$, $f''(x)$를 구한다.

셀파 $f'(x)=0$, $f''(x)=0$인 x의 값을 구해 표를 만들고 그래프를 그린다.

풀이 **❶** 함수 $f(x)$의 정의역은 실수 전체의 집합이다.

❷ $f(-x)=-f(x)$이므로 원점에 대하여 대칭이다.

❸ $f(0)=0$이므로 원점을 지난다.

❹, ❺ $f'(x)=\dfrac{(x^2+1)-x\times 2x}{(x^2+1)^2}=\dfrac{-x^2+1}{(x^2+1)^2}=\dfrac{-(x+1)(x-1)}{(x^2+1)^2}$

$f''(x)=\dfrac{-2x(x^2+1)^2-(-x^2+1)\times 2(x^2+1)\times 2x}{(x^2+1)^4}=\dfrac{2x(x+\sqrt{3})(x-\sqrt{3})}{(x^2+1)^3}$

$f'(x)=0$에서 $x=-1$ 또는 $x=1$

$f''(x)=0$에서 $x=-\sqrt{3}$ 또는 $x=0$ 또는 $x=\sqrt{3}$

함수 $f(x)$의 증가, 감소 및 오목, 볼록을 표로 나타내면 다음과 같다.

> 표에서 ⌢, ⌐는 각각 위로 볼록이면서 증가, 감소를 나타내고, ⌣, ⌍는 각각 아래로 볼록이면서 증가, 감소를 나타낸다.

x	$\cdots$	$-\sqrt{3}$	$\cdots$	-1	$\cdots$	0	$\cdots$	1	$\cdots$	$\sqrt{3}$	$\cdots$
$f'(x)$	$-$	$-$	$-$	0	$+$	$+$	$+$	0	$-$	$-$	$-$
$f''(x)$	$-$	0	$+$	$+$	$+$	0	$-$	$-$	$-$	0	$+$
$f(x)$	⌐	$-\dfrac{\sqrt{3}}{4}$ 변곡점	⌍	$-\dfrac{1}{2}$ 극소	⌣	0 변곡점	⌢	$\dfrac{1}{2}$ 극대	⌐	$\dfrac{\sqrt{3}}{4}$ 변곡점	⌍

❻ 이때 $\lim\limits_{x\to-\infty}\dfrac{x}{x^2+1}=0$, $\lim\limits_{x\to\infty}\dfrac{x}{x^2+1}=0$이므로 x축이 점근선이다.

따라서 함수 $f(x)=\dfrac{x}{x^2+1}$의 그래프의 개형은 오른쪽 그림과 같다.

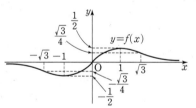

참고

분수함수, 무리함수의 점근선

❶ 분수함수 $f(x)=\dfrac{g(x)}{h(x)}$일 때,

$h(x)=0$인 x의 값이 a이면

$\Rightarrow \lim\limits_{x\to a-} f(x)$, $\lim\limits_{x\to a+} f(x)$,

$\lim\limits_{x\to-\infty} f(x)$, $\lim\limits_{x\to\infty} f(x)$

를 조사한다.

$h(x)\neq 0$인 경우는

$\Rightarrow \lim\limits_{x\to-\infty} f(x)$, $\lim\limits_{x\to\infty} f(x)$

를 조사한다.

❷ 무리함수 $f(x)$의 정의역이 $x>a$ 이면 $\Rightarrow \lim\limits_{x\to a+} f(x)$, $\lim\limits_{x\to\infty} f(x)$를 조사한다.

확인 문제　　　　　　　　　　　　　　　　정답과 해설 | **65**쪽　　　　　　**MY 셀파**

02-1 다음 함수의 그래프의 개형을 그리시오.
(상)(중)(하)

(1) $f(x)=e^{-x^2}$　　　　　　　(2) $f(x)=\dfrac{x}{\ln x}$

> **02-1**
> (2) 로그함수의 정의역
> ⇨ (진수)>0인 모든 실수

연속함수 $f(x)$에 대하여 $y=f'(x)$의 그래프가 오른쪽 그림과 같을 때, 함수 $y=f(x)$의 그래프에서 극점과 변곡점의 개수를 구하시오.

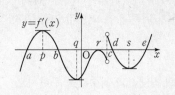

A   함수 $y=f(x)$에 대하여 $y=f'(x)$의 그래프가 주어질 때, 이 그래프를 이용하여 $y=f(x)$의 극점과 변곡점을 찾는 문제는 다음 사실을 이용해.

❶ 극점은 $y=f'(x)$의 그래프에서 $f'(x)$의 부호가 바뀌는 점이다.
❷ 변곡점은 $y=f'(x)$의 그래프에서 증가와 감소가 바뀌는 점이다.

이때 '$y=f'(x)$의 그래프에서 $f'(x)=0$인 점은 극점이다.'라고 생각하기 쉬운데, $f'(a)=0$이더라도 $x=a$의 좌우에서 $f'(x)$의 부호가 바뀌지 않으면 이 점은 극점이 아니야.

Q   네, $y=f'(x)$의 그래프에서 $f'(x)$값의 부호가 바뀌는 점이 극점이니까 주어진 $y=f'(x)$의 그래프에서 극점은⬤ x좌표가 a, b, c, d, e인 5개의 점이에요.
또 $y=f'(x)$의 그래프에서 증가와 감소가 바뀌는 점이 변곡점이니까 주어진 $y=f'(x)$의 그래프에서 변곡점은 x좌표가 p, q, r, s인 4개의 점이에요.
따라서 $y=f(x)$의 그래프의 **극점**의 개수는 **5**, **변곡점**의 개수는 **4**예요.

x	$\cdots$	a	$\cdots$	p	$\cdots$	b	$\cdots$	q	$\cdots$	r		c	$\cdots$	d	$\cdots$	s	$\cdots$	e	$\cdots$
$f'(x)$	$-$	0	$+$	$+$	$+$	0	$-$		0	$-$		$+$	0	$-$		$-$	0	$+$
$f''(x)$	$+$	$+$	$+$	0	$-$	$-$	$-$	0	$+$	0		$-$	$-$	$-$	$-$	0	$+$	$+$	$+$
$f(x)$	↘	극소	↗	변곡점	↗	극대	↘	변곡점	↘	변곡점	↘	극소	↗	극대	↘	변곡점	↘	극소	↗

함수 $f(x)$에 대하여 극점과 변곡점을 기준으로 구간을 나눈다.
또 주어진 $y=f'(x)$의 그래프를 이용하여 각 구간에서 $f'(x)$, $f''(x)$의 부호를 조사한다.
이때 $f(x)$의 증가, 감소 및 오목, 볼록을 위와 같은 표로 나타낼 수 있고 이 내용에 따라 함수 $y=f(x)$의 그래프의 개형은 오른쪽 그림과 같다.

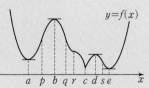

확인 체크 01   정답과 해설 | **66**쪽

연속함수 $f(x)$에 대하여 $y=f'(x)$의 그래프가⬤ 오른쪽 그림과 같을 때, $y=f(x)$의 그래프에서 극점과 변곡점의 개수를 구하시오.

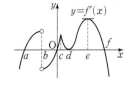

⬤ $f'(x)$값의 부호가 $+$에서 $-$로 바뀌는 점, 즉 x좌표가 b, d인 점에서는 극댓값을 갖고, $-$에서 $+$로 바뀌는 점, 즉 x좌표가 a, c, e인 점에서는 극솟값을 갖는다.
또 $x=c$일 때, $f'(c)$의 값은 존재하지 않지만 $x=c$의 좌우에서 $f'(x)$의 부호가 $-$에서 $+$로 바뀌므로 점 $(c, f(c))$는 극솟점이 된다.

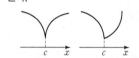

이와 같이 미분가능하지 않은 뾰족점에서도 극값을 가질 수 있다.

⬤ $y=f'(x)$의 그래프에서 x좌표가 $a, b, 0, f$인 점에서 $f'(x)$의 부호가 바뀐다.

7 도함수의 활용 (2)

함수 $f(x)$가 닫힌구간 $[a, b]$에서 연속이면 그 구간에서 반드시 최댓값과 최솟값을 갖는다. 닫힌구간 $[a, b]$에서 함수 $f(x)$의 최댓값과 최솟값을 구할 때는 극댓값과 극솟값, 그리고 $f(a)$, $f(b)$를 비교하여 그 중에서 가장 큰 값을 최댓값으로, 가장 작은 값을 최솟값으로 한다.

$f(x)$가 로그함수일 때, 정의역이 (a, ∞)이면
$\Rightarrow \lim\limits_{x \to a+} f(x)$, $\lim\limits_{x \to \infty} f(x)$
를 조사한다.

 예제 주어진 닫힌구간에서 다음 함수의 최댓값과 최솟값을 구하시오.

(1) $f(x) = \dfrac{-x}{x^2+x+1}$ $[-2, 2]$

(2) $f(x) = \dfrac{\ln x}{x}$ $\left[\dfrac{1}{e}, e^2\right]$

해법 코드
함수 $f(x)$의 극값과 구간의 양 끝값을 구하여 비교한다.

셀파 함수의 최댓값, 최솟값은 극댓값과 극솟값, 경계에서의 함숫값을 비교한다.

풀이 (1) $f'(x) = \dfrac{-(x^2+x+1)+x(2x+1)}{(x^2+x+1)^2} = \dfrac{x^2-1}{(x^2+x+1)^2} = \dfrac{(x+1)(x-1)}{(x^2+x+1)^2}$

$f'(x)=0$에서 $x=-1$ 또는 $x=1$

닫힌구간 $[-2, 2]$에서 ➊ 함수 $f(x)$의 증가와 감소를 표로 나타내면 오른쪽과 같다.

x	-2	$\cdots$	-1	$\cdots$	1	$\cdots$	2
$f'(x)$		$+$	0	$-$	0	$+$	
$f(x)$	$\dfrac{2}{3}$	↗	1 극댓값	↘	$-\dfrac{1}{3}$ 극솟값	↗	$-\dfrac{2}{7}$

따라서 함수 $f(x)$는

$x=-1$일 때 **최댓값 1**,

$x=1$일 때 **최솟값 $-\dfrac{1}{3}$**을 갖는다.

➊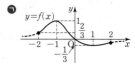

(2) $f'(x) = \dfrac{\dfrac{1}{x} \times x - \ln x}{x^2} = \dfrac{1-\ln x}{x^2}$

$f'(x)=0$에서 $1-\ln x=0$ $\therefore x=e$

닫힌구간 $\left[\dfrac{1}{e}, e^2\right]$에서 ➋ 함수 $f(x)$의 증가와 감소를 표로 나타내면 오른쪽과 같다.

따라서 함수 $f(x)$는

$x=e$일 때 ➌ **최댓값 $\dfrac{1}{e}$**,

$x=\dfrac{1}{e}$일 때 **최솟값 $-e$**를 갖는다.

x	$\dfrac{1}{e}$	$\cdots$	e	$\cdots$	e^2
$f'(x)$		$+$	0	$-$	
$f(x)$	$-e$	↗	$\dfrac{1}{e}$ 극댓값	↘	$\dfrac{2}{e^2}$

➋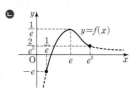

➌ 극값이 하나만 존재하고, 그것이 극댓값이면 극댓값이 최댓값이다.

확인 문제

정답과 해설 | **66**쪽

MY 셀파

03-1 주어진 닫힌구간에서 다음 함수의 최댓값과 최솟값을 구하시오.

(1) $f(x) = e^x - e^{-x}$ $[-2, 2]$

(2) $f(x) = x + \sqrt{2}\cos x$ $[0, \pi]$

03-1
닫힌구간 $[a, b]$에서 $f(x)$의 극값, $f(a)$, $f(b)$를 구하여 비교한다.

최대, 최소의 활용 문제는 다음 순서로 구한다.

① 주어진 조건에 적당한 변수를 정하여 미지수 x로 놓고, x의 값의 범위를 조사한다.

② 극값과 정의역의 양 끝값에서의 함숫값을 구한다.

③ 구한 값들을 비교하여 최댓값 또는 최솟값을 찾는다.

> 도형의 최대, 최소 문제는 변수의 범위에 주의한다.

 반지름의 길이가 1인 원에 내접하는 직사각형의 넓이의 최댓값을 구하시오.

해법 코드
(직사각형의 대각선의 길이)
＝(원의 지름의 길이)＝2

(셀파) 극값이 하나만 존재하고 그것이 극대이면 ⇨ 극댓값이 최댓값이다.

(풀이) 오른쪽 그림과 같이 반지름의 길이가 1인 원에 내접하는
직사각형의 가로의 길이를 x, 넓이를 $S(x)$라 하면
$S(x)=x\sqrt{4-x^2}=\sqrt{4x^2-x^4}$ (단, $0<x<2$)
$S'(x)=\dfrac{8x-4x^3}{2\sqrt{4x^2-x^4}}=\dfrac{-2x(x^2-2)}{\sqrt{4x^2-x^4}}=\dfrac{-2(x+\sqrt{2})(x-\sqrt{2})}{\sqrt{4-x^2}}$
$S'(x)=0$에서 $x=\sqrt{2}$ ($\because 0<x<2$)
열린구간 $(0, 2)$에서 $f(x)$의 증가와 감소를 표로
나타내면 오른쪽과 같다.
따라서 함수 $S(x)$는 $x=\sqrt{2}$일 때 극대이면서 최
대이므로 구하는 넓이의 최댓값은 **2**

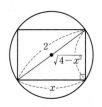

x	(0)	$\cdots$	$\sqrt{2}$	$\cdots$	(2)
$S'(x)$		$+$	0	$-$	
$S(x)$		↗	2 극대	↘	

(참고)
극값이 하나만 존재할 때
❶ 그것이 극댓값이면 극댓값이 최댓값이다.
❷ 그것이 극솟값이면 극솟값이 최솟값이다.

> 활용 문제에서는
> 미지수 x로 놓은 값의
> 범위를 반드시 확인해!

(다른 풀이) 직사각형의 가로, 세로의 길이를 각각 x, y라 하고, 넓이를 S라 하면 $S=xy$
이때 $x^2+y^2=4$이고, $x>0$, $y>0$이므로 산술평균과 기하평균의 관계에서
$x^2+y^2\geq2xy$ $\therefore S=xy\leq\dfrac{x^2+y^2}{2}=\dfrac{4}{2}=2$

따라서 구하는 넓이의 최댓값은 2

확인 문제

정답과 해설 | **67**쪽

MY 셀파

04-1
(상)(중)(하) 점 $P(0, 3)$과 곡선 $y=\sqrt{x}$ 위의 한 점 사이의 거리의 최솟값을 구하시오.

04-1
곡선 $y=\sqrt{x}$ 위의 점을 $Q(t, \sqrt{t})$로 놓고 $\overline{PQ}$의 최솟값을 구한다.

04-2
(상)(중)(하) 오른쪽 그림과 같이 곡선 $y=ke^{-x}$ $(x>0)$ 위의 한 점
P에서 x축, y축에 내린 수선의 발을 각각 Q, R라 하자.
직사각형 OQPR의 넓이의 최댓값이 2일 때, 양수 k의
값을 구하시오. (단, O는 원점)

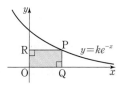

04-2
점 P의 좌표를 (t, ke^{-t}) $(t>0)$으로 놓고 직사각형 OQPR의 넓이를 $S(t)$라 하면 $S(t)=t\times ke^{-t}$

❶ 방정식 $f(x)=0$의 실근의 개수

⇨ 함수 $y=f(x)$의 그래프와 x축의 교점의 개수

❷ 방정식 $f(x)=g(x)$의 실근의 개수

⇨ 함수 $y=f(x)-g(x)$의 그래프와 x축의 교점의 개수

❷와 같은 경우 함수 $y=f(x)$의 그래프와 함수 $y=g(x)$의 그래프의 교점의 개수를 구해도 된다.

예제 방정식 $\dfrac{1}{x}+\dfrac{1}{2}x-2=0$의 서로 다른 실근의 개수를 구하시오.

해법 코드
$f(x)=\dfrac{1}{x}+\dfrac{1}{2}x-2$로 놓고, $y=f(x)$의 그래프를 그린다.

셀파 방정식 $f(x)=0$의 실근 ⇨ $y=f(x)$의 그래프와 x축의 교점의 x좌표

풀이 $f(x)=\dfrac{1}{x}+\dfrac{1}{2}x-2$라 하면

$$f'(x)=-\dfrac{1}{x^2}+\dfrac{1}{2}=\dfrac{x^2-2}{2x^2}=\dfrac{(x+\sqrt{2})(x-\sqrt{2})}{2x^2}$$

$f'(x)=0$에서 $x=-\sqrt{2}$ 또는 $x=\sqrt{2}$

한편 $\displaystyle\lim_{x\to 0-}f(x)=-\infty$, $\displaystyle\lim_{x\to 0+}f(x)=\infty$,

$\displaystyle\lim_{x\to\infty}f(x)=\infty$, $\displaystyle\lim_{x\to -\infty}f(x)=-\infty$

함수 $f(x)$의 증가와 감소를 표로 나타내고, 그래프의 개형을 그리면 다음과 같다.

x	$\cdots$	$-\sqrt{2}$	$\cdots$	(0)	$\cdots$	$\sqrt{2}$	$\cdots$
$f'(x)$	$+$	0	$-$		$-$	0	$+$
$f(x)$	$\nearrow$	$-2-\sqrt{2}$ 극대	$\searrow$		$\searrow$	$-2+\sqrt{2}$ 극소	$\nearrow$

참고
$f(x)=\dfrac{1}{x}$, $g(x)=-\dfrac{1}{2}x+2$로 나누어 방정식 $f(x)=g(x)$의 실근의 개수를 조사해도 된다.

이때 함수 $y=f(x)$의 그래프는 x축과 서로 다른 두 점에서 만나므로 방정식 $\dfrac{1}{x}+\dfrac{1}{2}x-2=0$의 서로 다른 실근의 개수는 **2**

방정식의 실근의 개수를 구할 때는 $f''(x)$를 조사하지 않고, $f'(x)$만 조사하여 그래프를 대략적으로 그려서 답을 구해도 돼.

확인 문제

정답과 해설 | **67**쪽

MY 셀파

05-1
(상)(중)(하) 다음 방정식의 서로 다른 실근의 개수를 구하시오.

(1) $\ln x-\dfrac{1}{x}=0$

(2) $4xe^x+1=0$

05-1
$y=f(x)$의 그래프를 그려 x축의 교점의 개수를 조사한다.

A 해법 05의 **예제**에서 방정식 $\dfrac{1}{x}+\dfrac{1}{2}x-2=0$의 실근의 개수는 $f(x)=\dfrac{1}{x}+\dfrac{1}{2}x-2$ 로 놓고, 함수 $y=f(x)$의 그래프를 그려 x축과 만나는 교점의 개수에서 구했지.

그런데 주어진 방정식을 $\dfrac{1}{x}=-\dfrac{1}{2}x+2$로 바꾼 다음, 두 함수 $y=\dfrac{1}{x}$, $y=-\dfrac{1}{2}x+2$ 의 그래프를 이용하여 방정식의 실근의 개수를 구하면 어떨까?

Q 이때는 두 함수의 그래프의 개형을 그릴 수 있으니 더 간단하게 답을 구할 수 있어요. 즉, 오른쪽 그림 과 같이 그려 보면 ^{①}두 함수의 그래프의 교점이 2개 예요.

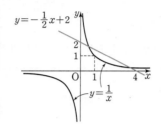

따라서 방정식 $\dfrac{1}{x}=-\dfrac{1}{2}x+2$의 서로 다른 실근의 개수는 2이죠.

A 맞아. 그런데 이렇게 방정식 $f(x)-g(x)=0$을 $f(x)=g(x)$ 꼴로 바꿔서 두 함수 $y=f(x)$와 $y=g(x)$의 그래프에서 실근의 개수를 구하려면 $y=f(x)$의 그래프와 $y=g(x)$의^{②}그래프를 쉽게 그릴 수 있어야 해.

예를 들어 방정식 $e^x-2x=0$에서 두 함수 $y=e^x$, $y=2x$의 그래프를 그려 방정식의 실근의 개수를 파악하려고 할 때, 다음 세 그래프 중 어떤 꼴인지 헷갈리겠지?

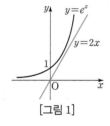
[그림 1]

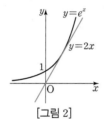
[그림 2]

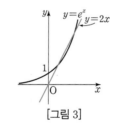
[그림 3]

Q 그럼 어떡해요?

A 그럴 때는 해법 05의 풀었던 방법대로 방정식 $e^x-2x=0$에서 $^④\underline{y=e^x-2x의\ 그래프}$ 를 그려 답을 구하면 돼. 결국 $f(x)=g(x)$로 고쳤을 때 $y=f(x)$의 그래프와 $y=g(x)$의 그래프를 쉽게 그릴 수 있고, 교점을 분명하게 파악할 수 있을 때 이 방 법을 이용한다는 거야.

확인 체크 02   정답과 해설 | **68**쪽

두 함수의 그래프를 이용하는 방법으로 다음 방정식의 서로 다른 실근의 개수를 구하 시오.

(1) $\ln x-ex+3=0$ (2) $\dfrac{1}{x}+2x+1=0$

---

7 도함수의 활용 (2)

① $x=1$에서 두 함숫값을 비교하여 그래프를 그리면 좀 더 정확하게 교점의 개수를 파악할 수 있다.

② $y=\dfrac{1}{x}$, $y=\sqrt{x+1}$, $y=\ln x$, ⋯와 같이 일차함수, 이차함수, 삼차함 수, 사차함수와 같은 다항함수 및 변형되지 않은 분수함수, 무리함 수, 지수함수, 로그함수, 삼각함수 의 그래프는 이미 배웠으므로 쉽 게 그릴 수 있다.

③ 실제로는 만나지 않는 꼴이다. 즉, [그림 1]과 같다.

④ $f(x)=e^x-2x$로 놓으면 $f'(x)=e^x-2$이므로 $f'(x)=0$에서 $e^x=2$ $\therefore x=\ln 2$ 이때 함수 $f(x)$의 증가와 감소를 표로 나타내면 다음과 같다.

x	$\cdots$	$\ln 2$	$\cdots$
$f'(x)$	$-$	0	$+$
$f(x)$	$\searrow$	$2-2\ln 2$	$\nearrow$

$\ln 2 < 1$에서 $2-2\ln 2 > 0$이므로 함수 $y=e^x-2x$의 그래프의 개형 은 다음과 같다.

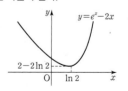

따라서 방정식 $e^x-2x=0$의 실근 의 개수는 0이다.

(1) 방정식의 실근의 개수를 구할 때는 함수의 그래프를 이용해 다음과 같이 푼다.

   ❶ 방정식 $f(x)=0$의 실근의 개수

      ⇨ 함수 $y=f(x)$의 그래프와 x축의 교점의 개수

   ❷ 방정식 $f(x)=g(x)$의 실근의 개수

      ⇨ 함수 $y=f(x)$의 그래프와 함수 $y=g(x)$의 그래프의 교점의 개수

(2) 방정식 $f(x)=k$ (k는 상수)의 실근의 개수를 구하는 문제는 다음과 같이 해결한다.

   1 함수 $y=f(x)$의 그래프 그리기

   2 $y=f(x)$의 그래프와 직선 $y=k$의 교점의 개수 조사하기   〔직선 $y=k$를 아래, 위로 움직여 본다.〕

01 다음 방정식의 서로 다른 실근의 개수를 구하시오.

(1) $e^x = x+2$

(2) $x = 2\sqrt{x}$

(3) $\dfrac{2x}{x^2+1} = 0$

(4) $3x = x \ln x$

02 다음 방정식의 서로 다른 실근의 개수를 실수 k의 값의 범위에 따라 조사하시오.

(1) $e^x = kx$

(2) $x + \dfrac{4}{x^2} = k$

(3) $e^x = x+k$

(4) $\ln x - x = k$

방정식 $f(x)=k$(k는 상수) 꼴의 실근의 개수를 구할 때는 다음 두 가지 방법 중 하나를 이용한다.

❶ 곡선 $y=f(x)$와 직선 $y=k$의 교점의 개수를 조사한다.

❷ 두 함수 $y=g(x)$, $y=h(x)$로 나누어 두 곡선 $y=g(x)$와 $y=h(x)$의 교점의 개수를 조사한다.

x를 포함한 식의 그래프를 아래, 위로 움직여 교점의 개수를 확인한다.

7 도함수의 활용 (2)

예제 다음 방정식이 서로 다른 두 실근을 갖도록 하는 실수 k의 값의 범위를 구하시오.

(1) $2\sqrt{x+1}-x=k$ 　　　　　　 (2) $\ln x-x-k=0$

해법 코드
(2) $f(x)=\ln x$, $g(x)=x+k$로 나누어 생각한다.

셀파 방정식 $f(x)-g(x)=0$이 서로 다른 두 실근을 가지면 두 함수 $y=f(x)$, $y=g(x)$의 그래프는 서로 다른 두 점에서 만난다.

풀이 (1) $f(x)=2\sqrt{x+1}-x$ ($x\geq-1$)라 하면

$$f'(x)=\frac{1}{\sqrt{x+1}}-1=\frac{1-\sqrt{x+1}}{\sqrt{x+1}}=0\text{에서 } x=0$$

이때 $\lim\limits_{x\to\infty}(2\sqrt{x+1}-x)=-\infty$

따라서 방정식 $2\sqrt{x+1}-x=k$가 서로 다른 두 실근을 가지려면 곡선 $y=2\sqrt{x+1}-x$와 직선 $y=k$가 오른쪽 그림과 같이 서로 다른 두 점에서 만나야 하므로

$1\leq k<2$

x	-1	$\cdots$	0	$\cdots$
$f'(x)$		$+$	0	$-$
$f(x)$	1	$\nearrow$	2	$\searrow$

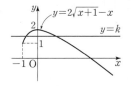

다른 풀이

(1) $f(x)=2\sqrt{x+1}$, $g(x)=x+k$라 하면 곡선 $y=f(x)$와 직선 $y=g(x)$가 다음 그림과 같이 서로 다른 두 점에서 만나야 한다.

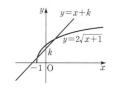

(ⅰ) 곡선 $y=f(x)$와 직선 $y=g(x)$가 접하는 경우
접점의 x좌표를 t라 하면
$f(t)=g(t)$에서 $2\sqrt{t+1}=t+k$
$f'(t)=g'(t)$에서 $\frac{1}{\sqrt{t+1}}=1$
$\therefore t=0$, $k=2$

(ⅱ) 직선 $y=g(x)$가 점 $(-1, 0)$을 지나는 경우
$0=-1+k$ 　 $\therefore k=1$

(ⅰ), (ⅱ)에서 $1\leq k<2$

(2) $f(x)=\ln x$, $g(x)=x+k$라 하면 $f'(x)=\frac{1}{x}$, $g'(x)=1$

곡선 $y=f(x)$와 직선 $y=g(x)$가 접할 때의 접점의 x좌표를 t라 하면

$f(t)=g(t)$에서 $\ln t=t+k$

$f'(t)=g'(t)$에서 $\frac{1}{t}=1$ 　　 $\therefore t=1$, $k=-1$

따라서 방정식 $\ln x-x-k=0$이 서로 다른 두 실근을 가지려면 곡선 $y=\ln x$와 직선 $y=x+k$가 오른쪽 그림과 같이 서로 다른 두 점에서 만나야 하므로 $k<-1$

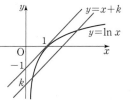

확인 문제 　　　　　　　　　　　 정답과 해설 | **70**쪽 　　　　 **MY 셀파**

06-1 방정식 $e^{x-1}=ex+k$가 오직 하나의 실근을 갖도록 하는 상수 k의 값을 구하시오.
(상)(중)(하)

06-1
$f(x)=e^{x-1}$, $g(x)=ex+k$로 나누어 생각한다.

06-2 방정식 $\ln(x^2+1)+2=k$가 서로 다른 두 실근을 갖도록 하는 실수 k의 값의 범위를 구하시오.
(상)(중)(하)

06-2
$f(x)=\ln(x^2+1)+2$, $g(x)=k$로 나누어 생각한다.

해법 07 　부등식이 성립할 조건

미지수 k를 가진 함수 $f(x)$가 어떤 구간에서

❶ 부등식 $f(x)>0$이 성립하고 그 구간에서 함수 $f(x)$의 최솟값이 m일 때

　⇨ $m>0$임을 이용하여 k의 값을 구한다.

❷ 부등식 $f(x)<0$이 성립하고 그 구간에서 함수 $f(x)$의 최댓값이 M일 때

　⇨ $M<0$임을 이용하여 k의 값을 구한다.

> 어떤 구간에서 함수 $f(x)$의 극값이 하나만 존재할 때, 그것이 극소이면 극솟값이 최솟값이고, 그것이 극대이면 극댓값이 최댓값이다.

예제 　$1\leq x\leq e^2$일 때, 부등식 $2x-x\ln x+k\leq0$이 성립하도록 하는 실수 k의 값의 범위를 구하시오.

> **해법 코드**
> $f(x)=x\ln x-2x-k$로 놓고 $1\leq x\leq e^2$에서 $f(x)$의 최솟값을 구한다.

셀파 　$f(x)\geq0$ ⇨ { $f(x)$의 최솟값}≥0, $f(x)\leq0$ ⇨ { $f(x)$의 최댓값}≤0

풀이 　❶ $f(x)=x\ln x-2x-k$라 하면

$$f'(x)=\left(\ln x+x\times\frac{1}{x}\right)-2=\ln x-1$$

$f'(x)=0$에서 $\ln x=1$ 　∴ $x=e$

$1\leq x\leq e^2$에서 함수 $f(x)$의 증가와 감소를 표로 나타내면 다음과 같다.

x	1	$\cdots$	e	$\cdots$	e^2
$f'(x)$		$-$	0	$+$	
$f(x)$	$-2-k$	$\searrow$	$-e-k$	$\nearrow$	$-k$

함수 $y=f(x)$의 그래프의 개형은 오른쪽 그림과 같으므로 $1\leq x\leq e^2$에서 함수 $f(x)$는 $x=e$일 때, 극소이면서 최소이다.

이때 ❷ $f(x)\geq0$이려면 $f(e)=-e-k\geq0$

∴ $\boldsymbol{k\leq-e}$

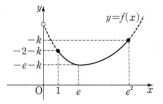

> ❶ $2x-x\ln x+k\leq0$에서 $x\ln x-2x-k\geq0$이므로 $f(x)=x\ln x-2x-k$로 놓고 $f(x)\geq0$일 조건을 구한다.

> ❷ 함수 $y=f(x)$의 그래프에서 $1\leq x\leq e^2$일 때, $f(x)$의 최솟값은 $f(e)$이다. $f(e)=-e-k\geq0$일 때, $f(x)\geq0$이므로 $f(e)\geq0$일 조건을 구한다.

확인 문제 　　　　　　　　　　　　　　　　　　정답과 해설 | **70**쪽 　　　　　　MY 셀파

07-1 　$0\leq x\leq\pi$일 때, 부등식 $1\leq2\sin x+\cos^2 x\leq k$가 성립하도록 하는 실수 k의 값의 범위를 구하시오.

> **07-1**
> $f(x)=2\sin x+\cos^2 x$로 놓으면 { $f(x)$의 최댓값}$\leq k$

07-2 　$x<10$일 때, 부등식 $e^x-ax\geq0$이 성립하도록 하는 양수 a의 값의 범위를 구하시오.

> **07-2**
> $f(x)=e^x-ax$로 놓고 $x<10$에서 $f(x)$의 최솟값을 구한다.

$x>0$일 때, 부등식 $\ln(1+x)<x$가 성립함을 보이시오.

Q $f(x)=\ln(1+x)-x$로 놓고 $\{f(x)$의 최댓값$\}<0$인 것을 보이면 되는 거 아니에요?

A $f(x)$의 최댓값이 존재한다면 그렇게 하면 되지~.

Q 그 말씀은 최댓값이 존재하지 않을 수도 있다는 건가요?

$f(x)=\ln(1+x)-x$라 하면 $f'(x)=\dfrac{1}{1+x}-1=-\dfrac{x}{1+x}$

이므로 $f'(x)=0$에서 $x=0$이 나와요. 그런데 $x>0$이니까 $x=0$이 포함되지 않네요. 어떻게 해야 되죠?

A 이 문제처럼 함수 $f(x)$의 극값이 주어진 구간에 포함되지 않고 최댓값 또는 최솟값을 구할 수 없는 경우가 있어. 이럴 때는 주어진 함수가 그 구간에서 증가하는지 감소하는지를 확인하여 부등식을 증명할 수 있지. 위에서 $f'(x)$까지는 구했으니까 그 다음을 잘 봐.

풀이 $x>0$일 때, $f'(x)=-\dfrac{x}{1+x}<0$이므로

함수 $f(x)$는 $x>0$에서 감소한다.
그런데 $f(0)=0$이므로 $x>0$에서 $f(x)<0$
즉, $\ln(1+x)-x<0$이다.
따라서 $x>0$일 때, $\ln(1+x)<x$가 성립한다.

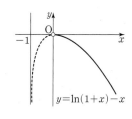

$y=\ln(1+x)-x$

❶ $x>a$일 때, 부등식 $f(x)>0$의 증명
$x>a$에서 $f(x)$의 최솟값이 존재하지 않으면 $x>a$에서 $f(x)$가 증가함수인 것을 보인다. 즉, $f'(x)>0$이고, $f(a)\geq0$임을 보인다.

❷ $x>a$일 때, 부등식 $f(x)<0$의 증명
$x>a$에서 $f(x)$의 최댓값이 존재하지 않으면 $x>a$에서 $f(x)$가 감소함수인 것을 보인다. 즉, $f'(x)<0$이고, $f(a)\leq0$임을 보인다.

ⓐ $f'(x)=-\dfrac{x}{1+x}=0\,(x>0)$에서 $x=0$일 때, 극값을 갖는다. 그런데 주어진 값의 범위가 $x>0$이므로 이 범위에서 $f'(x)<0$이다. 따라서 $x>0$일 때, $f'(x)\neq0$이다.

ⓑ $x>0$일 때, $f(x)$는 감소함수이므로 $f(0)\leq0$이면 $x>0$인 모든 실수 x에 대하여 $f(x)<0$이 된다.

$x>a$에서 부등식 $f(x)<0$인 것을 보일 때, $x>a$에서 $f(x)$의 최댓값이 존재하지 않으면 $x>a$에서 $f'(x)<0$이고, $f(a)\leq0$인 것을 보이면 돼.

ⓒ $f(x)=e^{-x}+x-1$로 놓고 주어진 구간에서 $f'(x)$의 부호를 조사한다.

확인 체크 03 | 정답과 해설 **71**쪽

$0<x<1$일 때, 부등식 $e^{-x}>1-x$가 성립함을 보이시오.

7 | 도함수의 활용(2)

수직선 위를 움직이는 점 P의 시각 t에서의 위치를 $x=f(t)$라 할 때, 시각 t에서의

❶ 점 P의 속도 v는 ⇨ $v=\dfrac{dx}{dt}=f'(t)$

❷ 점 P의 가속도 a는 ⇨ $a=\dfrac{dv}{dt}=\dfrac{d^2x}{dt^2}=f''(t)$

참고 　점 P의 시각 t에서의 위치 x가 t에 대한 함수 $f(t)$로 주어질 때, x는 $t\geq0$에서만 생각한다.

> 가속도가 '양'이고 일정하면 시간이 지남에 따라 속도는 점점 증가하고, 가속도가 '음'이고 일정하면 시간이 지남에 따라 속도는 점점 감소한다.

예제 **1.** 원점을 출발하여 수직선 위를 움직이는 점 P의 시각 t에서의 위치를 x라 하면 $x=t^4-kt^3+4t^2$이다. $t=2$에서의 점 P의 속도가 0이 되는 상수 k의 값을 구하시오.

2. 수직선 위를 움직이는 점 P의 시각 t에서의 위치를 x라 하면 $x=te^{t-3}$이다. $t=3$에서의 점 P의 속도와 가속도를 구하시오.

해법 코드

1. $x=f(t)$일 때 $t=2$에서의 속도가 0이면 $f'(2)=0$이다.

2. $f(t)=te^{t-3}$일 때, $f'(3)$, $f''(3)$을 구한다.

셀파 　위치 (x) $\xrightarrow{\text{미분}}$ 속도 (v) $\xrightarrow{\text{미분}}$ 가속도 (a)

풀이 **1.** 점 P의 시각 t에서의 속도를 v라 하면

$$v=\frac{dx}{dt}=4t^3-3kt^2+8t$$

점 P의 $t=2$에서의 속도가 0이므로

❶ $\underline{32-12k+16=0}$, $12k=48$ 　∴ $\boldsymbol{k=4}$

❶ 위치 $x=f(t)$라 하면 '$t=2$일 때 속도가 0이다.'를 방정식으로 나타내면 $f'(2)=0$

이때 $f'(t)=4t^3-3kt^2+8t$에서
$f'(2)=4\times2^3-3k\times2^2+8\times2$
　　　$=32-12k+16=0$

2. 점 P의 시각 t에서의 속도를 v, 가속도를 a라 하면

$$v=\frac{dx}{dt}=e^{t-3}+te^{t-3}=(t+1)e^{t-3}$$

$$a=\frac{dv}{dt}=e^{t-3}+(t+1)e^{t-3}=(t+2)e^{t-3}$$

따라서 점 P의 $t=3$에서의 속도와 가속도는

❷ 속도 : **4**, 가속도 : **5**

❷ $f(t)=te^{t-3}$이라 하면
$f'(t)=(t+1)e^{t-3}$
$f''(t)=(t+2)e^{t-3}$이므로
$f'(3)=4e^0=4$
$f''(3)=5e^0=5$

확인 문제　　　　　　　　　　　　　　　　　　정답과 해설 | **71**쪽　　　　　　MY 셀파

08-1 원점을 출발하여 수직선 위를 움직이는 점 P의 시각 t에서의 위치를 x라 하면 $x=t^2-\ln(t+1)$이다. $t=2$에서의 점 P의 속도와 가속도를 구하시오.

08-1

속도 $v=\dfrac{dx}{dt}$, 가속도 $a=\dfrac{dv}{dt}$

좌표평면 위를 움직이는 점 P의 시각 t에서의 위치 (x, y)가 $x=f(t)$, $y=g(t)$일 때, 시각 t에서의

❶ 점 P의 속도의 크기 : $\sqrt{\left(\dfrac{dx}{dt}\right)^2+\left(\dfrac{dy}{dt}\right)^2}=\sqrt{\{f'(t)\}^2+\{g'(t)\}^2}$

❷ 점 P의 가속도의 크기 : $\sqrt{\left(\dfrac{d^2x}{dt^2}\right)^2+\left(\dfrac{d^2y}{dt^2}\right)^2}=\sqrt{\{f''(t)\}^2+\{g''(t)\}^2}$

❶ 점 P의 속도
$$\left(\dfrac{dx}{dt}, \dfrac{dy}{dt}\right)=(f'(t), g'(t))$$

❷ 점 P의 가속도
$$\left(\dfrac{d^2x}{dt^2}, \dfrac{d^2y}{dt^2}\right)=(f''(t), g''(t))$$

예제 1. 좌표평면 위를 움직이는 점 P의 시각 t에서의 위치 (x, y)가
$$x=t+e^t, y=t-e^t$$
으로 나타내어질 때, 시각 t에서의 점 P의 속도와 가속도를 구하시오.

2. 좌표평면 위를 움직이는 점 P의 시각 t에서의 위치 (x, y)가
$$x=2t-1, y=t^2+1$$
로 나타내어질 때, $t=1$에서 다음을 구하시오.
  (1) 점 P의 속도와 그 크기   (2) 점 P의 가속도와 그 크기

해법 코드

2. (1) $\left(\dfrac{dx}{dt}, \dfrac{dy}{dt}\right)$를 구한다.

(2) $\left(\dfrac{d^2x}{dt^2}, \dfrac{d^2y}{dt^2}\right)$를 구한다.

7
도함수의 활용 ⑵

셀파 속도 $\Rightarrow \left(\dfrac{dx}{dt}, \dfrac{dy}{dt}\right)$, 가속도 $\Rightarrow \left(\dfrac{d^2x}{dt^2}, \dfrac{d^2y}{dt^2}\right)$

풀이 1. $\dfrac{dx}{dt}=1+e^t$, $\dfrac{dy}{dt}=1-e^t$이므로 점 P의 **속도는** $(1+e^t, 1-e^t)$

$\dfrac{d^2x}{dt^2}=e^t$, $\dfrac{d^2y}{dt^2}=-e^t$이므로 점 P의 **가속도는** $(e^t, -e^t)$

2. (1) $\dfrac{dx}{dt}=2$, $\dfrac{dy}{dt}=2t$이므로 $t=1$에서의

점 P의 속도는 $(2, 2)$이고, 그 크기는 $\sqrt{2^2+2^2}=2\sqrt{2}$

∴ **속도** : $(2, 2)$, **속도의 크기** : $2\sqrt{2}$

(2) $\dfrac{d^2x}{dt^2}=0$, $\dfrac{d^2y}{dt^2}=2$이므로 $t=1$에서의

점 P의 가속도는 $(0, 2)$이고, 그 크기는 $\sqrt{0^2+2^2}=2$

∴ **가속도** : $(0, 2)$, **가속도의 크기** : 2

참고
점 P에서 x축과 y축에 내린 수선의 발을 각각 Q, R라 하면 점 P가 움직일 때, 점 Q는 x축에서 시각 t에서의 위치가 $x=f(t)$로 나타나는 직선 운동을 하고, 점 R는 y축에서 시각 t에서의 위치가 $y=g(t)$로 나타나는 직선 운동을 한다.
따라서 시각 t에서 점 Q의 속도를 v_x, 점 R의 속도를 v_y라 하면
$$v_x=\dfrac{dx}{dt}=f'(t), v_y=\dfrac{dy}{dt}=g'(t)$$
이때 (v_x, v_y)를 시각 t에서의 점 P의 속도라 한다.

확인 문제 정답과 해설 | **71**쪽 MY 셀파

09-1 좌표평면 위를 움직이는 점 P의 시각 t에서의 위치 (x, y)가
$$x=\cos 2t, y=\sin 2t$$
로 나타내어질 때, 다음을 구하시오.
  (1) 점 P의 속도와 그 크기   (2) 점 P의 가속도와 그 크기

09-1
$\dfrac{dx}{dt}=-2\sin 2t$,

$\dfrac{dy}{dt}=2\cos 2t$

곡선의 오목과 볼록

01 함수 $f(x)=ax^2+\sin x$가 서로 다른 임의의 두 실수
x_1, x_2에 대하여 $f\left(\dfrac{x_1+x_2}{2}\right)>\dfrac{f(x_1)+f(x_2)}{2}$이기 위
한 실수 a의 값의 범위를 구하시오.

곡선의 변곡점

02 곡선 $y=-2x^2+kx-\ln x$의 변곡점의 y좌표가
$2+\ln 2$일 때, 상수 k의 값을 구하시오.

곡선의 변곡점

03 곡선 $y=e^{-x}-e^x+1$의 변곡점에서의 접선의 방정식
을 구하시오.

곡선의 변곡점

04 곡선 $y=\dfrac{1}{x^2+12}$의 두 변곡점을 각각 A, B라 할 때,
삼각형 OAB의 넓이를 구하시오. (단, O는 원점)

함수의 그래프

05 다음 함수의 그래프의 개형을 그리시오.

(1) $f(x)=\dfrac{1}{x^2+1}$

(2) $f(x)=x-\ln x$

함수의 최댓값

06 함수 $f(x)=x^2e^{kx}$ $(x>0)$의 최댓값이 $\dfrac{1}{e^2}$일 때, 상수
k의 값을 구하시오. (단, $k<0$)

함수의 최댓값과 최솟값   `융합형`

07 함수 $f(x)=\dfrac{x+1}{x^2+3}$ $(0\leq x\leq k)$의 최댓값이 $\dfrac{1}{2}$, 최솟
값이 $\dfrac{1}{3}$일 때, 실수 k의 값의 범위를 구하시오.
(단, $k>0$)

최대, 최소의 활용   `창의력`

08 오른쪽 그림과 같이 곡선
$y=e^{-x^2}$ 위의 y 좌표가 같
은 두 점 A, D에서 각각
x축에 내린 수선의 발을
B, C라 할 때, 직사각형 ABCD의 넓이의 최댓값을
구하시오.

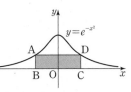

방정식의 실근의 개수

09 다음 방정식의 서로 다른 실근의 개수를 구하시오.

$$\sqrt{x+1}-x=0$$

방정식의 실근의 개수

10 함수 $f(x)=4\ln x+\ln(10-x)$에 대하여 보기에서 옳은 것을 모두 고르시오.

ㄱ. 함수 $f(x)$의 최댓값은 $13\ln 2$이다.
ㄴ. 방정식 $f(x)=0$은 서로 다른 두 실근을 갖는다.
ㄷ. 함수 $y=e^{f(x)}$의 그래프는 열린구간 $(4, 8)$에서 위로 볼록하다.

방정식이 실근을 가질 조건

11 곡선 $y=\ln x$와 직선 $y=kx$가 오직 한 점에서 만나도록 하는 양수 k의 값을 구하시오.

방정식이 실근을 가질 조건 　　　　　　서술형

12 $0\le x\le 2\pi$에서 방정식 $x+2\sin x-k=0$이 서로 다른 세 실근을 갖도록 하는 실수 k의 값의 범위가 $a<k<b$일 때, $a+b$의 값을 구하시오.

부등식이 성립할 조건

13 $x>0$일 때, 부등식 $\dfrac{1}{e}x\ge\ln x+a$가 성립하도록 하는 실수 a의 최댓값을 구하시오.

부등식이 성립할 조건

14 두 함수 $f(x)=x+k$, $g(x)=-x\ln x$에 대하여 $x>0$일 때, 함수 $y=f(x)$의 그래프가 함수 $y=g(x)$의 그래프보다 항상 위쪽에 있도록 하는 실수 k의 값의 범위를 구하시오.

수직선 위를 움직이는 점의 속도와 가속도

15 수직선 위를 움직이는 점 P의 시각 t에서의 위치 x가 $x=\sin 2t+\cos 2t$ $(0\le t\le\pi)$이다. 점 P의 속도가 $2\sqrt{2}$가 되는 시각을 구하시오.

평면 위를 움직이는 점의 속도와 가속도

16 좌표평면 위를 움직이는 점 P의 시각 t에서의 위치 (x, y)가 $x=3t+1$, $y=t-\dfrac{1}{3}t^3$이다. 점 P의 속도의 크기가 3일 때의 가속도의 크기를 구하시오.

8

여러 가지 적분법

8. 여러 가지 적분법

개념 1 함수 $y=x^n$ (n은 실수)의 부정적분

① $n \neq \boxed{\text{①}}$ 일 때, $\displaystyle\int x^n dx = \frac{1}{n+1}x^{n+1}+C$

② $n=-1$일 때, $\displaystyle\int x^{-1}dx = \int \frac{1}{x}dx = \ln \boxed{\text{②}} +C$

답 ① -1 ② $|x|$

개념 플러스

㉠ ① $n \neq -1$일 때
$$\left(\frac{1}{n+1}x^{n+1}\right)' = x^n$$
이므로
$$\int x^n dx = \frac{1}{n+1}x^{n+1}+C$$

② $(\ln|x|)' = \frac{1}{x}$
이므로
$$\int x^{-1}dx = \ln|x|+C$$

보기 다음 부정적분을 구하시오.

(1) $\displaystyle\int \sqrt{x}\,dx$　　　　　　(2) $\displaystyle\int \frac{3}{x}\,dx$

연구 (1) $\displaystyle\int \sqrt{x}\,dx = \int x^{\frac{1}{2}}dx = \frac{1}{\frac{1}{2}+1}x^{\frac{1}{2}+1}+C = \frac{2}{3}x^{\frac{3}{2}}+C = \frac{2}{3}x\sqrt{x}+C$

(2) $\displaystyle\int \frac{3}{x}\,dx = 3\int \frac{1}{x}\,dx = 3\ln|x|+C$

개념 2 지수함수의 부정적분

① $\displaystyle\int e^x dx = e^x+C$

② $\displaystyle\int a^x dx = \frac{a^x}{\ln a}+C$ (단, $a>0, a\neq \boxed{\text{①}}$)

참고 피적분함수가 a^{x+k} ($a>0$, k는 상수) 꼴이면 먼저 지수법칙을 이용하여 피적분함수를 $a^x \times a^k$으로 변형한 후 공식을 적용한다.

답 ① 1

㉡ ① $(e^x)' = e^x$이므로
$$\int e^x dx = e^x+C$$

② $\left(\frac{a^x}{\ln a}\right)' = a^x$
이므로
$$\int a^x dx = \frac{a^x}{\ln a}+C$$

보기 다음 부정적분을 구하시오.

(1) $\displaystyle\int e^{x+1}dx$　　　　　　(2) $\displaystyle\int 2^{x+2}dx$

연구 (1) $\displaystyle\int e^{x+1}dx = \int e^x \times e\,dx = e\int e^x dx = e\times e^x+C = e^{x+1}+C$

(2) $\displaystyle\int 2^{x+2}dx = \int 2^2 \times 2^x dx = 4\int 2^x dx = 4\times \frac{2^x}{\ln 2}+C = \frac{2^{x+2}}{\ln 2}+C$

㉢ 다음 미분법에서 삼각함수의 부정적분에 대한 공식을 유도할 수 있다.
① $(\cos x)' = -\sin x$
② $(\sin x)' = \cos x$
③ $(\tan x)' = \sec^2 x$
④ $(\cot x)' = -\csc^2 x$
⑤ $(\sec x)' = \sec x \tan x$
⑥ $(\csc x)' = -\csc x \cot x$

개념 3 삼각함수의 부정적분

① $\displaystyle\int \sin x\,dx = -\cos x+C$　　② $\displaystyle\int \cos x\,dx = \boxed{\text{①}} +C$

③ $\displaystyle\int \sec^2 x\,dx = \tan x+C$　　④ $\displaystyle\int \csc^2 x\,dx = -\cot x+C$

⑤ $\displaystyle\int \sec x \tan x\,dx = \boxed{\text{②}} +C$　　⑥ $\displaystyle\int \csc x \cot x\,dx = -\csc x+C$

예 $1-\cos^2 x = \sin^2 x$이므로 $\displaystyle\int \frac{1-\cos^2 x}{\sin x}dx = \int \frac{\sin^2 x}{\sin x}dx = \int \sin x\,dx = -\cos x+C$

답 ① $\sin x$ ② $\sec x$

개념 익히기

1-1 | $y=x^n$ (n은 실수)의 부정적분 |

다음 부정적분을 구하시오.

(1) $\displaystyle\int x^{\frac{3}{4}}\,dx$ (2) $\displaystyle\int \frac{1}{x^2}\,dx$ (3) $\displaystyle\int x\sqrt{x}\,dx$

연구

(1) $\displaystyle\int x^{\frac{3}{4}}\,dx=\frac{1}{\frac{3}{4}+1}x^{\frac{3}{4}+1}+C$

$\displaystyle\quad =\frac{4}{7}x^{\frac{7}{4}}+C=\frac{4}{7}x\sqrt[4]{x^3}+C$

(2) $\displaystyle\int \frac{1}{x^2}\,dx=\int x^{-2}\,dx=\frac{1}{-2+\boxed{}}x^{-2+1}+C$

$\displaystyle\quad =\boxed{}+C=-\frac{1}{x}+C$

(3) $\displaystyle\int x\sqrt{x}\,dx=\int x^{\frac{3}{2}}\,dx=\frac{1}{\frac{3}{2}+1}x^{\frac{3}{2}+1}+C$

$\displaystyle\quad =\frac{2}{5}\boxed{}+C=\frac{2}{5}x^2\sqrt{x}+C$

1-2 | 따라풀기 |

다음 부정적분을 구하시오.

(1) $\displaystyle\int x^{-5}\,dx$ (2) $\displaystyle\int \sqrt[3]{x^2}\,dx$

풀이

2-1 | 지수함수의 부정적분 |

다음 부정적분을 구하시오.

(1) $\displaystyle\int e^{x+2}\,dx$ (2) $\displaystyle\int \frac{x\times 3^x+4}{x}\,dx$

연구

(1) $\displaystyle\int e^{x+2}\,dx=\int e^2\times e^x\,dx=e^2\int e^x\,dx$

$\displaystyle\quad =e^2\times e^x+C=e^{\boxed{}}+C$

(2) $\displaystyle\int \frac{x\times 3^x+4}{x}\,dx=\int\left(3^x+\frac{4}{x}\right)dx$

$\displaystyle\quad =\int 3^x\,dx+\boxed{}\int\frac{1}{x}\,dx$

$\displaystyle\quad =\frac{3^x}{\boxed{}}+4\ln|x|+C$

2-2 | 따라풀기 |

다음 부정적분을 구하시오.

(1) $\displaystyle\int (e^x+3^x)\,dx$ (2) $\displaystyle\int 2^{3x}\,dx$

풀이

8
여러 가지 적분법

개념 4 치환적분법

(1) 미분가능한 함수를 다른 변수로 바꾸어 적분하는 방법을 **치환적분법**이라 한다.

(2) 미분가능한 함수 $g(x)$에 대하여 $g(x) = \boxed{①}$ 로 놓으면

$$\int f(g(x))g'(x)dx = \int f(t)dt$$

답 ① t

> **개념 플러스**
>
> 치환적분법으로 구한 부정적분은 그 결과를 처음의 변수로 바꾸어 나타내야 해.

해설 함수 $f(x)$의 부정적분을 $F(x)$라 할 때, 미분가능한 함수 $g(x)$에 대하여 합성함수의 미분법에

서 $\dfrac{d}{dx}F(g(x)) = F'(g(x))g'(x) = f(g(x))g'(x)$이므로

$$\int f(g(x))g'(x)dx = F(g(x)) + C$$

이때 $g(x) = t$로 놓으면 $F(g(x)) = F(t)$, $\int f(t)dt = F(t) + C$이므로

$$^{\unicode{0x24D8}}\!\int f(g(x))g'(x)dx = \int f(t)dt$$

> ⓐ $\int f(g(x))g'(x)dx$
> $= F(g(x)) + C$에
> $g(x) = t$를 대입하면
> $\int f(g(x))g'(x)dx$
> $= F(t) + C = \int f(t)dt$

개념 5 함수 $\dfrac{f'(x)}{f(x)}$의 부정적분

$$^{\unicode{0x24D0}}\!\int \frac{f'(x)}{f(x)}dx = \ln|f(x)| + C$$

개념 6 $\dfrac{f'(x)}{f(x)}$ 꼴이 아닌 분수함수의 부정적분

(1) (분자의 차수) ≥ (분모의 차수)인 경우

  ⇨ 분자를 $\boxed{①}$ 로 나누어 몫과 나머지의 꼴로 나타내어 부정적분을 구한다.

(2) 분모가 인수분해되고, (분자의 차수) < (분모의 차수)인 경우

  ⇨ 주어진 분수함수를 부분분수로 분해하여 부정적분을 구한다.

예 $\displaystyle\int \frac{1}{x(x+1)}dx = \int\left(\frac{1}{x} - \frac{1}{x+1}\right)dx = \ln|x| - \ln\boxed{②} + C$

답 ① 분모 ② $|x+1|$

> ⓑ $f(x) = t$로 놓으면
> $f'(x) = \dfrac{dt}{dx}$이므로
> $\displaystyle\int \frac{f'(x)}{f(x)}dx$
> $= \int\left\{\dfrac{1}{f(x)} \times f'(x)\right\}dx$
> $= \int \dfrac{1}{t}dt$
> $= \ln|t| + C$
> $= \ln|f(x)| + C$

개념 7 부분적분법

곱의 꼴로 표현된 두 함수를 적분할 때, 다음과 같이 적분하는 방법을 **부분적분법**이라 한다. 두 함수 $f(x), g(x)$가 미분가능할 때

$$^{\unicode{0x24D2}}\!\int f(x)g'(x)dx = f(x)g(x) - \int f'(x)\boxed{①}\,dx$$

답 ① $g(x)$

> ⓒ 부분적분법을 이용할 때는 미분한 결과가 간단한 함수를 $f(x)$, 적분하기 쉬운 함수를 $g'(x)$로 놓으면 계산이 편리하다.

해설 $\{f(x)g(x)\}' = f'(x)g(x) + f(x)g'(x)$이므로 $f(x)g(x) = \int f'(x)g(x)dx + \int f(x)g'(x)dx$

$$\therefore \int f(x)g'(x)dx = f(x)g(x) - \int f'(x)g(x)dx$$

정답과 해설 | **76**쪽

3-1 | 치환적분법 |

다음 부정적분을 구하시오.

(1) $\int 3(1+3x)^4 dx$ (2) $\int 2x \cos x^2 dx$

연구

(1) $1+3x=t$로 놓으면 $\dfrac{dt}{dx}=3$이므로

$$\int 3(1+3x)^4 dx = \int \boxed{} dt$$
$$= \frac{1}{5}t^5 + C$$
$$= \frac{1}{5}(1+3x)^5 + C$$

(2) $x^2=t$로 놓으면 $\dfrac{dt}{dx}=2x$이므로

$$\int 2x \cos x^2 dx = \int \cos t \, dt$$
$$= \boxed{} + C$$
$$= \sin x^2 + C$$

4-1 | 부분적분법 |

다음 부정적분을 구하시오.

(1) $\int \ln x \, dx$ (2) $\int x \sin x \, dx$

연구

(1) $\int \ln x \, dx = \int \ln x \times 1 \, dx$에서

$f(x)=\ln x, g'(x)=\boxed{}$로 놓으면

$f'(x)=\dfrac{1}{x}, g(x)=x$

$\therefore \int \ln x \, dx = (\ln x) \times x - \int \dfrac{1}{x} \times \boxed{} \, dx$
$\qquad = x \ln x - x + C$

(2) $f(x)=x, g'(x)=\sin x$로 놓으면

$f'(x)=\boxed{}, g(x)=-\cos x$

$\therefore \int x \sin x \, dx = x(-\cos x) - \int (-\cos x) dx$
$\qquad = -x \cos x + \boxed{} + C$

3-2 | 따라풀기 |

다음 부정적분을 구하시오.

(1) $\int \sqrt{x-3} \, dx$ (2) $\int 4 \cos(4x+1) dx$

풀이

4-2 | 따라풀기 |

다음 부정적분을 구하시오.

(1) $\int x \cos x \, dx$ (2) $\int x^2 \ln x \, dx$

풀이

n은 실수이고 C는 적분상수일 때, x^n의 부정적분은 다음과 같다.

❶ $n \neq -1$일 때, $\displaystyle\int x^n dx = \dfrac{1}{n+1} x^{n+1} + C$

❷ $n = -1$일 때, $\displaystyle\int x^{-1} dx = \int \dfrac{1}{x} dx = \ln|x| + C$

m은 실수, n은 2 이상의 자연수일 때, $\dfrac{1}{x^m} = x^{-m}$, $\sqrt[n]{x} = x^{\frac{1}{n}}$을 이용하여 피적분함수를 x^k (k는 실수) 꼴로 변형한다.

예제 다음 부정적분을 구하시오.

(1) $\displaystyle\int \dfrac{x^2 + 3x - 2}{x^2} dx$

(2) $\displaystyle\int \dfrac{x-1}{\sqrt{x}-1} dx$

해법 코드

(1) $\dfrac{x^2 + 3x - 2}{x^2} = 1 + \dfrac{3}{x} - 2x^{-2}$

(2) $\dfrac{x-1}{\sqrt{x}-1} = \dfrac{(\sqrt{x}+1)(\sqrt{x}-1)}{\sqrt{x}-1}$

셀파 $\dfrac{1}{x^m}$ 또는 $\sqrt[n]{x}$의 부정적분 ⇨ $\dfrac{1}{x^m} = x^{-m}$, $\sqrt[n]{x} = x^{\frac{1}{n}}$으로 변형

풀이 (1) $\displaystyle\int \dfrac{x^2 + 3x - 2}{x^2} dx = \int \left(1 + \dfrac{3}{x} - \dfrac{2}{x^2}\right) dx$

$\qquad \overset{\text{❐}}{=} \displaystyle\int \left(1 + \dfrac{3}{x} - 2x^{-2}\right) dx$

$\qquad = x + 3\ln|x| + 2x^{-1} + C$

$\qquad = x + 3\ln|x| + \dfrac{2}{x} + C$

❐ $\displaystyle\int -2x^{-2} dx$

$\quad = -2 \times \dfrac{1}{-2+1} x^{-2+1} + C$

$\quad = 2x^{-1} + C$

(2) $\displaystyle\int \dfrac{x-1}{\sqrt{x}-1} dx = \int \dfrac{(\sqrt{x}+1)(\sqrt{x}-1)}{\sqrt{x}-1} dx$

$\qquad = \displaystyle\int (\sqrt{x}+1) dx$

$\qquad \overset{\text{❑}}{=} \displaystyle\int \left(x^{\frac{1}{2}} + 1\right) dx = \dfrac{2}{3} x^{\frac{3}{2}} + x + C$

$\qquad = \dfrac{2}{3} x\sqrt{x} + x + C$

❑ $\displaystyle\int x^{\frac{1}{2}} dx + \int 1 \, dx$

$\quad = \dfrac{1}{\frac{1}{2}+1} x^{\frac{1}{2}+1} + x + C$

$\quad = \dfrac{2}{3} x^{\frac{3}{2}} + x + C$

확인 문제　　정답과 해설 | **77**쪽　　MY 셀파

01-1 다음 부정적분을 구하시오.

(1) $\displaystyle\int \left(x - 3 + \dfrac{4}{x^5}\right) dx$

(2) $\displaystyle\int \dfrac{x-1}{x^2} dx$

(3) $\displaystyle\int \left(\sqrt[3]{x^2} - \dfrac{3}{x^3}\right) dx$

(4) $\displaystyle\int \dfrac{(\sqrt[3]{x}-1)^3}{x} dx$

01-1

(3) $\sqrt[3]{x^2} - \dfrac{3}{x^3} = x^{\frac{2}{3}} - 3x^{-3}$

(4) $(\sqrt[3]{x}-1)^3$

$\quad = x - 3\sqrt[3]{x^2} + 3\sqrt[3]{x} - 1$

Q 어떤 함수 $f(x)$의 부정적분을 구할 때는 다음과 같이 미분하는 과정을 거꾸로 하면 되는 거예요?

즉, $F'(x)=f(x)$일 때

$$\int f(x)\,dx = F(x)+C \ (C\text{는 적분상수})$$

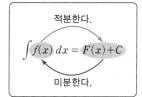

● 이 과정을 기호로 나타내면 다음과 같다.

$$\int\left(\frac{d}{dx}\sin x\right)dx$$

$$=\int\cos x\,dx=\sin x+C$$

A 맞아. 그런데 어떤 함수를 미분한 다음 이 함수를 적분하면 원래 함수와 다르게 상수 C가 생긴다는 점에 주의해야 해. 예를 들면 다음과 같아.

$$\sin x \quad \boxed{\text{미분하면}} \Rightarrow \quad \cos x \quad \boxed{\text{적분하면}} \Rightarrow \quad \sin x+C$$

Q 여기서 $\sin x$를 미분하면 $\cos x$이지만 $\cos x$를 적분하면 $\sin x$가 아닌 $\sin x+C$라 해야 하는 거네요. 또 $\cos x$를 적분하여 얻은 $\sin x+C$를 다시 미분하면 $\cos x$가 돼요.

$$\cos x \quad \boxed{\text{적분하면}} \Rightarrow \quad \sin x+C \quad \boxed{\text{미분하면}} \Rightarrow \quad \cos x$$

● 이 과정을 기호로 나타내면 다음과 같다.

$$\frac{d}{dx}\left(\int\cos x\,dx\right)$$

$$=\frac{d}{dx}(\sin x+C)=\cos x$$

A 잘했어. 어떤 함수를 적분하여 구한 함수를 다시 미분하면 원래 함수가 됨을 기억해.

Q 그럼, 적분은 미분의 반대 과정으로 생각할 수 있는 거네요.

A 이때 어떤 함수의 부정적분을 미분하면 ❷처럼 원래 함수가 돼. 그런데 함수를 미분한 다음 적분하면 ❶처럼 원래 함수에 적분상수 C를 생각해야 한다는 것을 주의하자.

❶ $\int\left\{\dfrac{d}{dx}f(x)\right\}dx=f(x)+C$ (단, C는 적분상수)

❷ $\dfrac{d}{dx}\left\{\int f(x)\,dx\right\}=f(x)$

▶ 부정적분의 정의에 따라
$F'(x)=f(x)$이면
$$\int f(x)\,dx=F(x)+C$$

확인 체크 01　　　　　　　　　　　　　　　　정답과 해설 | **77**쪽

다음 ☐ 안에 알맞은 것을 써넣으시오.

(1) $(e^x)'=e^x$이므로 $\displaystyle\int e^x\,dx=\boxed{}+C$

(2) $\left(\dfrac{a^x}{\ln a}\right)'=a^x \ (a>0,\ a\neq1)$이므로 $\displaystyle\int a^x\,dx=\boxed{}+C$

(3) $(\cos x)'=-\sin x$이므로 $\displaystyle\int\sin x\,dx=\boxed{}+C$

피적분함수가 지수함수인 경우에는 지수법칙과 인수분해를 이용하여 피적분함수를 적분하기 쉬운 형태로 변형한 후 다음 공식을 이용한다.

❶ $(e^x)'=e^x$

❷ $\left(\dfrac{a^x}{\ln a}\right)'=\dfrac{1}{\ln a}(a^x \ln a)$
$=a^x\ (a>0,\ a\neq 1)$

❶ $\displaystyle\int e^x dx=e^x+C$

❷ $\displaystyle\int a^x dx=\dfrac{a^x}{\ln a}+C\ (a>0,\ a\neq 1)$

예제 다음 부정적분을 구하시오.

(1) $\displaystyle\int 2e^{2x-3}dx$

(2) $\displaystyle\int \dfrac{1-e^{2x}}{1-e^x}dx$

(3) $\displaystyle\int 5^{1+3x}dx$

(4) $\displaystyle\int \dfrac{e^{2x}-4^x}{e^x-2^x}dx$

해법 코드
(1) 지수법칙을 이용하여 피적분함수를 변형한다.
(2) 인수분해를 이용하여 피적분함수를 변형한다.
(3) $5^{1+3x}=5\times 5^{3x}=5\times 125^x$
(4) $e^{2x}-4^x=(e^x)^2-(2^x)^2$

셀파 $\displaystyle\int e^x dx=e^x+C,\ \int e^{ax}dx=\dfrac{1}{a}e^{ax}+C\ (단,\ a\neq 0)$

풀이 (1) $\displaystyle\int 2e^{2x-3}dx=\dfrac{2}{e^3}\int e^{2x}dx=\dfrac{2}{e^3}\times\dfrac{1}{2}e^{2x}+C=\boldsymbol{e^{2x-3}+C}$

참고
$\displaystyle\int e^{ax}dx=\int (e^a)^x dx$
$=\dfrac{(e^a)^x}{\ln e^a}+C$
$=\dfrac{1}{a}e^{ax}+C$

(2) $\displaystyle\int \dfrac{1-e^{2x}}{1-e^x}dx=\int \dfrac{(1+e^x)(1-e^x)}{1-e^x}dx=\int (1+e^x)dx=\boldsymbol{x+e^x+C}$

(3) $\displaystyle\int 5^{1+3x}dx=5\int 125^x dx=5\times\dfrac{125^x}{\ln 125}+C=\boldsymbol{\dfrac{5^{3x+1}}{3\ln 5}+C}$

(4) $\displaystyle\int \dfrac{e^{2x}-4^x}{e^x-2^x}dx=\int \dfrac{(e^x+2^x)(e^x-2^x)}{e^x-2^x}dx=\int (e^x+2^x)dx=\boldsymbol{e^x+\dfrac{2^x}{\ln 2}+C}$

❶ $e^{2x}-4^x$
$=(e^x)^2-(2^x)^2$
$=(e^x+2^x)(e^x-2^x)$

확인 문제

정답과 해설 | **77**쪽

MY 셀파

02-1 다음 부정적분을 구하시오.
(상)(중)(하)

(1) $\displaystyle\int (e^x+1)^2 dx$

(2) $\displaystyle\int \dfrac{xe^x+3ex-2}{x}dx$

(3) $\displaystyle\int (e^{1-x}-2^{3-2x})dx$

(4) $\displaystyle\int \dfrac{4^x-1}{2^x+1}dx$

02-1

(3) $\displaystyle\int (e^{1-x}-2^{3-2x})dx$
$=\int e^{1-x}dx-\int 2^{3-2x}dx$

(4) $4^x-1=(2^x+1)(2^x-1)$

❶ $\displaystyle\int \sin x\,dx = -\cos x + C$

❷ $\displaystyle\int \cos x\,dx = \sin x + C$

❸ $\displaystyle\int \sec^2 x\,dx = \tan x + C$

❹ $\displaystyle\int \csc^2 x\,dx = -\cot x + C$

❺ $\displaystyle\int \sec x \tan x\,dx = \sec x + C$

❻ $\displaystyle\int \csc x \cot x\,dx = -\csc x + C$

❶ $(\cos x)' = -\sin x$
❷ $(\sin x)' = \cos x$
❸ $(\tan x)' = \sec^2 x$
❹ $(\cot x)' = -\csc^2 x$
❺ $(\sec x)' = \sec x \tan x$
❻ $(\csc x)' = -\csc x \cot x$

예제 다음 부정적분을 구하시오.

(1) $\displaystyle\int (\cos x - \sec^2 x)\,dx$

(2) $\displaystyle\int \left(\frac{1}{\cos^2 x} + \frac{1}{\sin^2 x}\right)dx$

(3) $\displaystyle\int (\cos x + \tan x)\tan x\,dx$

(4) $\displaystyle\int \frac{1}{1+\sin x}\,dx$

해법 코드
(3) 주어진 피적분함수를 전개하여 간단히 한다.
(4) 피적분함수의 분모, 분자에 $1-\sin x$를 곱한다.

셀파 삼각함수의 부정적분 공식을 이용한다.

풀이 (1) $\displaystyle\int (\cos x - \sec^2 x)\,dx = \int \cos x\,dx - \int \sec^2 x\,dx = \mathbf{\sin x - \tan x + C}$

㉠ $1+\tan^2 x = \sec^2 x$이므로 $\tan^2 x = \sec^2 x - 1$

(2) $\displaystyle\int \left(\frac{1}{\cos^2 x} + \frac{1}{\sin^2 x}\right)dx = \int (\sec^2 x + \csc^2 x)\,dx = \mathbf{\tan x - \cot x + C}$

(3) $\displaystyle\int (\cos x + \tan x)\tan x\,dx = \int (\sin x + \underset{㉠}{\underline{\tan^2 x}})\,dx = \int (\sin x + \sec^2 x - 1)\,dx$
$$= \mathbf{-\cos x + \tan x - x + C}$$

㉡ $\dfrac{1-\sin x}{\cos^2 x}$
$= \dfrac{1}{\cos^2 x} - \dfrac{1}{\cos x} \times \dfrac{\sin x}{\cos x}$
$= \sec^2 x - \sec x \tan x$

(4) $\displaystyle\int \frac{1}{1+\sin x}\,dx = \int \frac{1-\sin x}{(1+\sin x)(1-\sin x)}\,dx = \int \underset{㉡}{\underline{\frac{1-\sin x}{\cos^2 x}}}\,dx$
$$= \int (\sec^2 x - \sec x \tan x)\,dx = \mathbf{\tan x - \sec x + C}$$

8 ― 여러 가지 적분법

확인 문제

정답과 해설 | **78**쪽

MY 셀파

03-1 다음 부정적분을 구하시오.

상 중 하

(1) $\displaystyle\int (\cot x + 2)\sin x\,dx$

(2) $\displaystyle\int \frac{\sin^3 x - 1}{\sin^2 x}\,dx$

(3) $\displaystyle\int \frac{\sin^2 x}{1+\cos x}\,dx$

(4) $\displaystyle\int \frac{1}{1+\cos x}\,dx$

03-1
(3) $\sin^2 x = 1 - \cos^2 x$로 고쳐 인수분해한다.
(4) 피적분함수의 분모, 분자에 $1-\cos x$를 곱한다.

(1) 함수 $y=x^n$ (n은 실수)의 부정적분

❶ $\displaystyle\int x^n\,dx=\dfrac{1}{n+1}x^{n+1}+C$ (단, $n\neq-1$)

❷ $\displaystyle\int \dfrac{1}{x}\,dx=\ln|x|+C$

(2) 지수함수의 부정적분

❶ $\displaystyle\int e^x\,dx=e^x+C$

❷ $\displaystyle\int a^x\,dx=\dfrac{a^x}{\ln a}+C$ (단, $a>0$, $a\neq1$)

(3) 삼각함수의 부정적분

❶ $\displaystyle\int \sin x\,dx=-\cos x+C$

❷ $\displaystyle\int \cos x\,dx=\sin x+C$

❸ $\displaystyle\int \sec^2 x\,dx=\tan x+C$

❹ $\displaystyle\int \csc^2 x\,dx=-\cot x+C$

❺ $\displaystyle\int \sec x\tan x\,dx=\sec x+C$

❻ $\displaystyle\int \csc x\cot x\,dx=-\csc x+C$

01 다음 부정적분을 구하시오.

(1) $\displaystyle\int\left(\dfrac{2}{x}+\dfrac{3}{x^2}\right)dx$

(2) $\displaystyle\int\left(x\sqrt{x}+\dfrac{1}{\sqrt{x}}\right)dx$

(3) $\displaystyle\int \dfrac{x^3+4x-5}{x^2}\,dx$

(4) $\displaystyle\int \dfrac{x+\sqrt{x}}{x\sqrt{x}}\,dx$

(5) $\displaystyle\int \dfrac{(\sqrt{x}-2)^2}{x}\,dx$

(6) $\displaystyle\int \dfrac{x^2-x}{x-\sqrt{x}}\,dx$

02 다음 부정적분을 구하시오.

(1) $\displaystyle\int e^{2-3x}dx$

(2) $\displaystyle\int \frac{3-2xe^{x-1}}{x}dx$

(3) $\displaystyle\int \frac{e^{3x}-1}{e^{2x}+e^{x}+1}dx$

(4) $\displaystyle\int \frac{e^{3x}-8}{e^{x}-2}dx$

(5) $\displaystyle\int \frac{16^{x}}{4^{x}}dx$

(6) $\displaystyle\int (1-2^{x})^{2}dx$

03 다음 부정적분을 구하시오.

(1) $\displaystyle\int (2+\tan x)\cos x\,dx$

(2) $\displaystyle\int (2\cos x+\cot x)\tan x\,dx$

(3) $\displaystyle\int \frac{\cos x}{1-\cos^{2}x}dx$

(4) $\displaystyle\int \tan^{2}x\,dx$

(5) $\displaystyle\int \frac{x-\cos^{2}x}{x\cos^{2}x}dx$

(6) $\displaystyle\int \frac{1-\cos^{3}x}{1-\sin^{2}x}dx$

치환하는 식이 $ax+b$ $(a, b$는 실수, $a \neq 0)$인 경우에는 다음 공식을 적용할 수 있다.

❶ 유리함수 : $\displaystyle\int (ax+b)^n dx = \dfrac{1}{a(n+1)}(ax+b)^{n+1}+C \ (n \neq -1)$

❷ 분수함수 : $\displaystyle\int \dfrac{1}{ax+b}dx = \dfrac{1}{a}\ln|ax+b|+C \ (a \neq 0)$

❸ 지수함수 : $\displaystyle\int e^{ax+b}dx = \dfrac{1}{a}e^{ax+b}+C$

$\displaystyle\int p^{ax+b}dx = \dfrac{1}{a\ln p}p^{ax+b}+C$

❹ 삼각함수 : $\displaystyle\int \sin(ax+b)dx = -\dfrac{1}{a}\cos(ax+b)+C$

$\displaystyle\int \cos(ax+b)dx = \dfrac{1}{a}\sin(ax+b)+C$

해설 치환한 식 $ax+b=t$의 양변을 x에 대하여 미분하면 $a=\dfrac{dt}{dx}$이므로

❶ $\displaystyle\int (ax+b)^n dx = \int t^n \times \dfrac{1}{a}dt = \dfrac{1}{a}\int t^n dt$

$\qquad = \dfrac{1}{a} \times \dfrac{1}{n+1}t^{n+1}+C = \dfrac{1}{a(n+1)}(ax+b)^{n+1}+C$

❷ $\displaystyle\int \dfrac{1}{ax+b}dx = \dfrac{1}{a}\int \dfrac{1}{ax+b}\times a\,dx = \dfrac{1}{a}\int \dfrac{1}{t}dt$

$\qquad = \dfrac{1}{a}\ln|t|+C = \dfrac{1}{a}\ln|ax+b|+C$

❸ $\displaystyle\int e^{ax+b}dx = \int e^t \times \dfrac{1}{a}dt = \dfrac{1}{a}\int e^t dt$

$\qquad = \dfrac{1}{a}e^t + C = \dfrac{1}{a}e^{ax+b}+C$

$\displaystyle\int p^{ax+b}dx = \int p^t \times \dfrac{1}{a}dt = \dfrac{1}{a}\int p^t dt$

$\qquad = \dfrac{1}{a} \times \dfrac{p^t}{\ln p}+C = \dfrac{1}{a\ln p}p^{ax+b}+C$

❹ $\displaystyle\int \sin(ax+b)dx = \int \sin t \times \dfrac{1}{a}dt = \dfrac{1}{a}\int \sin t\,dt$

$\qquad = -\dfrac{1}{a}\cos t + C = -\dfrac{1}{a}\cos(ax+b)+C$

$\displaystyle\int \cos(ax+b)dx = \int \cos t \times \dfrac{1}{a}dt = \dfrac{1}{a}\int \cos t\,dt$

$\qquad = \dfrac{1}{a}\sin t + C = \dfrac{1}{a}\sin(ax+b)+C$

㉠ $\displaystyle\int (3x-1)^2 dx$

$\quad = \dfrac{1}{3(2+1)}(3x-1)^{2+1}+C$

$\quad = \dfrac{1}{9}(3x-1)^3+C$

㉡ $\displaystyle\int \dfrac{1}{2x+1}dx$

$\quad = \dfrac{1}{2}\ln|2x+1|+C$

㉢ $\displaystyle\int e^{5x-2}dx$

$\quad = \dfrac{1}{5}e^{5x-2}+C$

㉣ $\displaystyle\int \sin(2x+3)dx$

$\quad = -\dfrac{1}{2}\cos(2x+3)+C$

피적분함수가 다항식의 곱인 경우 피적분함수를 전개한 다음 적분해도 되지만 $\int f(g(x))g'(x)dx=\int f(t)dt$임을 이용하여 적분하는 것이 편리하다.

치환적분법으로 구한 부정적분은 그 결과를 원래의 변수에 대한 식으로 바꾸어 나타내야 한다.

예제 다음 부정적분을 구하시오.

(1) $\int 2x(x^2-3)^3dx$　　　　(2) $\int(2x+1)(x^2+x-1)dx$

(3) $\int(2x+1)^5dx$　　　　(4) $\int\dfrac{1}{(3x-1)^2}dx$

해법 코드

(1) $x^2-3=t$로 놓는다.

(2) $x^2+x-1=t$로 놓는다.

(3) $2x+1=t$로 놓는다.

(4) $3x-1=t$로 놓는다.

셀파 $\int f(g(x))g'(x)dx \Rightarrow g(x)=t$로 치환한다.

풀이 (1) $x^2-3=t$로 놓으면 $\dfrac{dt}{dx}=2x$이므로

$$\int 2x(x^2-3)^3dx=\int t^3\,dt=\frac{1}{4}t^4+C=\mathbf{\frac{1}{4}(x^2-3)^4+C}$$

(2) $x^2+x-1=t$로 놓으면 $\dfrac{dt}{dx}=2x+1$이므로

$$\int(2x+1)(x^2+x-1)dx=\int t\,dt=\frac{1}{2}t^2+C=\mathbf{\frac{1}{2}(x^2+x-1)^2+C}$$

(3) $2x+1=t$, 즉 $x=\dfrac{t-1}{2}$로 놓으면 $\dfrac{dx}{dt}=\dfrac{1}{2}$이므로

$$\int(2x+1)^5dx=\int t^5\times\frac{1}{2}dt=\frac{1}{2}\int t^5dt=\frac{1}{2}\times\frac{1}{6}t^6+C$$
$$=\frac{1}{12}t^6+C=\mathbf{\frac{1}{12}(2x+1)^6+C}$$

(4) $3x-1=t$, 즉 $x=\dfrac{t+1}{3}$로 놓으면 $\dfrac{dx}{dt}=\dfrac{1}{3}$이므로

$$\int\frac{1}{(3x-1)^2}dx=\int\frac{1}{t^2}\times\frac{1}{3}dt=\frac{1}{3}\int t^{-2}dt=-\frac{1}{3}t^{-1}+C$$
$$=-\frac{1}{3t}+C=\mathbf{-\frac{1}{3(3x-1)}+C}$$

다른 풀이

(2) $\int(2x+1)(x^2+x-1)dx$

$=\int(2x^3+3x^2-x-1)dx$

$=\dfrac{1}{2}x^4+x^3-\dfrac{1}{2}x^2-x+C$

(3) $\int(2x+1)^5dx$

$=\dfrac{1}{2(5+1)}(2x+1)^{5+1}+C$

$=\dfrac{1}{12}(2x+1)^6+C$

(4) $\int\dfrac{1}{(3x-1)^2}dx$

$=\int(3x-1)^{-2}dx$

$=\dfrac{1}{3(-2+1)}(3x-1)^{-2+1}+C$

$=-\dfrac{1}{3}(3x-1)^{-1}+C$

$=-\dfrac{1}{3(3x-1)}+C$

8 여러 가지 적분법

확인 문제　　　　정답과 해설 | **79**쪽　　　　MY 셀파

04-1 다음 부정적분을 구하시오.
(상 중 하)

(1) $\int x(3x^2-1)^4dx$　　　　(2) $\int(x-1)(x^2-2x-2)^3dx$

(3) $\int(2x+3)^6dx$　　　　(4) $\int\dfrac{4x+6}{(x^2+3x+1)^3}dx$

04-1

(1) $3x^2-1=t$로 놓는다.

(2) $x^2-2x-2=t$로 놓는다.

(3) $2x+3=t$로 놓는다.

(4) $x^2+3x+1=t$로 놓는다.

$\int \sqrt{f(x)}f'(x)dx$ 또는 $\int \dfrac{f'(x)}{\sqrt{f(x)}}dx$와 같이 피적분함수가 무리함수를 포함한 경우에는

$f(x)=t$ 또는 $\sqrt{f(x)}=t$로 치환하여 부정적분을 구한다.

> 미분가능한 함수 $g(t)$에 대하여 $x=g(t)$로 놓으면
> $$\int f(x)dx=\int f(g(t))g'(t)dt$$

예제 다음 부정적분을 구하시오.

(1) $\displaystyle\int x\sqrt{x^2+5}\,dx$ (2) $\displaystyle\int \sqrt{5x+2}\,dx$ (3) $\displaystyle\int \dfrac{x}{\sqrt{x+1}}dx$

해법 코드
(1) $x^2+5=t$로 놓는다.
(2) $5x+2=t$로 놓는다.
(3) $x+1=t$로 놓는다.

셀파 $\sqrt{f(x)}$ 꼴이 있는 경우 ⇨ $\sqrt{f(x)}=t$ 또는 $f(x)=t$로 놓는다.

풀이 (1) $x^2+5=t$로 놓으면 $\dfrac{dt}{dx}=2x$이므로

$$\int x\sqrt{x^2+5}\,dx=\int \frac{1}{2}\sqrt{t}\,dt=\frac{1}{2}\int t^{\frac{1}{2}}dt=\frac{1}{2}\times\frac{2}{3}t^{\frac{3}{2}}+C$$
$$=\frac{1}{3}t\sqrt{t}+C=\frac{1}{3}(x^2+5)\sqrt{x^2+5}+C$$

(2) $5x+2=t$, 즉 $x=\dfrac{t-2}{5}$로 놓으면 $\dfrac{dx}{dt}=\dfrac{1}{5}$이므로

$$\int \sqrt{5x+2}\,dx=\int \sqrt{t}\times\frac{1}{5}dt=\frac{1}{5}\int t^{\frac{1}{2}}dt=\frac{1}{5}\times\frac{2}{3}t^{\frac{3}{2}}+C$$
$$=\frac{2}{15}t\sqrt{t}+C=\frac{2}{15}(5x+2)\sqrt{5x+2}+C$$

(3) $x+1=t$로 놓으면 $\dfrac{dt}{dx}=1$이므로

$$\int \frac{x}{\sqrt{x+1}}\,dx=\int \frac{t-1}{\sqrt{t}}dt=\int\left(\sqrt{t}-\frac{1}{\sqrt{t}}\right)dt=\int\left(t^{\frac{1}{2}}-t^{-\frac{1}{2}}\right)dt$$
$$=\frac{2}{3}t^{\frac{3}{2}}-2t^{\frac{1}{2}}+C=\frac{2}{3}t\sqrt{t}-2\sqrt{t}+C$$
$$=\frac{2}{3}(x+1)\sqrt{x+1}-2\sqrt{x+1}+C$$

다른 풀이

(2) $\displaystyle\int \sqrt{5x+2}\,dx$
$$=\int(5x+2)^{\frac{1}{2}}dx$$
$$=\int\frac{1}{5\left(\frac{1}{2}+1\right)}(5x+2)^{\frac{1}{2}+1}+C$$
$$=\frac{2}{15}(5x+2)^{\frac{3}{2}}+C$$
$$=\frac{2}{15}(5x+2)\sqrt{5x+2}+C$$

(3) $\sqrt{x+1}=t$로 놓으면
$x+1=t^2$에서 $\dfrac{dx}{dt}=2t$이므로
$$\int\frac{x}{\sqrt{x+1}}\,dx$$
$$=\int\frac{t^2-1}{t}\times 2t\,dt$$
$$=2\int(t^2-1)\,dt$$
$$=\frac{2}{3}t^3-2t+C$$
$$=\frac{2}{3}(x+1)\sqrt{x+1}-2\sqrt{x+1}+C$$

확인 문제   정답과 해설 | **80**쪽   **MY 셀파**

05-1 다음 부정적분을 구하시오.

(1) $\displaystyle\int x^2\sqrt{x^3+1}\,dx$ (2) $\displaystyle\int \frac{4x}{\sqrt{x^2+1}}\,dx$

(3) $\displaystyle\int \frac{1}{\sqrt[3]{6x+5}}\,dx$ (4) $\displaystyle\int \frac{x^3}{\sqrt[3]{x^4+6}}\,dx$

05-1
(1) $x^3+1=t$로 놓는다.
(2) $x^2+1=t$로 놓는다.
(3) $6x+5=t$로 놓는다.
(4) $x^4+6=t$로 놓는다.

❶ 피적분함수가 $f(e^x)e^x$ 꼴일 때, $(e^x)'=e^x$이므로 $e^x=t$로 치환하면

$$\int f(e^x)e^x\,dx=\int f(e^x)(e^x)'dx=\int f(t)dt$$

❷ 피적분함수가 $f(\ln x)\times\dfrac{1}{x}$ 꼴일 때, $(\ln x)'=\dfrac{1}{x}$이므로 $\ln x=t$로 치환하면

$$\int f(\ln x)\times\dfrac{1}{x}\,dx=\int f(\ln x)(\ln x)'dx=\int f(t)dt$$

$$\int e^{ax+b}dx=\dfrac{1}{a}e^{ax+b}+C$$

예제 다음 부정적분을 구하시오.

(1) $\displaystyle\int e^{-x-1}dx$ (2) $\displaystyle\int e^x(e^x-1)^3\,dx$ (3) $\displaystyle\int\dfrac{(\ln x)^2}{x}dx$

해법 코드

(1) $-x-1=t$로 놓는다.
(2) $e^x-1=t$로 놓는다.
(3) $\ln x=t$로 놓는다.

셀파 $\displaystyle\int f(e^x)e^x\,dx \Rightarrow e^x=t$로 치환한다.

$\displaystyle\int f(\ln x)\times\dfrac{1}{x}\,dx \Rightarrow \ln x=t$로 치환한다.

풀이 (1) $-x-1=t$, 즉 $x=-t-1$로 놓으면 $\dfrac{dx}{dt}=-1$이므로

$$\int e^{-x-1}dx=\int e^t\times(-1)dt=-\int e^t\,dt=-e^t+C=-e^{-x-1}+C$$

(2) $e^x-1=t$로 놓으면 $\dfrac{dt}{dx}=e^x$이므로

$$\int e^x(e^x-1)^3\,dx=\int t^3\,dt=\dfrac{1}{4}t^4+C=\dfrac{1}{4}(e^x-1)^4+C$$

(3) $\ln x=t$로 놓으면 $\dfrac{dt}{dx}=\dfrac{1}{x}$이므로

$$\int\dfrac{(\ln x)^2}{x}dx=\int t^2\,dt=\dfrac{1}{3}t^3+C=\dfrac{1}{3}(\ln x)^3+C$$

다른 풀이

(1) $\displaystyle\int e^{ax+b}dx=\dfrac{1}{a}e^{ax+b}+C$

이므로

$$\int e^{-x-1}dx=\dfrac{1}{-1}e^{-x-1}+C$$
$$=-e^{-x-1}+C$$

❶ $\displaystyle\int x^n\,dx$
$=\dfrac{1}{n+1}x^{n+1}+C\ (n\neq-1)$

8

여러 가지 적분법

확인 문제   정답과 해설 | **80**쪽   **MY** 셀파

06-1 다음 부정적분을 구하시오.
(상)(중)(하)

(1) $\displaystyle\int e^{2x+3}dx$ (2) $\displaystyle\int 12x^2e^{x^3+1}dx$

(3) $\displaystyle\int e^x\sqrt{e^x-1}\,dx$ (4) $\displaystyle\int\dfrac{x}{1+x^2}\ln(1+x^2)\,dx$

06-1
(1) $2x+3=t$로 놓는다.
(2) $x^3+1=t$로 놓는다.
(3) $e^x-1=t$로 놓는다.
(4) $\ln(1+x^2)=t$로 놓는다.

피적분함수가 $f(\sin x)\cos x$ 꼴일 때, $(\sin x)'=\cos x$ 이므로 $\sin x=t$ 로 치환하면

$$\int f(\sin x)\cos x\,dx=\int f(\sin x)(\sin x)'\,dx=\int f(t)\,dt$$

$\cos x=t$ 로 치환하면

$$\int f(\cos x)\sin x\,dx$$
$$=\int\{-f(t)\}\,dt$$

예제 다음 부정적분을 구하시오.

(1) $\displaystyle\int\sin(2x+1)\,dx$ 　　(2) $\displaystyle\int\sin^2 x\cos x\,dx$ 　　(3) $\displaystyle\int\frac{\cos^3 x}{1+\sin x}\,dx$

해법 코드

(1) $2x+1=t$ 로 놓는다.
(2) $\sin x=t$ 로 놓는다.
(3) $\cos^3 x=\cos x\cos^2 x$

셀파 $\displaystyle\int f(\sin x)\cos x\,dx$ 꼴 $\Rightarrow \sin x=t$ 로 치환한다.

풀이 (1) $2x+1=t$, 즉 $x=\dfrac{t-1}{2}$ 로 놓으면 $\dfrac{dx}{dt}=\dfrac12$ 이므로

$$\int\sin(2x+1)\,dx=\int\sin t\times\frac12\,dt=\frac12\int\sin t\,dt$$
$$=-\frac12\cos t+C=-\frac{\mathbf{1}}{\mathbf{2}}\cos(\mathbf{2x+1})+C$$

(2) $\sin x=t$ 로 놓으면 $\dfrac{dt}{dx}=\cos x$ 이므로

$$\int\sin^2 x\cos x\,dx=\int t^2\,dt=\frac13 t^3+C=\frac{\mathbf{1}}{\mathbf{3}}\sin^3 \mathbf{x}+C$$

(3) $\displaystyle\int\frac{\cos^3 x}{1+\sin x}\,dx=\int\frac{\cos x\cos^2 x}{1+\sin x}\,dx=\int\frac{\cos x(1-\sin^2 x)}{1+\sin x}\,dx$

$$=\int\cos x(1-\sin x)\,dx$$

이때 $1-\sin x=t$ 로 놓으면 $\dfrac{dt}{dx}=-\cos x$ 이므로

$$\int\cos x(1-\sin x)\,dx=-\int t\,dt=-\frac12 t^2+C=-\frac{\mathbf{1}}{\mathbf{2}}(\mathbf{1-\sin x})^2+C$$

다른 풀이

(1) $\displaystyle\int\sin(ax+b)\,dx$

$$=-\frac1a\cos(ax+b)+C$$

이므로

$$\int\sin(2x+1)\,dx$$
$$=-\frac12\cos(2x+1)+C$$

(3) $\displaystyle\int\cos x(1-\sin x)\,dx$ 에서

$\sin x=t$ 로 놓으면

$\dfrac{dt}{dx}=\cos x$ 이므로

(주어진 식)

$$=\int(1-t)\,dt$$
$$=-\frac12 t^2+t+C$$
$$=-\frac12\sin^2 x+\sin x+C$$

확인 문제 　　　　　　　　　정답과 해설 | **81**쪽 　　　　　　　MY 셀파

07-1 다음 부정적분을 구하시오.

(1) $\displaystyle\int\cos(1-x)\,dx$ 　　(2) $\displaystyle\int\tan x\sec^2 x\,dx$

(3) $\displaystyle\int\cos^4 x\sin x\,dx$ 　　(4) $\displaystyle\int\sin^3 x\,dx$

07-1

(4) $\displaystyle\int\sin^3 x\,dx$

$$=\int\sin x\sin^2 x\,dx$$
$$=\int\sin x(1-\cos^2 x)\,dx$$

에서 $\cos x=t$ 로 놓는다.

피적분함수의 분자와 분모를 비교하여 분자가 분모의 도함수인 경우에는 다음 공식을 이용한다.

$$\int \frac{f'(x)}{f(x)}dx = \ln|f(x)| + C$$

항상 $f(x) > 0$인 경우에는
$\int \dfrac{f'(x)}{f(x)}dx = \ln f(x) + C$이다.

참고 $f(x) = t$로 놓으면 $\dfrac{dt}{dx} = f'(x)$이므로 $\int \dfrac{f'(x)}{f(x)}dx = \int \dfrac{1}{t}dt = \ln|t| + C = \ln|f(x)| + C$

예제 다음 부정적분을 구하시오.

해법 코드
피적분함수를 $\dfrac{f'(x)}{f(x)}$ 꼴이 되도록 변형한다.

(1) $\displaystyle\int \frac{1}{x \ln x}dx$　　　　　(2) $\displaystyle\int \tan x\, dx$

(3) $\displaystyle\int \frac{e^x}{2e^x+1}dx$　　　　(4) $\displaystyle\int \frac{3x^2}{(x+1)(x^2-x+1)}dx$

셀파 $\dfrac{f'(x)}{f(x)}$ 꼴의 부정적분 $\Rightarrow \displaystyle\int \dfrac{f'(x)}{f(x)}dx = \ln|f(x)| + C$

풀이 (1) $(\ln x)' = \dfrac{1}{x}$이므로 $\displaystyle\int \frac{1}{x \ln x}dx = \int \frac{(\ln x)'}{\ln x}dx = \mathbf{\ln|\ln x| + C}$

ⓐ $\dfrac{1}{2}\displaystyle\int \dfrac{(2e^x+1)'}{2e^x+1}dx$

$= \dfrac{1}{2}\ln|2e^x+1| + C$

$= \dfrac{1}{2}\ln(2e^x+1) + C$

$(\because 2e^x+1 > 0)$

(2) $\tan x = \dfrac{\sin x}{\cos x}$이고, $(\cos x)' = -\sin x$이므로

$$\int \tan x\, dx = -\int \frac{-\sin x}{\cos x}dx = -\int \frac{(\cos x)'}{\cos x}dx = \mathbf{-\ln|\cos x| + C}$$

(3) $(2e^x+1)' = 2e^x$이므로

$$\int \frac{e^x}{2e^x+1}dx = \frac{1}{2}\int \frac{2e^x}{2e^x+1}dx = \frac{1}{2}\int \frac{(2e^x+1)'}{2e^x+1}dx \overset{ⓐ}{=} \mathbf{\frac{1}{2}\ln(2e^x+1) + C}$$

ⓑ $(a+b)(a^2-ab+b^2)$
$= a^3 + b^3$
이므로
$(x+1)(x^2-x+1) = x^3+1$

(4) $\displaystyle\int \frac{3x^2}{\underset{ⓑ}{(x+1)(x^2-x+1)}}dx = \int \frac{3x^2}{x^3+1}dx = \int \frac{(x^3+1)'}{x^3+1}dx = \mathbf{\ln|x^3+1| + C}$

확인 문제

정답과 해설 | **81**쪽

MY 셀파

08-1 다음 부정적분을 구하시오.
(상)(중)(하)

(1) $\displaystyle\int \frac{1}{5-2x}dx$　　　　(2) $\displaystyle\int \frac{x-1}{x^2-2x+3}dx$

(3) $\displaystyle\int \frac{e^{-x}-e^x}{e^x+e^{-x}}dx$　　　(4) $\displaystyle\int \frac{1-\sin x}{x+\cos x}dx$

08-1
피적분함수에서 분모를 $f(x)$로 놓고 분자가 $f'(x)$가 되도록 식을 변형한다.

8
여
러
가
지
적
분
법

다음 부정적분을 구하시오.

(1) $\displaystyle\int \dfrac{2x^2+x-1}{x+2}dx$ (2) $\displaystyle\int \dfrac{x+3}{x^2-1}dx$

Q 분수함수의 부정적분인데, 식을 변형해도 $\dfrac{f'(x)}{f(x)}$ 꼴을 만들 수 없어요.

A 응. 이런 분수함수의 부정적분은 먼저 분모와 분자의 차수를 비교하여 다음과 같이 해결해야 해.

> **❶** (분자의 차수)≥(분모의 차수)인 경우
>   ⇨ 분자를 분모로 나누어 생각한다.
> **❷** (분자의 차수)<(분모의 차수)인 경우
>   ⇨ 부분분수로 분해하여 적분한다.

Q 분모와 분자의 차수부터 비교해야겠네요. 그럼 제가 풀어볼게요.

(1) $\displaystyle\int \dfrac{2x^2+x-1}{x+2}dx=\int\left(2x-3+\dfrac{5}{x+2}\right)dx=x^2-3x+5\ln|x+2|+C$

(2) $\dfrac{x+3}{x^2-1}$ 을 부분분수로 분해하면 $\dfrac{x+3}{x^2-1}=\dfrac{a}{x+1}+\dfrac{b}{x-1}$ 꼴이므로 이때의 상수 a, b의 값을 찾으면 돼요.

$\dfrac{x+3}{x^2-1}=\dfrac{a(x-1)+b(x+1)}{(x+1)(x-1)}=\dfrac{(a+b)x+(-a+b)}{(x+1)(x-1)}$ 에서

$a+b=1$, $-a+b=3$ $\therefore a=-1$, $b=2$

$\therefore \displaystyle\int \dfrac{x+3}{x^2-1}dx=\int\left(-\dfrac{1}{x+1}+\dfrac{2}{x-1}\right)dx=-\ln|x+1|+2\ln|x-1|+C$

A 잘했어. 부분분수로 분해할 때는 분모를 인수분해한 모양에 따라 다음과 같이 식을 세운 다음 항등식의 성질을 이용하여 미정계수 A, B, C를 구하면 돼. 이 방법을 잘 익혀두도록 하자.

> **❶** 분모가 일차식의 곱으로 인수분해될 때
>   ⇨ $\dfrac{px+q}{(x+a)(x+b)}=\dfrac{A}{x+a}+\dfrac{B}{x+b}$
> **❷** 분모의 인수 중 이차의 인수가 있을 때
>   ⇨ $\dfrac{px^2+qx+r}{(x+a)(x^2+bx+c)}=\dfrac{A}{x+a}+\dfrac{Bx+C}{x^2+bx+c}$

---

❶ 하나의 분수식을 더 이상 간단히 할 수 없는 두 개 이상의 분수식의 합 또는 차로 나타내는 것을 부분분수로 분해한다고 한다. 이때 우변에 나타내는 하나하나의 분수를 부분분수라 한다.

❷
$$\begin{array}{r} 2x-3 \\ x+2\overline{\smash{\big)}\,2x^2+\ x-1} \\ \underline{2x^2+4x} \\ -3x-1 \\ \underline{-3x-6} \\ 5 \end{array}$$

몫은 $2x-3$, 나머지는 5이므로

$\dfrac{2x^2+x-1}{x+2}$

$=\dfrac{(x+2)(2x-3)+5}{x+2}$

$=2x-3+\dfrac{5}{x+2}$

❸ $\dfrac{x+3}{x^2-1}$ 의 분모가 일차식의 곱 $(x+1)(x-1)$로 인수분해되므로 이 식을 부분분수로 분해하면 분자가 상수인

$\dfrac{x+3}{x^2-1}=\dfrac{x+3}{(x+1)(x-1)}$

$=\dfrac{a}{x+1}+\dfrac{b}{x-1}$

꼴이 된다.

❹ 세운 식의 우변을 통분한 분수의 분자와 좌변의 분자가 항등식이다. 이때 각 항을 비교하여 미정계수 A, B, C를 구한다.

▶ 분모의 인수 중 완전제곱식이 있을 때는 다음과 같이 식을 세운다.

$\dfrac{px^2+qx+r}{(x+a)(x+b)^2}$

$=\dfrac{A}{x+a}+\dfrac{B}{x+b}+\dfrac{C}{(x+b)^2}$

피적분함수가 $\dfrac{f'(x)}{f(x)}$ 꼴이 아닌 분수함수의 부정적분은 다음과 같은 방법으로 구한다.

❶ (분자의 차수)≥(분모의 차수)인 경우

　⇨ 분자를 분모로 나누어 몫과 나머지의 꼴로 나타내어 부정적분을 구한다.

❷ 분모가 인수분해되고, (분자의 차수)<(분모의 차수)인 경우

　⇨ 주어진 분수함수를 부분분수로 분해하여 부정적분을 구한다.

❷에서 주어진 분수함수를 부분분수로 분해할 때는 분모를 인수분해한 모양에 따라 식을 세운다.

예제 다음 부정적분을 구하시오.

(1) $\displaystyle\int \dfrac{x^2+1}{x+1}\,dx$ (2) $\displaystyle\int \dfrac{7x+2}{x^2+x-2}\,dx$

해법 코드
(1) 분자를 분모로 나눈다.
(2) 부분분수로 분해한다.

셀파 (분자의 차수)≥(분모의 차수) ⇨ 분자를 분모로 나눈다.

　　　 (분자의 차수)<(분모의 차수) ⇨ 부분분수로 분해한다.

풀이 (1) $\dfrac{x^2+1}{x+1}\overset{\text{❼}}{=}\dfrac{(x+1)(x-1)+2}{x+1}=x-1+\dfrac{2}{x+1}$

　　　 $\therefore \displaystyle\int \dfrac{x^2+1}{x+1}\,dx=\int\left(x-1+\dfrac{2}{x+1}\right)dx$

　　　　　　　　　 $=\dfrac{1}{2}x^2-x+2\ln|x+1|+C$

❼
$$x+1\overline{)x^2+1}$$
몫은 $x-1$, 나머지는 2이다.

(2) $\dfrac{7x+2}{x^2+x-2}\overset{\text{❿}}{=}\dfrac{7x+2}{(x+2)(x-1)}=\dfrac{4}{x+2}+\dfrac{3}{x-1}$

　　 $\therefore \displaystyle\int \dfrac{7x+2}{x^2+x-2}\,dx=\int\left(\dfrac{4}{x+2}+\dfrac{3}{x-1}\right)dx$

　　　　　　　　　　 $=4\ln|x+2|+3\ln|x-1|+C$

❿
$\dfrac{7x+2}{(x+2)(x-1)}=\dfrac{a}{x+2}+\dfrac{b}{x-1}$
(단, a,b는 상수)
로 놓으면 우변은
$\dfrac{(a+b)x-a+2b}{(x+2)(x-1)}$이므로
$a+b=7,\ -a+2b=2$
$\therefore a=4,\ b=3$

확인 문제   정답과 해설 | **82**쪽   MY 셀파

09-1 다음 부정적분을 구하시오.

(1) $\displaystyle\int \dfrac{x^3-1}{x-1}\,dx$ (2) $\displaystyle\int \dfrac{2x^2+x+1}{x+1}\,dx$

(3) $\displaystyle\int \dfrac{x+1}{x^2-5x+6}\,dx$ (4) $\displaystyle\int \dfrac{3x^2+2}{x(x^2+1)}\,dx$

09-1
피적분함수의 분자를 분모로 나누거나 피적분함수를 부분분수로 분해한다.

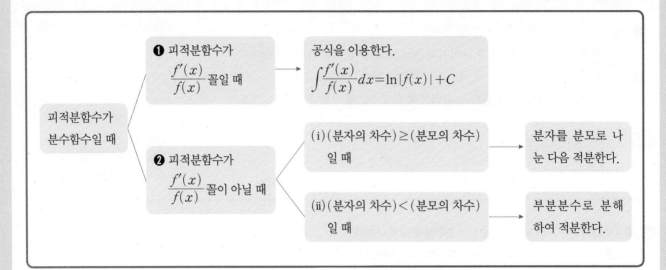

01 다음 부정적분을 구하시오.

(1) $\displaystyle\int \frac{2x-1}{x^2-x+1}\,dx$

(2) $\displaystyle\int \frac{3x^2}{(x-1)(x^2+x+1)}\,dx$

(3) $\displaystyle\int \frac{\cos x}{1+2\sin x}\,dx$

(4) $\displaystyle\int \frac{2^x \ln 2 - 3x^2}{2^x - x^3}\,dx$

02 다음 부정적분을 구하시오.

(1) $\displaystyle\int \frac{2x^2+3x-2}{x+2}\,dx$

(2) $\displaystyle\int \frac{3x^2-2x-1}{3x-2}\,dx$

(3) $\displaystyle\int \frac{2x}{x^2+3x+2}\,dx$

(4) $\displaystyle\int \frac{16}{(x+1)(x-3)^2}\,dx$

A 피적분함수가 두 함수의 곱으로 주어진 경우라 해도 치환적분법을 이용하여 적분할 수 없는 유형이 있어.

Q 그럴 때 부분적분법 공식을 쓰는 거 아니에요?

$$\int f(x)g'(x)dx = f(x)g(x) - \underline{\int f'(x)g(x)dx}^{❶}$$

A 맞아. 이때 피적분함수에서 어떤 함수를 $f(x), g'(x)$로 택하냐에 따라 적분이 간단해지기도 하고 복잡해지기도 해.

예를 들어 $\int x \sin x\, dx$에서 $f(x) = \sin x, g'(x) = x$로 놓으면

$f'(x) = \cos x, g(x) = \frac{1}{2}x^2$이므로 $\int x \sin x\, dx = \frac{1}{2}x^2 \sin x - \frac{1}{2}\int x^2 \cos x\, dx$

가 돼. 그런데 우변에서 더 이상 적분하기 어려운 꼴 $\frac{1}{2}\int x^2 \cos x\, dx$가 다시 나오지.

Q 그럼 이 경우에는 $f(x), g'(x)$로 어떤 함수를 택해야 하나요?

A 일반적으로 $f(x)$는 미분하여 결과가 간단한 함수, $g'(x)$는 적분하기 쉬운 함수를 택하는 것이 좋아. 이 문제는 $f(x) = x, g'(x) = \sin x$로 놓으면 쉽게 구할 수 있어.

$\int x \sin x\, dx$에서 $f'(x) = 1, g(x) = -\cos x$이므로

$\int x \sin x\, dx = -x \cos x + \int \cos x\, dx = -x \cos x + \sin x + C$가 되지.

어떤 함수를 $f(x), g'(x)$로 놓아야 적분을 간단하게 할 수 있을까?
다음 표는 로그함수, 다항함수, 삼각함수, 지수함수의 미분과 적분을 나타낸 것이다.

	$\ln x$	x	$\sin x$	e^x
미분	$\frac{1}{x}$	1	$\cos x$	e^x
적분	❷$x\ln x - x + C$	$\frac{1}{2}x^2 + C$	$-\cos x + C$	$e^x + C$

위의 표에서 살펴보면 네 종류의 함수 모두 미분하기는 쉽지만 적분하기는 지수함수, 삼각함수, 다항함수, 로그함수 순으로 쉽다는 사실을 알 수 있다. 따라서 ❸$g'(x)$는 지수함수, 삼각함수, 다항함수, 로그함수 순으로 택하고, 나머지를 $f(x)$로 택한다.

로그함수　다항함수　삼각함수　지수함수
$f(x)$ ←————————————————————→ $g'(x)$
$\ln x$　　x　　$\sin x$　　e^x

---

❶ 부분적분법 공식에서 실제로 부정적분을 구하는 것은 우변의 $\int f'(x)g(x)dx$이므로 이것을 쉽게 계산할 수 있도록 $f(x)$와 $g'(x)$를 택해야 한다.

❷ $\ln x$의 부정적분은 미분의 역연산으로 구하기 어려우므로 부분적분법을 이용하여 구한다. 즉,
$\int \ln x\, dx$에서
$f(x) = \ln x, g'(x) = 1$로 놓으면
$f'(x) = \frac{1}{x}, g(x) = x$
$\therefore \int \ln x\, dx$
$= x \ln x - \int \frac{1}{x} \times x\, dx$
$= x \ln x - \int 1\, dx$
$= x \ln x - x + C$

❸ $\int x \sin x\, dx$의 경우
$\Rightarrow f(x) = x, g'(x) = \sin x$
$\int x \ln x\, dx$의 경우
$\Rightarrow f(x) = \ln x, g'(x) = x$
$\int e^x \cos x\, dx$의 경우
$\Rightarrow f(x) = \cos x, g'(x) = e^x$

피적분함수가 두 함수의 곱이고, 치환적분법을 이용하여 적분할 수 없을 때는 부분적분법 공식

$$\int f(x)g'(x)dx = f(x)g(x) - \int f'(x)g(x)dx$$

를 이용한다. 이때 좌변과 우변의 함수 사이의 관계는 오른쪽과 같다.

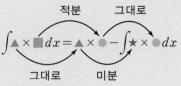

적분 그대로
그대로 미분

부분적분법의 공식을 이용할 때, $f(x)$는 미분하기 쉬운 함수로, $g'(x)$는 적분하기 쉬운 함수로 놓고, $f(x), g'(x)$ 순으로 배열한다.

예제 다음 부정적분을 구하시오.

(1) $\int 2x \ln x\, dx$ (2) $\int (x-1)\cos 2x\, dx$ (3) $\int xe^x\, dx$

해법 코드
(1) $f(x) = \ln x,\ g'(x) = 2x$
(2) $f(x) = x-1,\ g'(x) = \cos 2x$
(3) $f(x) = x,\ g'(x) = e^x$

셀파 $\int f(x)g'(x)dx = f(x)g(x) - \int f'(x)g(x)dx$

풀이 (1) $f(x) = \ln x,\ g'(x) = 2x$로 놓으면 $f'(x) = \dfrac{1}{x},\ g(x) = x^2$

$$\therefore \int 2x \ln x\, dx = x^2 \ln x - \int x\, dx = x^2 \ln x - \frac{1}{2}x^2 + C$$

(2) $f(x) = x-1,\ g'(x) = \cos 2x$로 놓으면 $f'(x) = 1,\ g(x) = \dfrac{1}{2}\sin 2x$

$$\therefore \int (x-1)\cos 2x\, dx = \frac{1}{2}(x-1)\sin 2x - \frac{1}{2}\int \sin 2x\, dx$$
$$= \frac{1}{2}(x-1)\sin 2x + \frac{1}{4}\cos 2x + C$$

(3) $f(x) = x,\ g'(x) = e^x$으로 놓으면 $f'(x) = 1,\ g(x) = e^x$

$$\therefore \int xe^x\, dx = xe^x - \int 1 \times e^x\, dx = xe^x - e^x + C = (x-1)e^x + C$$

ㄱ $\int 2x \ln x\, dx$
$= \int \ln x \cdot 2x\, dx$
그대로   적분
$= (\ln x)x^2$
미분   그대로
$- \int \frac{1}{x} \times x^2\, dx$

ㄴ $\int (x-1)\cos 2x\, dx$
그대로   적분
$= (x-1) \times \frac{1}{2}\sin 2x$
미분   그대로
$= - \int 1 \times \frac{1}{2}\sin 2x\, dx$

확인 문제 정답과 해설 | **83**쪽   **MY 셀파**

10-1 다음 부정적분을 구하시오.

(1) $\int (2x-1)\sin x\, dx$ (2) $\int xe^{2x}\, dx$

(3) $\int (x+1)\sec^2 x\, dx$ (4) $\int \ln \sqrt{x}\, dx$

10-1
(1) $f(x) = 2x-1,\ g'(x) = \sin x$
(2) $f(x) = x,\ g'(x) = e^{2x}$
(3) $f(x) = x+1,\ g'(x) = \sec^2 x$
(4) $f(x) = \ln \sqrt{x},\ g'(x) = 1$

(지수함수)×(삼각함수) 꼴의 부정적분은 부분적분법을 한 번 적용하여 바로 구할 수 있는 형태가 나오지 않는다.

이때 부분적분법을 반복 적용하여 같은 꼴이 나타나게 한다.

> (지수함수)×(삼각함수) 꼴인 함수에 부분적분법을 적용할 때는 삼각함수를 $f(x)$로, 지수함수를 $g'(x)$로 놓는다.

예제 부정적분 $\displaystyle\int e^x \cos x\, dx$를 구하시오.

> **해법 코드**
> $f(x)=\cos x$, $g'(x)=e^x$으로 놓는다.

셀파 같은 꼴이 나타날 때까지 부분적분법을 반복한다.

풀이 $f(x)=\cos x$, $g'(x)=e^x$으로 놓으면 $f'(x)=-\sin x$, $g(x)=e^x$이므로

$$\int e^x \cos x\, dx = e^x \cos x + \int e^x \sin x\, dx \qquad \cdots\cdots \text{㉠}$$

이때 $\displaystyle\int e^x \sin x\, dx$에서 $u(x)=\sin x$, $v'(x)=e^x$으로 놓으면

$$u'(x)=\cos x, \quad v(x)=e^x$$

$$\therefore \int e^x \sin x\, dx = e^x \sin x - \int e^x \cos x\, dx \qquad \cdots\cdots \text{㉡}$$

㉡을 ㉠에 대입하면

$$\int e^x \cos x\, dx = e^x \cos x + \left(e^x \sin x - \int e^x \cos x\, dx \right)$$

$$\therefore \int e^x \cos x\, dx = \frac{1}{2}e^x(\sin x + \cos x) + C$$

> ㉠ 피적분함수 $e^x \cos x$가 (지수함수)×(삼각함수) 꼴이므로 지수함수 e^x을 $g'(x)$로 택하고 나머지 삼각함수 $\cos x$를 $f(x)$로 놓는다.

> ㉡ 우변의 $\displaystyle\int e^x \cos x\, dx$를 좌변으로 이항하면
> $$2\int e^x \cos x\, dx$$
> $$= e^x \cos x + e^x \sin x$$
> $$= e^x(\sin x + \cos x)$$

> 부분적분법을 한 번 적용하여 부정적분을 구할 수 없는 경우에는 부분적분법으로 얻은 결과에 한 번 더 부분적분법을 적용해.

확인 문제   정답과 해설 **84**쪽   MY 셀파

11-1 다음 부정적분을 구하시오.

(1) $\displaystyle\int x^2 \cos x\, dx$ (2) $\displaystyle\int (\ln x)^2\, dx$

(3) $\displaystyle\int e^x \sin x\, dx$ (4) $\displaystyle\int e^{-x} \cos 2x\, dx$

11-1
(1) $f(x)=x^2$, $g'(x)=\cos x$
(2) $f(x)=(\ln x)^2$, $g'(x)=1$
(3) $f(x)=\sin x$, $g'(x)=e^x$
(4) $f(x)=\cos 2x$, $g'(x)=e^{-x}$

$y=x^n$ (n은 실수)의 부정적분

01 함수 $f(x)$에 대하여 $f'(x)=\dfrac{x^2-x}{\sqrt{x}+1}$, $f(1)=\dfrac{1}{10}$일
(상)(중)(하) 때, $f(4)$의 값을 구하시오.

$y=x^n$ (n은 실수)의 부정적분

02 $x>0$에서 정의된 미분가능한 함수 $f(x)$의 한 부정적
(상)(중)(하) 분을 $F(x)$라 하면
$$F(x)=xf(x)-\ln x+x^2$$
인 관계가 성립한다고 한다. $f(1)=0$일 때, 함수 $f(x)$
를 구하시오.

지수함수의 부정적분 융합형

03 미분가능한 함수 $f(x)$에 대하여 $f'(x)=ae^x$,
(상)(중)(하) $\displaystyle\lim_{x\to 0}\dfrac{f(x)}{x}=3a+2$일 때, $f'(0)$의 값을 구하시오.

(단, a는 상수)

지수함수의 부정적분 창의력

04 어느 도시의 올해 현재 인구는 50만 명이다. t년 후의
(상)(중)(하) 이 도시의 예상 인구를 $P(t)$라 하면
$P'(t)=3000e^{0.006t}$일 때, 10년 후의 이 도시의 예상
인구 수를 구하시오. (단, $e^{0.06}=1.06$으로 계산한다.)

삼각함수의 부정적분

05 곡선 $y=f(x)$ 위의 임의의 점 (x, y)에서의 접선의
(상)(중)(하) 기울기가 $\dfrac{1}{\cos^2 x}$이고, 이 곡선이 두 점 $(0, 1)$, $\left(\dfrac{\pi}{4}, k\right)$
를 지날 때, 상수 k의 값을 구하시오.

삼각함수의 치환적분법

06 함수 $f(x)$에 대하여 $f'(x)=\dfrac{\sin\sqrt{x}}{\sqrt{x}}$, $f(\pi^2)=1$일 때,
(상)(중)(하) 함수 $f(x)$를 구하시오.

삼각함수의 치환적분법

07 $f(x)=\displaystyle\int\frac{\sin(\pi\ln x)}{x}dx$에 대하여 $f(1)=-\dfrac{1}{\pi}$일

때, $f(e)$의 값을 구하시오.

함수 $\dfrac{f'(x)}{f(x)}$ 의 부정적분

08 함수 $f(x)$가 모든 실수 x에 대하여 $f(x)>0$을 만족

시킨다. $\dfrac{f'(x)}{f(x)}=3, f(0)=e$일 때, $f(1)$의 값을 구하

시오.

분수함수의 부정적분 　　　　　　　　　　　　　융합형

09 x에 대한 이차방정식 $x^2+ax+b=0$의 두 근이 -1,

2일 때, 부정적분 $\displaystyle\int\frac{x-5}{x^2+ax+b}dx$를 구하시오.

（단, a, b는 상수）

부분적분법

10 함수 $f(x)$에 대하여 $f'(x)=x+\ln x$, $f(1)=0$일

때, $f(e)$의 값을 구하시오.

부분적분법 　　　　　　　　　　　　　　　　서술형

11 함수 $f(x)=\displaystyle\int(x+a)e^x\,dx$가 $f'(2)=0, f(0)=2$를

만족시킬 때, $f(3)$의 값을 구하시오. （단, a는 상수）

부분적분법

12 함수 $f(x)=(\sin x+\cos x)^2$의 부정적분 중 하나를

$F(x)$라 할 때, $F\left(\dfrac{\pi}{2}\right)-F(0)$의 값을 구하시오.

8

여 러

가 지

적 분 법

9

정적분

도대체 드론은 얼마나 높이 떠 있는걸까요?

높이 $h(x)\,m$에 대하여

$$h'(x) = -30\sin x$$

그렇다면!

$$h(x) = \int (-30\sin x)\,dx$$

$$= 30\cos x + C$$

$h(0) = 70$ 이므로 $C = 40$

$$h\left(\tfrac{2}{3}\pi\right) = 30\cos\tfrac{2}{3}\pi + 40 = 25\,m$$

9. 정적분

개념 플러스

개념 1 정적분의 기본 정리

함수 $f(x)$가 닫힌구간 $[a, b]$에서 **❶** 이고, $f(x)$의 한 부정적분을 $F(x)$라 하면

$$\int_a^b f(x)dx = \Big[F(x) \Big]_a^b = F(b) - \text{❷}$$

❶ $\int f(x)\,dx = F(x) + C$에서

$\Big[F(x) + C \Big]_a^b$

$= \{F(b) + C\} - \{F(a) + C\}$

$= F(b) - F(a)$

답 ❶ 연속 ❷ $F(a)$

개념 2 정적분의 성질

두 함수 $f(x)$, $g(x)$가 임의의 세 실수 a, b, c를 포함하는 닫힌구간에서 연속일 때

❶ $\int_a^b kf(x)dx = k\int_a^b f(x)dx$ (단, k는 상수)

　예　$\int_0^\pi 2\sin x\,dx = \text{❶} \int_0^\pi \sin x\,dx$

❷ $\int_a^b \{f(x) \pm g(x)\}dx = \int_a^b f(x)dx \pm \int_a^b g(x)dx$ (복부호 동순)

❸ $\int_a^b f(x)dx = \int_a^c f(x)dx + \int_c^{\text{❷}} f(x)dx$

▶ 정적분 $\int_a^b f(x)\,dx$의 값 구하기

① $f(x)$의 한 부정적분 $F(x)$를 구한다.

② $F(x)$에 위끝 b와 아래끝 a를 대입한 함숫값 $F(b)$, $F(a)$를 구한다.

③ $F(b) - F(a)$를 계산한다.

답 ❶ 2 ❷ b

개념 3 정적분의 치환적분법과 부분적분법

(1) 정적분의 치환적분법

닫힌구간 $[a, b]$에서 **❶** 인 함수 $f(x)$에 대하여 미분가능한 함수 $x = g(t)$의 도함수 $g'(t)$가 닫힌구간 $[\alpha, \beta]$에서 연속이고, $a = g(\alpha)$, $b = g(\beta)$이면

$$\int_a^b f(x)dx = \int_\alpha^\beta f(g(t))g'(t)dt$$

(2) 정적분의 부분적분법

미분가능한 두 함수 $f(x)$, $g(x)$에 대하여 $f'(x)$, $g'(x)$가 닫힌구간 $[a, b]$에서 연속일 때

$$\int_a^b f(x)g'(x)dx = \Big[\text{❷} \, g(x) \Big]_a^b - \int_a^b f'(x)g(x)dx$$

❸ 정적분의 성질 ❸은 a, b, c의 대소에 관계없이 성립한다.

기본 정리를 이용하거나 치환하는 방법으로도 구할 수 없을 때, 부분적분법을 이용해.

답 ❶ 연속 ❷ $f(x)$

보기 다음 정적분의 값을 구하시오.

(1) $\int_0^1 (2x+1)^3 \, dx$　　　　　　　　(2) $\int_0^1 xe^x \, dx$

연구 (1) $2x+1 = t$로 놓으면 $2 = \dfrac{dt}{dx}$, $x=0$일 때 $t=1$, $x=1$일 때 $t=3$

$\therefore \int_0^1 (2x+1)^3 \, dx = \int_1^3 t^3 \times \dfrac{1}{2}dt = \dfrac{1}{2}\int_1^3 t^3 \, dt = \Big[\dfrac{1}{8}t^4 \Big]_1^3 = \mathbf{10}$

(2) $f(x) = x$, $g'(x) = e^x$으로 놓으면 $f'(x) = 1$, $g(x) = e^x$

$\therefore \int_0^1 xe^x \, dx = \Big[xe^x \Big]_0^1 - \int_0^1 e^x \, dx = e - \Big[e^x \Big]_0^1 = e - (e-1) = \mathbf{1}$

1-1 | 유리함수, 무리함수의 정적분 |

다음 정적분의 값을 구하시오.

(1) $\int_2^4 \dfrac{1}{x}\,dx$　　　　(2) $\int_0^1 (\sqrt{x}-1)\,dx$

〔연구〕

(1) $\int_2^4 \dfrac{1}{x}\,dx = \left[\ln|x|\right]_2^4 = \ln \boxed{} - \ln 2$

　　　　　　　　$= \ln \dfrac{\boxed{}}{2} = \mathbf{ln\ 2}$

(2) $\int_0^1 (\sqrt{x}-1)\,dx = \int_0^1 (x^{\frac{1}{2}}-1)\,dx$

　　　　　　　$= \left[\dfrac{2}{3}x^{\frac{3}{2}} - \boxed{}\right]_0^1$

　　　　　　　$= \dfrac{2}{3} - \boxed{} = -\dfrac{1}{3}$

1-2 | 따라풀기 |

다음 정적분의 값을 구하시오.

(1) $\int_1^3 \dfrac{x+3}{x^2}\,dx$　　　　(2) $\int_1^4 \dfrac{\sqrt{x}+1}{\sqrt{x}}\,dx$

〔풀이〕

2-1 | 지수함수, 삼각함수의 정적분 |

다음 정적분의 값을 구하시오.

(1) $\int_{-1}^2 (e^x+1)\,dx$　　　　(2) $\int_0^{\frac{\pi}{2}} \sin x\,dx$

〔연구〕

(1) $\int_{-1}^2 (e^x+1)\,dx = \left[e^x+x\right]_{-1}^2$

　　　　　　　$= (\boxed{}+2) - (e^{-1}-1)$

　　　　　　　$= e^2 - \dfrac{1}{e} + \boxed{}$

(2) $\int_0^{\frac{\pi}{2}} \sin x\,dx = \left[-\cos x\right]_0^{\frac{\pi}{2}}$

　　　　　　　$= -\cos\dfrac{\pi}{2} + \cos 0$

　　　　　　　$= \boxed{} + 1 = \boxed{}$

2-2 | 따라풀기 |

다음 정적분의 값을 구하시오.

(1) $\int_1^3 2^x\,dx$　　　　(2) $\int_0^\pi (e^x - \cos x)\,dx$

〔풀이〕

9
정적분

해법 01 여러 가지 함수의 정적분

PLUS +

함수 $f(x)$가 닫힌구간 $[a, b]$에서 연속이고, $f(x)$의 한 부정적분을 $F(x)$라 하면

$$\int_a^b f(x)dx = \Big[F(x) \Big]_a^b = F(b) - F(a)$$

❶ $\int_a^a f(x)dx = 0$

❷ $\int_a^b f(x)dx = -\int_b^a f(x)dx$

예제 다음 정적분의 값을 구하시오.

(1) $\int_1^2 \dfrac{4x^3 - 3x + 2}{x^2} dx$

(2) $\int_0^1 (x + \sqrt{x})^2 dx$

(3) $\int_1^2 (e^x + 2^x) dx$

(4) $\int_0^{\frac{\pi}{4}} (2\sin x + \sec^2 x) dx$

해법 코드

(1) $\dfrac{4x^3 - 3x + 2}{x^2} = 4x - \dfrac{3}{x} + \dfrac{2}{x^2}$

(2) $(x + \sqrt{x})^2 = x^2 + 2x\sqrt{x} + x$

셀파 $F'(x) = f(x) \Rightarrow \int_a^b f(x)dx = \Big[F(x) \Big]_a^b = F(b) - F(a)$

풀이 (1) $\int_1^2 \dfrac{4x^3 - 3x + 2}{x^2} dx = \int_1^2 \Big(4x - \dfrac{3}{x} + \dfrac{2}{x^2} \Big) dx = \int_1^2 \Big(4x - \dfrac{3}{x} + 2x^{-2} \Big) dx$

$= \Big[2x^2 - 3\ln|x| - 2x^{-1} \Big]_1^2 = \mathbf{7 - 3\ln 2}$

(2) $\int_0^1 (x + \sqrt{x})^2 dx = \int_0^1 (x^2 + 2x\sqrt{x} + x) dx = \int_0^1 (x^2 + 2x^{\frac{3}{2}} + x) dx$

$= \Big[\dfrac{1}{3}x^3 + \dfrac{4}{5}x^{\frac{5}{2}} + \dfrac{1}{2}x^2 \Big]_0^1 = \dfrac{\mathbf{49}}{\mathbf{30}}$

(3) $\int_1^2 (e^x + 2^x) dx = \Big[e^x + \dfrac{2^x}{\ln 2} \Big]_1^2 = \Big(e^2 + \dfrac{4}{\ln 2} \Big) - \Big(e + \dfrac{2}{\ln 2} \Big) = \mathbf{e^2 - e + \dfrac{2}{\ln 2}}$

(4) $\int_0^{\frac{\pi}{4}} (2\sin x + \sec^2 x) dx = \Big[-2\cos x + \tan x \Big]_0^{\frac{\pi}{4}}$

$= (-\sqrt{2} + 1) - (-2 + 0) = \mathbf{3 - \sqrt{2}}$

참고

❶ $n \neq -1$일 때

$\int x^n dx = \dfrac{1}{n+1}x^{n+1} + C$

$n = -1$일 때

$\int x^{-1} dx = \int \dfrac{1}{x} dx = \ln|x| + C$

❷ $\int e^x dx = e^x + C$

$\int a^x dx = \dfrac{a^x}{\ln a} + C$

(단, $a > 0$, $a \neq 1$)

❸ $\int \sin x \, dx = -\cos x + C$

$\int \cos x \, dx = \sin x + C$

$\int \sec^2 x \, dx = \tan x + C$

$\int \csc^2 x \, dx = -\cot x + C$

확인 문제

정답과 해설 | **87**쪽

MY 셀파

01-1 다음 정적분의 값을 구하시오.
(상)(중)(하)

(1) $\int_{-1}^0 \dfrac{1}{(x-1)(x-2)} dx$

(2) $\int_1^4 \Big(\sqrt{x} + \dfrac{1}{\sqrt{x}} \Big) dx$

(3) $\int_0^1 \dfrac{4^x - 1}{2^x - 1} dx$

(4) $\int_0^{\frac{\pi}{2}} \dfrac{\sin^2 x}{1 + \cos x} dx$

01-1

(1) $\dfrac{1}{(x-1)(x-2)}$

$= \dfrac{1}{x-2} - \dfrac{1}{x-1}$

(3) $\dfrac{4^x - 1}{2^x - 1} = \dfrac{(2^x - 1)(2^x + 1)}{2^x - 1}$

$= 2^x + 1$

임의의 세 실수 a, b, c를 포함하는 닫힌구간에서 두 함수 $f(x), g(x)$가 연속일 때

❶ $\displaystyle\int_a^b kf(x)dx = k\int_a^b f(x)dx$ (단, k는 상수)

❷ $\displaystyle\int_a^b f(x)dx \pm \int_a^b g(x)dx = \int_a^b \{f(x) \pm g(x)\}dx$ (복부호 동순)

❸ $\displaystyle\int_a^c f(x)dx + \int_c^b f(x)dx = \int_a^b f(x)dx$

01 다음 정적분의 값을 구하시오.

(1) $\displaystyle\int_0^1 \frac{e^{2x}}{e^x+1}dx - \int_0^1 \frac{1}{e^x+1}dx$

(2) $\displaystyle\int_0^1 \frac{x^3}{x+1}dx + \int_0^1 \frac{1}{t+1}dt$

(3) $\displaystyle\int_0^\pi (\sin x - e^{2x})dx + \int_0^\pi (e^{2x} + \sin x)dx$

(4) $\displaystyle\int_0^{\frac{\pi}{2}} (\cos x + e^{-x})dx + \int_{\frac{\pi}{2}}^0 (e^{-x} - \cos x)dx$

02 다음 정적분의 값을 구하시오.

(1) $\displaystyle\int_0^{\frac{\pi}{4}} (\cos x - \sin x)dx + \int_{\frac{\pi}{4}}^{\frac{\pi}{2}} (\cos x - \sin x)dx$

(2) $\displaystyle\int_0^{\frac{\pi}{3}} \frac{2\cos^2 x - 1}{\cos^2 x}dx + \int_{\frac{\pi}{3}}^{\frac{\pi}{4}} \frac{2\cos^2 x - 1}{\cos^2 x}dx$

(3) $\displaystyle\int_1^3 \frac{e^{2x}-1}{e^x-1}dx - \int_2^3 \frac{e^{2x}-1}{e^x-1}dx$

(4) $\displaystyle\int_0^2 \sqrt{e^{2x}-6e^x+9}\,dx - \int_1^2 \sqrt{e^{2x}-6e^x+9}\,dx$

해법 02 　절댓값 기호를 포함한 함수의 정적분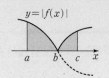

$a \leq x \leq b$에서 $f(x) \geq 0$, $b < x \leq c$에서 $f(x) < 0$이면

$$\int_a^c |f(x)| \, dx = \int_a^b f(x) \, dx + \int_b^c \{-f(x)\} \, dx$$

절댓값 기호 안의 식을 0으로 하는 x의 값을 기준으로 적분 구간을 나눈다.

예제 다음 정적분의 값을 구하시오.

(1) $\displaystyle\int_{-2}^0 \sqrt{|x+1|} \, dx$

(2) $\displaystyle\int_{-1}^2 |e^x - 1| \, dx$

해법 코드

(1) $x+1$이 0이 되는 x의 값, 즉 $x=-1$을 기준으로 적분 구간을 나눈다.

셀파 절댓값 기호를 포함한 정적분 ⇨ 적분 구간을 나누어 절댓값 기호를 없앤다.

풀이 (1) $x+1=0$에서 $x=-1$이므로

$$\sqrt{|x+1|} = \begin{cases} \sqrt{-(x+1)} & (x < -1) \\ \sqrt{x+1} & (x \geq -1) \end{cases}$$

$$\therefore \int_{-2}^0 \sqrt{|x+1|} \, dx = \underline{\int_{-2}^{-1} \sqrt{-(x+1)} \, dx + \int_{-1}^0 \sqrt{x+1} \, dx}$$

$$= \left[-\frac{2}{3}(-x-1)^{\frac{3}{2}} \right]_{-2}^{-1} + \left[\frac{2}{3}(x+1)^{\frac{3}{2}} \right]_{-1}^0$$

$$= \frac{2}{3} + \frac{2}{3} = \frac{\mathbf{4}}{\mathbf{3}}$$

❶

$S_1 = \displaystyle\int_{-2}^{-1} \sqrt{-(x+1)} \, dx$

$S_2 = \displaystyle\int_{-1}^0 \sqrt{x+1} \, dx$

(2) $e^x - 1 = 0$에서 $e^x = 1$, 즉 $x=0$이므로

$$|e^x - 1| = \begin{cases} -e^x + 1 & (x < 0) \\ e^x - 1 & (x \geq 0) \end{cases}$$

$$\therefore \int_{-1}^2 |e^x - 1| \, dx = \underline{\int_{-1}^0 (-e^x + 1) \, dx + \int_0^2 (e^x - 1) \, dx}$$

$$= \left[-e^x + x \right]_{-1}^0 + \left[e^x - x \right]_0^2$$

$$= \{-1 - (-e^{-1} - 1)\} + \{(e^2 - 2) - 1\}$$

$$= e^{-1} + e^2 - 3 = e^2 + \frac{\mathbf{1}}{\mathbf{e}} - \mathbf{3}$$

❷

$S_1 = \displaystyle\int_{-1}^0 (-e^x + 1) \, dx$

$S_2 = \displaystyle\int_0^2 (e^x - 1) \, dx$

확인 문제

정답과 해설 | **88**쪽　　　　MY 셀파

02-1 다음 정적분의 값을 구하시오.
(상)(중)(하)

(1) $\displaystyle\int_0^3 |2^x - 2| \, dx$

(2) $\displaystyle\int_0^\pi |\sin x + \cos x| \, dx$

02-1

(2) $\sin x + \cos x = 0$이 되는 x의 값을 기준으로 적분 구간을 나눈다.

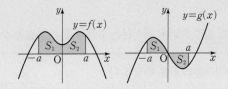

❶ $f(-x)=f(x)$일 때

$\Rightarrow \displaystyle\int_{-a}^{a} f(x)dx = 2\int_{0}^{a} f(x)dx$

　　　　→ $f(x)$는 우함수

❷ $g(-x)=-g(x)$일 때

$\Rightarrow \displaystyle\int_{-a}^{a} g(x)dx = 0$

　　　　→ $g(x)$는 기함수

❶ 우함수 $f(x)$의 그래프는 y축에 대하여 대칭이므로 S_1과 S_2의 넓이가 같다.

❷ 기함수 $g(x)$의 그래프는 원점에 대하여 대칭이므로 S_1과 S_2의 넓이는 같다. 그런데 S_2는 정적분의 값이 음수이므로 $S_1=-S_2$이다.

 예제 다음 정적분의 값을 구하시오.

(1) $\displaystyle\int_{-\frac{\pi}{2}}^{\frac{\pi}{2}} (\sin x + \cos x + \tan x)dx$

(2) $\displaystyle\int_{-1}^{1} x(e^{x}+e^{-x})dx$

해법 코드

$f(-x)=f(x)$인 $f(x)$는 우함수, $g(-x)=-g(x)$인 $g(x)$는 기함수이다.

셀파 $\displaystyle\int_{-a}^{a}$ (우함수) $dx = 2\int_{0}^{a}$ (우함수) dx, $\displaystyle\int_{-a}^{a}$ (기함수) $dx = 0$

풀이 (1) $y=\sin x$, $y=\tan x$는 기함수, $y=\cos x$는 우함수이므로❶

$$\int_{-\frac{\pi}{2}}^{\frac{\pi}{2}} (\sin x + \tan x)dx = 0, \quad \int_{-\frac{\pi}{2}}^{\frac{\pi}{2}} \cos x\, dx = 2\int_{0}^{\frac{\pi}{2}} \cos x\, dx$$

$$\therefore \int_{-\frac{\pi}{2}}^{\frac{\pi}{2}} (\sin x + \cos x + \tan x)dx = 2\int_{0}^{\frac{\pi}{2}} \cos x\, dx$$

$$= 2\Big[\sin x \Big]_{0}^{\frac{\pi}{2}} = 2$$

(2) $f(x)=x(e^{x}+e^{-x})$이라 하면 $f(-x)=-f(x)$이므로 $f(x)$는 기함수이다.❷

$$\therefore \int_{-1}^{1} x(e^{x}+e^{-x})dx = 0$$

❶ $f(x)=\sin x$라 하면

$f(-x)=\sin(-x)=-\sin x$
　　$=-f(x)$

이므로 $\sin x$는 기함수이다.

$f(x)=\tan x$라 하면

$f(-x)=\tan(-x)=-\tan x$
　　$=-f(x)$

이므로 $\tan x$는 기함수이다.

$f(x)=\cos x$라 하면

$f(-x)=\cos(-x)=\cos x$
　　$=f(x)$

이므로 $\cos x$는 우함수이다.

❷ $f(-x)=-x(e^{-x}+e^{x})$
　　$=-x(e^{x}+e^{-x})$
　　$=-f(x)$

확인 문제

정답과 해설 | **89**쪽

MY 셀파

03-1 다음 정적분의 값을 구하시오.
(상)(중)(하)

(1) $\displaystyle\int_{-1}^{4} (\sin x - 3x^2 + 6x)dx + \int_{-4}^{-1} (\sin x - 3x^2 + 6x)dx$

(2) $\displaystyle\int_{-\pi}^{\pi} \frac{\sin x - \tan x}{1+\cos x}dx$

03-1

(1) $\sin x$, $6x$는 기함수, $-3x^2$은 우함수이다.

(2) $f(x)=\dfrac{\sin x - \tan x}{1+\cos x}$로 놓고 $f(-x)$를 구한다.

모든 구간에서 연속이고 주기가 k인 함수 $f(x)$의 정적분은 다음과 같은 성질을 갖는다.

> ❶ 한 주기에 해당하는 구간의 정적분의 값은 항상 같다.
>
> $$\Rightarrow \int_a^{a+k} f(x)dx = \int_b^{b+k} f(x)dx = \cdots$$
>
> ❷ 닫힌구간 $[a, b]$의 정적분의 값은 닫힌구간 $[a+k, b+k]$의 정적분의 값과 같다.
>
> $$\Rightarrow \int_a^b f(x)dx = \int_{a+k}^{b+k} f(x)dx = \cdots$$

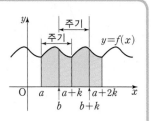

❶ 함수 $f(x)$가 양수 k에 대하여 $f(x)=f(x+k)$가 성립할 때, 함수 $f(x)$는 주기가 k인 주기함수이다.

위의 성질을 이용하여 문제를 푸는 방법을 알아보자.

> 함수 $f(x)$가 모든 실수 x에 대하여 $f(x)=f(x+\pi)$를 만족시키고, $0 \le x \le \pi$에서 $f(x)=\sin x$일 때, $\displaystyle\int_{-2\pi}^{2\pi} f(x)dx$의 값을 구하시오.

풀이 $f(x)=f(x+\pi)$에서 $f(x)$는 주기가 π인 주기함수이다.

이때 $\displaystyle\int_0^\pi f(x)dx = \int_0^\pi \sin x\,dx = \Big[-\cos x\Big]_0^\pi = 2$이므로

$$\int_{-2\pi}^{2\pi} f(x)dx = 4\int_0^\pi f(x)dx = 4 \times 2 = 8$$

❷ $0 \le x \le \pi$에서 $f(x)=\sin x$이고 주기가 π인 주기함수이므로 함수 $y=f(x)$의 그래프는 다음 그림과 같다.

❸ 주기가 π일 때, 구간 $[-2\pi, 2\pi]$는 $[-2\pi, -\pi]$, $[-\pi, 0]$, $[0, \pi]$, $[\pi, 2\pi]$의 네 구간으로 나눌 수 있으므로

$$\int_{-2\pi}^{2\pi} f(x)dx = 4\int_0^\pi f(x)dx$$

> 모든 실수 x에 대하여 $f(-x)=f(x)$, $f(x)=f(x+6)$을 만족시키는 함수 $f(x)$에 대하여 $\displaystyle\int_0^3 f(x)dx=4$일 때, $\displaystyle\int_{-12}^6 f(x)dx$의 값을 구하시오.

풀이 $f(-x)=f(x)$에서 $f(x)$는 우함수이므로

$$\int_{-3}^3 f(x)dx = 2\int_0^3 f(x)dx = 8$$

또 $f(x)=f(x+6)$에서 $f(x)$는 주기가 6인 주기함수이다.

$$\therefore \int_{-12}^6 f(x)dx = 3\int_{-3}^3 f(x)dx = 3 \times 8 = 24$$

❹ 주기가 6일 때, 구간 $[-12, 6]$은 $[-12, -6]$, $[-6, 0]$, $[0, 6]$의 세 구간으로 나눌 수 있으므로

$$\int_{-12}^6 f(x)dx = 3\int_{-3}^3 f(x)dx$$

> 주기함수의 정적분을 구할 때는 주기에 맞게 구간을 나눈 다음 반복되는 구간이 몇 개인지 파악해야 해!

확인 체크 01

정답과 해설 | **89**쪽

정적분 $\displaystyle\int_0^{4\pi} |\cos x|\,dx$의 값을 구하시오.

A 함수 $f(x)=ax\ (a>0)$에 대하여 다음 [그림 1], [그림 2]는 각각 넓이가 정적분 $\int_2^4 f(x)dx$, $\int_1^2 f(2t)dt$로 나타나는 두 영역을 나타낸 거야.

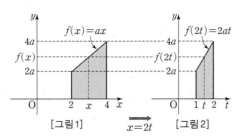

[그림 1]　　$x=2t$　　[그림 2]

Q [그림 1]의 넓이는 $\dfrac{1}{2}\times(2a+4a)\times2=6a$,

[그림 2]의 넓이는 $\dfrac{1}{2}\times(2a+4a)\times1=3a$이니까 다음이 성립해요.

$$\int_2^4 f(x)dx=6a,\ \int_1^2 f(2t)dt=3a에서 \underline{\int_2^4 f(x)dx=2\int_1^2 f(2t)dt}$$

즉, $f(x)$에서 $x=2t$로 치환하여 t에 대하여 적분하면 적분 구간도 변하고, 앞에 상수 2도 생기네요.

A 잘했어! $\int_a^b f(x)dx$에서 $x=g(t)$로 치환하여 계산할 때는 <u>적분 구간도 변화시켜야 하고, $g'(t)$도 고려해야 하지.</u> 이와 같이 치환을 이용하여 정적분을 구하는 방법은 다음과 같아.

닫힌구간 $[a,b]$에서 연속인 함수 $f(x)$의 부정적분 중 하나를 $F(x)$라 하면
$$\int_a^b f(x)dx=\Big[F(x)\Big]_a^b=F(b)-F(a)\quad\cdots\cdots\ \text{㉠}$$
미분가능한 함수 $g(t)$에 대하여 $x=g(t)$로 놓으면
$1=g'(t)\dfrac{dt}{dx}$이므로 $\displaystyle\int f(x)dx=\int f(g(t))g'(t)dt=F(g(t))$
이때 도함수 $g'(t)$가 닫힌구간 $[\alpha,\beta]$에서 연속이고,
$a=g(\alpha),\ b=g(\beta)$라 하면

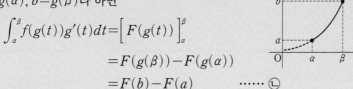

$$\int_\alpha^\beta f(g(t))g'(t)dt=\Big[F(g(t))\Big]_\alpha^\beta$$
$$=F(g(\beta))-F(g(\alpha))$$
$$=F(b)-F(a)\quad\cdots\cdots\ \text{㉡}$$
즉, ㉠, ㉡에서
$$\int_a^b f(x)dx=\int_\alpha^\beta f(g(t))g'(t)dt$$
가 성립한다.

㉠ 사다리꼴의 넓이 공식을 이용한다.
$$\dfrac{1}{2}\times\{(\text{윗변의 길이})+(\text{아랫변의 길이})\}$$
$$\times(\text{높이})$$
$$=\dfrac{1}{2}\times(2a+4a)\times2=6a$$

㉡ 정적분 $\int_2^4 f(x)dx$를 구할 때
$x=2t$로 치환하면 $\dfrac{dx}{dt}=2$
$2\le x\le4$에서 $2\le2t\le4$이므로
$1\le t\le2$
$$\therefore \int_2^4 f(x)dx=\int_1^2 f(2t)\times2\,dt$$
$$=2\int_1^2 f(2t)dt$$

㉢ x의 값에 대한 구간을 t의 값에 대한 구간으로 바꿔야 한다.

㉣ $x=g(t)$의 양변을 x에 대하여 미분하면 $1=\dfrac{dg(t)}{dx}$이므로
$$1=\dfrac{dg(t)}{dt}\times\dfrac{dt}{dx}=g'(t)\dfrac{dt}{dx}$$

9

정적분

$f(x)$가 닫힌구간 $[a,\ b]$에서 연속이고, 미분가능한 함수 $x=g(t)$에 대하여 $a=g(\alpha)$, $b=g(\beta)$일 때, 도함수 $g'(t)$가 닫힌구간 $[\alpha,\ \beta]$에서 연속이면 다음이 성립한다.

$$\int_a^b f(x)dx=\int_\alpha^\beta f(g(t))g'(t)dt$$

$\int_\alpha^\beta f(g(x))g'(x)dx$ 꼴의 정적분에서 $g(x)=t$로 놓으면

$$\int_\alpha^\beta f(g(x))g'(x)dx$$
$$=\int_{g(\alpha)}^{g(\beta)} f(t)dt$$

예제 다음 정적분의 값을 구하시오.

(1) $\displaystyle\int_0^1 \frac{4}{(2x+1)^3}\,dx$ (2) $\displaystyle\int_1^e \frac{1}{x(1+\ln x)^2}\,dx$

해법 코드
(1) $2x+1=t$로 놓는다.
(2) $1+\ln x=t$로 놓는다.

셀파 정적분의 치환적분법 ⇨ $\displaystyle\int_a^b f(x)dx=\int_\alpha^\beta f(g(t))g'(t)dt$

풀이 (1) $2x+1=t$로 놓으면 $2=\dfrac{dt}{dx}$

$x=0$일 때 $t=1$, $x=1$일 때 $t=3$이므로

$$\int_0^1 \frac{4}{(2x+1)^3}\,dx=\int_1^3 \frac{4}{t^3}\times\frac{1}{2}\,dt=2\int_1^3 t^{-3}\,dt$$
$$=2\left[-\frac{1}{2}t^{-2}\right]_1^3=-\left[\frac{1}{t^2}\right]_1^3$$
$$=-\left(\frac{1}{9}-1\right)=\frac{8}{9}$$

정적분의 치환적분법에서는 치환한 식을 처음의 변수로 바꿀 필요 없이 바로 정적분의 값을 계산하면 돼.

(2) $1+\ln x=t$로 놓으면 $\dfrac{1}{x}=\dfrac{dt}{dx}$

$x=1$일 때 $t=1$, $x=e$일 때 $t=2$이므로

$$\int_1^e \frac{1}{x(1+\ln x)^2}\,dx=\underset{❶}{\int_1^2 \frac{1}{t^2}dt}=\left[-\frac{1}{t}\right]_1^2$$
$$=-\frac{1}{2}+1=\frac{1}{2}$$

❶ $\displaystyle\int_1^2 \frac{1}{t^2}dt=\int_1^2 t^{-2}\,dt=\left[-t^{-1}\right]_1^2$
$$=\left[-\frac{1}{t}\right]_1^2$$

확인 문제   정답과 해설 | **89**쪽   **MY 셀파**

04-1 다음 정적분의 값을 구하시오.

(1) $\displaystyle\int_{\frac{1}{3}}^1 (3x-1)^3\,dx$ (2) $\displaystyle\int_{-3}^1 \frac{1}{\sqrt{x+3}}\,dx$

(3) $\displaystyle\int_0^4 x\sqrt{4-x}\,dx$ (4) $\displaystyle\int_0^1 \frac{2e^x}{e^x+e^{-x}}\,dx$

04-1
(1) $3x-1=t$로 놓는다.
(2) $x+3=t$로 놓는다.
(3) $4-x=t$로 놓는다.
(4) $e^x=t$로 놓는다.

❶ 피적분함수가 무리함수 $\sqrt{a^2-x^2}\ (a>0)$ 꼴일 때

⇨ $x=a\sin\theta\left(-\dfrac{\pi}{2}\le\theta\le\dfrac{\pi}{2}\right)$로 치환한 후 $\sin^2\theta+\cos^2\theta=1$임을 이용한다.

❷ 피적분함수가 분수함수 $\dfrac{1}{a^2+x^2}\ (a>0)$ 꼴일 때

⇨ $x=a\tan\theta\left(-\dfrac{\pi}{2}<\theta<\dfrac{\pi}{2}\right)$로 치환한 후 $\tan^2\theta+1=\sec^2\theta$임을 이용한다.

피적분함수가 $\sqrt{a^2-x^2}$ 꼴이 포함된 함수일 경우 근호가 없어져야 계산이 가능하다.
이때 근호를 없애려면 근호 안이 완전제곱식이 되어야 한다.

예제 다음 정적분의 값을 구하시오.

$$(1)\ \int_0^2 \sqrt{4-x^2}\,dx \qquad\qquad (2)\ \int_0^1 \frac{1}{x^2+1}\,dx$$

해법 코드
(1) $x=2\sin\theta$로 놓는다.
(2) $x=\tan\theta$로 놓는다.

셀파 $\sqrt{a^2-x^2}$ 꼴 또는 $\dfrac{1}{a^2+x^2}$ 꼴이면 삼각치환법을 이용한다.

풀이 (1) $x=2\sin\theta\left(-\dfrac{\pi}{2}\le\theta\le\dfrac{\pi}{2}\right)$로 놓으면 $\dfrac{dx}{d\theta}=2\cos\theta$

$x=0$일 때 $\theta=0$, $x=2$일 때 $\theta=\dfrac{\pi}{2}$이므로

$$\int_0^2 \sqrt{4-x^2}\,dx = \int_0^{\frac{\pi}{2}} \underset{❶}{\underline{\sqrt{4-4\sin^2\theta}}}\times 2\cos\theta\,d\theta$$

$$= \int_0^{\frac{\pi}{2}} 2\cos\theta\times 2\cos\theta\,d\theta = 4\int_0^{\frac{\pi}{2}} \underset{❷}{\underline{\cos^2\theta}}\,d\theta$$

$$= 4\int_0^{\frac{\pi}{2}} \frac{1+\cos 2\theta}{2}\,d\theta = 2\int_0^{\frac{\pi}{2}}(1+\cos 2\theta)\,d\theta$$

$$= 2\left[\theta+\frac{1}{2}\sin 2\theta\right]_0^{\frac{\pi}{2}} = \pi$$

❶ 닫힌구간 $\left[0,\dfrac{\pi}{2}\right]$에서

$$\sqrt{4-4\sin^2\theta}$$
$$=\sqrt{4(1-\sin^2\theta)}$$
$$=\sqrt{4\cos^2\theta}=2\cos\theta$$

(2) $x=\tan\theta\left(-\dfrac{\pi}{2}<\theta<\dfrac{\pi}{2}\right)$로 놓으면 $\dfrac{dx}{d\theta}=\sec^2\theta$

$x=0$일 때 $\theta=0$, $x=1$일 때 $\theta=\dfrac{\pi}{4}$이므로

$$\int_0^1 \frac{1}{x^2+1}\,dx = \int_0^{\frac{\pi}{4}} \frac{1}{\tan^2\theta+1}\times\sec^2\theta\,d\theta = \int_0^{\frac{\pi}{4}} \frac{\sec^2\theta}{\sec^2\theta}\,d\theta$$

$$= \int_0^{\frac{\pi}{4}} d\theta = \left[\theta\right]_0^{\frac{\pi}{4}} = \frac{\pi}{4}$$

❷ $\cos 2\theta$
$$=\cos(\theta+\theta)$$
$$=\cos\theta\cos\theta-\sin\theta\sin\theta$$
$$=\cos^2\theta-(1-\cos^2\theta)$$
$$=2\cos^2\theta-1$$
$$\therefore \cos^2\theta=\frac{1+\cos 2\theta}{2}$$

9
정적분

확인 문제

정답과 해설 | **90**쪽

MY 셀파

05-1 다음 정적분의 값을 구하시오.
(상)(중)(하)

$$(1)\ \int_{-4}^4 \sqrt{16-x^2}\,dx \qquad\qquad (2)\ \int_0^2 \frac{1}{4+x^2}\,dx$$

05-1
(1) $x=4\sin\theta$로 놓는다.
(2) $x=2\tan\theta$로 놓는다.

미분가능한 두 함수 $f(x), g(x)$에 대하여 $f'(x), g'(x)$가 닫힌구간 $[a, b]$에서 연속일 때

$$\int_a^b f(x)g'(x)dx = \left[f(x)g(x) \right]_a^b - \int_a^b f'(x)g(x)dx$$

두 함수의 곱 꼴인 피적분함수에서 미분하기 쉬운 것을 $f(x)$로, 적분하기 쉬운 것을 $g'(x)$로 놓는다.

참고 부분적분법을 한 번 적용하여 정적분을 구할 수 없을 때는 한 번 더 부분적분법을 적용한다.

예제 다음 정적분의 값을 구하시오.

$$(1) \int_1^{e^2} x \ln x\, dx \qquad\qquad (2) \int_0^\pi x \sin x\, dx$$

해법 코드
(1) $f(x) = \ln x,\ g'(x) = x$
(2) $f(x) = x,\ g'(x) = \sin x$

셀파 $\displaystyle\int_a^b f(x)g'(x)dx = \left[f(x)g(x) \right]_a^b - \int_a^b f'(x)g(x)dx$

풀이 (1) $f(x) = \ln x,\ g'(x) = x$로 놓으면 $f'(x) = \dfrac{1}{x},\ g(x) = \dfrac{1}{2}x^2$

$$\therefore \int_1^{e^2} x \ln x\, dx = \left[\frac{1}{2}x^2 \ln x \right]_1^{e^2} - \int_1^{e^2} \frac{1}{x} \times \frac{1}{2}x^2\, dx$$

$$= e^4 - \frac{1}{2}\int_1^{e^2} x\, dx$$

$$= e^4 - \left[\frac{1}{4}x^2 \right]_1^{e^2}$$

$$= e^4 - \left(\frac{1}{4}e^4 - \frac{1}{4} \right) = \frac{3}{4}e^4 + \frac{1}{4}$$

❶ $\left[\dfrac{1}{2}x^2 \ln x \right]_1^{e^2} = \dfrac{1}{2}e^4 \ln e^2 = e^4$

(2) $f(x) = x,\ g'(x) = \sin x$로 놓으면 $f'(x) = 1,\ g(x) = -\cos x$

$$\therefore \int_0^\pi x \sin x\, dx = \left[x(-\cos x) \right]_0^\pi - \underline{\int_0^\pi -\cos x\, dx}$$

$$= \pi + \left[\sin x \right]_0^\pi = \pi$$

❷ $-\displaystyle\int_0^\pi -\cos x\, dx$
$= \displaystyle\int_0^\pi \cos x\, dx$
$= \left[\sin x \right]_0^\pi$

확인 문제 정답과 해설 | **91**쪽 MY 셀파

06-1 다음 정적분의 값을 구하시오.
(상)(중)(하)

$$(1) \int_0^{\frac{\pi}{2}} x \cos x\, dx \qquad\qquad (2) \int_0^1 x e^x\, dx$$

$$(3) \int_1^e \frac{\ln x}{x^2}\, dx \qquad\qquad (4) \int_\pi^{2\pi} x(\sin x + \cos x)\, dx$$

06-1
(1) $f(x) = x,\ g'(x) = \cos x$
(2) $f(x) = x,\ g'(x) = e^x$
(3) $f(x) = \ln x,\ g'(x) = \dfrac{1}{x^2}$
(4) $f(x) = x,\ g'(x) = \sin x + \cos x$

$f(x)=g(x)+\displaystyle\int_a^b f(t)dt$ (a, b는 상수)일 때, 함수 $f(x)$는 다음과 같이 구한다.

$\boxed{1}$ $\displaystyle\int_a^b f(t)dt=k$ (k는 상수) ······ ㉠로 놓으면

　　$f(x)=g(x)+k$ ······ ㉡

$\boxed{2}$ ㉡을 ㉠에 대입하여 k의 값을 구한다.

$\boxed{3}$ k의 값을 ㉠에 대입하여 $f(x)$를 구한다.

$$f(x)=g(x)+\boxed{\displaystyle\int_a^b f(t)dt}$$
$$\Rightarrow f(x)=g(x)+k$$

함수 $f(x)$를 a에서 b까지 적분한 $\displaystyle\int_a^b f(x)dx$의 값은 상수이므로

$\displaystyle\int_a^b f(x)dx=k$ (k는 상수)로 놓을 수 있다.

예제 다음 등식을 만족시키는 함수 $f(x)$를 구하시오.

(1) $f(x)=e^x-\displaystyle\int_0^1 f(t)dt$　　　　　(2) $f(x)=x+\displaystyle\int_0^1 e^t f(t)dt$

해법 코드

(1) $\displaystyle\int_0^1 f(t)dt=k$로 놓는다.

(2) $\displaystyle\int_0^1 e^t f(t)dt=k$로 놓는다.

셀파 a, b가 상수일 때, $\displaystyle\int_a^b f(t)dt$의 값을 상수 k로 놓을 수 있다.

풀이 (1) $\displaystyle\int_0^1 f(t)dt=k$ (k는 상수)로 놓으면 $f(x)=e^x-k$

$\underline{\displaystyle\int_0^1 f(t)dt=\int_0^1 (e^t-k)dt=\Big[e^t-kt\Big]_0^1=e-k-1}$ ●

이때 $e-k-1=k$이므로 $k=\dfrac{e-1}{2}$　　∴ $f(x)=e^x-\dfrac{e-1}{2}$

● ㉠ $f(t)=e^t-k$를 $\displaystyle\int_0^1 f(t)dt=k$에 대입한다.

(2) $\displaystyle\int_0^1 e^t f(t)dt=k$ (k는 상수)로 놓으면 $f(x)=x+k$

$\displaystyle\int_0^1 e^t f(t)dt=\underline{\int_0^1 e^t(t+k)dt=\Big[e^t(t+k)\Big]_0^1-\int_0^1 e^t dt}$ ●

$=e(1+k)-k-\Big[e^t\Big]_0^1=ek-k+1$

이때 $ek-k+1=k$이므로 $2k-ek=1$에서 $(2-e)k=1$　　∴ $k=\dfrac{1}{2-e}$

∴ $f(x)=x+\dfrac{1}{2-e}$

● ㉡ $\displaystyle\int_0^1 e^t(t+k)dt$에서 $u(t)=t+k$, $v'(t)=e^t$으로 놓으면 $u'(t)=1$, $v(t)=e^t$

∴ $\displaystyle\int_0^1 e^t(t+k)dt$
$=\Big[e^t(t+k)\Big]_0^1-\int_0^1 e^t dt$

확인 문제　　　　　　　　　　정답과 해설 | **91**쪽　　　　　　**MY 셀파**

07-1 다음 등식을 만족시키는 함수 $f(x)$를 구하시오.

(상)(중)(하)

(1) $f(x)=e^x+\displaystyle\int_0^2 f(t)dt$　　　　(2) $f(x)=2\sin x-\displaystyle\int_0^{\frac{\pi}{2}} f(t)\cos t\,dt$

07-1

(1) $\displaystyle\int_0^2 f(t)dt=k$로 놓는다.

(2) $\displaystyle\int_0^{\frac{\pi}{2}} f(t)\cos t\,dt=k$로 놓는다.

9

정적분

$\int_a^x f(t)dt = g(x)$ (a는 상수)   …… ㉠일 때

❶ ㉠의 양변을 x에 대하여 미분한다.

⇨ $\dfrac{d}{dx}\displaystyle\int_a^x f(t)dt = g'(x)$이므로 $f(x) = g'(x)$

❷ ㉠의 양변에 $x = a$를 대입한다.

⇨ $\displaystyle\int_a^a f(t)dt = g(a)$이므로 $g(a) = 0$

❶ $\dfrac{d}{dx}\displaystyle\int_a^x f(t)dt = f(x)$

❷ $\dfrac{d}{dx}\displaystyle\int_x^{x+a} f(t)dt$
$= f(x+a) - f(x)$

예제 임의의 실수 x에 대하여 미분가능한 함수 $f(x)$가

$$xf(x) = x^2 + x + \int_1^x f(t)dt$$

를 만족시킬 때, $f(e)$의 값을 구하시오.

해법 코드
주어진 식의 양변을 x에 대하여 미분한 다음 주어진 식의 양변에 $x=1$을 대입한다.

셀파 $\displaystyle\int_a^x f(t)dt = g(x)$ ⇨ 양변을 x에 대하여 미분한다.

풀이 주어진 식의 양변을 x에 대하여 미분하면

$f(x) + xf'(x) = 2x + 1 + f(x)$, $xf'(x) = 2x+1$, $f'(x) = 2 + \dfrac{1}{x}$

$\therefore f(x) = \displaystyle\int\left(2 + \dfrac{1}{x}\right)dx = 2x + \ln|x| + C$

주어진 식의 양변에 $x=1$을 대입하면 $f(1) = 1 + 1 + 0 = 2$

또 $f(x) = 2x + \ln|x| + C$에 $x=1$을 대입하면

$f(1) = 2 + C$이므로 $2 = 2 + C$ $\therefore C = 0$

따라서 $f(x) = 2x + \ln|x|$이므로 $f(e) = 2e + \ln e = \boldsymbol{2e+1}$

㉠ $xf(x) = x^2 + x + \displaystyle\int_1^x f(t)dt$의
양변에 $x=1$을 대입하면

$1 \times f(1) = 1^2 + 1 + \displaystyle\int_1^1 f(t)dt$

이때 $\displaystyle\int_1^1 f(t)dt = 0$이므로

$f(1) = 2$

확인 문제   정답과 해설 | **91**쪽   MY 셀파

08-1 임의의 실수 x에 대하여 미분가능한 함수 $f(x)$가
(상)(중)(하)
$$f(x) = e^{-x} + 2x - 1 + \int_0^x f(t)dt$$
를 만족시킬 때, $f'(0)$의 값을 구하시오.

08-1
양변을 x에 대하여 미분하면
$f'(x) = -e^{-x} + 2 + f(x)$

08-2 임의의 실수 x에 대하여 연속함수 $f(x)$가
(상)(중)(하)
$$\int_0^x f(t)dt = e^{2x} - ae^x$$
을 만족시킬 때, $f(\ln 3)$의 값을 구하시오. (단, a는 상수)

08-2
양변을 x에 대하여 미분하면
$f(x) = 2e^{2x} - ae^x$

$\displaystyle\int_a^x (x-t)f(t)dt=g(x)$가 주어질 경우 함수 $f(x)$는 다음과 같이 구한다.

① 좌변을 전개한다. ⇨ $\displaystyle\int_a^x (x-t)f(t)dt=x\int_a^x f(t)dt-\int_a^x tf(t)dt$

② $\displaystyle x\int_a^x f(t)dt-\int_a^x tf(t)dt=g(x)$의 양변을 x에 대하여 미분한다.

⇨ $\displaystyle\int_a^x f(t)dt+xf(x)-xf(x)=g'(x)$이므로 $\displaystyle\int_a^x f(t)dt=g'(x)$

③ $\displaystyle\int_a^x f(t)dt=g'(x)$의 양변을 x에 대하여 한 번 더 미분하여 $f(x)$를 구한다.

$\displaystyle\int_a^x xf(t)dt$와 같이 적분변수가 t인 정적분에서 x는 상수로 취급한다.
즉, $\displaystyle\int_a^x xf(t)dt=x\int_a^x f(t)dt$

예제 임의의 실수 x에 대하여 함수 $f(x)$가
$$\int_2^x (x-t)f(t)dt=e^x-x-e^2+2$$
를 만족시킬 때, $f(2)$의 값을 구하시오.

해법 코드
주어진 식의 좌변을 전개한 후 양변을 x에 대하여 미분한다.

셀파 $\displaystyle\int_a^x (x-t)f(t)dt$를 x에 대하여 미분하면 ⇨ $\displaystyle\int_a^x f(t)dt+xf(x)-xf(x)$

풀이 ⊙$\displaystyle\int_2^x (x-t)f(t)dt=x\int_2^x f(t)dt-\int_2^x tf(t)dt$이므로

$\displaystyle x\int_2^x f(t)dt-\int_2^x tf(t)dt=e^x-x-e^2+2$의 양변을 x에 대하여 미분하면

$\displaystyle\int_2^x f(t)dt+xf(x)-xf(x)=e^x-1$

$\therefore \displaystyle\int_2^x f(t)dt=e^x-1$　　……⊙

⊙의 양변을 x에 대하여 한 번 더 미분하면
$f(x)=e^x$　　$\therefore f(2)=\boldsymbol{e^2}$

⊙ $\displaystyle\int_2^x (x-t)f(t)dt$
$\displaystyle =\int_2^x \{xf(t)-tf(t)\}dt$
$\displaystyle =\int_2^x xf(t)dt-\int_2^x tf(t)dt$
$\displaystyle =x\int_2^x f(t)dt-\int_2^x tf(t)dt$

9 정적분

확인 문제　　　　　　　　　　　　정답과 해설 | **92**쪽　　　　　MY 셀파

09-1
(상)(중)(하)
임의의 실수 x에 대하여 함수 $f(x)$가
$$\int_1^x (x-t)f(t)dt=x^2\ln x+ax+b$$
를 만족시킬 때, 상수 a, b의 값을 구하시오.

09-1
$\displaystyle\int_1^x (x-t)f(t)dt$
$\displaystyle =x\int_1^x f(t)dt-\int_1^x tf(t)dt$

09-2
(상)(중)(하)
$0\le x\le 2\pi$에서 정의된 함수 $f(x)=\displaystyle\int_0^x (x-t)\cos t\,dt$에 대하여 $\displaystyle\int_0^{2\pi} f(x)dx$의 값을 구하시오.

09-2
$\displaystyle\int_0^x (x-t)\cos t\,dt$
$\displaystyle =x\int_0^x \cos t\,dt-\int_0^x t\cos t\,dt$

$f(x)=\displaystyle\int_a^x g(t)dt$와 같이 정의된 함수 $f(x)$에서 최댓값, 최솟값은 다음과 같이 구한다.

❶ $\dfrac{d}{dx}\displaystyle\int_a^x f(t)dt=f(x)$

① 주어진 식의 양변을 x에 대해 미분하여 $f'(x)$를 구한다.

② $f'(x)=0$인 x의 값을 구하고 함수 $f(x)$의 증가와 감소를 표로 나타낸다.

❷ $\dfrac{d}{dx}\displaystyle\int_x^{x+a} f(t)dt$

　$=f(x+a)-f(x)$

③ 정적분을 계산하여 함수의 극댓값과 극솟값을 구한다.

④ 극값과 범위 끝에서의 함숫값을 비교하여 최댓값, 최솟값을 구한다.

예제 $\dfrac{1}{2}\leq x\leq 2$에서 함수 $f(x)=\displaystyle\int_0^x (1-t)e^t dt$의 최댓값과 최솟값을 구하시오.

해법 코드
주어진 식의 양변을 x에 대하여 미분한다.

셀파 $f(x)=\displaystyle\int_a^x g(t)dt$가 주어질 경우 ⇨ 양변을 x에 대하여 미분한다.

풀이 주어진 식의 양변을 x에 대하여 미분하면 $f'(x)=(1-x)e^x$

$f'(x)=0$에서 $x=1$

이때 함수 $f(x)$의 증가와 감소를 표로 나타내면 오른쪽과 같다.

즉, $\dfrac{1}{2}\leq x\leq 2$에서 함수 $f(x)$의 최댓값은 극댓값

인 $f(1)$이고, 최솟값은 $f\left(\dfrac{1}{2}\right)$과 $f(2)$ 중 더 작은

값이다.

❶ $f'(x)=(1-x)e^x$에서 $e^x>0$이 므로 $f'(x)=0$인 경우는 $1-x=0$에서 $x=1$

x	$\dfrac{1}{2}$	$\cdots$	1	$\cdots$	2
$f'(x)$		$+$	0	$-$	
$f(x)$		↗	극대	↘	

$f(x)=\displaystyle\int_0^x (1-t)e^t dt$에서

$u(t)=1-t,\ v'(t)=e^t$으로 놓으면 $u'(t)=-1,\ v(t)=e^t$

$\therefore f(x)=\Big[(1-t)e^t\Big]_0^x+\displaystyle\int_0^x e^t dt=(1-x)e^x-1+\Big[e^t\Big]_0^x$

$\qquad\quad=(1-x)e^x-1+e^x-1=(2-x)e^x-2$

$f(x)=(2-x)e^x-2$에서 $f(1)=e-2,\ f\left(\dfrac{1}{2}\right)=\dfrac{3}{2}e^{\frac{1}{2}}-2,\ f(2)=-2$

따라서 $\dfrac{1}{2}\leq x\leq 2$에서 함수 $f(x)$의 **최댓값은 $e-2$, 최솟값은 -2**

최댓값, 최솟값을 구할 때는 반드시 범위 끝에서의 함숫값과 극값을 함께 비교하여 가장 큰 것을 최댓값, 가장 작은 것을 최솟값으로 해야 해.

확인 문제　　　　　　　　　　정답과 해설 | **92**쪽　　　　MY 셀파

10-1 $0\leq x\leq 2\pi$에서 함수 $f(x)=\displaystyle\int_0^x 3(1+\cos t)^2\sin t\, dt$의 최댓값과 최솟값을 구하시오.
(상)(중)(하)

10-1
극값과 $f(0),\ f(2\pi)$를 비교한다.

함수 $f(x)$의 한 부정적분을 $F(x)$, 즉 $F'(x)=f(x)$라 하면

❶ $\lim\limits_{x \to a} \dfrac{1}{x-a} \displaystyle\int_a^x f(t)dt = \lim\limits_{x \to a} \dfrac{1}{x-a}\Big[F(t)\Big]_a^x = \lim\limits_{x \to a}\dfrac{F(x)-F(a)}{x-a}=F'(a)=f(a)$

❷ $\lim\limits_{x \to 0} \dfrac{1}{x} \displaystyle\int_a^{a+x} f(t)dt = \lim\limits_{x \to 0} \dfrac{1}{x}\Big[F(t)\Big]_a^{a+x} = \lim\limits_{x \to 0}\dfrac{F(a+x)-F(a)}{x}=F'(a)=f(a)$

함수 $f(x)$에 대하여
$$f'(a)=\lim\limits_{x \to a}\dfrac{f(x)-f(a)}{x-a}$$
$$=\lim\limits_{x \to 0}\dfrac{f(a+x)-f(a)}{x}$$

예제 다음 극한값을 구하시오.

(1) $\lim\limits_{x \to 1} \dfrac{1}{x-1} \displaystyle\int_1^x e^t(\cos \pi t + \sin \pi t)dt$

(2) $\lim\limits_{x \to 0} \dfrac{1}{x} \displaystyle\int_0^x \cos^3 t \sin t\, dt$

해법 코드
(1) $f(t)=e^t(\cos \pi t + \sin \pi t)$로 놓는다.
(2) $f(t)=\cos^3 t \sin t$로 놓는다.

셀파 $\lim\limits_{x \to a} \dfrac{1}{x-a} \displaystyle\int_a^x f(t)dt=f(a),\ \lim\limits_{x \to 0} \dfrac{1}{x} \displaystyle\int_a^{a+x} f(t)dt=f(a)$

풀이 (1) $f(t)=e^t(\cos \pi t + \sin \pi t)$로 놓고 $f(t)$의 한 부정적분을 $F(t)$라 하면

(주어진 식)$=\lim\limits_{x \to 1} \dfrac{1}{x-1} \displaystyle\int_1^x f(t)dt=\lim\limits_{x \to 1} \dfrac{1}{x-1}\Big[F(t)\Big]_1^x$

$=\lim\limits_{x \to 1}\dfrac{F(x)-F(1)}{x-1}=F'(1)=f(1)$

$=e(\cos \pi + \sin \pi)=\boldsymbol{-e}$

공식을 외워서 사용하는 것보다 미분계수의 정의를 활용하여 구해야 변형된 식이 나오더라도 당황하지 않고 문제를 해결할 수 있어.

(2) $f(t)=\cos^3 t \sin t$로 놓고 $f(t)$의 한 부정적분을 $F(t)$라 하면

(주어진 식)$=\lim\limits_{x \to 0} \dfrac{1}{x} \displaystyle\int_0^x f(t)dt=\lim\limits_{x \to 0} \dfrac{1}{x}\Big[F(t)\Big]_0^x$

$\overset{\text{❶}}{=}\lim\limits_{x \to 0}\dfrac{F(x)-F(0)}{x}=F'(0)=f(0)=\boldsymbol{0}$

❶ $F(x)=F(0+x)$이므로
$$\lim\limits_{x \to 0}\dfrac{F(0+x)-F(0)}{x}=F'(0)$$

참고 $F'(x)=f(x)$일 때, $\displaystyle\int_a^x f(t)dt=F(x)-F(a)$

$\lim\limits_{x \to a} \dfrac{1}{x-a} \displaystyle\int_a^x f(t)dt=\lim\limits_{x \to a}\dfrac{F(x)-F(a)}{x-a}=F'(a)=f(a)$

또 위의 식에서 $x=a+h$로 놓으면 $\lim\limits_{h \to 0} \dfrac{1}{h} \displaystyle\int_a^{a+h} f(t)dt=\lim\limits_{h \to 0}\dfrac{F(a+h)-F(a)}{h}=F'(a)=f(a)$

9 정적분

확인 문제 · 정답과 해설 | **92**쪽 · MY 셀파

11-1 (상)(중)(하) 다음 극한값을 구하시오.

(1) $\lim\limits_{x \to 1} \dfrac{1}{x-1} \displaystyle\int_1^x (e^t+3)dt$

(2) $\lim\limits_{x \to 0} \dfrac{1}{x} \displaystyle\int_0^x (t+\cos t)dt$

(3) $\lim\limits_{x \to 2} \dfrac{1}{x-2} \displaystyle\int_4^{x^2} \{te^{t-4}+\ln(t-3)\}dt$

(4) $\lim\limits_{x \to 0} \dfrac{1}{x} \displaystyle\int_{e^2-x}^{e^2+x} t\ln t^2\, dt$

11-1
(4) $\lim\limits_{x \to 0} \dfrac{F(e^2+x)-F(e^2-x)}{x}$
$=\lim\limits_{x \to 0} \dfrac{F(e^2+x)-F(e^2)}{x}$
$+\lim\limits_{x \to 0} \dfrac{F(e^2-x)-F(e^2)}{-x}$

유리함수의 정적분

01 $\int_1^5 \dfrac{3}{x^2+3x}dx=\ln a$를 만족시키는 양수 a의 값을 구하시오.

지수함수의 정적분

02 함수 $f(x)=e^{2x}$에 대하여 $y=f(x)$의 그래프 위의 임의의 점 $(x,f(x))$에서의 접선의 기울기를 $g(x)$라 할 때, $\int_{-1}^2 e^{-x}g(x)dx$의 값을 구하시오.

삼각함수의 정적분

03 $\int_0^a \dfrac{1}{\sin^2 x-1}dx=-1$일 때, 상수 a의 값을 구하시오. $\left(\text{단, } 0<a<\dfrac{\pi}{2}\right)$

절댓값 기호를 포함한 함수의 정적분

04 $\int_{-1}^1 \left(\dfrac{1}{x+2}+k\sqrt{|x|}+x\right)dx=\ln 3+\dfrac{4}{3}$일 때, 상수 k의 값을 구하시오.

우함수와 기함수의 정적분

05 함수 $f(x)$가 모든 실수 x에 대하여 $f(x)=f(-x)$, $\int_0^\pi f(x)\cos x\,dx=4$를 만족시킬 때, $\int_{-\pi}^\pi (3\cos x-4x)f(x)dx$의 값을 구하시오.

치환적분법을 이용한 정적분   용합형

06 $-1\leq x\leq 2$에서 정의된 함수 $y=f(x)$의 그래프가 오른쪽 그림과 같을 때, $\int_0^1 e^x f(x+1)dx$의 값을 구하시오.

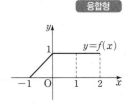

삼각치환법을 이용한 정적분

07 정적분 $\int_0^{\frac{\pi}{2}} \dfrac{\cos x}{1+\sin^2 x}dx$의 값을 구하시오.

부분적분법을 이용한 정적분

08 함수 $f(x)=|x-1|$일 때, $\displaystyle\int_0^2 f(x)e^{-x}\,dx$의 값을 구하시오.

부분적분법을 이용한 정적분

09 $-2\le x\le 2$에서 정의된 함수 $y=f(x)$의 그래프가 오른쪽 그림과 같을 때, $\displaystyle\int_{-2}^2 e^x f(x)\,dx$의 값을 구하시오.

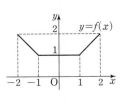

적분 구간이 상수인 정적분을 포함한 등식

10 등식 $f(x)=\ln x+\displaystyle\int_1^3 f(t)\,dt$를 만족시키는 함수 $f(x)$에 대하여 $f(27)$의 값을 구하시오.

적분 구간에 변수가 있는 정적분을 포함한 등식   서술형

11 임의의 양수 x에 대하여 함수 $f(x)$가
$$\int_e^x f(t)\,dt=x\ln x-x+k$$
를 만족시킬 때, $f(e^2)+k$의 값을 구하시오. (단, k는 상수)

$\displaystyle\int_a^x (x-t)f(t)\,dt$ 꼴의 정적분을 포함한 등식

12 함수 $f(x)=\displaystyle\int_0^x (x-t)\sin t\,dt$일 때, $f'\left(\dfrac{\pi}{2}\right)$의 값을 구하시오.

정적분으로 정의된 함수의 최대, 최소

13 $x>0$일 때, 함수 $f(x)=\displaystyle\int_1^x (1-\ln t)\,dt$는 $x=a$에서 최댓값 b를 갖는다. $a-b$의 값을 구하시오.

정적분으로 정의된 함수의 극한

14 $\displaystyle\lim_{x\to 1}\frac{1}{x^2-1}\int_1^x (2-t)e^t\,dt$의 값을 구하시오.

10

정적분의 활용

10. 정적분의 활용

개념 1 정적분과 급수의 합 사이의 관계

함수 $f(x)$가 닫힌구간 $[a, b]$에서 연속일 때

$$\int_a^b f(x)dx = \lim_{n \to \infty} \sum_{k=1}^n f(x_k) \Delta x \left(단, \Delta x = \frac{b-a}{n}, x_k = a + k\Delta x \right)$$

해설 함수 $f(x)$가 닫힌구간 $[a, b]$에서 연속이고 $f(x) \geq 0$일 때, 닫힌구간 $[a, b]$를 n등분하여 양 끝점과 각 분점의 x좌표를 차례로 $a = x_0, x_1, x_2, \cdots, x_{n-1}, x_n = b$라 하고, 각 소구간의 길이를 Δx라 하면

$$\Delta x = \frac{b-a}{n}, x_k = a + k\Delta x \ (k = 0, 1, 2, \cdots, n)$$

이때 색칠한 직사각형의 넓이의 합을 S_n이라 하면

$$S_n = f(x_1)\Delta x + f(x_2)\Delta x + \cdots + f(x_n)\Delta x = \sum_{k=1}^n f(x_k)\Delta x$$

n이 한없이 커지면 S_n의 값은 곡선 $y = f(x)$와 x축 및 두 직선 $x = a$, $x = b$로 둘러싸인 도형의 넓이 S에 한없이 가까워지므로

$$S = \lim_{n \to \infty} S_n = \lim_{n \to \infty} \sum_{k=1}^n f(x_k)\Delta x$$

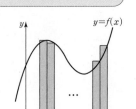

개념 플러스

ⓐ $a = 0, b = 1$일 때
$$\int_0^1 f(x)dx = \lim_{n \to \infty} \frac{1}{n} \sum_{k=1}^n f\left(\frac{k}{n}\right)$$

ⓑ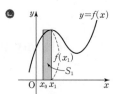

$$S_1 = (가로) \times (세로)$$
$$= (x_1 - x_0) \times f(x_1)$$
$$= \Delta x \times f(x_1) = f(x_1)\Delta x$$

개념 2 곡선과 좌표축 사이의 넓이

(1) 곡선과 x축 사이의 넓이

함수 $f(x)$가 닫힌구간 $[a, b]$에서 연속일 때, 곡선 $y = f(x)$와 ❶ ⬜ 축 및 두 직선 $x = a$, $x = b$로 둘러싸인 도형의 넓이 S는

$$S = \int_a^b |f(x)|dx$$

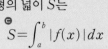

(2) 곡선과 y축 사이의 넓이

함수 $g(y)$가 닫힌구간 $[c, d]$에서 연속일 때, 곡선 $x = g(y)$와 ❷ ⬜ 축 및 두 직선 $y = c, y = d$로 둘러싸인 도형의 넓이 S는

$$S = \int_c^d |g(y)|dy$$

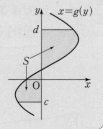

ⓒ 닫힌구간 $[a, b]$에서
(i) $f(x) \geq 0$이면
$$S = \int_a^b f(x)dx$$
$$= \int_a^b |f(x)|dx$$
(ii) $f(x) \leq 0$이면
$$S = \int_a^b \{-f(x)\}dx$$
$$= \int_a^b |f(x)|dx$$

답 ❶ x ❷ y

개념 3 두 곡선 사이의 넓이

두 함수 $f(x)$, $g(x)$가 닫힌구간 $[a, b]$에서 연속일 때, 두 곡선 $y = f(x)$, $y = g(x)$와 두 직선 $x = a$, $x = b$로 둘러싸인 도형의 넓이 S는

$$S = \int_a^b |f(x) - g(x)|dx$$

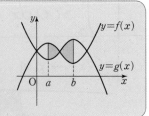

1-1 | 곡선과 좌표축 사이의 넓이 |

다음 그림에서 색칠한 도형의 넓이 S를 구하시오.

(1)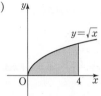

(2) $y=\dfrac{1}{x-1}$

연구

(1) 닫힌구간 $[0, 4]$에서 $y \geq 0$이므로

$$S=\int_0^4 \boxed{}\, dx=\left[\dfrac{2}{3}x^{\frac{3}{2}}\right]_0^4=\dfrac{16}{3}$$

(2) $y=\dfrac{1}{x-1}$에서 $y(x-1)=1$이므로

$$yx=y+1 \qquad \therefore x=1+\dfrac{1}{y}$$

닫힌구간 $[1, 3]$에서 $x>0$이므로

$$S=\int_1^3 \left(\boxed{}+\dfrac{1}{y}\right) dy=\left[\boxed{}+\ln|y|\,\right]_1^3=2+\ln 3$$

1-2 | 따라풀기 |

다음 그림에서 색칠한 도형의 넓이 S를 구하시오.

(1)

(2)

풀이

2-1 | 두 곡선 사이의 넓이 |

오른쪽 그림과 같이 두 곡선 $y=\sqrt{x}$와 $y=x^2$으로 둘러싸인 도형의 넓이 S를 구하시오.

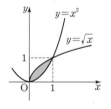

연구

$$S=\int_0^1 \sqrt{x}\, dx-\int_0^1 \boxed{}\, dx$$

$$=\int_0^1 (\sqrt{x}-x^2)\, dx$$

$$=\left[\dfrac{\boxed{}}{3}x^{\frac{3}{2}}-\dfrac{1}{3}x^3\right]_0^1=\dfrac{1}{3}$$

2-2 | 따라풀기 |

오른쪽 그림과 같이 곡선 $y=\ln x$와 x축 및 두 직선 $y=x$, $y=1$로 둘러싸인 도형의 넓이 S를 구하시오.

풀이

10

정적분의 활용

개념 4 **입체도형의 부피**

닫힌구간 $[a, b]$에서 x좌표가 x인 점을 지나고 x축에 수직인 평면으로 잘랐을 때의 단면의 넓이가 $S(x)$인 입체도형의 부피 V는

$$V = \int_a^b S(x)dx$$

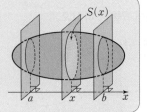

개념 플러스

▶ $x = x_k$인 점에서 x축에 수직인 단면의 넓이가 $S(x_k)$일 때

$$V = \lim_{n \to \infty} \sum_{k=1}^{n} S(x_k) \Delta x$$

$$= \int_a^b S(x)dx$$

$$\left(단, \Delta x = \frac{b-a}{n}, x_k = a + k\Delta x \right)$$

개념 5 **직선 위의 점의 위치와 움직인 거리**

수직선 위를 움직이는 점 P의 시각 t에서의 속도가 $v(t)$, 시각 $t = a$에서의 위치가 x_0일 때

❶ 시각 t에서 점 P의 위치 x는 $x = \boxed{❶} + \int_a^t v(t)dt$

❷ 시각 $t = a$에서 $t = b$까지 점 P의 위치의 변화량은 $\int_a^b v(t)dt$

❸ 시각 $t = a$에서 $t = b$까지 점 P가 움직인 거리 s는 $s = \int_a^b \boxed{❷} \, dt$

❸ 점 P가 실제로 움직인 거리는 운동 방향에 관계없이 일정한 시간 동안 점 P가 움직인 거리의 총합을 의미한다.

답 ❶ x_0 ❷ $|v(t)|$

개념 6 **평면 위의 점이 움직인 거리**

좌표평면 위를 움직이는 점 P의 시각 t에서의 위치 (x, y)가 $x = f(t)$, $y = g(t)$일 때, $t = a$에서 $t = b$까지 점 P가 움직인 거리 s는

$$s = \int_a^b \sqrt{\left(\frac{dx}{dt}\right)^2 + \left(\frac{dy}{dt}\right)^2} \, dt = \int_a^b \sqrt{\{f'(t)\}^2 + \{g'(t)\}^2} \, dt$$

❺ $y = f(x)$를 매개변수 t를 이용하여 $x = t$, $y = f(t) (a \leq t \leq b)$와 같이 나타낼 수 있다.

$x = t$에서 $\frac{dx}{dt} = 1$이고

$\frac{dy}{dt} = \frac{dy}{dx} \times \frac{dx}{dt} = \frac{dy}{dx}$이므로

$$l = \int_a^b \sqrt{\left(\frac{dx}{dt}\right)^2 + \left(\frac{dy}{dt}\right)^2} \, dt$$

$$= \int_a^b \sqrt{1 + \left(\frac{dy}{dx}\right)^2} \, dx$$

$$= \int_a^b \sqrt{1 + \{f'(x)\}^2} \, dx$$

개념 7 **곡선의 길이**

❶ 매개변수로 나타낸 곡선 $x = f(t)$, $y = g(t) (a \leq t \leq b)$의 길이 l은

$$l = \int_a^b \sqrt{\left(\frac{dx}{dt}\right)^2 + \left(\frac{dy}{dt}\right)^2} \, dt = \int_a^b \sqrt{\{\boxed{❶}\}^2 + \{g'(t)\}^2} \, dt$$

❷ 곡선 $y = f(x) (a \leq x \leq b)$의 길이 l은

$$l = \int_a^b \sqrt{\boxed{❷} + \{f'(x)\}^2} \, dx$$

답 ❶ $f'(t)$ ❷ 1

3-1 | 직선 위의 점의 위치와 움직인 거리 |

원점을 출발하여 수직선 위를 움직이는 점 P의 시각 t에서의 속도가 $v(t)=1-\sqrt{t}$일 때, 다음을 구하시오.

(1) 시각 $t=1$에서 점 P의 위치

(2) 시각 $t=0$에서 $t=4$까지 점 P가 움직인 거리

【연구】

(1) $t=0$에서 점 P의 위치가 0이므로 $t=1$에서 점 P의 위치는

$$\boxed{}+\int_0^1 (1-\sqrt{t})dt=\left[\boxed{}-\frac{2}{3}t^{\frac{3}{2}}\right]_0^1=\frac{1}{3}$$

(2) $0\leq t\leq 1$일 때 $v(t)\geq 0$, $1\leq t\leq 4$일 때 $v(t)\leq 0$이므로 $t=0$에서 $t=4$까지 점 P가 움직인 거리는

$$\int_0^4 |1-\sqrt{t}|\,dt=\int_0^1 (1-\sqrt{t})dt+\int_1^4 (\sqrt{t}-1)dt$$
$$=\left[t-\frac{2}{3}t^{\frac{3}{2}}\right]_0^1+\left[\frac{2}{3}t^{\frac{3}{2}}-t\right]_1^4$$
$$=\frac{\boxed{}}{3}+\frac{5}{3}=2$$

3-2 | 따라풀기 |

수직선 위를 움직이는 점 P의 시각 t에서의 속도가 $v(t)=2-\sqrt{t}$일 때, 시각 $t=1$에서 $t=9$까지 다음을 구하시오.

(1) 점 P의 위치의 변화량

(2) 점 P가 움직인 거리

【풀이】

4-1 | 평면 위의 점이 움직인 거리 |

좌표평면 위를 움직이는 점 P의 시각 t에서의 위치 (x, y)가 $x=t^2+1$, $y=2t^2$일 때, $t=0$에서 $t=1$까지 점 P가 움직인 거리를 구하시오.

【연구】

$\dfrac{dx}{dt}=2t$, $\dfrac{dy}{dt}=\boxed{}$이므로

점 P가 움직인 거리 s는

$$s=\int_0^1 \sqrt{(2t)^2+(4t)^2}\,dt$$
$$=\int_0^1 \sqrt{20t^2}\,dt=\int_0^1 \boxed{}\,t\,dt$$
$$=\left[\sqrt{5}t^2\right]_0^1=\sqrt{5}$$

4-2 | 따라풀기 |

좌표평면 위를 움직이는 점 P의 시각 t에서의 위치 (x, y)가 $x=\dfrac{1}{3}t^3-t$, $y=t^2$일 때, $t=0$에서 $t=1$까지 점 P가 움직인 거리를 구하시오.

【풀이】

Q 다각형은 아무리 복잡해도 여러 개의 삼각형이나 직사각형으로 분할하여 그 넓이를 구할 수 있는데 오른쪽 그림과 같이 곡선으로 둘러싸인 도형은 어떻게 넓이를 구해요?

○ 다각형은 넓이를 쉽게 구할 수 있는 삼각형이나 직사각형으로 분할할 수 있다.

이때 왼쪽 다각형의 넓이는 오른쪽 다섯 개의 삼각형의 넓이의 합과 같다.

A 삼각형이나 사각형으로 분할하기 어려우니까 다음과 같은 방법으로 넓이의 근삿값을 구해 보자.

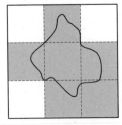 ⇒ 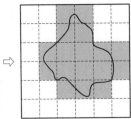 ⇒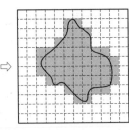

위 그림과 같이 곡선으로 둘러싸인 도형을 정사각형 위에 놓고, 이 정사각형을 작은 정사각형으로 나눈 다음 곡선이 조금이라도 걸쳐 있는 작은 정사각형을 모두 색칠하자.

Q 이렇게 해보면 첫 번째 그림에 색칠된 부분보다는 두 번째 그림에 색칠된 부분이, 두 번째 그림에 색칠된 부분보다는 세 번째 그림에 색칠된 부분이 원래 도형의 넓이와 그 차가 더 작아지네요.

● 예를 들어 곡선으로 둘러싸인 도형의 실제 넓이를 40이라 하고, 작은 정사각형 하나의 넓이는 다음과 같다고 하자.
(i) 첫 번째 그림에서는 16
(ii) 두 번째 그림에서는 4
(iii) 세 번째 그림에서는 1
이때 세 그림에서 색칠된 부분의 작은 정사각형의 수를 세어 그 넓이를 구하면
(i)에서는 $6 \times 16 = 96$
(ii)에서는 $17 \times 4 = 68$
(iii)에서는 $50 \times 1 = 50$
이와 같이 점점 더 실제 넓이 40에 가까워짐을 알 수 있다.

A 그렇지. 정사각형을 더 작은 정사각형으로 나눌수록 ●원래 도형의 넓이에 점점 더 가까워짐을 알 수 있어.
이와 같이 어떤 도형의 넓이나 부피를 구할 때, 주어진 도형을 아주 잘게 나누고 나누어진 도형의 넓이나 부피의 합의 극한값으로 원래 도형의 넓이나 부피를 구하는 방법을 구분구적법이라고 해.

PLUS ⊕

1 구간을 n등분하여 주어진 도형을 n개의 기본 도형으로 분할한다.

2 분할된 도형 n개의 넓이의 합 S_n 또는 부피의 합 V_n을 구한다.

3 $\lim\limits_{n \to \infty} S_n$ 또는 $\lim\limits_{n \to \infty} V_n$의 값을 구한다.

기본 도형은 삼각형, 직사각형, 직육면체, 원기둥 등 넓이나 부피를 쉽게 구할 수 있는 것으로 택한다.

예제 오른쪽 그림과 같이 곡선 $y=x^2+1$과 x축 및 두 직선 $x=0$, $x=2$로 둘러싸인 도형의 넓이 S를 급수의 합을 이용하여 구하시오.

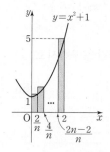

해법 코드

구간 $[0,2]$를 n등분한 각 소구간 $\dfrac{2}{n}$를 가로의 길이로, 소구간의 오른쪽 끝에서의 함숫값을 세로의 길이로 하는 직사각형의 넓이의 합 S_n을 구한다.

셀파 주어진 도형을 n개의 기본 도형으로 분할한다.

풀이 주어진 그림에서 구간 $[0,2]$를 n등분한 각 직사각형의 가로의 길이는 $\dfrac{2}{n}$이고,

세로의 길이는 차례로 $\left(\dfrac{2\times 1}{n}\right)^2+1$, $\left(\dfrac{2\times 2}{n}\right)^2+1$, $\cdots$, $\left\{\dfrac{2(n-1)}{n}\right\}^2+1$, $\left(\dfrac{2n}{n}\right)^2+1$

이다. 이 직사각형의 넓이의 합을 S_n이라 하면

$$S_n = \frac{2}{n}\left\{\left(\frac{2}{n}\right)^2+1\right\} + \frac{2}{n}\left\{\left(\frac{4}{n}\right)^2+1\right\} + \cdots + \frac{2}{n}\left\{\left(\frac{2n-2}{n}\right)^2+1\right\} + \frac{2}{n}\left\{\left(\frac{2n}{n}\right)^2+1\right\}$$

$$= \frac{8}{n^3}\{1^2+2^2+\cdots+(n-1)^2+n^2\} + \underline{\frac{2}{n}\times n}$$

$$= \frac{8}{n^3} \times \frac{n(n+1)(2n+1)}{6} + 2$$

$$= \frac{8n^2+12n+4}{3n^2} + 2$$

$$\therefore S = \lim_{n\to\infty} S_n = \lim_{n\to\infty}\left(\frac{8n^2+12n+4}{3n^2} + 2\right)$$

$$= \frac{8}{3} + 2 = \mathbf{\frac{14}{3}}$$

❶ 직사각형이 모두 n개 있으므로

$$\underbrace{\frac{2}{n}(1+1+\cdots+1)}_{n개} = \frac{2}{n}\times n = 2$$

참고

급수를 이용하여 곡선으로 둘러싸인 평면도형의 넓이를 구할 때, 다음 그림과 같이 소구간의 왼쪽 끝에서의 함숫값을 직사각형의 세로의 길이로 정해 구해도 된다.

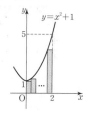

확인 문제

정답과 해설 | **97**쪽

MY 셀파

01-1 급수의 합을 이용하여 다음을 구하시오.
(상)(중)(하)

(1) 곡선 $y=x^2$과 x축 및 직선 $x=1$로 둘러싸인 부분의 넓이 S

(2) 곡선 $y=x^3$과 x축 및 직선 $x=1$로 둘러싸인 부분의 넓이 S

01-1

구간 $[0,1]$을 n등분한 다음 나누어진 도형 n개의 넓이의 합 S_n에서 $\lim\limits_{n\to\infty} S_n$의 값을 구한다.

❶ $\lim\limits_{n\to\infty}\sum\limits_{k=1}^{n}f\left(\dfrac{k}{n}\right)\times\dfrac{1}{n}=\displaystyle\int_{0}^{1}f(x)dx$

❷ $\lim\limits_{n\to\infty}\sum\limits_{k=1}^{n}f\left(\dfrac{p}{n}k\right)\times\dfrac{p}{n}=\displaystyle\int_{0}^{p}f(x)dx$

❸ $\lim\limits_{n\to\infty}\sum\limits_{k=1}^{n}f\left(a+\dfrac{b-a}{n}k\right)\times\dfrac{b-a}{n}=\displaystyle\int_{a}^{b}f(x)dx$

함수 $f(x)$가 닫힌구간 $[a,\,b]$에서 연속일 때

$$\lim\limits_{n\to\infty}\sum\limits_{k=1}^{n}f(x_k)\varDelta x=\int_{a}^{b}f(x)dx$$

$$\left(\varDelta x=\dfrac{b-a}{n},\;x_k=a+k\varDelta x\right)$$

예제 정적분을 이용하여 다음 극한값을 구하시오.

(1) $\lim\limits_{n\to\infty}\sum\limits_{k=1}^{n}\left(1+\dfrac{2k}{n}\right)^2\times\dfrac{2}{n}$

(2) $\lim\limits_{n\to\infty}\dfrac{16}{n^4}(1^3+2^3+3^3+\cdots+n^3)$

해법 코드
정적분으로 바꾸기 위해 $f(x)$와 아래끝, 위끝, $\varDelta x$, x_k를 정한다.

셀파 $\lim\limits_{n\to\infty}\sum\limits_{k=1}^{n}f\left(a+\dfrac{pk}{n}\right)\times\dfrac{p}{n}\;\Rightarrow\;\displaystyle\int_{a}^{a+p}f(x)\,dx$

풀이 (1) $f(x)=x^2$, $a=1$, $b=3$으로 놓으면 $\varDelta x=\dfrac{b-a}{n}=\dfrac{2}{n}$, $x_k=a+k\varDelta x=1+\dfrac{2k}{n}$

$\therefore$ (주어진 식)$=\lim\limits_{n\to\infty}\sum\limits_{k=1}^{n}f(x_k)\varDelta x=\displaystyle\int_{1}^{3}x^2dx$

$\qquad=\left[\dfrac{1}{3}x^3\right]_{1}^{3}=\dfrac{\mathbf{26}}{\mathbf{3}}$

(2) $\lim\limits_{n\to\infty}\dfrac{16}{n^4}(1^3+2^3+3^3+\cdots+n^3)=\lim\limits_{n\to\infty}\dfrac{16}{n^4}\sum\limits_{k=1}^{n}k^3=16\lim\limits_{n\to\infty}\sum\limits_{k=1}^{n}\left(\dfrac{k}{n}\right)^3\times\dfrac{1}{n}$

$f(x)=x^3$, $a=0$, $b=1$로 놓으면 $\varDelta x=\dfrac{b-a}{n}=\dfrac{1}{n}$, $x_k=a+k\varDelta x=\dfrac{k}{n}$

$\therefore$ (주어진 식)$=16\lim\limits_{n\to\infty}\sum\limits_{k=1}^{n}f(x_k)\varDelta x=16\displaystyle\int_{0}^{1}x^3dx$

$\qquad=16\left[\dfrac{1}{4}x^4\right]_{0}^{1}=\mathbf{4}$

다른 풀이

(1) $f(x)=(1+x)^2$, $a=0$, $b=2$로 놓으면

$\varDelta x=\dfrac{2}{n}$, $x_k=\dfrac{2k}{n}$

$\therefore$ (주어진 식)$=\displaystyle\int_{0}^{2}(1+x)^2dx$

$\qquad=\left[\dfrac{1}{3}(1+x)^3\right]_{0}^{2}$

$\qquad=\dfrac{26}{3}$

확인 문제   정답과 해설 | **97**쪽   **MY 셀파**

02-1 정적분을 이용하여 다음 극한값을 구하시오.
(상)(중)(하)

(1) $\lim\limits_{n\to\infty}\dfrac{1}{n}\sum\limits_{k=1}^{n}\sqrt{3+\dfrac{k}{n}}$

(2) $\lim\limits_{n\to\infty}\dfrac{1}{n}\left\{\ln\left(1+\dfrac{1}{n}\right)+\ln\left(1+\dfrac{2}{n}\right)+\ln\left(1+\dfrac{3}{n}\right)+\cdots+\ln\left(1+\dfrac{n}{n}\right)\right\}$

02-1

(1) $f(x)=\sqrt{x}$, $a=3$, $b=4$로 놓는다.

(2) (주어진 식)

$=\lim\limits_{n\to\infty}\dfrac{1}{n}\sum\limits_{k=1}^{n}\ln\left(1+\dfrac{k}{n}\right)$

해법 03 　곡선과 x축 사이의 넓이

PLUS ➕

곡선 $y=f(x)$와 x축 사이의 넓이 S를 구할 때는 곡선과 x축의 교점을 구하여 그래프를 그린 후 x축과 그래프로 둘러싸인 부분이 x축의 위에 있는지 아래에 있는지 판단한다.

❶ x축의 위에 있을 때 ⇨ $S=\displaystyle\int_a^b f(x)dx$

❷ x축의 아래에 있을 때 ⇨ $S=-\displaystyle\int_a^b f(x)dx$

곡선 $y=f(x)$와 x축 및 두 직선 $x=a$, $x=b$로 둘러싸인 도형의 넓이 S는

$S=\displaystyle\int_a^b |f(x)|dx$

예제 곡선 $y=\sin 2x$와 x축 및 두 직선 $x=-\dfrac{\pi}{2}$, $x=\dfrac{\pi}{2}$로 둘러싸인 도형의 넓이 S를 구하시오.

해법 코드
곡선과 x축의 교점을 찾아 그래프를 그린다.

셀파 곡선 $y=f(x)$와 x축으로 둘러싸인 도형의 넓이 S ⇨ $S=\displaystyle\int_a^b |f(x)|dx$

풀이 곡선 $y=\sin 2x\left(-\dfrac{\pi}{2}\le x\le\dfrac{\pi}{2}\right)$와 x축의 교점의 x좌표는 $\sin 2x=0$에서

$x=-\dfrac{\pi}{2}$ 또는 $x=0$ 또는 $x=\dfrac{\pi}{2}$

따라서 곡선 $y=\sin 2x$❶와 x축 및 두 직선 $x=-\dfrac{\pi}{2}$,

$x=\dfrac{\pi}{2}$로 둘러싸인 도형은 오른쪽 그림과 같다.

닫힌구간 $\left[-\dfrac{\pi}{2}, 0\right]$에서 $\sin 2x\le 0$,

닫힌구간 $\left[0, \dfrac{\pi}{2}\right]$에서 $\sin 2x\ge 0$이므로

$S=\displaystyle\int_{-\frac{\pi}{2}}^{0}(-\sin 2x)dx+\int_{0}^{\frac{\pi}{2}}\sin 2x\,dx$ ❷

$=\left[\dfrac{1}{2}\cos 2x\right]_{-\frac{\pi}{2}}^{0}+\left[-\dfrac{1}{2}\cos 2x\right]_{0}^{\frac{\pi}{2}}=1+1=\mathbf{2}$

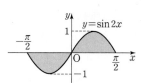

❶ $f(x)=\sin 2x$로 놓으면 $f(-x)=-f(x)$이므로 $f(x)$는 기함수이다.
즉, $y=\sin 2x$는 기함수이므로 그래프는 원점에 대하여 대칭이다.
따라서 구하는 넓이 S는

$S=2\displaystyle\int_0^{\frac{\pi}{2}}\sin 2x\,dx$

로 구해도 된다.

❷ $\displaystyle\int(-\sin 2x)dx=\dfrac{1}{2}\cos 2x+C$

확인 문제

정답과 해설 | **98**쪽

MY 셀파

03-1 곡선 $y=\dfrac{1}{x}$과 x축 및 두 직선 $x=1$, $x=e$로 둘러싸인 도형의 넓이 S를 구하시오.
(상)(중)(하)

03-1
닫힌구간 $[1, e]$에서 $\dfrac{1}{x}>0$

03-2 곡선 $y=\ln(x+1)$과 x축 및 직선 $x=e-1$로 둘러싸인 도형의 넓이 S를 구하시오.
(상)(중)(하)

03-2
$y=\ln(x+1)$의 그래프를 그린다.

10 정적분의 활용

곡선 $y=f(x)$와 y축 사이의 넓이 S를 구할 때는 $y=f(x)$ 꼴로 되어 있는 식을 $x=g(y)$ 꼴로 바꾸고, $x=g(y)$의 그래프와 y축으로 둘러싸인 부분이 y축의 오른쪽에 있는지 왼쪽에 있는지 판단한다.

❶ y축의 오른쪽에 있을 때 ⇨ $S=\displaystyle\int_c^d g(y)dy$

❷ y축의 왼쪽에 있을 때 ⇨ $S=-\displaystyle\int_c^d g(y)dy$

곡선 $x=g(y)$와 y축 및 두 직선 $y=c$, $y=d$로 둘러싸인 도형의 넓이 S는
$$S=\int_c^d |g(y)|dy$$

예제 곡선 $y=\sqrt{x+4}-2$와 y축 및 두 직선 $y=-2$, $y=2$로 둘러싸인 도형의 넓이 S를 구하시오.

해법 코드
$y=\sqrt{x+4}-2$를 함수 $x=g(y)$꼴로 변형한다.

셀파 곡선과 y축으로 둘러싸인 도형의 넓이 S ⇨ $S=\displaystyle\int_c^d |g(y)|dy$

풀이 $y=\sqrt{x+4}-2$에서 $y+2=\sqrt{x+4}$, $(y+2)^2=x+4$
∴ $x=y^2+4y$ (단, $y\geq-2$) ⬤

곡선 $y=\sqrt{x+4}-2$와 y축의 교점의 y좌표는
$y^2+4y=0$, 즉 $y(y+4)=0$에서 $y=0$ ($\because y\geq-2$)
따라서 곡선 $x=y^2+4y$와 y축 및 두 직선 $y=-2$,
$y=2$로 둘러싸인 도형은 오른쪽 그림과 같다.
닫힌구간 $[-2, 0]$에서 $y^2+4y\leq0$,
닫힌구간 $[0, 2]$에서 $y^2+4y\geq0$이므로
$$S=-\int_{-2}^0 (y^2+4y)dy+\int_0^2 (y^2+4y)dy$$
$$=-\left[\frac{1}{3}y^3+2y^2\right]_{-2}^0+\left[\frac{1}{3}y^3+2y^2\right]_0^2$$
$$=\left(-\frac{8}{3}+8\right)+\left(\frac{8}{3}+8\right)=\mathbf{16}$$

⬤ $y+2=\sqrt{x+4}$에서 $\sqrt{x+4}\geq0$이므로 $y+2\geq0$, 즉 $y\geq-2$이다.

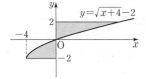

곡선과 y축으로 둘러싸인 도형의 넓이를 구할 때 함수 $y=f(x)$의 그래프를 그려 색칠한 도형이 y축 왼쪽에 있는지 오른쪽에 있는지 판단하는 것이 편리해.

확인 문제　　　　　　　　　　　　　　　　정답과 해설 | **98**쪽　　　　　　　　　　　　MY 셀파

04-1 곡선 $y=\ln x$와 y축 및 두 직선 $y=1$, $y=2$로 둘러싸인 도형의 넓이 S를 구하시오.
(상)(중)(하)

04-2 곡선 $y=-\dfrac{1}{x+1}$과 y축 및 직선 $y=-e$로 둘러싸인 도형의 넓이 S를 구하시오.
(상)(중)(하)

04-1
$y=\ln x$를 함수 $x=g(y)$ 꼴로 변형한다.

04-2
$y=-\dfrac{1}{x+1}$을 함수 $x=g(y)$ 꼴로 변형한다.

닫힌구간 $[a, b]$에서 $f(x) \geq g(x)$일 때, 두 곡선 $y=f(x)$, $y=g(x)$ 사이의 넓이는 다음과 같다.

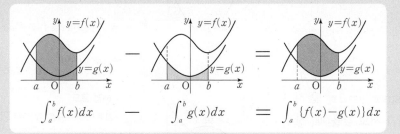

$$\int_a^b f(x)dx \quad - \quad \int_a^b g(x)dx \quad = \quad \int_a^b \{f(x)-g(x)\}dx$$

두 함수 $x=f(y)$와 $x=g(y)$가 닫힌구간 $[c, d]$에서 연속일 때, 두 곡선 $x=f(y)$와 $x=g(y)$ 및 두 직선 $y=c, y=d$로 둘러싸인 도형의 넓이 S는

$$S = \int_c^d |f(y)-g(y)|dy$$

예제 두 곡선 $y=e^x$, $y=e^{-x}$과 직선 $x=2$로 둘러싸인 도형의 넓이 S를 구하시오.

해법 코드
그래프를 그리고 곡선과 직선의 교점을 찾아 넓이 S를 정적분으로 나타낸다.

셀파 두 곡선으로 둘러싸인 도형의 넓이 $S \Rightarrow S = \int_a^b |f(x)-g(x)|dx$

풀이 두 곡선의 교점의 x좌표는 ❶ $e^x = e^{-x}$에서 $e^{2x} = 1$

$2x = 0$ $\therefore x = 0$

따라서 두 곡선 $y=e^x$, $y=e^{-x}$과 직선 $x=2$로 둘러싸인 도형은 오른쪽 그림과 같다.

닫힌구간 $[0, 2]$에서 $e^x \geq e^{-x}$이므로

$$S = \int_0^2 (e^x - e^{-x})dx$$
$$= \left[e^x + e^{-x} \right]_0^2$$
$$= e^2 + e^{-2} - 2$$

❶ $e^x = e^{-x}$의 양변에 e^x을 곱하면
$e^x \times e^x = e^{-x} \times e^x$이므로
$e^{2x} = e^0$, 즉 $e^{2x} = 1$

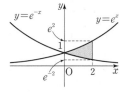

두 곡선 사이의 넓이 S는
$$S = \int_a^b \{(\text{위 식}) - (\text{아래 식})\}dx$$

확인 문제   정답과 해설 | **98**쪽

MY 셀파

05-1
(상)(중)(하) $0 \leq x \leq \pi$에서 두 곡선 $y=\sin x$, $y=\sin 2x$로 둘러싸인 도형의 넓이 S를 구하시오.

05-1
$\sin 2x = \sin(x+x)$
$\quad\quad = \sin x \cos x + \cos x \sin x$
$\quad\quad = 2\sin x \cos x$

05-2
(상)(중)(하) 곡선 $y=\dfrac{2}{x}$ $(x>0)$와 두 직선 $y=2x$, $y=\dfrac{1}{2}x$로 둘러싸인 도형의 넓이 S를 구하시오.

05-2
곡선 $y=\dfrac{2}{x}$와 직선 $y=2x$,
곡선 $y=\dfrac{2}{x}$와 직선 $y=\dfrac{1}{2}x$의 교점의 x좌표를 각각 구한다.

오른쪽 그림과 같이 곡선 $y=f(x)$와 x축으로 둘러싸인 도형의 넓이를 S_1, 곡선 $y=f(x)$와 x축 및 직선 $x=c$로 둘러싸인 도형의 넓이를 S_2라 하면

$$S_1=S_2 \Rightarrow \int_a^c f(x)dx=0$$

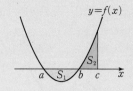

$\displaystyle\int_a^b f(x)dx=-k\,(k>0)$라 하면

$$\int_a^c f(x)dx$$
$$=\int_a^b f(x)dx+\int_b^c f(x)dx$$
$$=-k+k=0$$

예제 오른쪽 그림과 같이 두 곡선 $y=\sin x$, $y=ax^2$ 및 직선 $x=\pi$로 둘러싸인 두 도형의 넓이가 서로 같을 때, 상수 a의 값을 구하시오. (단, $0<a<1$)

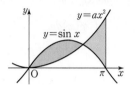

해법 코드
$f(x)=\sin x,\ g(x)=ax^2$이라 하면
$$\int_0^\pi \{f(x)-g(x)\}dx=0$$

셀파 두 곡선 $y=f(x)$와 $y=g(x)$로 둘러싸인 두 도형의 넓이가 같다.

$$\Rightarrow \int_a^c \{f(x)-g(x)\}dx=0$$

풀이 곡선 $y=\sin x$, $y=ax^2$과 직선 $x=\pi$로 둘러싸인 두 도형의 넓이가 서로 같으므로

$\displaystyle\int_0^\pi (\sin x-ax^2)dx=0$에서

$$\int_0^\pi (\sin x-ax^2)dx=\left[-\cos x-\frac{a}{3}x^3\right]_0^\pi$$
$$=\left(1-\frac{a}{3}\pi^3\right)-(-1)$$
$$=2-\frac{a}{3}\pi^3$$

이때 $2-\dfrac{a}{3}\pi^3=0$이므로

$$\frac{a}{3}\pi^3=2 \qquad \therefore a=\frac{6}{\pi^3}$$

참고
두 곡선 $y=\sin x$, $y=ax^2$ 및 직선 $x=\pi$로 둘러싸인 두 도형의 넓이를 각각 S_1, S_2라 하고 두 곡선의 교점의 x좌표를 m이라 하면

$$S_1=\int_0^m (\sin x-ax^2)dx$$
$$S_2=\int_m^\pi (ax^2-\sin x)dx$$
$$\int_m^\pi (\sin x-ax^2)dx=-S_2$$이므로
$$\int_0^\pi (\sin x-ax^2)dx$$
$$=\int_0^m (\sin x-ax^2)dx$$
$$\qquad +\int_m^\pi (\sin x-ax^2)dx$$
$$=S_1+(-S_2)=0\ (\because S_1=S_2)$$

확인 문제   정답과 해설 | **99**쪽   MY 셀파

06-1 오른쪽 그림과 같이 곡선 $y=\sqrt{x}-\sqrt{x^3}$과 x축 및 직선 $x=k$로 둘러싸인 두 도형의 넓이가 서로 같을 때, 상수 k의 값을 구하시오. (단, $k>1$)
(상 중 하)

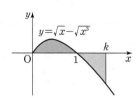

06-1
둘러싸인 두 도형의 넓이가 서로 같으므로
$$\int_0^k (\sqrt{x}-\sqrt{x^3})dx=0$$

오른쪽 그림에서 곡선 $y=f(x)$와 x축으로 둘러싸인 도형을 곡선 $y=g(x)$가 이등분할 때

$$\int_a^k \{f(x)-g(x)\}dx = \frac{1}{2}\int_a^b f(x)dx$$

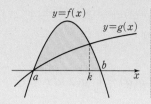

$\int_a^b f(x)dx=S$라 하면

$$\int_a^k \{f(x)-g(x)\}dx=\frac{1}{2}S$$

예제 오른쪽 그림과 같이 곡선 $y=\log_3 x$와 x축 및 두 직선 $x=a$, $x=b$로 둘러싸인 도형을 곡선 $y=\log_k x$가 이등분할 때, 상수 k의 값을 구하시오. (단, $1<a<b$)

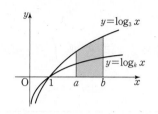

해법 코드

$$\int_a^b \log_3 x \, dx$$

$$=2\int_a^b \log_k x \, dx$$

셀파 $[a, b]$에서 $y=f(x)$와 x축으로 둘러싸인 도형을 $y=g(x)$가 이등분할 때

$$\Rightarrow \int_a^b \{f(x)-g(x)\}dx = \frac{1}{2}\int_a^b f(x)dx$$

풀이 ㉠ 곡선 $y=\log_3 x$와 x축 및 두 직선 $x=a$, $x=b$로 둘러싸인 도형의 넓이를 S_1이라 하면

$$S_1 = \int_a^b \log_3 x \, dx = \frac{1}{\ln 3}\int_a^b \ln x \, dx$$

㉡ 곡선 $y=\log_k x$와 x축 및 두 직선 $x=a$, $x=b$로 둘러싸인 도형의 넓이를 S_2라 하면

$$S_2 = \int_a^b \log_k x \, dx = \frac{1}{\ln k}\int_a^b \ln x \, dx$$

이때 곡선 $y=\log_k x$가 도형의 넓이 S_1을 이등분하므로 $S_1=2S_2$

즉, $\dfrac{1}{\ln 3}\displaystyle\int_a^b \ln x \, dx = \dfrac{2}{\ln k}\displaystyle\int_a^b \ln x \, dx$에서

$\dfrac{1}{\ln 3} = \dfrac{2}{\ln k}$이므로 $\ln k = 2\ln 3$ $\therefore k=9$

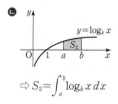

㉠

$$\Rightarrow S_1 = \int_a^b \log_3 x \, dx$$

㉡

$$\Rightarrow S_2 = \int_a^b \log_k x \, dx$$

확인 문제　　　　　　　　　　　　　　정답과 해설 | **99**쪽　　　　　　　　　MY 셀파

07-1
(상)(중)(하)
오른쪽 그림과 같이 곡선 $y=\cos x \left(0 \le x \le \dfrac{\pi}{2}\right)$와 x축 및 y축으로 둘러싸인 도형의 넓이를 곡선 $y=a\sin x \,(a>0)$가 이등분할 때, 상수 a의 값을 구하시오.

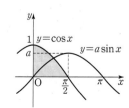

07-1
두 곡선 $y=\cos x$, $y=a\sin x$의 교점의 x좌표를 θ라 하면

$$\int_0^\theta (\cos x - a\sin x)dx$$

$$=\frac{1}{2}\int_0^{\frac{\pi}{2}} \cos x \, dx$$

함수 $y=f(x)$의 역함수를 $y=g(x)$라 하면 두 함수의 그래프는 직선 $y=x$에 대하여 대칭이다.

$$\int_k^{g(a)} f(x)dx = a \times g(a) - \int_0^a g(x)dx$$

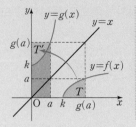

곡선 $y=f(x)$ 위의 두 점 $(k, 0)$, $(g(a), a)$를 직선 $y=x$에 대하여 대칭이동시킨 두 점의 좌표는 각각 $(0, k)$, $(a, g(a))$이다. 이때 T로 나타낸 영역을 직선 $y=x$에 대하여 대칭이동시키면 T'이 나타내는 영역이 된다.

예제 함수 $f(x)=e^x+1$의 역함수를 $g(x)$라 할 때, $\int_0^1 f(x)dx + \int_2^{e+1} g(x)dx$의 값을 구하시오.

해법 코드
함수 $f(x)$의 그래프와 그 역함수 $g(x)$의 그래프는 직선 $y=x$에 대하여 대칭이다.

셀파 어떤 함수와 그 역함수의 그래프는 직선 $y=x$에 대하여 대칭이다.

풀이 $f(x)=e^x+1$에 대하여 두 곡선 $y=f(x)$, $y=g(x)$는 서로 역함수 관계이므로 오른쪽 그림과 같이 두 곡선은 직선 $y=x$에 대하여 대칭이다.
따라서 곡선 $y=f(x)$와 y축 및 직선 $y=e+1$로 둘러싸인 도형의 넓이를 P, 곡선 $y=g(x)$와 x축 및 직선 $x=e+1$로 둘러싸인 도형의 넓이를 Q라 하면 P가 나타내는 영역과 Q가 나타내는 영역이 직선 $y=x$에 대하여 대칭이므로 $P=Q$이다.

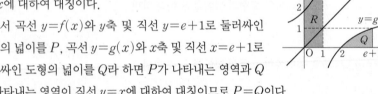

이때 $\int_0^1 f(x)dx = R$라 하면

$$\int_0^1 f(x)dx + \int_2^{e+1} g(x)dx = R+Q = \underline{R+P=e+1}$$ ❶

$\int_2^{e+1} g(x)dx$의 값을 직접 구하는 것보다 두 곡선 $y=f(x)$, $y=g(x)$가 직선 $y=x$에 대칭임을 이용하면 더 편리해!

참고 $f(x)=e^x+1$에서 $y=e^x+1$로 놓으면 $e^x=y-1$ ∴ $x=\ln(y-1)$
x와 y를 서로 바꾸면 $y=\ln(x-1)$이므로 $g(x)=\ln(x-1)$
이때 $\int_2^{e+1} g(x)dx = \int_2^{e+1} \ln(x-1)dx$

❶ 넓이 $R+P$는 가로의 길이가 1, 세로의 길이가 $e+1$인 직사각형의 넓이이므로
$R+P = 1 \times (e+1) = e+1$

확인 문제

정답과 해설 | **99**쪽

MY 셀파

08-1 함수 $f(x)=\sqrt{2x-4}$의 역함수를 $g(x)$라 할 때, $\int_0^2 g(x)dx + \int_2^4 f(x)dx$의 값을 구하시오.
(상)(중)(하)

08-1
함수의 그래프와 그 역함수의 그래프는 직선 $y=x$에 대하여 대칭임을 이용한다.

Q 오른쪽 그림과 같이 공간에 어떤 입체가 주어질 때, 한 직선을 x축으로 정하고 x좌표가 a, b인 두 점을 지나면서 x축에 수직인 두 평면 사이에 있는 부분의 부피는 어떻게 구해요?

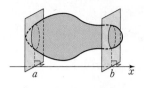

A 이제 x좌표가 x_k인 점을 지나고 x축에 수직인 평면으로 주어진 입체를 자를 때의 단면의 넓이를 $S(x_k)$라 하자.

또 닫힌구간 $[a, b]$를 n등분하여 양 끝점과 각 분점의 x좌표를 차례로 $a=x_0$, x_1, x_2, $\cdots$, x_k, $\cdots$, $x_n=b$ 라 하고, 각 소구간의 길이를 $\dfrac{b-a}{n}=\varDelta x$라 하자.

이때 밑면의 넓이가 $S(x_k)$이고 높이가 $\varDelta x$인 k번째 기둥의 부피를 나타내 볼래?

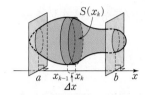

Q 그야 $S(x_k)\varDelta x$죠.

A 맞아. 그러니까 기둥 n개의 부피의 합 V_n은

$$V_n=S(x_1)\varDelta x+S(x_2)\varDelta x+\cdots+S(x_n)\varDelta x=\sum_{k=1}^{n} S(x_k)\varDelta x$$가 되고,

이때 구하는 입체의 부피를 V라 하면 $n\to\infty$일 때 $V_n=V$이므로 정적분의 정의에 의하여 $V=\lim\limits_{n\to\infty}V_n=\lim\limits_{n\to\infty}\sum\limits_{k=1}^{n}S(x_k)\varDelta x=\displaystyle\int_a^b S(x)dx$가 되지.

따라서 닫힌구간 $[a, b]$에서 x좌표가 x인 점을 지나고 x축에 수직인 평면으로 자른 단면의 넓이가 $S(x)$인 입체도형의 부피 V는 $V=\displaystyle\int_a^b S(x)dx$야.

보기 오른쪽 그림과 같이 밑면으로부터 높이가 x인 곳에서 밑면에 평행한 평면으로 자른 단면이 한 변의 길이가 $\sqrt{2x-x^2}$인 정사각형인 입체도형이 있다. 이 입체도형의 밑면으로부터 높이가 2인 부분까지의 부피 V를 구하시오.

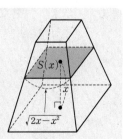

연구 밑면으로부터 높이가 x인 곳에서 밑면에 평행한 평면으로 자른 단면은 한 변의 길이가 $\sqrt{2x-x^2}$인 정사각형이므로 단면의 넓이 $S(x)$는

$$S(x)=2x-x^2$$

$$\therefore V=\int_0^2 S(x)dx=\int_0^2 (2x-x^2)dx=\left[x^2-\frac{x^3}{3}\right]_0^2=\frac{4}{3}$$

▶ **입체도형의 부피 구하는 방법**

① x축 정하기
② x축에 수직인 평면으로 주어진 입체도형을 자르기
③ 자른 단면의 넓이 $S(x)$ 구하기
④ 닫힌구간 $[a, b]$에서
$$V=\int_a^b S(x)dx \text{ 계산하기}$$

▶ **입체도형의 부피**

$$S(x_k)\varDelta x$$
$$\Downarrow$$
$$\sum_{k=1}^{n} S(x_k)\varDelta x$$
$$\Downarrow$$
$$\lim_{n\to\infty}\sum_{k=1}^{n} S(x_k)\varDelta x$$
$$\Downarrow$$
$$\int_a^b S(x)dx$$

● 입체도형을 밑면으로부터 높이가 x인 곳에서 밑면과 평행한 평면으로 자를 때 부피를 구하는 과정은 x축에 수직인 평면으로 잘라서 부피를 구하는 과정과 같다. 즉, 밑면으로부터 높이가 x인 곳에서의 단면의 넓이가 $S(x)$이면 밑면으로부터 높이가 a인 입체도형의 부피는 $\displaystyle\int_0^a S(x)dx$이다.

● 단면이 정사각형이므로 자른 단면의 넓이 $S(x)$는
$$S(x)=(\sqrt{2x-x^2})^2=2x-x^2$$

닫힌구간 $[a, b]$의 임의의 점 x를 지나 x축에 수직인 평면으로 입체도형을 자를 때, 이 입체도형의 부피는 다음과 같이 구한다.

1️⃣ 자른 단면의 넓이를 x에 대한 함수 $S(x)$로 나타낸다.

2️⃣ 입체도형의 부피 V는 $V = \int_a^b S(x)dx$이다.

뿔, 기둥 등의 일반적인 입체도형의 부피는 좌표평면 위에 주어진 도형을 나타내고 정적분을 이용하여 구할 수 있다.

(예제) 오른쪽 그림과 같은 입체도형을 x축에 수직인 평면으로 자른 단면은 반원이다. 이 입체도형의 부피 V를 구하시오.

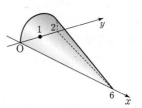

해법 코드

닮음비를 이용하여 임의의 한 점을 지나 x축에 수직인 평면으로 자른 단면의 넓이를 구한다.

(셀파) 단면의 넓이가 $S(x)$인 입체도형의 부피 V ⇨ $V = \int_a^b S(x)dx$

(풀이) 오른쪽 그림과 같이 닫힌구간 $[0, 6]$에서 임의의 한 점을 지나 x축에 수직인 평면으로 자른 단면의 넓이를 $S(x)$라 하면 반지름의 길이가 1인 반원의 넓이는 $\frac{1}{2} \times \pi \times 1^2 = \frac{\pi}{2}$이므로

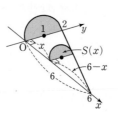

$$\frac{\pi}{2} : S(x) = 6^2 : (6-x)^2$$

$$36S(x) = \frac{(6-x)^2}{2}\pi \qquad \therefore S(x) = \frac{(6-x)^2}{72}\pi$$

$$\therefore V = \int_0^6 S(x)dx = \int_0^6 \frac{(6-x)^2}{72}\pi \, dx$$

$$= \frac{\pi}{72}\int_0^6 (x^2 - 12x + 36)dx$$

$$= \frac{\pi}{72}\left[\frac{1}{3}x^3 - 6x^2 + 36x\right]_0^6 = \pi$$

❶ x축에 수직인 평면으로 자를 때 생기는 단면의 넓이 $S(x)$는 닮음비를 이용하여 구할 수 있다.
이때 닮음비가 $a : b$이면 넓이의 비는 $a^2 : b^2$이다.

(참고)

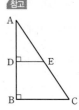

$\triangle ABC \backsim \triangle ADE$이면
$\overline{BC} : \overline{DE} = \overline{AB} : \overline{AD}$
$\qquad = \overline{AC} : \overline{AE}$

확인 문제   정답과 해설 | **100**쪽   MY 셀파

09-1 (상)(중)(하) 오른쪽 그림과 같이 밑면의 반지름의 길이가 3이고 높이가 6인 원기둥이 있다. 밑면의 중심을 지나고 밑면과 45°의 각을 이루는 평면으로 이 원기둥을 자를 때 생기는 두 입체도형 중에서 작은 것의 부피 V를 구하시오.

09-1

밑면의 중심을 원점, 밑면의 지름을 x축으로 놓는다.

직선 위의 점이 움직인 거리

수직선 위를 움직이는 점 P의 시각 t에서의 속도가 $v(t)$, 시각 $t=a$에서의 위치가 x_0일 때

❶ 시각 t에서 점 P의 위치 ⇨ $x_0 + \int_a^t v(t)dt$

❷ 시각 $t=a$에서 $t=b$까지 점 P의 위치의 변화량 ⇨ $\int_a^b v(t)dt$

❸ 시각 $t=a$에서 $t=b$까지 점 P가 움직인 거리 s ⇨ $s = \int_a^b |v(t)|dt$

점 P의 방향이 바뀌는 지점에서는 속도가 0이다.
⇨ $v(t)=0$

예제 원점을 출발하여 수직선 위를 움직이는 점 P의 시각 t에서의 속도 $v(t)$가
$v(t)=\sin \pi t$일 때, 다음을 구하시오.

(1) 시각 $t=3$에서 점 P의 위치

(2) 시각 $t=0$에서 $t=2$까지 점 P가 움직인 거리

해법 코드

(1) $0 + \int_0^3 v(t)dt$

(2) $\int_0^2 |v(t)|dt$

셀파 직선 위의 점의 위치 또는 움직인 거리 ⇨ 속도 또는 속력을 적분

풀이 (1) $t=0$에서 점 P의 위치가 0이므로 $t=3$에서 점 P의 위치는

$$0 + \int_0^3 v(t)dt = \int_0^3 \sin \pi t\, dt = \left[-\frac{1}{\pi} \cos \pi t \right]_0^3 = -\frac{1}{\pi} \cos 3\pi + \frac{1}{\pi} \cos 0$$

$$= \frac{1}{\pi} + \frac{1}{\pi} = \frac{2}{\pi}$$

속도 ⇄ 위치 (적분/미분)

(2) $\displaystyle \int_0^2 |v(t)|dt = \int_0^2 |\sin \pi t|\, dt \overset{\text{❼}}{=} \int_0^1 \sin \pi t\, dt + \int_1^2 (-\sin \pi t)dt$

$$= \left[-\frac{1}{\pi} \cos \pi t \right]_0^1 + \left[\frac{1}{\pi} \cos \pi t \right]_1^2$$

$$= \frac{2}{\pi} + \frac{2}{\pi} = \frac{4}{\pi}$$

❼ $0 \le t \le 1$일 때 $v(t) \ge 0$
$1 \le t \le 2$일 때 $v(t) \le 0$

확인 문제 정답과 해설 | 100쪽 **MY 셀파**

10-1 원점을 출발하여 수직선 위를 움직이는 점 P의 시각 t에서의 속도 $v(t)$가
(상)(중)(하) $v(t) = (t-1)e^t$일 때, 다음을 구하시오.

(1) 시각 $t=2$에서 점 P의 위치

(2) 시각 $t=0$에서 $t=2$까지 점 P가 움직인 거리

10-1
$t=0$에서 점 P의 위치를 $f(0)$,
$t=a$에서 점 P의 위치를 $f(a)$라 하면
$f(a) = f(0) + \int_0^a v(t)dt$

10
정적분의 활용

　　평면 위의 점이 움직인 거리　　

좌표평면 위를 움직이는 점 $P(x, y)$의 시각 t에서의 위치가 $x=f(t)$, $y=g(t)$일 때, $t=a$에서 $t=b$까지 점 P가 움직인 거리 s는

$$s=\int_a^b \sqrt{\left(\frac{dx}{dt}\right)^2+\left(\frac{dy}{dt}\right)^2}\, dt=\int_a^b \sqrt{\{f'(t)\}^2+\{g'(t)\}^2}\, dt$$

좌표평면 위를 움직이는 점 P의 시각 t에서의 위치 (x, y)가 $x=f(t)$, $y=g(t)$일 때, 속력은
$$\sqrt{\left(\frac{dx}{dt}\right)^2+\left(\frac{dy}{dt}\right)^2}$$

예제 좌표평면 위를 움직이는 점 P의 시각 t에서의 위치 (x, y)가 다음과 같을 때, $t=0$에서 $t=2$까지 점 P가 움직인 거리를 구하시오.

(1) $x=\frac{1}{2}t^2-t$, $y=\frac{4}{3}t\sqrt{t}$

(2) $x=\cos(t^2+1)$, $y=\sin(t^2+1)$

해법 코드

$\frac{dx}{dt}$, $\frac{dy}{dt}$를 구한 다음

$$\int_a^b \sqrt{\left(\frac{dx}{dt}\right)^2+\left(\frac{dy}{dt}\right)^2}\, dt$$

를 이용한다.

셀파 평면 위의 점이 움직인 거리 ⇨ 속력을 적분

풀이 (1) $\frac{dx}{dt}=t-1$, $\frac{dy}{dt}=2\sqrt{t}$이므로

$t=0$에서 $t=2$까지 점 P가 움직인 거리 s는

$$s=\int_0^2 \sqrt{(t-1)^2+(2\sqrt{t})^2}\, dt=\int_0^2 \sqrt{t^2-2t+1+4t}\, dt$$

$$=\int_0^2 \sqrt{t^2+2t+1}\, dt=\int_0^2 \sqrt{(t+1)^2}\, dt$$

$$=\int_0^2 (t+1)\, dt=\left[\frac{1}{2}t^2+t\right]_0^2=\mathbf{4}$$

❶ $y=\frac{4}{3}t\sqrt{t}=\frac{4}{3}t^{\frac{3}{2}}$이므로

$\frac{dy}{dt}=\frac{3}{2}\times\frac{4}{3}t^{\frac{3}{2}-1}$

$=2t^{\frac{1}{2}}=2\sqrt{t}$

(2) $\frac{dx}{dt}=-2t\sin(t^2+1)$, $\frac{dy}{dt}=2t\cos(t^2+1)$이므로

$t=0$에서 $t=2$까지 점 P가 움직인 거리 s는

$$s=\overset{\text{❷}}{\int_0^2} \sqrt{4t^2\sin^2(t^2+1)+4t^2\cos^2(t^2+1)}\, dt$$

$$=\int_0^2 \sqrt{4t^2}\, dt=\int_0^2 2t\, dt=\left[t^2\right]_0^2=\mathbf{4}$$

❷ $\sin^2(t^2+1)+\cos^2(t^2+1)=1$ 이므로

$4t^2\{\sin^2(t^2+1)+\cos^2(t^2+1)\}$

$=4t^2$

확인 문제　　정답과 해설 | **100**쪽　　MY 셀파

11-1 좌표평면 위를 움직이는 점 P의 시각 t에서의 위치 (x, y)가
(상)(중)(하)　　$x=\sqrt{2}(\sin t-\cos t)$, $y=\sqrt{2}(\sin t+\cos t)$

일 때, $t=0$에서 $t=\frac{\pi}{2}$까지 점 P가 움직인 거리를 구하시오.

11-1

$\frac{dx}{dt}=\sqrt{2}(\cos t+\sin t)$

$\frac{dy}{dt}=\sqrt{2}(\cos t-\sin t)$

❶ 매개변수로 나타낸 곡선 $x=f(t), y=g(t) (a \le t \le b)$의 길이 l은

$$l=\int_a^b \sqrt{\left(\frac{dx}{dt}\right)^2+\left(\frac{dy}{dt}\right)^2}\,dt=\int_a^b \sqrt{\{f'(t)\}^2+\{g'(t)\}^2}\,dt$$

❷ 곡선 $y=f(x) (a \le x \le b)$의 길이 l은

$$l=\int_a^b \sqrt{1+\left(\frac{dy}{dx}\right)^2}\,dx=\int_a^b \sqrt{1+\{f'(x)\}^2}\,dx$$

곡선 $x=f(t), y=g(t) (a \le t \le b)$의 길이는 시각 t에 대하여 x좌표가 $x=f(t)$, y좌표가 $y=g(t)$인 점 $P(x, y)$가 좌표평면 위의 $t=a$에서 $t=b$까지 움직인 거리와 같다.

예제 다음 곡선의 길이를 구하시오.

(1) $x=\sqrt{2}e^t \cos t, y=\sqrt{2}e^t \sin t \ (0 \le t \le \pi)$

(2) $y=\dfrac{2\sqrt{3}}{3}\sqrt{x^3} \ (0 \le x \le 5)$

해법 코드

(1) x, y를 각각 t에 대하여 미분한다.

(2) y를 x에 대하여 미분한다.

셀파 곡선의 길이 ⇨ 점이 움직인 거리

풀이 (1) $\dfrac{dx}{dt}=\sqrt{2}e^t(\cos t-\sin t)$, $\dfrac{dy}{dt}=\sqrt{2}e^t(\sin t+\cos t)$이므로 곡선의 길이 l은

$$l=\int_0^\pi \sqrt{\left(\frac{dx}{dt}\right)^2+\left(\frac{dy}{dt}\right)^2}\,dt$$

$$=\int_0^\pi \sqrt{2e^{2t}(\cos t-\sin t)^2+2e^{2t}(\sin t+\cos t)^2}\,dt$$

$$=\int_0^\pi \sqrt{4e^{2t}}\,dt=\int_0^\pi 2e^t\,dt=\Big[2e^t\Big]_0^\pi=\mathbf{2e^\pi-2}$$

❷ $(\sqrt{2}e^t\cos t)'$
$=\sqrt{2}\{(e^t)'\cos t+e^t(\cos t)'\}$
$=\sqrt{2}e^t(\cos t-\sin t)$

❸ $2e^{2t}(1-2\sin t\cos t)$
$\quad +2e^{2t}(1+2\sin t\cos t)$
$=2e^{2t}+2e^{2t}=4e^{2t}$

(2) $\dfrac{dy}{dx}=\sqrt{3}x^{\frac{1}{2}}=\sqrt{3x}$이므로 곡선의 길이 l은

$$l=\int_0^5 \sqrt{1+\left(\frac{dy}{dx}\right)^2}\,dx=\int_0^5 \sqrt{1+3x}\,dx$$

$$=\int_0^5 (1+3x)^{\frac{1}{2}}\,dx=\Big[\frac{1}{3}\times\frac{2}{3}(1+3x)^{\frac{3}{2}}\Big]_0^5$$

$$=\frac{2}{9}(64-1)=\mathbf{14}$$

참고

$$\int_p^q (ax+b)^n\,dx$$

$$=\Big[\frac{1}{a(n+1)}(ax+b)^{n+1}\Big]_p^q$$

확인 문제

정답과 해설 | 100쪽

MY 셀파

12-1 다음 곡선의 길이를 구하시오.
(상 중 하)

(1) $x=\ln t^2, y=t+\dfrac{1}{t} \ (1 \le t \le e)$

(2) $y=\dfrac{1}{2}(e^x+e^{-x}) \ (0 \le x \le 2)$

12-1

(1) $\dfrac{dx}{dt}=\dfrac{2}{t}, \dfrac{dy}{dt}=1-\dfrac{1}{t^2}$

(2) $\dfrac{dy}{dx}=\dfrac{1}{2}(e^x-e^{-x})$

10 정적분의 활용

정적분과 급수의 합 사이의 관계

01
(상)(중)(하)

정적분을 이용하여

$$\lim_{n \to \infty} \frac{2}{n}(e^{1+\frac{2}{n}}+e^{1+\frac{4}{n}}+ \cdots +e^{1+\frac{2n}{n}})$$

의 값을 구하시오.

곡선과 x축 사이의 넓이

02
(상)(중)(하)

곡선 $y=\ln(x+k)$와 x축 및 y축으로 둘러싸인 도형의 넓이가 1일 때, 상수 k의 값을 구하시오. (단, $k>1$)

곡선과 y축 사이의 넓이

03
(상)(중)(하)

다음 곡선과 직선으로 둘러싸인 도형의 넓이 S를 구하시오.

(1) $y=3\sqrt{x}$, y축, $y=1$, $y=3$

(2) $y=\ln x+1$, y축, $y=0$, $y=2$

두 곡선 사이의 넓이

04
(상)(중)(하)

두 곡선 $y=\ln x$, $y=\ln \dfrac{1}{x}$과 직선 $x=e$로 둘러싸인 도형의 넓이 S를 구하시오.

두 곡선 사이의 넓이의 활용

05
(상)(중)(하)

오른쪽 그림과 같이 곡선 $y=\dfrac{\ln x}{x}$와 x축 및 두 직선 $x=k$, $x=e^2$으로 둘러싸인 두 부분 A와 B의 넓이가 서로 같을 때, 실수 k의 값을 구하시오.

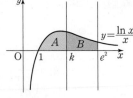

(단, $1<k<e^2$)

두 곡선 사이의 넓이의 활용   융합형

06
(상)(중)(하)

곡선 $y=\ln x$와 이 곡선 위의 점 $\mathrm{P}(e,\, 1)$에서의 접선 및 x축으로 둘러싸인 도형의 넓이를 구하시오.

역함수의 그래프와 넓이

07 함수 $y=f(x)$의 그래프와 그 역함수 $y=g(x)$의 그래프
가 두 점 $(2, 2)$, $(8, 8)$에서만 만난다. $\int_2^8 f(x)dx=25$
일 때, 두 곡선 $y=f(x)$, $y=g(x)$로 둘러싸인 도형의
넓이를 구하시오.

입체도형의 부피 창의력

08 오른쪽 그림과 같은 그릇에 물을
채우는데 그릇에 채워진 물의 높
이가 x cm일 때, 수면의 넓이가
$(x+1)^2$ cm^{2}라 한다. 물의 높이
가 6 cm일 때, 이 그릇에 담긴 물
의 부피를 구하시오.

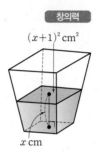
$(x+1)^2$ cm^2

x cm

입체도형의 부피 서술형

09 오른쪽 그림과 같이 지름의
길이가 4인 반원을 밑면으로
하는 입체도형이 있다. 반원
의 지름 AB에 수직인 평면
으로 입체도형을 자른 단면이 반원인 이 입체도형의
부피는 $\dfrac{k}{3}\pi$이다. 이때 실수 k의 값을 구하시오.

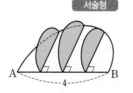
A   4   B

직선 위의 점이 움직인 거리

10 원점을 출발하여 수직선 위를 움직이는 점 P의 시각
t에서의 속도 $v(t)$가 $v(t)=2\cos\left(t-\dfrac{\pi}{3}\right)+1$일 때,
시각 $t=0$에서 $t=\pi$까지 점 P가 움직인 거리를 구하
시오.

평면 위의 점이 움직인 거리

11 좌표평면 위를 움직이는 점 P의 시각 t에서의 위치
(x, y)가 $x=t-\dfrac{t^3}{3}$, $y=t^2$일 때, $t=0$에서 $t=1$까지
점 P가 움직인 거리를 구하시오.

곡선의 길이

12 미분가능한 함수 $f(x)$에 대하여
$f'(x)=-\sqrt{x^2+2x}$이다. $0\le x\le a$에서 곡선 $y=f(x)$
의 길이가 12일 때, 양수 a의 값을 구하시오.

10 정적분의 활용

memo

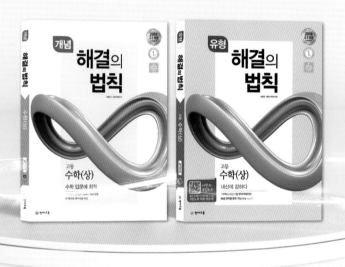

셀파
해 법 수 학

고등 미적분 　　　　　정답과 해설

 천재교육

성공은 절대 운명의 장난이 아니다.

빌 게이츠(Bill Gates)

빌 게이츠가 개발한 <Windows> 시리즈는
PC 역사에 새로운 발자취를 남겼어요.
지금의 스마트폰을 존재할 수 있게 한 빌 게이츠의 성공은
현실에 안주하지 않고 끊임없이 도전했기에
가능한 일이었습니다.

* 포기하지 않는 마음, 성취의 첫걸음입니다.

정답과 해설

빠른 정답

1. 수열의 극한

개념 익히기 본문 | 11, 13 쪽

1-1 (1) 0   (2) 음

1-2 (1) 수렴   (2) 발산(진동)

2-1 (1) 2, 12   (2) 2, 5   (3) 3   (4) 3, 3

2-2 (1) 4   (2) 11   (3) -12 (4) $-\dfrac{1}{2}$

3-1 (1) n, 0, 4   (2) n, 2

3-2 (1) 0   (2) $-\dfrac{2}{3}$

4-1 3, 3, 3   **4-2** 0

확인 문제 본문 | 14~29 쪽

01-1 (1) 발산(진동)   (2) 수렴, 0

(3) 음의 무한대로 발산   (4) 수렴, 2

02-1 2   **02-2** 5

03-1 (1) $-\infty$ (발산)   (2) $\dfrac{1}{3}$ (수렴)

(3) 3 (수렴)   (4) ∞ (발산)

04-1 (1) $\dfrac{2}{3}$ (수렴)   (2) -1 (수렴)

(3) 3 (수렴)   (4) ∞ (발산)

집중 연습 본문 | 18 쪽

01 (1) 3 (수렴)   (2) -2 (수렴)

(3) 0 (수렴)   (4) 0 (수렴)

(5) ∞ (발산)   (6) $-\infty$ (발산)

02 (1) 2 (수렴)   (2) 1 (수렴)

(3) 0 (수렴)   (4) 2 (수렴)

(5) 1 (수렴)   (6) $-\infty$ (발산)

05-1 5

05-2 (1) -3 (2) -1

06-1 4   **06-2** -3

07-1 (1) 3   (2) 12

셀파 특강 확인 체크 01 $\dfrac{1}{2}$

08-1 3   **08-2** 0

09-1 (1) ∞ (발산)   (2) 0 (수렴)

(3) 0 (수렴)   (4) 진동 (발산)

10-1 (1) 발산   (2) $-\dfrac{1}{16}$ (수렴)   (3) ∞ (발산)

10-2 1

셀파 특강 확인 체크 02 (1) 수렴   (2) 진동(발산)   (3) 수렴

11-1 (1) $-1 < x \le \dfrac{1}{3}$ (2) $-1 \le x \le 5$

11-2 3

12-1 $0 < r < 1$일 때 -3, $r=1$일 때 $\dfrac{1}{3}$, $r>1$일 때 2

12-2 1   **13-1** 18

13-2 $\dfrac{1}{4}$

연습 문제 본문 | 30~31 쪽

01 ㄴ, ㄷ   **02** (1) -2 (2) 1   **03** -3

04 $\dfrac{1}{2}$ **05** -1 **06** 2

07 $\dfrac{1}{2}$ **08** 3   **09** $\dfrac{9}{5}$

10 3   **11** (1) $-\dfrac{1}{3} \le r < \dfrac{1}{3}$ (2) $-2 < r \le 2$

12 -2 **13** 2

2. 급수

개념 익히기 본문 | 35, 37 쪽

1-1 $n+1$, 1   **1-2** (1) 1 (2) 3

2-1 (1) 1   (2) 3

2-2 풀이 참조

3-1 (1) 3   (2) 6, 1

3-2 (1) -5 (2) 18

4-1 (1) 1, $<$ (2) $>$, 발산

4-2 (1) $\dfrac{1}{3}$ (2) 발산

확인 문제 본문 | 38~49 쪽

01-1 (1) $\dfrac{1}{6}$ (수렴)   (2) ∞ (발산)

02-1 발산

셀파 특강 확인 체크 01 (1) 발산   (2) 발산

03-1 2   **03-2** $\dfrac{1}{3}$

04-1 14   **04-2** -2

05-1 (1) $\dfrac{\sqrt{2}}{2}$ (2) $\dfrac{1}{2}$ (3) $-\dfrac{1}{3}$ (4) $\dfrac{7}{4}$

06-1 (1) $0 < x < 1$ (2) $-3 < x < -1$ 또는 $x=3$

07-1 $\left(\dfrac{4}{3},\ -\dfrac{2}{3}\right)$ **08-1** $4+2\sqrt{3}$

09-1 $\dfrac{4}{3}\pi r^2$ **10-1** (1) $\dfrac{5}{33}$ (2) $\dfrac{11}{30}$

10-2 $\dfrac{11}{13}$

연습 문제   본문 | 50~51 쪽

01 (1) 2   (2) $\log\dfrac{1}{2}$

02 5   **03** ㄴ, ㄷ

04 $\dfrac{3}{2}$ **05** 2

06 (1) $\dfrac{2}{3}$ (2) $\dfrac{7}{12}$ (3) $\dfrac{11}{8}$

07 $\dfrac{25}{36}$

08 (1) $-3 < x < 3$ (2) $x=0$ 또는 $1 < x < 3$

09 $-\sqrt{2} < x < 0$ 또는 $0 < x < 1$ **10** 60

11 9 m   **12** $\dfrac{9}{7}$ **13** 1

---

3. 지수함수와 로그함수의 미분

개념 익히기   본문 | 55 쪽

1-1 (2) 0   (3) 0

1-2 (1) ∞ (2) 0   (3) 0   (4) ∞

2-1 (1) e^2 (2) 2   (3) $2x$ (4) -1

2-2 (1) e^2 (2) e^4 (3) $\dfrac{1}{e^2}$ (4) $\dfrac{1}{\sqrt{e}}$

확인 문제   본문 | 56~67 쪽

01-1 (1) 0   (2) 1   (3) ∞

01-2 3

02-1 (1) 2   (2) 2   (3) -1 (4) 1

셀파 특강   확인 체크 01   (1) e^3 (2) $\sqrt{e}$
(3) e^3 (4) e^3

03-1 (1) e^4 (2) $\dfrac{1}{\sqrt{e}}$

03-2 (1) e^3 (2) $e^{\frac{3}{2}}$

집중 연습   본문 | 61 쪽

01 (1) $\dfrac{1}{3}$ (2) 3   (3) $\dfrac{1}{4}$
(4) 2   (5) -2

02 (1) $\dfrac{1}{2}$ (2) 2   (3) 3
(4) -2 (5) $-e$

04-1 (1) $\dfrac{1}{3\ln 3}$ (2) $\dfrac{1}{2}\ln 3$
(3) $\dfrac{1}{3}\ln 2$ (4) $\ln\dfrac{3}{5}$

05-1 (1) 1   (2) 1
(3) $\dfrac{1}{\ln 10}$ (4) 4

06-1 -6 **06-2** 5

07-1 (1) $(x+1)e^x$ (2) $\{(x-3)\ln 2+1\}2^x$
(3) $e^x\left(\ln x+\dfrac{1}{x}\right)$ (4) $\log_5 3x+\dfrac{1}{\ln 5}$

08-1 $p=1,\ q=-4$ **08-2** $a=1,\ b=-1$

연습 문제   본문 | 68~69 쪽

01 (1) 2   (2) -1 **02** ②

03 (1) e^3 (2) e^4 (3) $\dfrac{1}{\sqrt{e}}$ (4) $\dfrac{1}{e^2}$

04 $\dfrac{3}{2}$ **05** 6   **06** 1

07 (1) $\dfrac{1}{3}\ln 2$ (2) $\dfrac{2}{\ln 5}$ **08** $\ln 2$

09 2   **10** $a=\sqrt{2},\ b=\dfrac{\sqrt{2}}{2}$

11 $a=1,\ b=3$

12 (1) $3e^{3x}$ (2) $2\times 3^{2x}\ln 3$
(3) $x(2-x)e^{-x}$ (4) $3^x(1+x\ln 3)$

13 $5e$

14 (1) $\dfrac{1}{x}$　　　　　(2) $\dfrac{1}{x\ln 3}$

(3) $\dfrac{2\ln x}{x}$　　　　(4) $x^2\left(3\log_3 x+\dfrac{1}{\ln 3}\right)$

15 1　　　　　　**16** 4

4. 삼각함수의 미분

개념 익히기　　　　　　　　　본문 | **73** 쪽

1-1 (1) $\sqrt{2},\ \sqrt{6}$　　　　(2) $\sqrt{2},\ \sqrt{6}$

1-2 (1) $\dfrac{\sqrt{2}+\sqrt{6}}{4}$　　(2) $2-\sqrt{3}$

2-1 (1) 1, 1　　　　　(2) 1, 1

2-2 (1) $\dfrac{2}{3}$　　　　　(2) $\dfrac{1}{2}$

확인 문제　　　　　　　　　本문 | **75~89** 쪽

01-1 (1) $\dfrac{\sqrt{7}-3\sqrt{3}}{8}$　　(2) $\dfrac{3-\sqrt{21}}{8}$

01-2 (1) $\dfrac{1}{2}$　　　　　(2) $-\dfrac{\sqrt{2}}{2}$

02-1 (1) $2\sin\left(\theta-\dfrac{\pi}{4}\right)$　(2) $2\sqrt{3}\sin\left(\theta+\dfrac{\pi}{6}\right)$

02-2 $p=2,\ q=-\dfrac{2}{3}\pi$

03-1 (1) 최댓값 : $2\sqrt{3}$, 최솟값 : $-2\sqrt{3}$

(2) 최댓값 : 5, 최솟값 : 1

04-1 2　　　　　　**04-2** $\dfrac{27}{5}$

05-1 3　　　　　　**05-2** 1

셀파 특강 확인 체크 01　(1) $\dfrac{\sqrt{3}}{4}$　　　(2) 1

06-1 $\dfrac{1}{2}$　　　　　**06-2** 0

집중 연습　　　　　　　　　본문 | **84** 쪽

01 (1) 5　　(2) $\dfrac{3}{2}$　　(3) 2　　(4) $\dfrac{2}{3}$

(5) $\dfrac{5}{4}$　　(6) $\dfrac{1}{3}$　　(7) 2　　(8) 1

(9) $\dfrac{2}{3}$　　(10) $\dfrac{1}{2}$

07-1 (1) $-\pi$　　　　　(2) 2

08-1 (1) 0　　　　　　(2) 2

08-2 ± 4

09-1 (1) $p=3,\ q=0$　　(2) $p=1,\ q=1$

09-2 $a=-1,\ b=2$

10-1 (1) $-2\sin x+3x^2$　(2) $\dfrac{1}{x}+4\cos x$

(3) $\sin x+x\cos x+2x$　(4) $e^x(\cos x-\sin x)$

10-2 $-2\pi^2$

연습 문제　　　　　　　　　본문 | **90~91** 쪽

01 (1) $-\dfrac{\sqrt{5}+4\sqrt{2}}{9}$　　**02** $\dfrac{\sqrt{6}}{2}$

03 $\dfrac{2\sqrt{5}}{5}$　　　　　**04** $a=\sqrt{2},\ b=-\sqrt{2}$

05 $-\dfrac{3}{2}$　　　　　**06** $\dfrac{1}{2}$

07 13.6 m　　　　**08** $\dfrac{\pi}{4}$

09 -1　　　　　　**10** 1

11 (1) 1　　　　　(2) 1

12 2　　　　　　**13** ②

14 $a=-\pi,\ b=\pi$　　**15** 1

16 $-\sqrt{3}$

5. 여러 가지 미분법

개념 익히기　　　　　　　　　본문 | **95, 97** 쪽

1-1 (1) $4x$　　　　　(2) x^3

1-2 (1) $-\dfrac{2}{x^3}$　　　(2) $-\dfrac{1}{(2x-1)^2}$

2-1 (1) 9　　　　　(2) $4x$

2-2 (1) $8(x+1)(x^2+2x)^3$　(2) $3\left(x+\dfrac{1}{x}\right)^2\left(1-\dfrac{1}{x^2}\right)$

3-1 (1) 0　　　(2) 2

3-2 (1) $-\dfrac{y}{x}$ (단, $x\neq 0$)　(2) $-\dfrac{3x^2}{2y-4}$ (단, $y\neq 2$)

4-1 (1) $2x$　　　　　(2) 1

4-2 (1) $24(2x-1)$　　(2) $-\dfrac{1}{4x\sqrt{x}}$

01-1 (1) $-\dfrac{6x}{(x^2+1)^2}$ (2) $\dfrac{x^2-4x+3}{(x-2)^2}$

     (3) $\dfrac{e^x}{(e^x+1)^2}$ (4) $\dfrac{2x^6+2x^3-20}{x^5}$

01-2 3

02-1 (1) $\dfrac{3}{5}$ (2) $-\dfrac{4}{3}$ (3) $-\dfrac{5}{4}$

02-2 $\pm\dfrac{4\sqrt{10}}{3}$

03-1 (1) $2\sec^2 x-\csc^2 x$ (2) $x\csc x(2-x\cot x)$

     (3) $\sec x(\sec^2 x+\tan^2 x)$ (4) $\sec x-\dfrac{1+\sec x}{\sin^2 x}$

04-1 (1) $2(2x-1)(4x^2-x+2)$

     (2) $2x\sin 2x+2(x^2+1)\cos 2x$

     (3) $-\sec^2 x\csc^2(\tan x)$

     (4) $\dfrac{-12x+14}{(3x+2)^3}$

04-2 $-\dfrac{10}{3}$

05-1 (1) $(1-6x-2x^2)e^{-x^2}$ (2) $\dfrac{4}{(e^x+e^{-x})^2}$

     (3) $(2x+1)5^{x^2+x+1}\ln 5$ (4) $-3^{\cos x}(\ln 3)\sin x$

05-2 $-5\ln 2$

06-1 (1) $x(2\ln|x|+1)$ (2) $\dfrac{e^x}{e^x-1}$

     (3) $\dfrac{2}{(2x-5)\ln 2}$ (4) $\dfrac{\cot x}{\ln 2}$

06-2 4

07-1 (1) $x^{\sin x}\left(\cos x\ln x+\dfrac{\sin x}{x}\right)$

     (2) $\dfrac{(x+3)^6(2x^2-x-7)}{(x+1)^3(x+2)^4}$

07-2 $-2e^\pi$

08-1 (1) $\dfrac{3t^4+1}{2t^2(t-1)}$ (단, $t\neq 0$, $t\neq 1$)

     (2) $3e^{2t+1}$

     (3) $-\dfrac{3}{2}(3t-1)^3$ $\left(단, t\neq\dfrac{1}{3}\right)$

     (4) $-\tan t$ (단, $\sin t\neq 0$, $\cos t\neq 0$)

09-1 (1) 1 (2) $-\dfrac{\sqrt{3}}{6}$ **09-2** 5

10-1 (1) $-\dfrac{2}{y}$ (단, $y\neq 0$)

     (2) $\dfrac{3y-1}{2-3x}$ $\left(단, x\neq\dfrac{2}{3}\right)$

     (3) $-\dfrac{2x+y}{x+2y}$ (단, $x\neq -2y$)

     (4) $\dfrac{y-3x^2}{3y^2-x}$ (단, $x\neq 3y^2$)

10-2 $a=9$, $b=-3$

11-1 (1) $\dfrac{3}{4\sqrt[4]{(3x-1)^3}}$ (2) $\dfrac{2x}{3\sqrt[3]{(x^2+1)^2}}$

     (3) $\dfrac{3x+8}{\sqrt{2x+5}}$ (4) $\dfrac{1}{2}\left(1-\dfrac{x}{\sqrt{x^2-2}}\right)$

12-1 (1) $\dfrac{1}{4\sqrt[4]{x^3}}$ (단, $x\neq 0$)   (2) $\dfrac{1}{3\sqrt[3]{(x+3)^2}}$ (단, $x\neq -3$)

12-2 $\dfrac{1}{12}$

01 (1) $\dfrac{x^2(2x+9)}{(x+3)^2}$ (2) $-\dfrac{1}{(3x+1)^2}$

     (3) $e^x(\tan x+\sec^2 x)$ (4) $-2x\sin(x^2+2)$

     (5) $\dfrac{1-x(\ln x+1)}{xe^x}$ (6) $\dfrac{4(\ln x)^3}{x}+2e^{2x}$

     (7) $\dfrac{5}{2}x\sqrt{x}$

     (8) $5^{\sin x-\cos x}\ln 5(\cos x+\sin x)$

     (9) $\dfrac{3}{3x-1}$ (10) $-\tan x$

     (11) $\dfrac{\sec^2 x}{\tan x}$ (12) $\dfrac{2(2x+1)^2(x-10)}{(x-3)^3}$

     (13) $-\dfrac{\cos x}{2\sqrt{1-\sin x}}$ (14) $\dfrac{x-1}{2x\sqrt{x}}$

13-1 72 **13-2** $\dfrac{4}{3}$

01 $\dfrac{x^2(x^2-3)}{(x^2-1)^2}$ **02** 2

03 $-3\sqrt{3}$ **04** -4

05 $\dfrac{1}{2}$ **06** 3

07 9 **08** -1

09 2

10 (1) $\dfrac{x}{y}$ (단, $y\neq 0$)   (2) $-\dfrac{1}{2(y-1)}$ (단, $y\neq 1$)

11 $a=-2$, $b=-5$ **12** $\dfrac{5}{2}$

13 $\dfrac{4}{11}$ **14** $\dfrac{4}{7}$

15 7 **16** -1

6. 도함수의 활용 (1)

개념 익히기   본문 | 121, 123 쪽

1-1 (1) $\dfrac{\pi}{2}$, $-x$ (2) e

1-2 (1) $y=ex$ (2) $y=-x+\pi$

2-1 1

2-2 (1) $y=\dfrac{1}{2}x+\ln 2-1$ (2) $y=\dfrac{1}{4}x+1$

3-1 π, π

3-2 (1) 반닫힌 구간 $(-\infty, -1]$, $[1, \infty)$에서 증가, 반닫힌 구간 $[-1, 0)$, $(0, 1]$에서 감소

     (2) 닫힌구간 $[0, 1]$에서 감소, 반닫힌 구간 $[1, \infty)$에서 증가

4-1 0

4-2 (1) 극댓값 1, 극솟값 -1 (2) 극댓값 -1

확인 문제   본문 | 124~139 쪽

01-1 (1) $y=-\dfrac{\sqrt{3}}{2}x+\dfrac{\sqrt{3}}{6}\pi$ (2) $y=x+2$

01-2 $a=2$, $b=e$ **02-1** 1

02-2 $p=-1$, $q=-2e$ **03-1** $y=-4x+4$

03-2 e

집중 연습   본문 | 127 쪽

01 (1) $y=-x+2$ (2) $y=2x+1$

     (3) $y=\dfrac{1}{3}x-\dfrac{1}{3}+\ln 3$

02 (1) $y=3x-3\ln 3-6$ (2) $y=2x-2$

     (3) $y=-x+\dfrac{3}{4}\pi+1$

03 (1) $y=-x+1$ (2) $y=\dfrac{1}{2}x+1$

04-1 $a=2$, $b=-3$ **04-2** 0

셀파 특강   확인 체크 01 $\dfrac{1}{e^2}$

05-1 $a=\dfrac{3}{2e^2}$, $b=\dfrac{e^2}{2}$ **05-2** 0

06-1 $y=x+1$ **06-2** 5

07-1 (1) $y=\sqrt{3}x+2\sqrt{3}$ (2) $y=-\dfrac{1}{2}x+3$

셀파 특강   확인 체크 02   (1) 극댓값 -2, 극솟값 2

                               (2) 극솟값 $-\dfrac{1}{e}$

08-1 (1) 열린구간 $(-\infty, \infty)$에서 증가

     (2) 반닫힌 구간 $(-\infty, 1]$에서 증가, 반닫힌 구간 $[1, \infty)$에서 감소

09-1 0   **09-2** $-1 \le a \le 0$

10-1 (1) 극솟값 $2\sqrt{2}$ (2) 극댓값 2

11-1 (1) 극솟값 2   (2) 극댓값 2, 극솟값 $\ln 5-2$

12-1 (1) 극댓값 $\dfrac{2}{3}\pi+\sqrt{3}$, 극솟값 $\dfrac{4}{3}\pi-\sqrt{3}$

     (2) 극솟값 $\dfrac{1}{e}$

13-1 $k \ge \dfrac{26}{5}$ **13-2** $0 < k < \dfrac{1}{4}$

연습 문제   본문 | 140~141 쪽

01 $\dfrac{e^2}{2}$ **02** $\dfrac{e^3-1}{3}$

03 $y=x-1$ **04** 4

05 $y=x-e$ **06** $\ln 2$

07 $y=\dfrac{3}{8}x+\dfrac{5}{8}$ **08** $a=-2$, $b=-4$

09 $-\dfrac{1}{3}$ **10** $\dfrac{5}{4}$

11 $a=-7$, $b=10$ **12** 128

13 $y=\dfrac{3}{e}x$ **14** π

15 $\dfrac{\sqrt{3}}{3}-\dfrac{\pi}{2}$ **16** ③

7. 도함수의 활용 (2)

개념 익히기   본문 | 145, 147 쪽

1-1 (1) x, 0   (2) $-\infty$

1-2 (1) 열린구간 $(-\infty, 0)$에서 위로 볼록, 열린구간 $(0, \infty)$에서 아래로 볼록

     (2) 열린구간 $(0, \pi)$에서 아래로 볼록, 열린구간 $(\pi, 2\pi)$에서 위로 볼록

2-1 -9

2-2 (1) $(0, -1), (1, 0)$

(2) $\left(\dfrac{\pi}{3}, \dfrac{1}{9}\pi^2+2\right), \left(\dfrac{5}{3}\pi, \dfrac{25}{9}\pi^2+2\right)$

3-1 0　　　　　　　　　**3-2** (1) 1　　(2) 0

4-1 $2t, 0$

4-2 속도 : $(-\sin t, \cos t)$, 속력 : 1

가속도 : $(-\cos t, -\sin t)$

01-1 (1) 열린구간 $\left(-\infty, -\dfrac{\sqrt{3}}{3}\right), \left(\dfrac{\sqrt{3}}{3}, \infty\right)$에서 아래로 볼

록, 열린구간 $\left(-\dfrac{\sqrt{3}}{3}, \dfrac{\sqrt{3}}{3}\right)$에서 위로 볼록

변곡점의 좌표는 $\left(-\dfrac{\sqrt{3}}{3}, \dfrac{3}{4}\right), \left(\dfrac{\sqrt{3}}{3}, \dfrac{3}{4}\right)$

(2) 열린구간 $\left(0, e^{-\frac{3}{2}}\right)$에서 위로 볼록,

열린구간 $\left(e^{-\frac{3}{2}}, \infty\right)$에서 아래로 볼록

변곡점의 좌표는 $\left(e^{-\frac{3}{2}}, -\dfrac{3}{2}e^{-3}\right)$

02-1 (1)

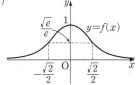

(2)

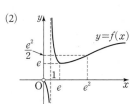

셀파 특강 확인 체크 01 극점의 개수 4, 변곡점의 개수 3

03-1 (1) 최댓값 $e^2 - \dfrac{1}{e^2}$, 최솟값 $\dfrac{1}{e^2} - e^2$

(2) 최댓값 $\dfrac{\pi}{4}+1$, 최솟값 $\dfrac{3}{4}\pi-1$

04-1 $\sqrt{5}$　　　　　　　**04-2** $2e$

05-1 (1) 1　　　　　　　(2) 2

셀파 특강 확인 체크 02 (1) 2　　　　(2) 0

01 (1) 2　　(2) 2　　(3) 1　　(4) 1

02 (1) $k>e$일 때 2, $k=e$일 때 1, $0 \le k < e$일 때 0, $k<0$일 때 1

(2) $k>3$일 때 3, $k=3$일 때 2, $k<3$일 때 1

(3) $k>1$일 때 2, $k=1$일 때 1, $k<1$일 때 0

(4) $k>-1$일 때 0, $k=-1$일 때 1, $k<-1$일 때 2

06-1 $-e$　　　　　　　**06-2** $k>2$

07-1 $k \ge 2$　　　　　　**07-2** $0 < a \le e$

셀파 특강 확인 체크 03 풀이 참조

08-1 속도 : $\dfrac{11}{3}$, 가속도 : $\dfrac{19}{9}$

09-1 (1) 속도 : $(-2\sin 2t, 2\cos 2t)$, 속도의 크기 : 2

(2) 가속도 : $(-4\cos 2t, -4\sin 2t)$, 가속도의 크기 : 4

01 $a < -\dfrac{1}{2}$　　　　　**02** 5

03 $y = -2x + 1$　　　　**04** $\dfrac{1}{8}$

05 (1)

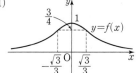

(2)

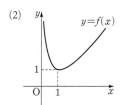

06 -2　　　　　　　　**07** $1 \le k \le 3$

08 $\sqrt{\dfrac{2}{e}}$　　　　　　　**09** 1

10 ㄱ, ㄴ　　　　　　　**11** $\dfrac{1}{e}$

12 2π　　　　　　　　**13** 0

14 $k > \dfrac{1}{e^2}$　　　　　**15** $\dfrac{7}{8}\pi$

16 2

8. 여러 가지 적분법

개념 익히기　본문 | 167, 169 쪽

1-1 (2) $1, -x^{-1}$　(3) $x^{\frac{5}{2}}$

1-2 (1) $-\dfrac{1}{4x^4}+C$　(2) $\dfrac{3}{5}x\sqrt[3]{x^2}+C$

2-1 (1) $x+2$　(2) $4, \ln 3$

2-2 (1) $e^x+\dfrac{3^x}{\ln 3}+C$　(2) $\dfrac{2^{3x}}{3\ln 2}+C$

3-1 (1) t^4　(2) $\sin t$

3-2 (1) $\dfrac{2}{3}(x-3)\sqrt{x-3}+C$　(2) $\sin(4x+1)+C$

4-1 (1) $1, x$　(2) $1, \sin x$

4-2 (1) $x\sin x+\cos x+C$　(2) $\dfrac{x^3(3\ln x-1)}{9}+C$

확인 문제　본문 | 170~187 쪽

01-1 (1) $\dfrac{1}{2}x^2-3x-\dfrac{1}{x^4}+C$　(2) $\ln|x|+\dfrac{1}{x}+C$

(3) $\dfrac{3}{5}x\sqrt[3]{x^2}+\dfrac{3}{2x^2}+C$　(4) $x-\dfrac{9}{2}\sqrt[3]{x^2}+9\sqrt[3]{x}-\ln|x|+C$

셀파 특강 확인 체크 01 (1) e^x　(2) $\dfrac{a^x}{\ln a}$　(3) $-\cos x$

02-1 (1) $\dfrac{1}{2}e^{2x}+2e^x+x+C$　(2) $e^x+3ex-2\ln|x|+C$

(3) $-e^{1-x}+\dfrac{2^{2-2x}}{\ln 2}+C$　(4) $\dfrac{2^x}{\ln 2}-x+C$

03-1 (1) $\sin x-2\cos x+C$　(2) $-\cos x+\cot x+C$

(3) $x-\sin x+C$　(4) $-\cot x+\csc x+C$

집중 연습　본문 | 174~175 쪽

01 (1) $2\ln|x|-\dfrac{3}{x}+C$　(2) $\dfrac{2}{5}x^2\sqrt{x}+2\sqrt{x}+C$

(3) $\dfrac{1}{2}x^2+4\ln|x|+\dfrac{5}{x}+C$　(4) $2\sqrt{x}+\ln|x|+C$

(5) $x-8\sqrt{x}+4\ln|x|+C$　(6) $\dfrac{1}{2}x^2+\dfrac{2}{3}x\sqrt{x}+C$

02 (1) $-\dfrac{1}{3}e^{2-3x}+C$　(2) $3\ln|x|-2e^{x-1}+C$

(3) e^x-x+C　(4) $\dfrac{1}{2}e^{2x}+2e^x+4x+C$

(5) $\dfrac{2^{2x-1}}{\ln 2}+C$　(6) $x-\dfrac{2^{x+1}}{\ln 2}+\dfrac{2^{2x-1}}{\ln 2}+C$

03 (1) $2\sin x-\cos x+C$　(2) $-2\cos x+x+C$

(3) $-\csc x+C$　(4) $\tan x-x+C$

(5) $\tan x-\ln|x|+C$　(6) $\tan x-\sin x+C$

04-1 (1) $\dfrac{1}{30}(3x^2-1)^5+C$　(2) $\dfrac{1}{8}(x^2-2x-2)^4+C$

(3) $\dfrac{1}{14}(2x+3)^7+C$　(4) $-\dfrac{1}{(x^2+3x+1)^2}+C$

05-1 (1) $\dfrac{2}{9}(x^3+1)\sqrt{x^3+1}+C$　(2) $4\sqrt{x^2+1}+C$

(3) $\dfrac{1}{4}\sqrt[3]{(6x+5)^2}+C$　(4) $\dfrac{3}{8}\sqrt[3]{(x^4+6)^2}+C$

06-1 (1) $\dfrac{1}{2}e^{2x+3}+C$　(2) $4e^{x+1}+C$

(3) $\dfrac{2}{3}(e^x-1)\sqrt{e^x-1}+C$　(4) $\dfrac{1}{4}\{\ln(1+x^2)\}^2+C$

07-1 (1) $-\sin(1-x)+C$　(2) $\dfrac{1}{2}\tan^2 x+C$

(3) $-\dfrac{1}{5}\cos^5 x+C$　(4) $\dfrac{1}{3}\cos^3 x-\cos x+C$

08-1 (1) $-\dfrac{1}{2}\ln|5-2x|+C$　(2) $\dfrac{1}{2}\ln(x^2-2x+3)+C$

(3) $-\ln(e^x+e^{-x})+C$　(4) $\ln|x+\cos x|+C$

09-1 (1) $\dfrac{1}{3}x^3+\dfrac{1}{2}x^2+x+C$　(2) $x^2-x+2\ln|x+1|+C$

(3) $-3\ln|x-2|+4\ln|x-3|+C$

(4) $2\ln|x|+\dfrac{1}{2}\ln(x^2+1)+C$

집중 연습　본문 | 184 쪽

01 (1) $\ln(x^2-x+1)+C$　(2) $\ln|x^3-1|+C$

(3) $\dfrac{1}{2}\ln|1+2\sin x|+C$　(4) $\ln|2^x-x^3|+C$

02 (1) x^2-x+C　(2) $\dfrac{1}{2}x^2-\dfrac{1}{3}\ln|3x-2|+C$

(3) $-2\ln|x+1|+4\ln|x+2|+C$

(4) $\ln|x+1|-\ln|x-3|-\dfrac{4}{x-3}+C$

10-1 (1) $-(2x-1)\cos x+2\sin x+C$

(2) $\dfrac{1}{2}xe^{2x}-\dfrac{1}{4}e^{2x}+C$

(3) $(x+1)\tan x+\ln|\cos x|+C$

(4) $x\ln\sqrt{x}-\dfrac{1}{2}x+C$

11-1 (1) $x^2\sin x+2x\cos x-2\sin x+C$

(2) $x(\ln x)^2-2x\ln x+2x+C$

(3) $\dfrac{1}{2}e^x(\sin x-\cos x)+C$

(4) $\dfrac{1}{5}e^{-x}(2\sin 2x-\cos 2x)+C$

01 5

02 $f(x) = -\dfrac{1}{x} - 2x + 3$

03 -1

04 530000

05 2

06 $f(x) = -2\cos\sqrt{x} - 1$

07 $\dfrac{1}{\pi}$

08 e^4

09 $2\ln|x+1| - \ln|x-2| + C$ **10** $\dfrac{1}{2}e^2 + \dfrac{1}{2}$

11 5

12 $\dfrac{\pi}{2} + 1$

9. 정적분

1-1 (1) 4, 4 　　　　　(2) x, 1

1-2 (1) $2 + \ln 3$ 　　　(2) 5

2-1 e^2, 3 　　　　　(2) 0, 1

2-2 (1) $\dfrac{6}{\ln 2}$ 　　　(2) $e^\pi - 1$

01-1 (1) $\ln\dfrac{4}{3}$ 　(2) $\dfrac{20}{3}$ 　(3) $\dfrac{1}{\ln 2} + 1$ 　(4) $\dfrac{\pi}{2} - 1$

01 (1) $e - 2$ 　(2) $\dfrac{5}{6}$ 　　(3) 4 　　　(4) 2

02 (1) 0 　　(2) $\dfrac{\pi}{2} - 1$ 　(3) $e^2 - e + 1$ 　(4) $4 - e$

02-1 (1) $\dfrac{5}{\ln 2} - 2$ 　　　　(2) $2\sqrt{2}$

03-1 (1) -128 　　　　　(2) 0

셀파 특강 확인 체크 **01** 8

04-1 (1) $\dfrac{4}{3}$ 　　(2) 4 　　(3) $\dfrac{128}{15}$ 　　(4) $\ln\dfrac{e^2+1}{2}$

05-1 (1) 8π 　　　　　　(2) $\dfrac{\pi}{8}$

06-1 (1) $\dfrac{\pi}{2} - 1$ 　(2) 1 　(3) $-\dfrac{2}{e} + 1$ 　(4) $-3\pi + 2$

07-1 (1) $f(x) = e^x - e^2 + 1$ 　(2) $f(x) = 2\sin x - \dfrac{1}{2}$

08-1 1 　　　　　　**08-2** 15

09-1 $a = -1$, $b = 1$ 　**09-2** 2π

10-1 최댓값 8, 최솟값 0

11-1 (1) $e + 3$ 　(2) 1 　　(3) 16 　　(4) $8e^2$

01 $\dfrac{5}{2}$ 　　**02** $2\left(e^2 - \dfrac{1}{e}\right)$ 　**03** $\dfrac{\pi}{4}$

04 1 　　**05** 24 　　**06** $e - 1$

07 $\dfrac{\pi}{4}$ 　　**08** $\dfrac{2(e-1)}{e^2}$ 　**09** $e^2 + e + \dfrac{1}{e} - \dfrac{3}{e^2}$

10 2 　　**11** 2 　　**12** 1

13 2 　　**14** $\dfrac{e}{2}$

10. 정적분의 활용

1-1 (1) $\sqrt{x}$ 　　　　(2) 1, y

1-2 (1) 2 　　　　　(2) 1

2-1 x^2, 2 　　　　**2-2** $e - \dfrac{3}{2}$

3-1 (1) 0, t 　　　　(2) 1

3-2 (1) $-\dfrac{4}{3}$ 　　　(2) 4

4-1 $4t$, $2\sqrt{5}$ 　　　**4-2** $\dfrac{4}{3}$

01-1 (1) $\dfrac{1}{3}$ 　　　　　(2) $\dfrac{1}{4}$

02-1 (1) $\dfrac{16}{3} - 2\sqrt{3}$ 　　(2) $2\ln 2 - 1$

03-1 1 　　　　　**03-2** 1

04-1 $e^2 - e$ 　　　　**04-2** $e - 2$

05-1 $\dfrac{5}{2}$ 　　　　　**05-2** $2\ln 2$

06-1 $\dfrac{5}{3}$ 　　　　　**07-1** $\dfrac{3}{4}$

08-1 8 　　　　　　**09-1** 18

10-1 (1) 2 　(2) $2e - 2$ 　**11-1** π

12-1 (1) $e - \dfrac{1}{e}$ 　　　(2) $\dfrac{1}{2}\left(e^2 - \dfrac{1}{e^2}\right)$

01 $e^3 - e$ 　　　　　**02** e

03 (1) $\dfrac{26}{27}$ 　(2) $e - \dfrac{1}{e}$ 　**04** 2

05 $e^{\sqrt{2}}$ 　　**06** $\dfrac{e}{2} - 1$ 　　**07** 10

08 114 cm³ 　**09** 4 　　　**10** $2\sqrt{3} + \pi$

11 $\dfrac{4}{3}$ 　　**12** 4

1. 수열의 극한

개념 익히기   본문 | 11, 13쪽

1-1 (1) $a_n=\left(\dfrac{1}{2}\right)^{n-1}$의 각 항을

좌표평면 위에 나타내면 오른쪽 그림과 같으므로 수열 $\{a_n\}$은 $\boxed{0}$으로 **수렴**

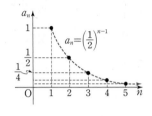

(2) $a_n=-n$의 각 항을 좌표평면 위에 나타내면 오른쪽 그림과 같으므로 수열 $\{a_n\}$은 $\boxed{\text{음}}$의 무한대로 발산

1-2 (1) $a_n=2$의 각 항을 좌표평면 위에 나타내면 오른쪽 그림과 같으므로 수열 $\{a_n\}$은 2로 **수렴**

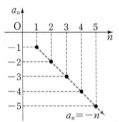

(2) 수열 $a_n=(-1)^n$의 각 항을 좌표평면 위에 나타내면 오른쪽 그림과 같이 진동하므로 수열 $\{a_n\}$은 **발산 (진동)**

2-1 (1) $\displaystyle\lim_{n\to\infty}(3a_n+2b_n)=3\lim_{n\to\infty}a_n+\boxed{2}\lim_{n\to\infty}b_n$
$=3\times2+2\times3=\boxed{12}$

(2) $\displaystyle\lim_{n\to\infty}(5-2a_n)=\lim_{n\to\infty}5-\boxed{2}\lim_{n\to\infty}a_n$
$=\boxed{5}-2\times2=1$

(3) $\displaystyle\lim_{n\to\infty}a_nb_n=\lim_{n\to\infty}a_n\times\lim_{n\to\infty}b_n=2\times\boxed{3}=6$

(4) $\displaystyle\lim_{n\to\infty}\frac{3a_n^{\,2}}{b_n}=\frac{\boxed{3}\lim_{n\to\infty}a_n\times\lim_{n\to\infty}a_n}{\lim_{n\to\infty}b_n}=\frac{3\times2\times2}{\boxed{3}}=4$

2-2 $\displaystyle\lim_{n\to\infty}a_n=3,\ \lim_{n\to\infty}b_n=-2$이므로

(1) $\displaystyle\lim_{n\to\infty}(2a_n+b_n)=2\lim_{n\to\infty}a_n+\lim_{n\to\infty}b_n$
$=2\times3+(-2)=4$

(2) $\displaystyle\lim_{n\to\infty}(3a_n-b_n)=3\lim_{n\to\infty}a_n-\lim_{n\to\infty}b_n$
$=3\times3-(-2)=11$

(3) $\displaystyle\lim_{n\to\infty}2a_nb_n=2\lim_{n\to\infty}a_n\times\lim_{n\to\infty}b_n$
$=2\times3\times(-2)=-12$

(4) $\displaystyle\lim_{n\to\infty}\frac{a_n}{3b_n}=\frac{\lim_{n\to\infty}a_n}{3\lim_{n\to\infty}b_n}=\frac{3}{3\times(-2)}=-\frac{1}{2}$

3-1 (1) 분모, 분자를 각각 분모의 최고차항인 $\boxed{n}$으로 나누면

$\displaystyle\lim_{n\to\infty}\frac{4n+5}{3n-1}=\lim_{n\to\infty}\frac{4+\dfrac{5}{n}}{3-\dfrac{1}{n}}=\frac{4+\lim_{n\to\infty}\dfrac{5}{n}}{3-\lim_{n\to\infty}\dfrac{1}{n}}$

$=\dfrac{4+\boxed{0}}{3-0}=\dfrac{\boxed{4}}{3}$

(2) $\displaystyle\lim_{n\to\infty}(\sqrt{n^2+n}-n)=\lim_{n\to\infty}\frac{(\sqrt{n^2+n}-n)(\sqrt{n^2+n}+n)}{\sqrt{n^2+n}+n}$

$=\displaystyle\lim_{n\to\infty}\frac{\boxed{n}}{\sqrt{n^2+n}+n}$

$=\displaystyle\lim_{n\to\infty}\frac{1}{\sqrt{1+\dfrac{1}{n}}+1}=\dfrac{1}{\boxed{2}}$

3-2 (1) 분모와 분자를 각각 분모의 최고차항인 n^2으로 나누면

$\displaystyle\lim_{n\to\infty}\frac{-2n+3}{4n^2+1}=\lim_{n\to\infty}\frac{-\dfrac{2}{n}+\dfrac{3}{n^2}}{4+\dfrac{1}{n^2}}$

$=\dfrac{\lim_{n\to\infty}\left(-\dfrac{2}{n}\right)+\lim_{n\to\infty}\dfrac{3}{n^2}}{4+\lim_{n\to\infty}\dfrac{1}{n^2}}$

$=\dfrac{0+0}{4+0}=0$

(2) $\lim\limits_{n \to \infty} \dfrac{1}{\sqrt{n^2-3n}-n} = \lim\limits_{n \to \infty} \dfrac{\sqrt{n^2-3n}+n}{(\sqrt{n^2-3n}-n)(\sqrt{n^2-3n}+n)}$

$\qquad\qquad\qquad = \lim\limits_{n \to \infty} \dfrac{\sqrt{n^2-3n}+n}{-3n}$

$\qquad\qquad\qquad = \lim\limits_{n \to \infty} \dfrac{\sqrt{1-\dfrac{3}{n}}+1}{-3} = -\dfrac{2}{3}$

4-1 $\lim\limits_{n \to \infty} \dfrac{3n-1}{n-1} = \boxed{3}$, $\lim\limits_{n \to \infty} \dfrac{3n+4}{n-1} = \boxed{3}$ 이므로

수열의 극한의 대소 관계에 의하여

$\lim\limits_{n \to \infty} a_n = \boxed{3}$

4-2 $\lim\limits_{n \to \infty} \dfrac{-n}{n^2+1} = 0$, $\lim\limits_{n \to \infty} \dfrac{2n}{n^2+1} = 0$ 이므로

수열의 극한의 대소 관계에 의하여

$\lim\limits_{n \to \infty} a_n = \mathbf{0}$

확인 문제

본문 **14~29** 쪽

01-1 **셀파** 그래프를 이용하여 수열 $\{a_n\}$의 수렴, 발산을 조사한다.

(1) n이 한없이 커질 때, a_n의 값의 변화를 그래프로 나타내면 오른쪽 그림과 같다.

따라서 수열 $\{a_n\}$은 **발산(진동)**한다.

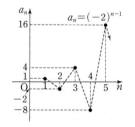

(2) n이 한없이 커질 때, a_n의 값의 변화를 그래프로 나타내면 오른쪽 그림과 같다.

따라서 수열 $\{a_n\}$은 **수렴**하고, 그 극한값은 **0**이다.

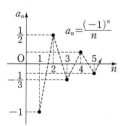

(3) n이 한없이 커질 때, a_n의 값의 변화를 그래프로 나타내면 오른쪽 그림과 같다.

따라서 수열 $\{a_n\}$은 **음의 무한대로 발산**한다.

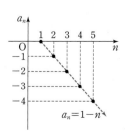

(4) n이 한없이 커질 때, a_n의 값의 변화를 그래프로 나타내면 오른쪽 그림과 같다.

따라서 수열 $\{a_n\}$은 **수렴**하고, 그 극한값은 **2**이다.

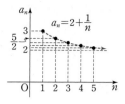

02-1 **셀파** $\lim\limits_{n \to \infty} \dfrac{a_n}{b_n} = \dfrac{\lim\limits_{n \to \infty} a_n}{\lim\limits_{n \to \infty} b_n}$ $(b_n \neq 0, \lim\limits_{n \to \infty} b_n \neq 0)$을 이용한다.

$\lim\limits_{n \to \infty} a_n = -2$, $\lim\limits_{n \to \infty} b_n = 2$ 이므로

$\lim\limits_{n \to \infty} \dfrac{2a_n - b_n}{a_n b_n + 1} = \dfrac{\lim\limits_{n \to \infty}(2a_n - b_n)}{\lim\limits_{n \to \infty}(a_n b_n + 1)} = \dfrac{2\lim\limits_{n \to \infty} a_n - \lim\limits_{n \to \infty} b_n}{\lim\limits_{n \to \infty} a_n \times \lim\limits_{n \to \infty} b_n + 1}$

$\qquad\qquad\qquad = \dfrac{2 \times (-2) - 2}{-2 \times 2 + 1} = 2$

02-2 **셀파** 곱셈 공식 $x^2 + y^2 = (x+y)^2 - 2xy$를 이용한다.

두 수열 $\{a_n\}$, $\{b_n\}$이 수렴하므로 $\lim\limits_{n \to \infty} a_n = \alpha$, $\lim\limits_{n \to \infty} b_n = \beta$로 놓으면

$\lim\limits_{n \to \infty}(a_n + b_n) = \lim\limits_{n \to \infty} a_n + \lim\limits_{n \to \infty} b_n = \alpha + \beta = -3$

$\lim\limits_{n \to \infty} a_n b_n = \lim\limits_{n \to \infty} a_n \times \lim\limits_{n \to \infty} b_n = \alpha\beta = 2$

$\therefore \lim\limits_{n \to \infty}(a_n^2 + b_n^2) = \lim\limits_{n \to \infty} a_n^2 + \lim\limits_{n \to \infty} b_n^2$

$\qquad\qquad\qquad = \lim\limits_{n \to \infty} a_n \times \lim\limits_{n \to \infty} a_n + \lim\limits_{n \to \infty} b_n \times \lim\limits_{n \to \infty} b_n$

$\qquad\qquad\qquad = \alpha^2 + \beta^2 = (\alpha + \beta)^2 - 2\alpha\beta$

$\qquad\qquad\qquad = (-3)^2 - 2 \times 2 = 5$

| 다른 풀이 |

$\lim\limits_{n \to \infty}(a_n + b_n) = -3$, $\lim\limits_{n \to \infty} a_n b_n = 2$ 이므로

$\lim\limits_{n \to \infty}(a_n^2 + b_n^2) = \lim\limits_{n \to \infty}\{(a_n + b_n)^2 - 2a_n b_n\}$

$\qquad\qquad\qquad = \lim\limits_{n \to \infty}(a_n + b_n) \times \lim\limits_{n \to \infty}(a_n + b_n) - 2\lim\limits_{n \to \infty} a_n b_n$

$\qquad\qquad\qquad = -3 \times (-3) - 2 \times 2 = 5$

03-1 **셀파** $\dfrac{\infty}{\infty}$ 꼴의 극한값은 분모, 분자를 각각 분모의 최고차항으로 나눈다.

(1) 분모, 분자를 각각 분모의 최고차항 n^2으로 나누면

$\lim\limits_{n \to \infty} \dfrac{-2n^3 + 3n^2 - n}{n^2 - 2} = \lim\limits_{n \to \infty} \dfrac{-2n + 3 - \dfrac{1}{n}}{1 - \dfrac{2}{n^2}}$

$\qquad\qquad\qquad = \dfrac{-\infty - 0}{1 - 0} = -\infty$ (발산)

(2) 분모, 분자를 각각 분모의 최고차항 n^2으로 나누면

$$\lim_{n \to \infty} \frac{(n-1)(n-2)}{(n+1)(3n+2)} = \lim_{n \to \infty} \frac{n^2-3n+2}{3n^2+5n+2}$$

$$= \lim_{n \to \infty} \frac{1-\dfrac{3}{n}+\dfrac{2}{n^2}}{3+\dfrac{5}{n}+\dfrac{2}{n^2}}$$

$$= \frac{1-0+0}{3+0+0} = \frac{1}{3} \text{ (수렴)}$$

(3) $\dfrac{n^3}{1^2+2^2+3^2+\cdots+n^2} = \dfrac{n^3}{\dfrac{n(n+1)(2n+1)}{6}}$

$$= \frac{6n^2}{(n+1)(2n+1)}$$

이므로 분모, 분자를 각각 분모의 최고차항 n^2으로 나누면

$$\lim_{n \to \infty} \frac{n^3}{1^2+2^2+3^2+\cdots+n^2} = \lim_{n \to \infty} \frac{6n^2}{(n+1)(2n+1)}$$

$$= \lim_{n \to \infty} \frac{6n^2}{2n^2+3n+1}$$

$$= \lim_{n \to \infty} \frac{6}{2+\dfrac{3}{n}+\dfrac{1}{n^2}}$$

$$= \frac{6}{2+0+0} = 3 \text{ (수렴)}$$

(4) 분모, 분자를 각각 분모의 최고차항 n으로 나누면

$$\lim_{n \to \infty} \frac{2n^2+n}{\sqrt{n^2-1}+\sqrt{3n}} = \lim_{n \to \infty} \frac{2n+1}{\sqrt{1-\dfrac{1}{n^2}}+\sqrt{\dfrac{3}{n}}} = \frac{\infty}{1+0}$$

$$= \infty \text{ (발산)}$$

| 참고 |

$$\frac{\sqrt{n^2-1}+\sqrt{3n}}{n} = \frac{\sqrt{n^2-1}}{n}+\frac{\sqrt{3n}}{n} = \sqrt{\frac{n^2-1}{n^2}}+\sqrt{\frac{3n}{n^2}}$$

$$= \sqrt{1-\frac{1}{n^2}}+\sqrt{\frac{3}{n}}$$

04-1 셀파 무리식을 포함한 경우 ⇨ 분모 또는 분자를 유리화한다.
무리식을 포함하지 않은 경우 ⇨ 최고차항으로 묶는다.

(1) $\displaystyle\lim_{n \to \infty} \frac{1}{\sqrt{n^2+3n}-n}$

$$= \lim_{n \to \infty} \frac{\sqrt{n^2+3n}+n}{(\sqrt{n^2+3n}-n)(\sqrt{n^2+3n}+n)}$$

$$= \lim_{n \to \infty} \frac{\sqrt{n^2+3n}+n}{n^2+3n-n^2} = \lim_{n \to \infty} \frac{\sqrt{n^2+3n}+n}{3n}$$

$$= \lim_{n \to \infty} \frac{\sqrt{1+\dfrac{3}{n}}+1}{3} = \frac{1+1}{3} = \frac{2}{3} \text{ (수렴)}$$

(2) $\displaystyle\lim_{n \to \infty} (n-\sqrt{n^2+2n})$

$$= \lim_{n \to \infty} \frac{(n-\sqrt{n^2+2n})(n+\sqrt{n^2+2n})}{n+\sqrt{n^2+2n}}$$

$$= \lim_{n \to \infty} \frac{n^2-(n^2+2n)}{n+\sqrt{n^2+2n}} = \lim_{n \to \infty} \frac{-2n}{n+\sqrt{n^2+2n}}$$

$$= \lim_{n \to \infty} \frac{-2}{1+\sqrt{1+\dfrac{2}{n}}} = \frac{-2}{1+1} = -1 \text{ (수렴)}$$

(3) $\displaystyle\lim_{n \to \infty} \frac{\sqrt{n+3}-\sqrt{n}}{\sqrt{n+1}-\sqrt{n}}$

$$= \lim_{n \to \infty} \frac{(\sqrt{n+3}-\sqrt{n})(\sqrt{n+3}+\sqrt{n})(\sqrt{n+1}+\sqrt{n})}{(\sqrt{n+1}-\sqrt{n})(\sqrt{n+1}+\sqrt{n})(\sqrt{n+3}+\sqrt{n})}$$

$$= \lim_{n \to \infty} \frac{(n+3-n)(\sqrt{n+1}+\sqrt{n})}{(n+1-n)(\sqrt{n+3}+\sqrt{n})}$$

$$= 3\lim_{n \to \infty} \frac{\sqrt{n+1}+\sqrt{n}}{\sqrt{n+3}+\sqrt{n}} = 3\lim_{n \to \infty} \frac{\sqrt{1+\dfrac{1}{n}}+1}{\sqrt{1+\dfrac{3}{n}}+1}$$

$$= 3 \times \frac{1+1}{1+1} = 3 \text{ (수렴)}$$

(4) $\displaystyle\lim_{n \to \infty} (2n^3-n+3) = \lim_{n \to \infty} n^3\left(2-\frac{1}{n^2}+\frac{3}{n^3}\right)$

$$= \infty \text{ (발산)}$$

집중 연습 본문 | **18** 쪽

01 분모, 분자를 각각 분모의 최고차항으로 나눈다.

(1) $\displaystyle\lim_{n \to \infty} \frac{6n^2+n}{2n^2+1} = \lim_{n \to \infty} \frac{6+\dfrac{1}{n}}{2+\dfrac{1}{n^2}} = \frac{6+0}{2+0} = 3 \text{ (수렴)}$

(2) $\displaystyle\lim_{n \to \infty} \frac{2n+3}{1-n} = \lim_{n \to \infty} \frac{2+\dfrac{3}{n}}{\dfrac{1}{n}-1} = \frac{2+0}{0-1} = -2 \text{ (수렴)}$

(3) $\displaystyle\lim_{n \to \infty} \frac{3n-1}{n^2+2n+4} = \lim_{n \to \infty} \frac{\dfrac{3}{n}-\dfrac{1}{n^2}}{1+\dfrac{2}{n}+\dfrac{4}{n^2}}$

$$= \frac{0-0}{1+0+0} = 0 \text{ (수렴)}$$

(4) $\lim\limits_{n \to \infty} \dfrac{3n-1}{n^2+2n} = \lim\limits_{n \to \infty} \dfrac{\dfrac{3}{n}-\dfrac{1}{n^2}}{1+\dfrac{2}{n}} = \dfrac{0-0}{1+0} = \mathbf{0}$ (수렴)

(5) $\lim\limits_{n \to \infty} \dfrac{n^2+2}{3n+5} = \lim\limits_{n \to \infty} \dfrac{n+\dfrac{2}{n}}{3+\dfrac{5}{n}} = \dfrac{\infty+0}{3+0} = \boldsymbol{\infty}$ (발산)

(6) $\lim\limits_{n \to \infty} \dfrac{-2n^2+3n}{n+1} = \lim\limits_{n \to \infty} \dfrac{-2n+3}{1+\dfrac{1}{n}} = \dfrac{-\infty}{1+0} = \boldsymbol{-\infty}$ (발산)

02 (1) $\lim\limits_{n \to \infty} \dfrac{1}{\sqrt{n^2+n}-n} = \lim\limits_{n \to \infty} \dfrac{\sqrt{n^2+n}+n}{(\sqrt{n^2+n}-n)(\sqrt{n^2+n}+n)}$

$= \lim\limits_{n \to \infty} \dfrac{\sqrt{n^2+n}+n}{n^2+n-n^2} = \lim\limits_{n \to \infty} \dfrac{\sqrt{n^2+n}+n}{n}$

$= \lim\limits_{n \to \infty} \dfrac{\sqrt{1+\dfrac{1}{n}}+1}{1} = \dfrac{1+1}{1} = \mathbf{2}$ (수렴)

(2) $\lim\limits_{n \to \infty} \dfrac{1}{\sqrt{n^2+2n-1}-n}$

$= \lim\limits_{n \to \infty} \dfrac{\sqrt{n^2+2n-1}+n}{(\sqrt{n^2+2n-1}-n)(\sqrt{n^2+2n-1}+n)}$

$= \lim\limits_{n \to \infty} \dfrac{\sqrt{n^2+2n-1}+n}{n^2+2n-1-n^2} = \lim\limits_{n \to \infty} \dfrac{\sqrt{n^2+2n-1}+n}{2n-1}$

$= \lim\limits_{n \to \infty} \dfrac{\sqrt{1+\dfrac{2}{n}-\dfrac{1}{n^2}}+1}{2-\dfrac{1}{n}} = \dfrac{1+1}{2} = \mathbf{1}$ (수렴)

(3) 분모를 1로 보고 분자를 유리화하면

$\lim\limits_{n \to \infty} (\sqrt{n-2}-\sqrt{n+2})$

$= \lim\limits_{n \to \infty} \dfrac{(\sqrt{n-2}-\sqrt{n+2})(\sqrt{n-2}+\sqrt{n+2})}{\sqrt{n-2}+\sqrt{n+2}}$

$= \lim\limits_{n \to \infty} \dfrac{(n-2)-(n+2)}{\sqrt{n-2}+\sqrt{n+2}} = \lim\limits_{n \to \infty} \dfrac{-4}{\sqrt{n-2}+\sqrt{n+2}}$

$= \lim\limits_{n \to \infty} \dfrac{\dfrac{-4}{\sqrt{n}}}{\sqrt{1-\dfrac{2}{n}}+\sqrt{1+\dfrac{2}{n}}} = \dfrac{0}{1+1} = \mathbf{0}$ (수렴)

(4) 분모를 1로 보고 분자를 유리화하면

$\lim\limits_{n \to \infty} (\sqrt{n^2+4n}-n)$

$= \lim\limits_{n \to \infty} \dfrac{(\sqrt{n^2+4n}-n)(\sqrt{n^2+4n}+n)}{\sqrt{n^2+4n}+n}$

$= \lim\limits_{n \to \infty} \dfrac{n^2+4n-n^2}{\sqrt{n^2+4n}+n} = \lim\limits_{n \to \infty} \dfrac{4n}{\sqrt{n^2+4n}+n}$

$= \lim\limits_{n \to \infty} \dfrac{4}{\sqrt{1+\dfrac{4}{n}}+1} = \dfrac{4}{1+1} = \mathbf{2}$ (수렴)

(5) $\lim\limits_{n \to \infty} \dfrac{\sqrt{n+1}-\sqrt{n-1}}{\sqrt{n+2}-\sqrt{n}}$

$= \lim\limits_{n \to \infty} \dfrac{(\sqrt{n+1}-\sqrt{n-1})(\sqrt{n+1}+\sqrt{n-1})(\sqrt{n+2}+\sqrt{n})}{(\sqrt{n+2}-\sqrt{n})(\sqrt{n+2}+\sqrt{n})(\sqrt{n+1}+\sqrt{n-1})}$

$= \lim\limits_{n \to \infty} \dfrac{2(\sqrt{n+2}+\sqrt{n})}{2(\sqrt{n+1}+\sqrt{n-1})} = \lim\limits_{n \to \infty} \dfrac{\sqrt{n+2}+\sqrt{n}}{\sqrt{n+1}+\sqrt{n-1}}$

$= \lim\limits_{n \to \infty} \dfrac{\sqrt{1+\dfrac{2}{n}}+1}{\sqrt{1+\dfrac{1}{n}}+\sqrt{1-\dfrac{1}{n}}} = \dfrac{1+1}{1+1} = \mathbf{1}$ (수렴)

(6) $\lim\limits_{n \to \infty} (5+2n-n^2) = \lim\limits_{n \to \infty} n^2\left(\dfrac{5}{n^2}+\dfrac{2}{n}-1\right) = \boldsymbol{-\infty}$ (발산)

05-1 　셀파　 분모, 분자를 각각 분모의 최고차항 n으로 나눈다.

$\lim\limits_{n \to \infty} \dfrac{n-1}{\sqrt{n^2-2n+5}+an} = \lim\limits_{n \to \infty} \dfrac{1-\dfrac{1}{n}}{\sqrt{1-\dfrac{2}{n}+\dfrac{5}{n^2}}+a} = \dfrac{1}{1+a}$

이므로

$\dfrac{1}{1+a} = \dfrac{1}{6}$, $1+a=6$　　$\therefore \boldsymbol{a=5}$

05-2 　셀파　 극한값이 0이 아닌 값으로 수렴하므로 (분모의 차수) = (분자의 차수)이어야 한다.

(1) $\lim\limits_{n \to \infty} \dfrac{an^2-bn+4}{2n-1}$ 에서 $a \neq 0$이면 발산한다.

$\therefore a=0$

$\lim\limits_{n \to \infty} \dfrac{an^2-bn+4}{2n-1} = \lim\limits_{n \to \infty} \dfrac{-bn+4}{2n-1} = \dfrac{3}{2}$ 이므로

$-\dfrac{b}{2} = \dfrac{3}{2}$　　$\therefore b=-3$

$\therefore a+b = 0-3 = \mathbf{-3}$

(2) $\displaystyle\lim_{n \to \infty} \dfrac{3n^2-2n+1}{an^3+bn^2+3n-1}$에서 $a \neq 0$이면 0으로 수렴한다.

$\therefore a=0$

$\displaystyle\lim_{n \to \infty} \dfrac{3n^2-2n+1}{bn^2+3n-1}=-3$이므로

$\dfrac{3}{b}=-3$ $\therefore b=-1$

$\therefore a+b=0-1=\mathbf{-1}$

06-1 〔셀파〕$\sqrt{n^2+an}-n$에서 분모를 1로 보고 분모, 분자에 $\sqrt{n^2+an}+n$을 곱한다.

$\displaystyle\lim_{n \to \infty}(\sqrt{n^2+an}-n)=\lim_{n \to \infty}\dfrac{(\sqrt{n^2+an}-n)(\sqrt{n^2+an}+n)}{\sqrt{n^2+an}+n}$

$\displaystyle =\lim_{n \to \infty}\dfrac{n^2+an-n^2}{\sqrt{n^2+an}+n}$

$\displaystyle =\lim_{n \to \infty}\dfrac{an}{\sqrt{n^2+an}+n}$

$\displaystyle =\lim_{n \to \infty}\dfrac{a}{\sqrt{1+\dfrac{a}{n}}+1}$

$=\dfrac{a}{1+1}=\dfrac{a}{2}$

이때 $\displaystyle\lim_{n \to \infty}(\sqrt{n^2+an}-n)=2$이므로 $\dfrac{a}{2}=2$ $\therefore \boldsymbol{a=4}$

06-2 〔셀파〕$\sqrt{an^2+bn}-n$에서 분모를 1로 보고 분모, 분자에 $\sqrt{an^2+bn}+n$을 곱한다.

$\displaystyle\lim_{n \to \infty}(\sqrt{an^2+bn}-n)=\lim_{n \to \infty}\dfrac{(\sqrt{an^2+bn}-n)(\sqrt{an^2+bn}+n)}{\sqrt{an^2+bn}+n}$

$\displaystyle =\lim_{n \to \infty}\dfrac{an^2+bn-n^2}{\sqrt{an^2+bn}+n}$

$\displaystyle =\lim_{n \to \infty}\dfrac{(a-1)n^2+bn}{\sqrt{an^2+bn}+n}$ …… ㉠

이때 $a-1 \neq 0$이면 발산하므로 $a-1=0$ $\therefore a=1$

$a=1$을 ㉠에 대입하면

$\displaystyle\lim_{n \to \infty}\dfrac{bn}{\sqrt{n^2+bn}+n}=\lim_{n \to \infty}\dfrac{b}{\sqrt{1+\dfrac{b}{n}}+1}=\dfrac{b}{2}$

$\dfrac{b}{2}=-2$이므로 $b=-4$

$\therefore a+b=1-4=\mathbf{-3}$

07-1 〔셀파〕(1) $\dfrac{2a_n-3}{a_n+1}=b_n$으로 놓는다.

(2) $(n+2)a_n=b_n$으로 놓는다.

(1) $\dfrac{2a_n-3}{a_n+1}=b_n$으로 놓으면

$2a_n-3=b_n(a_n+1),\ 2a_n-3=a_nb_n+b_n$

$a_n(2-b_n)=b_n+3$ $\therefore a_n=\dfrac{b_n+3}{2-b_n}$

이때 $\displaystyle\lim_{n \to \infty}b_n=\dfrac{3}{4}$이므로

$\displaystyle\lim_{n \to \infty}a_n=\lim_{n \to \infty}\dfrac{b_n+3}{2-b_n}=\dfrac{\lim_{n \to \infty}b_n+3}{2-\lim_{n \to \infty}b_n}$

$=\dfrac{\dfrac{3}{4}+3}{2-\dfrac{3}{4}}=\mathbf{3}$

(2) $(n+2)a_n=b_n$으로 놓으면 $a_n=\dfrac{b_n}{n+2}$

이때 $\displaystyle\lim_{n \to \infty}b_n=4$이므로

$\displaystyle\lim_{n \to \infty}(3n-1)a_n=\lim_{n \to \infty}(3n-1)\times\dfrac{b_n}{n+2}$

$\displaystyle =\lim_{n \to \infty}\dfrac{3n-1}{n+2}\times\lim_{n \to \infty}b_n=3\times4=\mathbf{12}$

〔셀파 특강〕 **확인 체크 01**

$\dfrac{n-1}{2n+3}<a_n<\dfrac{n+1}{2n+3}$에서

$\displaystyle\lim_{n \to \infty}\dfrac{n-1}{2n+3}\leq\lim_{n \to \infty}a_n\leq\lim_{n \to \infty}\dfrac{n+1}{2n+3}$

이때 $\displaystyle\lim_{n \to \infty}\dfrac{n-1}{2n+3}=\dfrac{1}{2},\ \lim_{n \to \infty}\dfrac{n+1}{2n+3}=\dfrac{1}{2}$이므로

$\displaystyle\lim_{n \to \infty}a_n=\dfrac{\mathbf{1}}{\mathbf{2}}$

08-1 〔셀파〕$\displaystyle\lim_{n \to \infty}\dfrac{4n+a_n}{4n-a_n}$의 분모와 분자를 각각 n으로 나눈다.

$2n<a_n<2n+1$에서 각 변을 n으로 나누면

$\dfrac{2n}{n}<\dfrac{a_n}{n}<\dfrac{2n+1}{n}$

이때 $\displaystyle\lim_{n \to \infty}\dfrac{2n}{n}=2,\ \lim_{n \to \infty}\dfrac{2n+1}{n}=2$이므로

$\displaystyle\lim_{n \to \infty}\dfrac{a_n}{n}=2$

$\therefore \displaystyle\lim_{n \to \infty}\dfrac{4n+a_n}{4n-a_n}=\lim_{n \to \infty}\dfrac{4+\dfrac{a_n}{n}}{4-\dfrac{a_n}{n}}=\dfrac{4+2}{4-2}=\mathbf{3}$

08-2 【셀파】 $-1 \leq \cos n\theta \leq 1$임을 이용한다.

$-1 \leq \cos n\theta \leq 1$이므로 부등식의 각 변에

$\dfrac{2+n}{n^2}$을 곱하면 $-\dfrac{2+n}{n^2} \leq \dfrac{(2+n)\cos n\theta}{n^2} \leq \dfrac{2+n}{n^2}$

이때 $\displaystyle\lim_{n \to \infty}\left(-\dfrac{2+n}{n^2}\right)=0$, $\displaystyle\lim_{n \to \infty}\dfrac{2+n}{n^2}=0$이므로

$\displaystyle\lim_{n \to \infty}\dfrac{(2+n)\cos n\theta}{n^2}=\mathbf{0}$

09-1 【셀파】 등비수열 $\{r^n\}$에서 $-1<r\leq 1$이면 수렴한다.

(1) 공비가 5이고, $5>1$이므로 $\displaystyle\lim_{n \to \infty} 5^n = \infty$ (발산)

(2) 공비가 -0.3이고, $-1<-0.3<1$이므로
　$\displaystyle\lim_{n \to \infty}(-0.3)^n = \mathbf{0}$ (수렴)

(3) $\dfrac{3^n}{2^{2n}}=\dfrac{3^n}{4^n}=\left(\dfrac{3}{4}\right)^n$에서 공비가 $\dfrac{3}{4}$이고,

　$-1<\dfrac{3}{4}<1$이므로 $\displaystyle\lim_{n \to \infty}\dfrac{3^n}{2^{2n}}=\mathbf{0}$ (수렴)

(4) $\left(-\dfrac{1}{4}\right)^{1-n}=\left(-\dfrac{1}{4}\right)\times\left(-\dfrac{1}{4}\right)^{-n}=\left(-\dfrac{1}{4}\right)\times(-4)^n$에서

　공비가 -4이고, $-4<-1$이므로 **진동 (발산)**

【셀파 세미나】 등비수열 $\{r^n\}$의 수렴과 발산

❶ $r>1$일 때, $r=1+h \ (h>0)$라 하면
　$r^n=(1+h)^n>1+nh \ (n\geq 2)$
　가 성립함을 수학적 귀납법으로 증명할 수 있다.
　그런데 $h>0$이므로 $\displaystyle\lim_{n \to \infty}(1+nh)=\infty$　∴ $\displaystyle\lim_{n \to \infty} r^n=\infty$

❷ $r=1$일 때, 수열 $\{r^n\}$의 모든 항이 1이므로
　$\displaystyle\lim_{n \to \infty} r^n=\lim_{n \to \infty} 1=1$

❸ $-1<r<1$일 때
　(ⅰ) $r=0$이면 수열 $\{r^n\}$의 모든 항이 0이므로
　　$\displaystyle\lim_{n \to \infty} r^n=\lim_{n \to \infty} 0=0$

　(ⅱ) $r\neq 0$이면 $\dfrac{1}{|r|}>1$이므로 ❶에 의하여

　　$\displaystyle\lim_{n \to \infty}\dfrac{1}{|r^n|}=\lim_{n \to \infty}\left(\dfrac{1}{|r|}\right)^n=\infty$

　　따라서 $\displaystyle\lim_{n \to \infty}|r^n|=0$이므로 $\displaystyle\lim_{n \to \infty} r^n=0$

❹ $r\leq -1$일 때
　(ⅰ) $r=-1$이면 수열 $\{r^n\}$은 $-1, 1, -1, 1, \cdots$이므로 진동한다.

　(ⅱ) $r<-1$이면 $|r|>1$이므로 ❶에 의하여
　　$\displaystyle\lim_{n \to \infty}|r^n|=\lim_{n \to \infty}|r|^n=\infty$이고, 수열 $\{r^n\}$의 각 항의 부호가 교대로 바뀌므로 수열 $\{r^n\}$은 진동한다.

10-1 【셀파】 밑의 절댓값이 가장 큰 거듭제곱으로 분모, 분자를 각각 나누거나 묶는다.

(1) 분모, 분자를 각각 3^n으로 나누면

$$\lim_{n \to \infty}\dfrac{(-3)^{n+2}}{2^n+3^{n+1}}=\lim_{n \to \infty}\dfrac{9\times(-1)^n}{\left(\dfrac{2}{3}\right)^n+3}$$

따라서 진동하므로 **발산**한다.

(2) 분모, 분자를 각각 4^n으로 나누면

$$\lim_{n \to \infty}\dfrac{2^{2n}-3^{n+2}}{3^{n+1}-4^{n+2}}=\lim_{n \to \infty}\dfrac{1-9\times\left(\dfrac{3}{4}\right)^n}{3\times\left(\dfrac{3}{4}\right)^n-16}=\dfrac{1-9\displaystyle\lim_{n \to \infty}\left(\dfrac{3}{4}\right)^n}{3\displaystyle\lim_{n \to \infty}\left(\dfrac{3}{4}\right)^n-16}$$

$$=\dfrac{1-0}{0-16}=-\dfrac{1}{16}\ \text{(수렴)}$$

(3) $\displaystyle\lim_{n \to \infty}(2^{2n}-3^n)=\lim_{n \to \infty}(4^n-3^n)$
　$\displaystyle=\lim_{n \to \infty} 4^n\left\{1-\left(\dfrac{3}{4}\right)^n\right\}$
　$=\infty$ (발산)

10-2 【셀파】 분모, 분자를 각각 3^n으로 나눈다.

분모, 분자를 각각 3^n으로 나누면

$$\lim_{n \to \infty}\dfrac{2^n-3^{n+1}a_n}{2^{n+1}-3^n}=\lim_{n \to \infty}\dfrac{\left(\dfrac{2}{3}\right)^n-3a_n}{2\times\left(\dfrac{2}{3}\right)^n-1}$$

$$=\dfrac{\displaystyle\lim_{n \to \infty}\left(\dfrac{2}{3}\right)^n-3\lim_{n \to \infty}a_n}{2\displaystyle\lim_{n \to \infty}\left(\dfrac{2}{3}\right)^n-1}$$

$$=3\lim_{n \to \infty}a_n$$

이때 $3\displaystyle\lim_{n \to \infty}a_n=3$이므로 $\displaystyle\lim_{n \to \infty}a_n=\mathbf{1}$

【셀파 특강】 확인 체크 02

(1) 공비는 $\dfrac{1}{3}$이고, $-1<\dfrac{1}{3}\leq 1$이므로 수열 $\left\{\left(\dfrac{1}{3}\right)^n\right\}$은 **수렴**

(2) 공비는 -5이고, $-5<-1$이므로 수열 $\{(-5)^n\}$은 **진동 (발산)**

(3) 공비는 $-\dfrac{6}{7}$이고, $-1<-\dfrac{6}{7}\leq 1$이므로 수열 $\left\{\left(-\dfrac{6}{7}\right)^{n-1}\right\}$은 **수렴**

11-1 셀파 (2) 등비수열 $\{ar^{n-1}\}$이 수렴하려면 $a=0$ 또는 $-1<r\le1$ 이어야 한다.

(1) 수열 $\left\{\dfrac{(3x+1)^n}{2^n}\right\}=\left\{\left(\dfrac{3x+1}{2}\right)^n\right\}$은 첫째항과 공비가 모두

$\dfrac{3x+1}{2}$인 등비수열이므로 이 수열이 수렴하려면

$-1<\dfrac{3x+1}{2}\le1,\ -2<3x+1\le2$

$-3<3x\le1$ $\quad\therefore -1<x\le\dfrac{1}{3}$

(2) 수열 $\left\{(x+1)\left(\dfrac{x-2}{3}\right)^{n-1}\right\}$은 첫째항이 $x+1$, 공비가

$\dfrac{x-2}{3}$인 등비수열이므로 이 수열이 수렴하려면

$x+1=0$ 또는 $-1<\dfrac{x-2}{3}\le1$

(i) $x+1=0$에서 $x=-1$

(ii) $-1<\dfrac{x-2}{3}\le1$에서 $-3<x-2\le3$

$\quad\therefore -1<x\le5$

(i), (ii)에서 $\boldsymbol{-1\le x\le5}$

11-2 셀파 주어진 등비수열의 공비는 $(x-2)^2$이다.

등비수열 $\{(x-2)^{2n}\}$에서 공비가 $(x-2)^2$이므로 이 수열이 수렴하려면 $-1<(x-2)^2\le1$

이때 $(x-2)^2\ge0$이므로 $(x-2)^2\le1$이 성립하는 정수 x의 값의 개수를 구하면 된다.

$x^2-4x+3\le0,\ (x-1)(x-3)\le0$ $\quad\therefore 1\le x\le3$

따라서 구하는 정수 x의 값의 개수는 1, 2, 3의 **3**

12-1 셀파 r의 값의 범위를 $0<r<1,\ r=1,\ r>1$로 나누어 구한다.

(i) $0<r<1$일 때, $\lim\limits_{n\to\infty}r^n=0$이므로

$\lim\limits_{n\to\infty}\dfrac{4r^n-3}{2r^n+1}=\dfrac{0-3}{0+1}=\boldsymbol{-3}$

(ii) $r=1$일 때, $\lim\limits_{n\to\infty}r^n=1$이므로

$\lim\limits_{n\to\infty}\dfrac{4r^n-3}{2r^n+1}=\dfrac{4-3}{2+1}=\boldsymbol{\dfrac{1}{3}}$

(iii) $r>1$일 때, $\lim\limits_{n\to\infty}\dfrac{1}{r^n}=0$이므로

$\lim\limits_{n\to\infty}\dfrac{4r^n-3}{2r^n+1}=\lim\limits_{n\to\infty}\dfrac{4-\dfrac{3}{r^n}}{2+\dfrac{1}{r^n}}=\dfrac{4-0}{2+0}=\boldsymbol{2}$

12-2 셀파 r의 값의 범위를 $|r|>1,\ |r|<1,\ r=1$로 나누어 구한다.

(i) $|r|>1$일 때, $\lim\limits_{n\to\infty}\dfrac{1}{r^n}=0,\ \lim\limits_{n\to\infty}\dfrac{1}{r^{2n}}=0$이므로

$\lim\limits_{n\to\infty}\dfrac{r^n-2}{1+r^{2n}}=\lim\limits_{n\to\infty}\dfrac{\dfrac{1}{r^n}-\dfrac{2}{r^{2n}}}{\dfrac{1}{r^{2n}}+1}=\dfrac{0-0}{0+1}=0$

(ii) $|r|<1$일 때, $\lim\limits_{n\to\infty}r^n=0,\ \lim\limits_{n\to\infty}r^{2n}=0$이므로

$\lim\limits_{n\to\infty}\dfrac{r^n-2}{1+r^{2n}}=\dfrac{0-2}{1+0}=-2$

(iii) $r=1$일 때, $\lim\limits_{n\to\infty}r^n=1,\ \lim\limits_{n\to\infty}r^{2n}=1$이므로

$\lim\limits_{n\to\infty}\dfrac{r^n-2}{1+r^{2n}}=\dfrac{1-2}{1+1}=-\dfrac{1}{2}$

(i), (ii), (iii)에서 $\boldsymbol{r=1}$

13-1 셀파 먼저 일반항 a_n을 구한다.

$a_{n+1}-\alpha=\dfrac{1}{3}(a_n-\alpha)$로 놓으면 $a_{n+1}=\dfrac{1}{3}a_n+\dfrac{2}{3}\alpha$

$\dfrac{2}{3}\alpha=12$이므로 $\alpha=18$

$\therefore a_{n+1}-18=\dfrac{1}{3}(a_n-18)$

따라서 수열 $\{a_n-18\}$은 첫째항이 $a_1-18=3-18=-15$, 공비가 $\dfrac{1}{3}$인 등비수열이므로

$a_n-18=-15\times\left(\dfrac{1}{3}\right)^{n-1}$ $\quad\therefore a_n=18-15\times\left(\dfrac{1}{3}\right)^{n-1}$

$\therefore \lim\limits_{n\to\infty}a_n=\lim\limits_{n\to\infty}\left\{18-15\times\left(\dfrac{1}{3}\right)^{n-1}\right\}=18-0=\boldsymbol{18}$

| 다른 풀이 |

$a_{n+1}=\dfrac{1}{3}a_n+12$에서 $-1<\dfrac{1}{3}<1$이므로 수열 $\{a_n\}$은 수렴한다.

$\lim\limits_{n\to\infty}a_{n+1}=\lim\limits_{n\to\infty}\left\{\dfrac{1}{3}a_n+12\right\}$이므로 $\lim\limits_{n\to\infty}a_{n+1}=\dfrac{1}{3}\lim\limits_{n\to\infty}a_n+12$

이때 $\lim\limits_{n\to\infty}a_n=\alpha$로 놓으면 $\lim\limits_{n\to\infty}a_{n+1}=\alpha$이므로

$\alpha=\dfrac{1}{3}\alpha+12,\ \dfrac{2}{3}\alpha=12$ $\quad\therefore \alpha=18$

13-2 셀파 먼저 일반항 a_n을 구한다.

$a_{n+1}-\alpha=4(a_n-\alpha)$로 놓으면 $a_{n+1}=4a_n-3\alpha$

$-3\alpha=3$이므로 $\alpha=-1$

$\therefore a_{n+1}+1=4(a_n+1)$

따라서 수열 $\{a_n+1\}$은 첫째항이 $a_1+1=0+1=1$, 공비가 4인 등비수열이므로

$a_n+1=1\times4^{n-1}$ $\quad\therefore a_n=4^{n-1}-1$

$\therefore \lim\limits_{n\to\infty}\dfrac{a_n}{4^n}=\lim\limits_{n\to\infty}\dfrac{4^{n-1}-1}{4^n}=\lim\limits_{n\to\infty}\left\{\dfrac{1}{4}-\left(\dfrac{1}{4}\right)^n\right\}=\boldsymbol{\dfrac{1}{4}}$

01 [셀파] 등비수열 $\{r^n\}$에서 $-1 < r < 1$이면 $\lim_{n \to \infty} r^n = 0$

ㄱ. $\lim_{n \to \infty} \dfrac{n-1}{3} = \infty$ (발산)

ㄴ. $\lim_{n \to \infty} \left\{ 1 + \left(-\dfrac{1}{2} \right)^n \right\} = 1 + \lim_{n \to \infty} \left(-\dfrac{1}{2} \right)^n = 1 + 0 = 1$ (수렴)

ㄷ. $\lim_{n \to \infty} \dfrac{1}{n^2 + 10} = \dfrac{1}{\infty} = 0$ (수렴)

ㄹ. $\dfrac{2}{\sqrt{3}} > 1$이므로 $\lim_{n \to \infty} \left(\dfrac{2}{\sqrt{3}} \right)^n = \infty$ (발산)

따라서 수렴하는 것은 ㄴ, ㄷ

02 [셀파] $\lim_{n \to \infty} \dfrac{1}{n} = 0$을 이용한다.

(1) $\lim_{n \to \infty} \left(\dfrac{1}{n} - 2 \right) = \lim_{n \to \infty} \dfrac{1}{n} - 2 = 0 - 2 = \mathbf{-2}$

(2) $\lim_{n \to \infty} \dfrac{1 + \dfrac{1}{n}}{1 - \dfrac{1}{n}} = \dfrac{1 + \lim_{n \to \infty} \dfrac{1}{n}}{1 - \lim_{n \to \infty} \dfrac{1}{n}} = \dfrac{1 + 0}{1 - 0} = \mathbf{1}$

03 [셀파] 이차방정식의 근과 계수의 관계를 이용한다.

이차방정식 $x^2 + nx - n^2 + 1 = 0$의 두 근이 a_n, b_n이므로
근과 계수의 관계에서

$a_n + b_n = -n$, $a_n b_n = -n^2 + 1$

$\therefore \lim_{n \to \infty} \left(\dfrac{b_n}{a_n} + \dfrac{a_n}{b_n} \right)$

$= \lim_{n \to \infty} \dfrac{a_n^2 + b_n^2}{a_n b_n} = \lim_{n \to \infty} \dfrac{(a_n + b_n)^2 - 2a_n b_n}{a_n b_n}$

$= \lim_{n \to \infty} \dfrac{(-n)^2 - 2(-n^2 + 1)}{-n^2 + 1} = \lim_{n \to \infty} \dfrac{3n^2 - 2}{-n^2 + 1}$

$= \lim_{n \to \infty} \dfrac{3 - \dfrac{2}{n^2}}{-1 + \dfrac{1}{n^2}} = \dfrac{3 - 0}{-1 + 0} = \mathbf{-3}$

> **LEC TURE** 이차방정식의 근과 계수의 관계, 곱셈 공식의 변형
>
> ❶ **이차방정식의 근과 계수의 관계**
>
> 이차방정식 $ax^2 + bx + c = 0$ (a, b, c는 상수)의 두 근을 α, β라 할 때, $\alpha + \beta = -\dfrac{b}{a}$, $\alpha\beta = \dfrac{c}{a}$
>
> ❷ **곱셈 공식의 변형**
>
> $a^2 + b^2 = (a+b)^2 - 2ab = (a-b)^2 + 2ab$
>
> $a^3 + b^3 = (a+b)^3 - 3ab(a+b)$
>
> $a^3 - b^3 = (a-b)^3 + 3ab(a-b)$

04 [셀파] 두 점 (x_1, y_1), (x_2, y_2) 사이의 거리는 $\sqrt{(x_2 - x_1)^2 + (y_2 - y_1)^2}$이다.

$\overline{OP_n} = \sqrt{n^2 + (\sqrt{n})^2} = \sqrt{n^2 + n}$, $\overline{OQ_n} = n$이므로

$\lim_{n \to \infty} (\overline{OP_n} - \overline{OQ_n})$

$= \lim_{n \to \infty} (\sqrt{n^2 + n} - n)$

$= \lim_{n \to \infty} \dfrac{(\sqrt{n^2 + n} - n)(\sqrt{n^2 + n} + n)}{\sqrt{n^2 + n} + n}$

$= \lim_{n \to \infty} \dfrac{n}{\sqrt{n^2 + n} + n} = \lim_{n \to \infty} \dfrac{1}{\sqrt{1 + \dfrac{1}{n}} + 1}$

$= \dfrac{1}{1 + 1} = \mathbf{\dfrac{1}{2}}$

05 [셀파] 분모, 분자에 $\sqrt{n^2 + kn} + (n + k)$를 각각 곱한다.

$\lim_{n \to \infty} \dfrac{1}{\sqrt{n^2 + kn} - n - k}$

$= \lim_{n \to \infty} \dfrac{\sqrt{n^2 + kn} + (n + k)}{\{\sqrt{n^2 + kn} - (n + k)\}\{\sqrt{n^2 + kn} + (n + k)\}}$

$= \lim_{n \to \infty} \dfrac{\sqrt{n^2 + kn} + (n + k)}{n^2 + kn - (n^2 + 2kn + k^2)}$

$= \lim_{n \to \infty} \dfrac{\sqrt{n^2 + kn} + (n + k)}{-kn - k^2}$

$= \lim_{n \to \infty} \dfrac{\sqrt{1 + \dfrac{k}{n}} + 1 + \dfrac{k}{n}}{-k - \dfrac{k^2}{n}}$

$= \dfrac{1 + 1 + 0}{-k - 0} = -\dfrac{2}{k}$

이때 $-\dfrac{2}{k} = 2$이므로 $\mathbf{k = -1}$

06 [셀파] $\dfrac{3a_n - 4}{a_n - 1} = b_n$으로 놓는다.

$\dfrac{3a_n - 4}{a_n - 1} = b_n$으로 놓으면

$3a_n - 4 = b_n(a_n - 1)$, $3a_n - 4 = a_n b_n - b_n$

$a_n(b_n - 3) = b_n - 4$ $\therefore a_n = \dfrac{b_n - 4}{b_n - 3}$

이때 $\lim_{n \to \infty} b_n = 2$이므로

$\lim_{n \to \infty} a_n = \lim_{n \to \infty} \dfrac{b_n - 4}{b_n - 3} = \dfrac{\lim_{n \to \infty} b_n - 4}{\lim_{n \to \infty} b_n - 3}$

$= \dfrac{2 - 4}{2 - 3} = \mathbf{2}$

07 셀파 $a_n - b_n = x_n$으로 놓는다.

$a_n - b_n = x_n$으로 놓으면 $b_n = a_n - x_n$

이때 $\lim\limits_{n \to \infty} a_n = \infty$에서 $\lim\limits_{n \to \infty} \dfrac{1}{a_n} = 0$이므로

$$\lim_{n \to \infty} \frac{b_n - 2}{2a_n + 2} = \lim_{n \to \infty} \frac{a_n - x_n - 2}{2a_n + 2}$$

$$= \lim_{n \to \infty} \frac{1 - \dfrac{x_n}{a_n} - \dfrac{2}{a_n}}{2 + \dfrac{2}{a_n}}$$

$$= \frac{1 - 0 - 0}{2 + 0} = \frac{1}{2}$$

08 셀파 부등식의 각 변을 $(n+1)^2$으로 나눈다.

$3n^2 - n \leq (n+1)^2 a_n \leq 3n^2 + n$에서

$$\frac{3n^2 - n}{(n+1)^2} \leq a_n \leq \frac{3n^2 + n}{(n+1)^2}$$

이때 $\lim\limits_{n \to \infty} \dfrac{3n^2 - n}{(n+1)^2} = 3$, $\lim\limits_{n \to \infty} \dfrac{3n^2 + n}{(n+1)^2} = 3$이므로

$\lim\limits_{n \to \infty} a_n = 3$

09 셀파 분모, 분자를 각각 5^n으로 나눈다.

$$\lim_{n \to \infty} \frac{a_n + 4^{n+1} - 5^{n-1}}{4^n + 5^n} = \lim_{n \to \infty} \frac{\dfrac{a_n}{5^n} + 4 \times \left(\dfrac{4}{5}\right)^n - \dfrac{1}{5}}{\left(\dfrac{4}{5}\right)^n + 1}$$

$$= \frac{2 + 4 \times 0 - \dfrac{1}{5}}{0 + 1} = \frac{9}{5}$$

10 셀파 부등식의 각 변을 $3^{n-1} + 2^n$으로 나눈다.

$3^n - 2^n < (3^{n-1} + 2^n)a_n < 3^n + 2^n$에서

$$\frac{3^n - 2^n}{3^{n-1} + 2^n} < a_n < \frac{3^n + 2^n}{3^{n-1} + 2^n}$$

이때 $\lim\limits_{n \to \infty} \dfrac{3^n - 2^n}{3^{n-1} + 2^n} = \lim\limits_{n \to \infty} \dfrac{3 - 2 \times \left(\dfrac{2}{3}\right)^{n-1}}{1 + 2 \times \left(\dfrac{2}{3}\right)^{n-1}} = \dfrac{3 - 0}{1 + 0} = 3$,

$$\lim_{n \to \infty} \frac{3^n + 2^n}{3^{n-1} + 2^n} = \lim_{n \to \infty} \frac{3 + 2 \times \left(\dfrac{2}{3}\right)^{n-1}}{1 + 2 \times \left(\dfrac{2}{3}\right)^{n-1}} = \frac{3 + 0}{1 + 0} = 3$이므로$$

$\lim\limits_{n \to \infty} a_n = 3$

11 셀파 등비수열 $\{r^n\}$이 수렴하기 위한 필요충분조건은 $-1 < r \leq 1$이다.

(1) 등비수열 $1, -3r, 9r^2, -27r^3, \cdots$에서 공비가 $-3r$이므로 이 수열이 수렴하려면

$$-1 < -3r \leq 1 \qquad \therefore -\frac{1}{3} \leq r < \frac{1}{3}$$

(2) 등비수열 $1, \dfrac{r}{2}, \dfrac{r^2}{4}, \dfrac{r^3}{8}, \cdots$에서 공비가 $\dfrac{r}{2}$이므로 이 수열이 수렴하려면

$$-1 < \frac{r}{2} \leq 1 \qquad \therefore -2 < r \leq 2$$

12 셀파 공비가 $\dfrac{x^2 + x}{2}$인 등비수열이다.

수열 $\left\{\left(\dfrac{x^2 + x}{2}\right)^n\right\}$은 첫째항과 공비가 모두 $\dfrac{x^2 + x}{2}$인 등비수열

이므로 이 수열이 수렴하려면

$$-1 < \frac{x^2 + x}{2} \leq 1$$

(i) $-1 < \dfrac{x^2 + x}{2}$에서 $x^2 + x > -2$

즉, $x^2 + x + 2 > 0$이므로 모든 실수 x에 대하여 성립한다.

(ii) $\dfrac{x^2 + x}{2} \leq 1$에서 $x^2 + x \leq 2$

$x^2 + x - 2 \leq 0$, $(x+2)(x-1) \leq 0$

$\therefore -2 \leq x \leq 1$

(i), (ii)에서 정수 x는 $-2, -1, 0, 1$이므로 모든 정수 x의 값의 합은 $-2 - 1 + 0 + 1 = -2$

13 셀파 $0 < r < 1$일 때, $\lim\limits_{n \to \infty} r^n = 0$

㉮ $f\left(\dfrac{1}{3}\right) = \lim\limits_{n \to \infty} \dfrac{\left(\dfrac{1}{3}\right)^{n+1} - 1}{\left(\dfrac{1}{3}\right)^n + 1} = \dfrac{0 - 1}{0 + 1} = -1$

㉯ $f(3) = \lim\limits_{n \to \infty} \dfrac{3^{n+1} - 1}{3^n + 1} = \lim\limits_{n \to \infty} \dfrac{3 - \left(\dfrac{1}{3}\right)^n}{1 + \left(\dfrac{1}{3}\right)^n} = \dfrac{3 - 0}{1 + 0} = 3$

㉰ $\therefore f\left(\dfrac{1}{3}\right) + f(3) = -1 + 3 = 2$

채점 기준	배점
㉮ $f\left(\dfrac{1}{3}\right)$의 값을 구한다.	40%
㉯ $f(3)$의 값을 구한다.	40%
㉰ $f\left(\dfrac{1}{3}\right) + f(3)$의 값을 구한다.	20%

2. 급수

본문 | 35, 37 쪽

개념 익히기

1-1 주어진 급수의 제n항을 a_n이라 하면

$$a_n = \frac{1}{n(n+1)} = \frac{1}{n} - \frac{1}{\boxed{n+1}}$$

제n항까지의 부분합을 S_n이라 하면

$$S_n = \left(1 - \frac{1}{2}\right) + \left(\frac{1}{2} - \frac{1}{3}\right) + \cdots + \left(\frac{1}{n} - \frac{1}{n+1}\right)$$

$$= 1 - \frac{1}{n+1} = \frac{n}{n+1}$$

$$\therefore \lim_{n \to \infty} S_n = \lim_{n \to \infty} \frac{n}{n+1} = \boxed{1}$$

1-2 (1) 수열 $\frac{1}{2}, \left(\frac{1}{2}\right)^2, \left(\frac{1}{2}\right)^3, \left(\frac{1}{2}\right)^4, \cdots$은 첫째항이 $\frac{1}{2}$, 공비가 $\frac{1}{2}$인 등비수열이므로 제n항까지의 부분합을 S_n이라 하면

$$S_n = \frac{\frac{1}{2}\left\{1 - \left(\frac{1}{2}\right)^n\right\}}{1 - \frac{1}{2}} = 1 - \left(\frac{1}{2}\right)^n$$

$$\therefore \lim_{n \to \infty} S_n = \lim_{n \to \infty} \left\{1 - \left(\frac{1}{2}\right)^n\right\} = \mathbf{1}$$

(2) 주어진 급수의 제n항을 a_n이라 하면

$$a_n = \frac{4}{n(n+2)} = 2\left(\frac{1}{n} - \frac{1}{n+2}\right)$$

제n항까지의 부분합을 S_n이라 하면

$$S_n = 2\left\{\left(1 - \frac{1}{3}\right) + \left(\frac{1}{2} - \frac{1}{4}\right) + \left(\frac{1}{3} - \frac{1}{5}\right)\right.$$

$$\left. + \cdots + \left(\frac{1}{n-1} - \frac{1}{n+1}\right) + \left(\frac{1}{n} - \frac{1}{n+2}\right)\right\}$$

$$= 2\left(1 + \frac{1}{2} - \frac{1}{n+1} - \frac{1}{n+2}\right)$$

$$\therefore \lim_{n \to \infty} S_n = \lim_{n \to \infty} 2\left(\frac{3}{2} - \frac{1}{n+1} - \frac{1}{n+2}\right)$$

$$= 2 \times \frac{3}{2} = \mathbf{3}$$

2-1 (1) $\displaystyle\sum_{n=1}^{\infty} \frac{2n+1}{2n}$에서 $a_n = \frac{2n+1}{2n}$이라 하면

$$\lim_{n \to \infty} a_n = \lim_{n \to \infty} \frac{2n+1}{2n} = \lim_{n \to \infty} \frac{2 + \frac{1}{n}}{2} = \boxed{1}$$

따라서 $\displaystyle\lim_{n \to \infty} a_n \neq 0$이므로 주어진 급수는 발산한다.

(2) $\displaystyle\sum_{n=1}^{\infty} \frac{n^2-2}{3n+1}$에서 $a_n = \frac{n^2-2}{3n+1}$라 하면

$$\lim_{n \to \infty} a_n = \lim_{n \to \infty} \frac{n^2-2}{3n+1} = \lim_{n \to \infty} \frac{n - \frac{2}{n}}{3 + \frac{1}{n}} = \frac{\infty}{\boxed{3}} = \infty$$

따라서 $\displaystyle\lim_{n \to \infty} a_n \neq 0$이므로 주어진 급수는 발산한다.

2-2 (1) $\displaystyle\sum_{n=1}^{\infty} 2$에서 $a_n = 2$라 하면

$$\lim_{n \to \infty} a_n = \lim_{n \to \infty} 2 = 2$$

따라서 $\displaystyle\lim_{n \to \infty} a_n \neq 0$이므로 주어진 급수는 발산한다.

(2) $\displaystyle\sum_{n=1}^{\infty} \sqrt{n+2}$에서 $a_n = \sqrt{n+2}$라 하면

$$\lim_{n \to \infty} a_n = \lim_{n \to \infty} \sqrt{n+2} = \infty$$

따라서 $\displaystyle\lim_{n \to \infty} a_n \neq 0$이므로 주어진 급수는 발산한다.

(3) $\displaystyle\sum_{n=1}^{\infty} \frac{3n^2+1}{n^2+3}$에서 $a_n = \frac{3n^2+1}{n^2+3}$이라 하면

$$\lim_{n \to \infty} a_n = \lim_{n \to \infty} \frac{3n^2+1}{n^2+3} = \lim_{n \to \infty} \frac{3 + \frac{1}{n^2}}{1 + \frac{3}{n^2}} = \frac{3}{1} = 3$$

따라서 $\displaystyle\lim_{n \to \infty} a_n \neq 0$이므로 주어진 급수는 발산한다.

(4) $\displaystyle\sum_{n=1}^{\infty} \frac{n^2}{n-1}$에서 $a_n = \frac{n^2}{n-1}$이라 하면

$$\lim_{n \to \infty} a_n = \lim_{n \to \infty} \frac{n^2}{n-1} = \lim_{n \to \infty} \frac{n}{1 - \frac{1}{n}} = \frac{\infty}{1} = \infty$$

따라서 $\displaystyle\lim_{n \to \infty} a_n \neq 0$이므로 주어진 급수는 발산한다.

LECTURE 무한급수의 수렴, 발산

❶ 무한급수 $\displaystyle\sum_{n=1}^{\infty} a_n$이 수렴하면 $\displaystyle\lim_{n \to \infty} a_n = 0$이다.
(이것의 역은 성립하지 않는다.)

❷ $\displaystyle\lim_{n \to \infty} a_n \neq 0$이면 무한급수 $\displaystyle\sum_{n=1}^{\infty} a_n$은 발산한다.
(이것의 역은 성립하지 않는다.)

3-1 (1) $\sum\limits_{n=1}^{\infty}(3a_n-b_n)=\boxed{3}\sum\limits_{n=1}^{\infty}a_n-\sum\limits_{n=1}^{\infty}b_n$

$=3\times(-2)-3=\boldsymbol{-9}$

(2) $\sum\limits_{n=1}^{\infty}\left(\dfrac{a_n}{2}+\dfrac{b_n}{6}\right)=\dfrac{1}{2}\sum\limits_{n=1}^{\infty}a_n+\dfrac{1}{\boxed{6}}\sum\limits_{n=1}^{\infty}b_n$

$=\dfrac{1}{2}\times(-2)+\dfrac{\boxed{1}}{6}\times3=\boldsymbol{-\dfrac{1}{2}}$

3-2 (1) $\sum\limits_{n=1}^{\infty}(a_n+2b_n)=\sum\limits_{n=1}^{\infty}a_n+\sum\limits_{n=1}^{\infty}2b_n$

$=\sum\limits_{n=1}^{\infty}a_n+2\sum\limits_{n=1}^{\infty}b_n$

$=3+2\times(-4)=\boldsymbol{-5}$

(2) $\sum\limits_{n=1}^{\infty}(2a_n-3b_n)=\sum\limits_{n=1}^{\infty}2a_n-\sum\limits_{n=1}^{\infty}3b_n$

$=2\sum\limits_{n=1}^{\infty}a_n-3\sum\limits_{n=1}^{\infty}b_n$

$=2\times3-3\times(-4)=\boldsymbol{18}$

4-1 (1) 첫째항이 $\boxed{1}$, 공비가 $-\dfrac{1}{2}$인 등비급수이다.

이때 $\left|-\dfrac{1}{2}\right|\boxed{<}1$이므로 주어진 등비급수는 **수렴**하고, 그 합은

$\dfrac{1}{1-\left(-\dfrac{1}{2}\right)}=\dfrac{1}{\dfrac{3}{2}}=\boldsymbol{\dfrac{2}{3}}$

(2) 첫째항이 $\dfrac{\sqrt{5}}{2}$, 공비가 $\dfrac{\sqrt{5}}{2}$인 등비급수이다.

이때 $\left|\dfrac{\sqrt{5}}{2}\right|\boxed{>}1$이므로 주어진 등비급수는 **발산**한다.

4-2 (1) 첫째항이 0.3, 공비가 0.1인 등비급수이다.

이때 $|0.1|<1$이므로 주어진 등비급수는 **수렴**하고, 그 합은

$\dfrac{0.3}{1-0.1}=\dfrac{0.3}{0.9}=\boldsymbol{\dfrac{1}{3}}$

(2) 첫째항이 1, 공비가 $-\sqrt{2}$인 등비급수이다.

이때 $|-\sqrt{2}|>1$이므로 주어진 등비급수는 **발산**한다.

01-1 셀파 부분합으로 이루어진 수열의 수렴, 발산을 조사한다.

제n항까지의 부분합을 S_n이라 하면

(1) $S_n=\sum\limits_{k=1}^{n}\dfrac{1}{(3k-1)(3k+2)}=\sum\limits_{k=1}^{n}\dfrac{1}{3}\left(\dfrac{1}{3k-1}-\dfrac{1}{3k+2}\right)$

$=\dfrac{1}{3}\left\{\left(\dfrac{1}{2}-\dfrac{1}{5}\right)+\left(\dfrac{1}{5}-\dfrac{1}{8}\right)+\left(\dfrac{1}{8}-\dfrac{1}{11}\right)\right.$

$\left.+\cdots+\left(\dfrac{1}{3n-1}-\dfrac{1}{3n+2}\right)\right\}$

$=\dfrac{1}{3}\left(\dfrac{1}{2}-\dfrac{1}{3n+2}\right)$

$\therefore \lim\limits_{n\to\infty}S_n=\lim\limits_{n\to\infty}\dfrac{1}{3}\left(\dfrac{1}{2}-\dfrac{1}{3n+2}\right)=\boldsymbol{\dfrac{1}{6}}$ (**수렴**)

(2) $S_n=\sum\limits_{k=1}^{n}\dfrac{1}{\sqrt{k}+\sqrt{k+1}}=\sum\limits_{k=1}^{n}(\sqrt{k+1}-\sqrt{k})$

$=(\sqrt{2}-1)+(\sqrt{3}-\sqrt{2})+(2-\sqrt{3})+\cdots+(\sqrt{n+1}-\sqrt{n})$

$=\sqrt{n+1}-1$

$\therefore \lim\limits_{n\to\infty}S_n=\lim\limits_{n\to\infty}(\sqrt{n+1}-1)=\infty$ (**발산**)

02-1 셀파 S_{2n}과 S_{2n-1}의 극한값을 서로 비교한다.

제n항까지의 부분합을 S_n이라 하면

(i) $S_1=1$, $S_3=1-1+2=2$, $S_5=1-1+2-2+3=3$, $\cdots$,

$S_{2n-1}=n$

$\therefore \lim\limits_{n\to\infty}S_{2n-1}=\infty$

(ii) $S_2=1-1=0$, $S_4=1-1+2-2=0$,

$S_6=1-1+2-2+3-3=0$, $\cdots$, $S_{2n}=0$

$\therefore \lim\limits_{n\to\infty}S_{2n}=0$

(i), (ii)에서 $\lim\limits_{n\to\infty}S_{2n-1}\neq\lim\limits_{n\to\infty}S_{2n}$이므로 주어진 급수는 **발산**한다.

셀파 특강 확인 체크 01

(1) $\sum\limits_{n=1}^{\infty}\dfrac{3n}{n+1}$에서 $a_n=\dfrac{3n}{n+1}$이라 하면

$\lim\limits_{n\to\infty}a_n=\lim\limits_{n\to\infty}\dfrac{3n}{n+1}=3\neq0$

따라서 주어진 급수는 **발산**한다.

(2) $\sum_{n=1}^{\infty}(\sqrt{n+2}-\sqrt{n})$에서 $a_n=\sqrt{n+2}-\sqrt{n}$이라 하면

$$a_n=\sqrt{n+2}-\sqrt{n}=\frac{2}{\sqrt{n+2}+\sqrt{n}}$$

$$\therefore \lim_{n\to\infty}a_n=\lim_{n\to\infty}\frac{2}{\sqrt{n+2}+\sqrt{n}}=0$$

이때 $\sum_{n=1}^{\infty}a_n$의 부분합 S_n을 구하면

$$
\begin{aligned}
S_n&=\sum_{k=1}^{n}(\sqrt{k+2}-\sqrt{k})\\
&=(\sqrt{3}-1)+(\sqrt{4}-\sqrt{2})+(\sqrt{5}-\sqrt{3})\\
&\quad+\cdots+(\sqrt{n+1}-\sqrt{n-1})+(\sqrt{n+2}-\sqrt{n})\\
&=-1-\sqrt{2}+\sqrt{n+1}+\sqrt{n+2}
\end{aligned}
$$

$$\therefore \lim_{n\to\infty}S_n=\lim_{n\to\infty}(-1-\sqrt{2}+\sqrt{n+1}+\sqrt{n+2})=\infty$$

따라서 주어진 급수는 **발산**한다.

세미나 급수 $\sum_{n=1}^{\infty}a_n$의 **수렴, 발산**과 $\lim_{n\to\infty}a_n$의 **관계**

명제 '급수 $\sum_{n=1}^{\infty}a_n$이 수렴하면 $\lim_{n\to\infty}a_n=0$이다.'에 대하여

❶ 명제의 대우 '$\lim_{n\to\infty}a_n\neq0$이면 급수 $\sum_{n=1}^{\infty}a_n$은 발산한다.'는 항상 참이다.

따라서 이를 이용하면 $\lim_{n\to\infty}S_n$을 조사하지 않고도 급수가 발산하는지를 판별할 수 있다.

예 '$\lim_{n\to\infty}\dfrac{n}{n+2}=1\neq0$이므로 급수 $\sum_{n=1}^{\infty}\dfrac{n}{n+2}$은 발산한다.'

❷ 명제의 역 '$\lim_{n\to\infty}a_n=0$이면 급수 $\sum_{n=1}^{\infty}a_n$은 수렴한다.'는 일반적으로 성립하지 않는다.

즉, $\lim_{n\to\infty}a_n=0$이지만 급수 $\sum_{n=1}^{\infty}a_n$은 수렴하지 않는 경우가 있다.

예 급수 $\sum_{n=1}^{\infty}(\sqrt{n+3}-\sqrt{n})$에서 $a_n=\sqrt{n+3}-\sqrt{n}$이라 하면

$$\lim_{n\to\infty}a_n=\lim_{n\to\infty}(\sqrt{n+3}-\sqrt{n})=\lim_{n\to\infty}\frac{3}{\sqrt{n+3}+\sqrt{n}}=0$$

이지만 $\sum_{n=1}^{\infty}(\sqrt{n+3}-\sqrt{n})=\infty$이므로 급수 $\sum_{n=1}^{\infty}(\sqrt{n+3}-\sqrt{n})$은 발산한다.

03-1 셀파 $\sum_{n=1}^{\infty}\left(\dfrac{a_n}{n}-4\right)=6$이므로 $\sum_{n=1}^{\infty}\left(\dfrac{a_n}{n}-4\right)$는 수렴한다.

급수 $\sum_{n=1}^{\infty}\left(\dfrac{a_n}{n}-4\right)$가 수렴하므로

$$\lim_{n\to\infty}\left(\frac{a_n}{n}-4\right)=0\text{에서 }\lim_{n\to\infty}\frac{a_n}{n}=4$$

$$
\begin{aligned}
\therefore \lim_{n\to\infty}\frac{a_n}{2n+1}&=\lim_{n\to\infty}\frac{\dfrac{a_n}{n}}{2+\dfrac{1}{n}}=\frac{\lim\limits_{n\to\infty}\dfrac{a_n}{n}}{\lim\limits_{n\to\infty}\left(2+\dfrac{1}{n}\right)}\\
&=\frac{4}{2}=\mathbf{2}
\end{aligned}
$$

03-2 셀파 급수 $\sum_{n=1}^{\infty}\{a_n-f(n)\}$이 수렴하면

$$\lim_{n\to\infty}\{a_n-f(n)\}=0\text{이다.}$$

주어진 급수가 수렴하므로

$$\lim_{n\to\infty}\left(a_n-\frac{1^2+2^2+3^2+\cdots+n^2}{n^3}\right)=0$$

이때 $1^2+2^2+3^2+\cdots+n^2=\dfrac{n(n+1)(2n+1)}{6}$이므로

$$\lim_{n\to\infty}\left\{a_n-\frac{(n+1)(2n+1)}{6n^2}\right\}=0$$

$$
\begin{aligned}
\therefore \lim_{n\to\infty}a_n&=\lim_{n\to\infty}\frac{(n+1)(2n+1)}{6n^2}\\
&=\lim_{n\to\infty}\frac{2n^2+3n+1}{6n^2}=\lim_{n\to\infty}\frac{2+\dfrac{3}{n}+\dfrac{1}{n^2}}{6}\\
&=\frac{2}{6}=\frac{1}{3}
\end{aligned}
$$

04-1 셀파 $\sum_{n=1}^{\infty}a_n=\alpha$, $\sum_{n=1}^{\infty}b_n=\beta$로 놓는다.

두 급수 $\sum_{n=1}^{\infty}a_n$, $\sum_{n=1}^{\infty}b_n$이 수렴하므로

$\sum_{n=1}^{\infty}a_n=\alpha$, $\sum_{n=1}^{\infty}b_n=\beta$로 놓으면

$\sum_{n=1}^{\infty}(a_n+b_n)=6$에서 $\sum_{n=1}^{\infty}a_n+\sum_{n=1}^{\infty}b_n=6$

$\therefore \alpha+\beta=6$ ······ ㉠

$\sum_{n=1}^{\infty}(a_n-b_n)=2$에서 $\sum_{n=1}^{\infty}a_n-\sum_{n=1}^{\infty}b_n=2$

$\therefore \alpha-\beta=2$ ······ ㉡

㉠, ㉡을 연립하여 풀면 $\alpha=4$, $\beta=2$

$$
\begin{aligned}
\therefore \sum_{n=1}^{\infty}(2a_n+3b_n)&=2\sum_{n=1}^{\infty}a_n+3\sum_{n=1}^{\infty}b_n\\
&=2\alpha+3\beta\\
&=2\times4+3\times2=\mathbf{14}
\end{aligned}
$$

04-2 셀파 $3a_n+b_n=c_n$으로 놓는다.

$3a_n+b_n=c_n$으로 놓으면 $3a_n=-b_n+c_n$

$$\therefore a_n=-\frac{1}{3}b_n+\frac{1}{3}c_n$$

주어진 조건에서 $\sum_{n=1}^{\infty}b_n=2$, $\sum_{n=1}^{\infty}c_n=-4$이므로

$$
\begin{aligned}
\sum_{n=1}^{\infty}a_n&=\sum_{n=1}^{\infty}\left(-\frac{1}{3}b_n+\frac{1}{3}c_n\right)\\
&=-\frac{1}{3}\sum_{n=1}^{\infty}b_n+\frac{1}{3}\sum_{n=1}^{\infty}c_n\\
&=-\frac{1}{3}\times2+\frac{1}{3}\times(-4)=\mathbf{-2}
\end{aligned}
$$

05-1 셀파 $-1<r<1$일 때, $\sum\limits_{n=1}^{\infty}ar^{n-1}=\dfrac{a}{1-r}$

(1) $\sum\limits_{n=1}^{\infty}(\sqrt{2}-1)^n=\dfrac{\sqrt{2}-1}{1-(\sqrt{2}-1)}=\dfrac{\sqrt{2}-1}{2-\sqrt{2}}$

$\phantom{(1) \sum\limits_{n=1}^{\infty}(\sqrt{2}-1)^n}=\dfrac{(\sqrt{2}-1)(2+\sqrt{2})}{(2-\sqrt{2})(2+\sqrt{2})}=\dfrac{\sqrt{2}}{2}$

| 참고 |

$\sum\limits_{n=1}^{\infty}(\sqrt{2}-1)^n$은 공비가 $\sqrt{2}-1$인 등비급수이다.

이때 $|\sqrt{2}-1|<1$이므로 주어진 등비급수는 수렴한다.

(2) $\sum\limits_{n=1}^{\infty}\left\{\left(\dfrac{1}{2}\right)^{2n}+\left(\dfrac{1}{3}\right)^{n+1}\right\}=\sum\limits_{n=1}^{\infty}\left(\dfrac{1}{2}\right)^{2n}+\sum\limits_{n=1}^{\infty}\left(\dfrac{1}{3}\right)^{n+1}$

$=\sum\limits_{n=1}^{\infty}\left(\dfrac{1}{4}\right)^n+\dfrac{1}{3}\sum\limits_{n=1}^{\infty}\left(\dfrac{1}{3}\right)^n$

$=\dfrac{\dfrac{1}{4}}{1-\dfrac{1}{4}}+\dfrac{1}{3}\times\dfrac{\dfrac{1}{3}}{1-\dfrac{1}{3}}$

$=\dfrac{1}{3}+\dfrac{1}{3}\times\dfrac{1}{2}=\dfrac{3}{6}=\dfrac{1}{2}$

(3) $\sum\limits_{n=1}^{\infty}\dfrac{1}{2^n}\cos n\pi=\dfrac{1}{2}\cos\pi+\dfrac{1}{4}\cos 2\pi+\dfrac{1}{8}\cos 3\pi+\cdots$

$=-\dfrac{1}{2}+\dfrac{1}{4}-\dfrac{1}{8}+\cdots$

$=\dfrac{-\dfrac{1}{2}}{1-\left(-\dfrac{1}{2}\right)}=\dfrac{-\dfrac{1}{2}}{\dfrac{3}{2}}=-\dfrac{1}{3}$

(4) $\sum\limits_{n=2}^{\infty}(2^{2n-1}+3)\left(\dfrac{1}{5}\right)^n=\sum\limits_{n=2}^{\infty}2^{2n-1}\times\left(\dfrac{1}{5}\right)^n+\sum\limits_{n=2}^{\infty}3\times\left(\dfrac{1}{5}\right)^n$

$=\dfrac{1}{2}\sum\limits_{n=2}^{\infty}\left(\dfrac{4}{5}\right)^n+3\sum\limits_{n=2}^{\infty}\left(\dfrac{1}{5}\right)^n$

$=\dfrac{1}{2}\times\dfrac{\dfrac{16}{25}}{1-\dfrac{4}{5}}+3\times\dfrac{\dfrac{1}{25}}{1-\dfrac{1}{5}}$

$=\dfrac{1}{2}\times\dfrac{16}{5}+3\times\dfrac{1}{20}$

$=\dfrac{8}{5}+\dfrac{3}{20}=\dfrac{7}{4}$

| 주의 |

등비급수 $\sum\limits_{n=2}^{\infty}\left(\dfrac{4}{5}\right)^n$은 $\left(\dfrac{4}{5}\right)^2+\left(\dfrac{4}{5}\right)^3+\left(\dfrac{4}{5}\right)^4+\cdots$으로 첫째항이

$\left(\dfrac{4}{5}\right)^2=\dfrac{16}{25}$이다.

마찬가지로 등비급수 $\sum\limits_{n=2}^{\infty}\left(\dfrac{1}{5}\right)^n$의 첫째항은 $\left(\dfrac{1}{5}\right)^2=\dfrac{1}{25}$이다.

06-1 셀파 첫째항과 공비를 구한다.

(1) 공비가 x^2-x+1이므로 이 등비급수가 수렴하려면

$\quad -1<x^2-x+1<1$

(i) $-1<x^2-x+1$일 때

$\quad x^2-x+2>0$에서 $\left(x-\dfrac{1}{2}\right)^2+\dfrac{7}{4}>0$이므로

모든 실수 x에 대하여 성립한다.

(ii) $x^2-x+1<1$일 때

$\quad x^2-x<0$에서 $x(x-1)<0$ $\quad\therefore 0<x<1$

(i), (ii)에서 $0<x<1$

(2) 첫째항이 $x-3$, 공비가 $x+2$이므로 이 등비급수가 수렴하려면

$\quad x-3=0$ 또는 $-1<x+2<1$

(i) $x-3=0$일 때, $x=3$

(ii) $-1<x+2<1$일 때, $-3<x<-1$

(i), (ii)에서 $-3<x<-1$ 또는 $x=3$

07-1 셀파 $\overline{\mathrm{OP_1}}, \overline{\mathrm{P_1P_2}}, \overline{\mathrm{P_2P_3}}, \overline{\mathrm{P_3P_4}}, \cdots$을 구해 본다.

$\overline{\mathrm{OP_1}}=1, \overline{\mathrm{P_1P_2}}=\dfrac{1}{2}, \overline{\mathrm{P_2P_3}}=\dfrac{1}{4}, \overline{\mathrm{P_3P_4}}=\dfrac{1}{8}, \overline{\mathrm{P_4P_5}}=\dfrac{1}{16},$

$\overline{\mathrm{P_5P_6}}=\dfrac{1}{32}, \cdots$에서 점 P_n의 좌표를 (x_n, y_n)으로 놓고, 점 P_n이

한없이 가까워지는 점의 좌표를 (x, y)라 하면

$x=\lim\limits_{n\to\infty}x_n=\overline{\mathrm{OP_1}}+\overline{\mathrm{P_2P_3}}+\overline{\mathrm{P_4P_5}}+\cdots$

$=1+\dfrac{1}{4}+\dfrac{1}{16}+\cdots=\dfrac{1}{1-\dfrac{1}{4}}=\dfrac{4}{3}$

$y=\lim\limits_{n\to\infty}y_n=-\overline{\mathrm{P_1P_2}}-\overline{\mathrm{P_3P_4}}-\overline{\mathrm{P_5P_6}}-\cdots$

$=-\dfrac{1}{2}-\dfrac{1}{8}-\dfrac{1}{32}-\cdots=\dfrac{-\dfrac{1}{2}}{1-\dfrac{1}{4}}=-\dfrac{2}{3}$

따라서 점 P_n이 한없이 가까워지는 점의 좌표는 $\left(\dfrac{4}{3}, -\dfrac{2}{3}\right)$

08-1 셀파 규칙에 따라 생기는 도형의 길이의 합 문제에서는 첫째항과 공비를 구한다.

$\overline{\mathrm{P_1P_2}}=1, \angle\mathrm{OP_1P_2}=60°$이므로

$\overline{\mathrm{P_2P_3}}=\overline{\mathrm{P_1P_2}}\sin 60°$

$\phantom{\overline{\mathrm{P_2P_3}}}=1\times\dfrac{\sqrt{3}}{2}=\dfrac{\sqrt{3}}{2}$

$\overline{\mathrm{P_3P_4}}=\overline{\mathrm{P_2P_3}}\sin 60°$

$\phantom{\overline{\mathrm{P_3P_4}}}=\dfrac{\sqrt{3}}{2}\times\dfrac{\sqrt{3}}{2}=\left(\dfrac{\sqrt{3}}{2}\right)^2$

$\phantom{\overline{\mathrm{P_3P_4}}}\vdots$

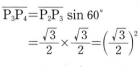

$$\therefore \overline{P_1P_2}+\overline{P_2P_3}+\overline{P_3P_4}+\cdots=1+\frac{\sqrt{3}}{2}+\left(\frac{\sqrt{3}}{2}\right)^2+\cdots$$

$$=\frac{1}{1-\frac{\sqrt{3}}{2}}=\frac{2}{2-\sqrt{3}}$$

$$=4+2\sqrt{3}$$

| 다른 풀이 |

오른쪽 그림과 같이
$\overline{P_nP_{n+1}}=a_n,\ \overline{P_{n+1}P_{n+2}}=a_{n+1}$
이라 하면 $a_{n+1}=a_n\times\cos 30°$

$\therefore a_{n+1}=\frac{\sqrt{3}}{2}a_n$

즉, 수열 $\{a_n\}$은 $a_1=\overline{P_1P_2}=1$,

공비 $r=\frac{\sqrt{3}}{2}$인 등비수열이므로

$$\sum_{n=1}^{\infty}a_n=\frac{1}{1-\frac{\sqrt{3}}{2}}=4+2\sqrt{3}$$

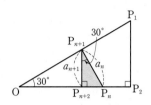

09-1 <u>셀파</u> 각각의 원의 넓이를 구하여 첫째항과 공비를 찾는다.

원 O_1의 반지름의 길이는 r, 원 O_2의 반지름의 길이는 $\frac{r}{2}$, 원 O_3

의 반지름의 길이는 $\frac{r}{4}$, $\cdots$

각각의 원의 넓이를 $S_1,\ S_2,\ S_3,\ \cdots$이라 하면

$$S_1=\pi r^2,\ S_2=\pi\left(\frac{r}{2}\right)^2=\pi r^2\left(\frac{1}{2}\right)^2,\ S_3=\pi\left(\frac{r}{4}\right)^2=\pi r^2\left(\frac{1}{2}\right)^4,\ \cdots$$

$$\therefore S_1+S_2+S_3+\cdots=\pi r^2+\pi r^2\left(\frac{1}{2}\right)^2+\pi r^2\left(\frac{1}{2}\right)^4+\cdots$$

$$=\frac{\pi r^2}{1-\left(\frac{1}{2}\right)^2}=\frac{4}{3}\pi r^2$$

10-1 <u>셀파</u> 등비급수의 합을 이용한다.

(1) 주어진 순환소수를 등비급수로 나타내면

$$0.\dot{1}\dot{5}=0.15+0.0015+0.000015+\cdots$$

$$=\frac{15}{100}+\frac{15}{100^2}+\frac{15}{100^3}+\cdots$$

$$=\frac{\frac{15}{100}}{1-\frac{1}{100}}=\frac{15}{99}=\frac{5}{33}$$

(2) 주어진 순환소수를 등비급수로 나타내면

$$0.3\dot{6}=0.3+0.06+0.006+0.0006+\cdots$$

$$=0.3+\left(\frac{6}{10^2}+\frac{6}{10^3}+\frac{6}{10^4}+\cdots\right)$$

$$=\frac{3}{10}+\frac{\frac{6}{100}}{1-\frac{1}{10}}=\frac{3}{10}+\frac{6}{90}=\frac{11}{30}$$

10-2 <u>셀파</u> $0.\dot{2}0\dot{4}=0.204204\cdots$에서 $a_1,\ a_2,\ a_3,\ a_4,\ \cdots$의 값을 구한다.

$a_1=2,\ a_2=0,\ a_3=4,\ a_4=2,\ a_5=0,\ a_6=4,\ \cdots$

$$\therefore \sum_{n=1}^{\infty}\frac{a_n}{3^n}=\frac{2}{3}+\frac{0}{3^2}+\frac{4}{3^3}+\frac{2}{3^4}+\frac{0}{3^5}+\frac{4}{3^6}$$

$$+\frac{2}{3^7}+\frac{0}{3^8}+\frac{4}{3^9}+\cdots$$

$$=\left(\frac{2}{3}+\frac{2}{3^4}+\frac{2}{3^7}+\cdots\right)+\left(\frac{4}{3^3}+\frac{4}{3^6}+\frac{4}{3^9}+\cdots\right)$$

$$=\frac{\frac{2}{3}}{1-\frac{1}{27}}+\frac{\frac{4}{27}}{1-\frac{1}{27}}=\frac{9}{13}+\frac{2}{13}=\frac{11}{13}$$

연습 문제 본문 | 50~51 쪽

01 <u>셀파</u> 주어진 급수의 제n항을 구한다.

(1) $\sum_{n=1}^{\infty}\dfrac{1}{1+2+3+\cdots+n}$에서

$1+2+3+\cdots+n=\sum_{k=1}^{n}k=\dfrac{n(n+1)}{2}$이므로

$$\frac{1}{1+2+3+\cdots+n}=\frac{2}{n(n+1)}=2\left(\frac{1}{n}-\frac{1}{n+1}\right)$$

따라서 주어진 급수의 부분합 S_n을 구하면

$$S_n=\sum_{k=1}^{n}2\left(\frac{1}{k}-\frac{1}{k+1}\right)$$

$$=2\left\{\left(1-\frac{1}{2}\right)+\left(\frac{1}{2}-\frac{1}{3}\right)+\cdots+\left(\frac{1}{n}-\frac{1}{n+1}\right)\right\}$$

$$=2\left(1-\frac{1}{n+1}\right)=\frac{2n}{n+1}$$

$$\therefore \lim_{n\to\infty}S_n=\lim_{n\to\infty}\frac{2n}{n+1}=2$$

(2) $\displaystyle\sum_{n=1}^{\infty} \log\left\{1-\dfrac{1}{(n+1)^2}\right\}$ 에서

$$\log\left\{1-\dfrac{1}{(n+1)^2}\right\}=\log\dfrac{(n+1)^2-1}{(n+1)^2}$$
$$=\log\dfrac{n^2+2n}{(n+1)^2}$$
$$=\log\dfrac{n(n+2)}{(n+1)^2}$$

따라서 주어진 급수의 부분합 S_n을 구하면

$$S_n=\sum_{k=1}^{n}\log\dfrac{k(k+2)}{(k+1)^2}$$
$$=\log\dfrac{1\times3}{2\times2}+\log\dfrac{2\times4}{3\times3}+\cdots+\log\dfrac{n(n+2)}{(n+1)(n+1)}$$
$$=\log\left(\dfrac{1\times3}{2\times2}\times\dfrac{2\times4}{3\times3}\times\cdots\times\dfrac{n(n+2)}{(n+1)(n+1)}\right)$$
$$=\log\dfrac{n+2}{2(n+1)}$$
$$\therefore \lim_{n\to\infty}S_n=\lim_{n\to\infty}\log\dfrac{n+2}{2(n+1)}=\boldsymbol{\log\dfrac{1}{2}}$$

02 〔셀파〕 $\displaystyle\sum_{n=1}^{\infty}(a_{n+1}-a_n)=(a_2-a_1)+(a_3-a_2)+(a_4-a_3)+\cdots$

$$\sum_{k=1}^{n}(a_{k+1}-a_k)=(a_2-a_1)+(a_3-a_2)+(a_4-a_3)$$
$$+\cdots+(a_{n+1}-a_n)$$
$$=a_{n+1}-a_1$$
$$\therefore \sum_{n=1}^{\infty}(a_{n+1}-a_n)=\lim_{n\to\infty}\sum_{k=1}^{n}(a_{k+1}-a_k)$$
$$=\lim_{n\to\infty}(a_{n+1}-a_1)$$
$$=\lim_{n\to\infty}a_{n+1}-\lim_{n\to\infty}a_1$$
$$=\lim_{n\to\infty}a_n-a_1$$
$$=8-3=\boldsymbol{5}$$

03 〔셀파〕 괄호가 있는 급수는 괄호로 묶인 항을 하나의 항으로 생각한다.

ㄱ. 급수 $1-1+1-1+1-1+\cdots$에서
$S_{2n+1}=1-1+1-1+\cdots+1-1+1=1$
$S_{2n}=1-1+1-1+\cdots+1-1=0$
$\displaystyle\lim_{n\to\infty}S_{2n+1}\neq\lim_{n\to\infty}S_{2n}$이므로 주어진 급수는 발산한다.

ㄴ. 급수 $(1-1)+(1-1)+(1-1)+\cdots$에서
$S_n=0+0+0+\cdots+0=0$
$\displaystyle\lim_{n\to\infty}S_n=0$이므로 주어진 급수는 수렴한다.

ㄷ. 급수 $1-(1-1)-(1-1)-(1-1)-\cdots$에서
$S_n=1-0-0-0-\cdots-0=1$
$\displaystyle\lim_{n\to\infty}S_n=1$이므로 주어진 급수는 수렴한다.

따라서 수렴하는 급수는 ㄴ, ㄷ이다.

04 〔셀파〕 $\displaystyle\lim_{n\to\infty}a_n=k$ (k는 상수)로 놓는다.

급수 $\displaystyle\sum_{n=1}^{\infty}\left(\dfrac{a_n+3}{a_n^2}-2\right)$가 수렴하므로

$$\lim_{n\to\infty}\left(\dfrac{a_n+3}{a_n^2}-2\right)=0 \qquad\cdots\cdots\ \bigcirc$$

이때 $\displaystyle\lim_{n\to\infty}a_n=k$ (k는 상수)로 놓으면 $\bigcirc$에서

$$\dfrac{\lim\limits_{n\to\infty}(a_n+3)}{\lim\limits_{n\to\infty}a_n^2}-2=0$$

즉, $\dfrac{k+3}{k^2}-2=0$이므로

$2k^2-k-3=0$, $(k+1)(2k-3)=0$

$$\therefore k=-1 \ \text{또는}\ k=\dfrac{3}{2}$$

그런데 수열 $\{a_n\}$의 각 항이 양수이므로 $k=\dfrac{3}{2}$

$$\therefore \lim_{n\to\infty}a_n=\boldsymbol{\dfrac{3}{2}}$$

05 〔셀파〕 $3a_n+2b_n=c_n$으로 놓으면 $a_n=-\dfrac{2}{3}b_n+\dfrac{1}{3}c_n$이다.

$3a_n+2b_n=c_n$으로 놓으면 $3a_n=-2b_n+c_n$

$$\therefore a_n=-\dfrac{2}{3}b_n+\dfrac{1}{3}c_n$$

주어진 조건에서 $\displaystyle\sum_{n=1}^{\infty}b_n=6$, $\displaystyle\sum_{n=1}^{\infty}c_n=18$이므로

$$\sum_{n=1}^{\infty}a_n=\sum_{n=1}^{\infty}\left(-\dfrac{2}{3}b_n+\dfrac{1}{3}c_n\right)$$
$$=-\dfrac{2}{3}\sum_{n=1}^{\infty}b_n+\dfrac{1}{3}\sum_{n=1}^{\infty}c_n$$
$$=-\dfrac{2}{3}\times6+\dfrac{1}{3}\times18=\boldsymbol{2}$$

06 셀파 급수의 성질과 등비급수의 합의 공식을 이용한다.

(1) $\displaystyle\sum_{n=1}^{\infty}\left(\frac{1}{2^n}-\frac{1}{4^n}\right)=\sum_{n=1}^{\infty}\left(\frac{1}{2}\right)^n-\sum_{n=1}^{\infty}\left(\frac{1}{4}\right)^n$

$\qquad\qquad=\dfrac{\dfrac{1}{2}}{1-\dfrac{1}{2}}-\dfrac{\dfrac{1}{4}}{1-\dfrac{1}{4}}$

$\qquad\qquad=1-\dfrac{1}{3}=\dfrac{\boldsymbol{2}}{\boldsymbol{3}}$

(2) $\displaystyle\sum_{n=1}^{\infty}\frac{1+2^{n-1}}{5^n}=\sum_{n=1}^{\infty}\left(\frac{1}{5}\right)^n+\sum_{n=1}^{\infty}\frac{2^{n-1}}{5^n}$

$\qquad\qquad=\displaystyle\sum_{n=1}^{\infty}\left(\frac{1}{5}\right)^n+\sum_{n=1}^{\infty}\frac{1}{2}\times\left(\frac{2}{5}\right)^n$

$\qquad\qquad=\displaystyle\sum_{n=1}^{\infty}\left(\frac{1}{5}\right)^n+\frac{1}{2}\sum_{n=1}^{\infty}\left(\frac{2}{5}\right)^n$

$\qquad\qquad=\dfrac{\dfrac{1}{5}}{1-\dfrac{1}{5}}+\dfrac{1}{2}\times\dfrac{\dfrac{2}{5}}{1-\dfrac{2}{5}}$

$\qquad\qquad=\dfrac{1}{4}+\dfrac{1}{3}=\dfrac{\boldsymbol{7}}{\boldsymbol{12}}$

(3) $\displaystyle\sum_{n=1}^{\infty}(3^{n+1}-1)\left(\frac{1}{9}\right)^n=\sum_{n=1}^{\infty}3\times\left(\frac{3}{9}\right)^n-\sum_{n=1}^{\infty}\left(\frac{1}{9}\right)^n$

$\qquad\qquad\qquad=3\displaystyle\sum_{n=1}^{\infty}\left(\frac{1}{3}\right)^n-\sum_{n=1}^{\infty}\left(\frac{1}{9}\right)^n$

$\qquad\qquad\qquad=3\times\dfrac{\dfrac{1}{3}}{1-\dfrac{1}{3}}-\dfrac{\dfrac{1}{9}}{1-\dfrac{1}{9}}$

$\qquad\qquad\qquad=\dfrac{3}{2}-\dfrac{1}{8}=\dfrac{\boldsymbol{11}}{\boldsymbol{8}}$

07 셀파 $0.\dot{5}=0.555\cdots,\ 0.0\dot{2}=0.0222\cdots$

$a_1=0.\dot{5}=\dfrac{5}{9},\ a_3=0.0\dot{2}=\dfrac{2}{90}=\dfrac{1}{45}$에서

등비수열 $\{a_n\}$의 공비를 r라 하면

$a_3=a_1\times r^2=\dfrac{5}{9}r^2$

이때 $a_3=\dfrac{1}{45}$이므로 $\dfrac{5}{9}r^2=\dfrac{1}{45}$

$r^2=\dfrac{1}{25}\qquad\therefore r=\pm\dfrac{1}{5}$

각 항이 모두 양수이므로 $r=\dfrac{1}{5}$

$\therefore \displaystyle\sum_{n=1}^{\infty}a_n=\dfrac{5}{9}+\dfrac{5}{9}\times\dfrac{1}{5}+\dfrac{5}{9}\times\left(\dfrac{1}{5}\right)^2+\cdots$

$\qquad\quad=\dfrac{\dfrac{5}{9}}{1-\dfrac{1}{5}}=\dfrac{\boldsymbol{25}}{\boldsymbol{36}}$

LECTURE 순환소수와 등비급수

(1) $0.\dot{a_1}a_2\cdots\dot{a_n}=\dfrac{a_1a_2\cdots a_n}{\underbrace{99\cdots9}_{n개}}$

예 $0.\dot{5}=\dfrac{5}{9},\ 0.\dot{1}\dot{2}=\dfrac{12}{99}=\dfrac{4}{33}$

(2) $0.a_1a_2\cdots a_m\dot{b_1}b_2\cdots\dot{b_n}=\dfrac{a_1a_2\cdots a_mb_1b_2\cdots b_n-a_1a_2\cdots a_m}{\underbrace{99\cdots9}_{n개}\underbrace{00\cdots0}_{m개}}$

예 $0.2\dot{5}=\dfrac{25-2}{90}=\dfrac{23}{90}$

$0.1\dot{2}\dot{3}=\dfrac{123-12}{900}=\dfrac{111}{900}=\dfrac{37}{300}$

08 셀파 첫째항과 공비를 구한다.

(1) $1-\dfrac{x}{3}+\dfrac{x^2}{9}-\dfrac{x^3}{27}+\cdots$ 은 첫째항이 1, 공비가 $-\dfrac{x}{3}$이므로 이 등비급수가 수렴하려면

$-1<-\dfrac{x}{3}<1\qquad\therefore -3<x<3$

(2) $x+x(x-2)+x(x-2)^2+x(x-2)^3+\cdots$ 은 첫째항이 x, 공비가 $x-2$이므로 이 등비급수가 수렴하려면

$x=0$ 또는 $-1<x-2<1$

$\therefore \boldsymbol{x=0}$ 또는 $\boldsymbol{1<x<3}$

09 셀파 등비급수 $\displaystyle\sum_{n=1}^{\infty}r^{n-1}$의 수렴 조건은 $-1<r<1$이다.

㉮ (i) $\displaystyle\sum_{n=1}^{\infty}\left(\frac{x+1}{2}\right)^{n-1}$은 첫째항이 1, 공비가 $\dfrac{x+1}{2}$이므로 이 등비급수가 수렴하려면

$-1<\dfrac{x+1}{2}<1,\ -2<x+1<2$

$\therefore -3<x<1$

㉯ (ii) $\displaystyle\sum_{n=1}^{\infty}(1-x^2)^n$은 첫째항과 공비가 모두 $1-x^2$이므로 이 등비급수가 수렴하려면

$-1<1-x^2<1,\ 0<x^2<2$

$\therefore -\sqrt{2}<x<0$ 또는 $0<x<\sqrt{2}$

㉰ (i), (ii)에서 $\boldsymbol{-\sqrt{2}<x<0}$ 또는 $\boldsymbol{0<x<1}$

채점 기준	배점
㉮ $\displaystyle\sum_{n=1}^{\infty}\left(\frac{x+1}{2}\right)^{n-1}$이 수렴하도록 하는 x의 값의 범위를 구한다.	40%
㉯ $\displaystyle\sum_{n=1}^{\infty}(1-x^2)^n$이 수렴하도록 하는 x의 값의 범위를 구한다.	40%
㉰ 두 등비급수가 수렴하도록 하는 x의 값의 범위를 구한다.	20%

10 [셀파] 규칙적으로 한없이 움직이는 선분의 길이는 등비수열을 이룬다.

수직선에서 $\overline{P_1P_2}=l$로 놓으면

$\overline{P_2P_3}=\dfrac{2}{3}l$, $\overline{P_3P_4}=\left(\dfrac{2}{3}\right)^2l$, $\overline{P_4P_5}=\left(\dfrac{2}{3}\right)^3l$, $\cdots$

이므로 점 $P_n(x_n)$을 살펴보면

$x_3=\overline{P_1P_2}-\overline{P_2P_3}=l-\dfrac{2}{3}l$

$x_4=\overline{P_1P_2}-\overline{P_2P_3}+\overline{P_3P_4}=l-\dfrac{2}{3}l+\left(\dfrac{2}{3}\right)^2l$

$x_5=\overline{P_1P_2}-\overline{P_2P_3}+\overline{P_3P_4}-\overline{P_4P_5}=l-\dfrac{2}{3}l+\left(\dfrac{2}{3}\right)^2l-\left(\dfrac{2}{3}\right)^3l$

$$\vdots$$

$\therefore \lim_{n\to\infty}x_n=\overline{P_1P_2}-\overline{P_2P_3}+\overline{P_3P_4}-\overline{P_4P_5}+\cdots$

$$=l-\dfrac{2}{3}l+\left(\dfrac{2}{3}\right)^2l-\left(\dfrac{2}{3}\right)^3l+\cdots$$

$$=\dfrac{l}{1-\left(-\dfrac{2}{3}\right)}=\dfrac{3}{5}l$$

이때 $l=100$이므로 $\displaystyle\lim_{n\to\infty}x_n=\dfrac{3}{5}\times100=\mathbf{60}$

11 [셀파] 처음에 낙하한 거리는 1 m, 다시 올라간 거리는 $\dfrac{4}{5}$ m, 다시 올라간 거리는 $\left(\dfrac{4}{5}\right)^2$ m, $\cdots$

공이 지면에 n번째 닿은 후 $n+1$번째 닿을 때까지 움직인 거리를 a_n m라 하면

$a_1=2\times\dfrac{4}{5}$, $a_2=2\times\left(\dfrac{4}{5}\right)^2$, $a_3=2\times\left(\dfrac{4}{5}\right)^3$, $\cdots$

이므로 $a_n=2\times\left(\dfrac{4}{5}\right)^n=\dfrac{8}{5}\times\left(\dfrac{4}{5}\right)^{n-1}$

공이 처음으로 지면에 닿을 때까지 움직인 거리가 1 m이므로 공이 한없이 운동한다고 가정할 때, 공이 움직인 거리는

$1+\displaystyle\sum_{n=1}^{\infty}a_n=1+\sum_{n=1}^{\infty}\dfrac{8}{5}\times\left(\dfrac{4}{5}\right)^{n-1}$

$$=1+\dfrac{\dfrac{8}{5}}{1-\dfrac{4}{5}}=\mathbf{9(m)}$$

12 [셀파] n번째 정사각형의 한 변의 길이를 a_n이라 하고 a_n과 a_{n+1} 사이의 관계를 찾는다.

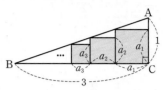

n번째 정사각형의 한 변의 길이를 a_n이라 하면

$a_1:(1-a_1)=3:1$, $a_1=3-3a_1$ $\qquad\therefore a_1=\dfrac{3}{4}$

$a_2:(a_1-a_2)=3:1$, $a_2=3a_1-3a_2$ $\qquad\therefore a_2=\dfrac{3}{4}a_1$

$a_3:(a_2-a_3)=3:1$, $a_3=3a_2-3a_3$ $\qquad\therefore a_3=\dfrac{3}{4}a_2$

$$\vdots$$

$a_{n+1}:(a_n-a_{n+1})=3:1$, $a_{n+1}=3a_n-3a_{n+1}$

$\therefore a_{n+1}=\dfrac{3}{4}a_n$

즉, 수열 $\{a_n\}$은 첫째항이 $\dfrac{3}{4}$, 공비가 $\dfrac{3}{4}$인 등비수열이므로

$a_1=\dfrac{3}{4}$, $a_2=\dfrac{9}{16}$, $a_3=\dfrac{27}{64}$, $\cdots$

따라서 정사각형의 넓이의 합은

$a_1{}^2+a_2{}^2+a_3{}^2+\cdots=\left(\dfrac{3}{4}\right)^2+\left(\dfrac{9}{16}\right)^2+\left(\dfrac{27}{64}\right)^2+\cdots$

$$=\dfrac{9}{16}+\left(\dfrac{9}{16}\right)^2+\left(\dfrac{9}{16}\right)^3+\cdots$$

$$=\dfrac{\dfrac{9}{16}}{1-\dfrac{9}{16}}=\dfrac{\mathbf{9}}{\mathbf{7}}$$

13 [셀파] $0.\dot{1}$, $0.\dot{1}\dot{0}$, $0.\dot{1}0\dot{0}$을 분수로 고쳐서 일반항 a_n을 구한다.

$a_1=0.\dot{1}=\dfrac{1}{9}=\dfrac{10^0}{10-1}$,

$a_2=0.\dot{1}\dot{0}=\dfrac{10}{99}=\dfrac{10^1}{10^2-1}$,

$a_3=0.\dot{1}0\dot{0}=\dfrac{100}{999}=\dfrac{10^2}{10^3-1}$, $\cdots$에서

$a_n=\dfrac{10^{n-1}}{10^n-1}$이므로 $\dfrac{1}{a_n}=\dfrac{10^n-1}{10^{n-1}}$

$\therefore \displaystyle\sum_{n=1}^{\infty}\left(\dfrac{1}{a_{n+1}}-\dfrac{1}{a_n}\right)=\sum_{n=1}^{\infty}\left(\dfrac{10^{n+1}-1}{10^n}-\dfrac{10^n-1}{10^{n-1}}\right)$

$$=\sum_{n=1}^{\infty}\dfrac{9}{10^n}=\dfrac{\dfrac{9}{10}}{1-\dfrac{1}{10}}=\mathbf{1}$$

3. 지수함수와 로그함수의 미분

1-1 (1) $3>1$이므로 $\lim\limits_{x\to\infty}3^x=\infty$

(2) $3>1$이므로 $\lim\limits_{x\to-\infty}3^x=\boxed{0}$

(3) $0<\dfrac{1}{3}<1$이므로 $\lim\limits_{x\to\infty}\left(\dfrac{1}{3}\right)^x=\boxed{0}$

(4) $0<\dfrac{1}{3}<1$이므로 $\lim\limits_{x\to-\infty}\left(\dfrac{1}{3}\right)^x=\infty$

1-2 (1) $5>1$이므로 $\lim\limits_{x\to\infty}5^x=\infty$

(2) $5>1$이므로 $\lim\limits_{x\to-\infty}5^x=0$

(3) $0<\dfrac{2}{3}<1$이므로 $\lim\limits_{x\to\infty}\left(\dfrac{2}{3}\right)^x=0$

(4) $0<\dfrac{2}{3}<1$이므로 $\lim\limits_{x\to-\infty}\left(\dfrac{2}{3}\right)^x=\infty$

2-1 (1) $\lim\limits_{x\to0}(1+2x)^{\frac{1}{x}}=\lim\limits_{x\to0}\{(1+2x)^{\frac{1}{2x}}\}^2=\boxed{e^2}$

(2) $\lim\limits_{x\to\infty}\left(1+\dfrac{1}{x}\right)^{2x}=\lim\limits_{x\to\infty}\left\{\left(1+\dfrac{1}{x}\right)^x\right\}^{\boxed{2}}=e^2$

(3) $\lim\limits_{x\to\infty}\left(1+\dfrac{1}{2x}\right)^x=\lim\limits_{x\to\infty}\left\{\left(1+\dfrac{1}{2x}\right)^{\boxed{2x}}\right\}^{\frac{1}{2}}=e^{\frac{1}{2}}=\sqrt{e}$

(4) $-x=t$로 치환하면 $x\to0$일 때 $t\to0$이므로

$\lim\limits_{x\to0}(1-x)^{\frac{1}{x}}=\lim\limits_{t\to0}(1+t)^{-\frac{1}{t}}$
$=\lim\limits_{t\to0}\{(1+t)^{\frac{1}{t}}\}^{\boxed{-1}}=e^{-1}=\dfrac{1}{e}$

2-2 (1) $\lim\limits_{x\to0}(1+x)^{\frac{2}{x}}=\lim\limits_{x\to0}\{(1+x)^{\frac{1}{x}}\}^2=e^2$

(2) $\lim\limits_{x\to\infty}\left(1+\dfrac{2}{x}\right)^{2x}=\lim\limits_{x\to\infty}\left\{\left(1+\dfrac{2}{x}\right)^{\frac{x}{2}}\right\}^4=e^4$

(3) $\lim\limits_{x\to0}(1+2x)^{-\frac{1}{x}}=\lim\limits_{x\to0}\{(1+2x)^{\frac{1}{2x}}\}^{-2}=e^{-2}=\dfrac{1}{e^2}$

(4) $-\dfrac{1}{2x}=t$로 치환하면 $x\to\infty$일 때 $t\to0$이므로

$\lim\limits_{x\to\infty}\left(1-\dfrac{1}{2x}\right)^x=\lim\limits_{t\to0}(1+t)^{-\frac{1}{2t}}$
$=\lim\limits_{t\to0}\{(1+t)^{\frac{1}{t}}\}^{-\frac{1}{2}}=e^{-\frac{1}{2}}=\dfrac{1}{\sqrt{e}}$

01-1 셀파 $a>1$일 때 $\lim\limits_{x\to\infty}a^x=\infty$, $\lim\limits_{x\to-\infty}a^x=0$
$0<a<1$일 때 $\lim\limits_{x\to\infty}a^x=0$, $\lim\limits_{x\to-\infty}a^x=\infty$

(1) $\lim\limits_{x\to-\infty}\dfrac{5^x}{4^x}=\lim\limits_{x\to-\infty}\left(\dfrac{5}{4}\right)^x=0$

(2) $\lim\limits_{x\to\infty}\dfrac{2^x-1}{2^x+1}=\lim\limits_{x\to\infty}\dfrac{1-\left(\dfrac{1}{2}\right)^x}{1+\left(\dfrac{1}{2}\right)^x}=\dfrac{1-0}{1+0}=1$

(3) $\lim\limits_{x\to\infty}(4^x-2^x)=\lim\limits_{x\to\infty}4^x\left\{1-\left(\dfrac{1}{2}\right)^x\right\}=\infty$

01-2 셀파 9^x으로 묶어낸다.

$\lim\limits_{x\to\infty}(8^x+9^x)^{\frac{1}{2x}}=\lim\limits_{x\to\infty}\left[9^x\left\{\left(\dfrac{8}{9}\right)^x+1\right\}\right]^{\frac{1}{2x}}$
$=3\lim\limits_{x\to\infty}\left\{\left(\dfrac{8}{9}\right)^x+1\right\}^{\frac{1}{2x}}$
$=3(0+1)^0=3$

02-1 셀파 $\lim\limits_{x\to\infty}\{\log_a f(x)-\log_a g(x)\}$ 꼴 $\Rightarrow \lim\limits_{x\to\infty}\log_a\dfrac{f(x)}{g(x)}$

(1) $\lim\limits_{x\to2}\log_3\dfrac{x^3+1}{x-1}=\log_3\dfrac{8+1}{2-1}=\log_3 9=2$

(2) $\lim\limits_{x\to\infty}\{\log_3(9x+3)-\log_3 x\}$
$=\lim\limits_{x\to\infty}\log_3\dfrac{9x+3}{x}=\lim\limits_{x\to\infty}\log_3\left(9+\dfrac{3}{x}\right)=\log_3 9=2$

(3) $\lim\limits_{x\to\infty}\{\log_{\frac{1}{3}}(3x+1)-\log_{\frac{1}{3}}x\}$
$=\lim\limits_{x\to\infty}\log_{\frac{1}{3}}\dfrac{3x+1}{x}=\lim\limits_{x\to\infty}\log_{\frac{1}{3}}\left(3+\dfrac{1}{x}\right)=\log_{\frac{1}{3}}3=-1$

(4) $\lim\limits_{x \to 1}(\log_2|x^4-1|-\log_2|x^2-1|)$

$\quad =\lim\limits_{x \to 1}\log_2\dfrac{|x^4-1|}{|x^2-1|}=\lim\limits_{x \to 1}\log_2\left|\dfrac{(x^2-1)(x^2+1)}{x^2-1}\right|$

$\quad =\lim\limits_{x \to 1}\log_2(x^2+1)=\log_2 2=\mathbf{1}$

셀파 특강 확인 체크 **01**

(1) $\lim\limits_{x \to 0}(1+3x)^{\frac{1}{x}}=\lim\limits_{x \to 0}\{(1+3x)^{\frac{1}{3x}}\}^3=\boldsymbol{e^3}$

(2) $\lim\limits_{x \to 0}(1+x)^{\frac{1}{2x}}=\lim\limits_{x \to 0}\{(1+x)^{\frac{1}{x}}\}^{\frac{1}{2}}=e^{\frac{1}{2}}=\boldsymbol{\sqrt{e}}$

(3) $\lim\limits_{x \to \infty}\left(1+\dfrac{3}{x}\right)^{x}=\lim\limits_{x \to \infty}\left\{\left(1+\dfrac{3}{x}\right)^{\frac{x}{3}}\right\}^3=\boldsymbol{e^3}$

(4) $\lim\limits_{x \to \infty}\left(1+\dfrac{1}{x}\right)^{3x}=\lim\limits_{x \to \infty}\left\{\left(1+\dfrac{1}{x}\right)^{x}\right\}^3=\boldsymbol{e^3}$

03-1 셀파 $\lim\limits_{\bullet \to 0}(1+\bullet)^{\frac{1}{\bullet}}=e,\ \lim\limits_{\blacktriangle \to \infty}\left(1+\dfrac{1}{\blacktriangle}\right)^{\blacktriangle}=e$

(1) $\lim\limits_{x \to 0}(1+2x)^{\frac{2}{x}}=\lim\limits_{x \to 0}(1+2x)^{\frac{1}{2x}\times 4}$

$\quad\quad =\lim\limits_{x \to 0}\{(1+2x)^{\frac{1}{2x}}\}^4=\boldsymbol{e^4}$

(2) $\lim\limits_{x \to \infty}\left(1+\dfrac{1}{2x}\right)^{-x}=\lim\limits_{x \to \infty}\left(1+\dfrac{1}{2x}\right)^{2x\times\left(-\frac{1}{2}\right)}$

$\quad\quad =\lim\limits_{x \to \infty}\left\{\left(1+\dfrac{1}{2x}\right)^{2x}\right\}^{-\frac{1}{2}}=e^{-\frac{1}{2}}=\dfrac{\mathbf{1}}{\boldsymbol{\sqrt{e}}}$

03-2 셀파 $\lim\limits_{\bullet \to 0}(1+\bullet)^{\frac{1}{\bullet}}=e,\ \lim\limits_{\blacktriangle \to \infty}\left(1+\dfrac{1}{\blacktriangle}\right)^{\blacktriangle}=e$

(1) $-x=t$로 치환하면 $x \longrightarrow -\infty$일 때 $t \longrightarrow \infty$이므로

$\quad \lim\limits_{x \to -\infty}\left(1-\dfrac{1}{x}\right)^{-3x}=\lim\limits_{t \to \infty}\left(1+\dfrac{1}{t}\right)^{3t}$

$\quad\quad\quad =\lim\limits_{t \to \infty}\left\{\left(1+\dfrac{1}{t}\right)^{t}\right\}^3=\boldsymbol{e^3}$

(2) $x-1=t$로 치환하면 $x \longrightarrow 1$일 때 $t \longrightarrow 0$이므로

$\quad \lim\limits_{x \to 1}x^{\frac{3}{2x-2}}=\lim\limits_{t \to 0}(1+t)^{\frac{3}{2t}}=\lim\limits_{t \to 0}\{(1+t)^{\frac{1}{t}}\}^{\frac{3}{2}}=\boldsymbol{e^{\frac{3}{2}}}$

01 (1) $\lim\limits_{x \to 0}\dfrac{\ln(1+x)}{3x}=\lim\limits_{x \to 0}\left\{\dfrac{\ln(1+x)}{x}\times\dfrac{1}{3}\right\}$

$\quad\quad =\dfrac{1}{3}\lim\limits_{x \to 0}\dfrac{\ln(1+x)}{x}=\dfrac{1}{3}\times 1=\dfrac{\mathbf{1}}{\mathbf{3}}$

(2) $\lim\limits_{x \to 0}\dfrac{\ln(1+3x)}{x}=\lim\limits_{x \to 0}\left\{\dfrac{\ln(1+3x)}{3x}\times 3\right\}$

$\quad\quad =3\lim\limits_{x \to 0}\dfrac{\ln(1+3x)}{3x}=3\times 1=\mathbf{3}$

(3) $\lim\limits_{x \to 0}\dfrac{\ln(1+2x)}{8x}=\lim\limits_{x \to 0}\left\{\dfrac{\ln(1+2x)}{2x}\times\dfrac{1}{4}\right\}$

$\quad\quad =1\times\dfrac{1}{4}=\dfrac{\mathbf{1}}{\mathbf{4}}$

(4) $\lim\limits_{x \to 0}\dfrac{\ln(1+4x)}{2x}=\lim\limits_{x \to 0}\left\{\dfrac{\ln(1+4x)}{4x}\times 2\right\}=1\times 2=\mathbf{2}$

(5) $\lim\limits_{x \to 0}\dfrac{\ln(1-2x)}{x}=\lim\limits_{x \to 0}\left\{\dfrac{\ln(1-2x)}{-2x}\times(-2)\right\}$

$\quad\quad =1\times(-2)=\boldsymbol{-2}$

02 (1) $\lim\limits_{x \to 0}\dfrac{e^x-1}{2x}=\lim\limits_{x \to 0}\left(\dfrac{e^x-1}{x}\times\dfrac{1}{2}\right)$

$\quad\quad =\dfrac{1}{2}\lim\limits_{x \to 0}\dfrac{e^x-1}{x}=\dfrac{1}{2}\times 1=\dfrac{\mathbf{1}}{\mathbf{2}}$

(2) $\lim\limits_{x \to 0}\dfrac{e^{2x}-1}{x}=\lim\limits_{x \to 0}\left(\dfrac{e^{2x}-1}{2x}\times 2\right)$

$\quad\quad =2\lim\limits_{x \to 0}\dfrac{e^{2x}-1}{2x}=2\times 1=\mathbf{2}$

(3) $\lim\limits_{x \to 0}\dfrac{e^{3x}-1}{x}=\lim\limits_{x \to 0}\left(\dfrac{e^{3x}-1}{3x}\times 3\right)=1\times 3=\mathbf{3}$

(4) $\lim\limits_{x \to 0}\dfrac{e^{-2x}-1}{x}=\lim\limits_{x \to 0}\left\{\dfrac{e^{-2x}-1}{-2x}\times(-2)\right\}=1\times(-2)=\boldsymbol{-2}$

(5) $\lim\limits_{x \to 0}\dfrac{e^{1-x}-e}{x}=\lim\limits_{x \to 0}\dfrac{e(e^{-x}-1)}{x}$

$\quad\quad =e\lim\limits_{x \to 0}\left\{\dfrac{e^{-x}-1}{-x}\times(-1)\right\}$

$\quad\quad =e\times 1\times(-1)=\boldsymbol{-e}$

04-1 셀파 $\lim\limits_{\blacksquare\to 0}\dfrac{\log_a(1+\blacksquare)}{\blacksquare}=\dfrac{1}{\ln a},\ \lim\limits_{\bullet\to 0}\dfrac{a^\bullet-1}{\bullet}=\ln a$

(1) $\lim\limits_{x\to 0}\dfrac{\log_3(1+3x)}{9x}=\lim\limits_{x\to 0}\dfrac{\log_3(1+3x)}{3x}\times\dfrac{1}{3}$

$\qquad\qquad =\boldsymbol{\dfrac{1}{3\ln 3}}$

(2) $\lim\limits_{x\to 0}\dfrac{3^x-1}{2x}=\lim\limits_{x\to 0}\dfrac{3^x-1}{x}\times\dfrac{1}{2}=\boldsymbol{\dfrac{1}{2}\ln 3}$

(3) $\lim\limits_{x\to 0}\dfrac{3x}{\log_2(1+9x)}=\lim\limits_{x\to 0}\dfrac{9x}{\log_2(1+9x)}\times\dfrac{1}{3}$

$\qquad\qquad =\dfrac{1}{3}\lim\limits_{x\to 0}\dfrac{1}{\dfrac{\log_2(1+9x)}{9x}}$

$\qquad\qquad =\dfrac{1}{3}\times\dfrac{1}{\dfrac{1}{\ln 2}}=\boldsymbol{\dfrac{1}{3}\ln 2}$

(4) $\lim\limits_{x\to 0}\dfrac{3^x-5^x}{x}=\lim\limits_{x\to 0}\dfrac{(3^x-1)-(5^x-1)}{x}$

$\qquad\qquad =\lim\limits_{x\to 0}\dfrac{3^x-1}{x}-\lim\limits_{x\to 0}\dfrac{5^x-1}{x}$

$\qquad\qquad =\ln 3-\ln 5=\boldsymbol{\ln\dfrac{3}{5}}$

05-1 셀파 치환한 다음 공식을 이용한다.

$\quad$ (1), (2) $\lim\limits_{\blacktriangle\to 0}\dfrac{\ln(1+\blacktriangle)}{\blacktriangle}=1$

$\quad$ (3), (4) $\lim\limits_{\blacksquare\to 0}\dfrac{\log_a(1+\blacksquare)}{\blacksquare}=\dfrac{1}{\ln a},\ \lim\limits_{\bullet\to 0}\dfrac{e^\bullet-1}{\bullet}=1$

(1) $x-2=t$로 치환하면 $x\to 2$일 때 $t\to 0$이고,

$\quad$ $x=t+2$이므로

$\quad$ $\lim\limits_{x\to 2}\dfrac{\ln(x-1)}{x-2}=\lim\limits_{t\to 0}\dfrac{\ln(t+1)}{t}=\boldsymbol{1}$

(2) $e^{-x}=t$로 치환하면 $x\to\infty$일 때 $t\to 0$이고, $e^x=\dfrac{1}{t}$이므로

$\quad$ $\lim\limits_{x\to\infty}e^x\ln(1+e^{-x})=\lim\limits_{t\to 0}\dfrac{1}{t}\ln(1+t)=\boldsymbol{1}$

(3) $x-1=t$로 치환하면 $x\to 1$일 때 $t\to 0$이고,

$\quad$ $x=t+1$이므로

$\quad$ $\lim\limits_{x\to 1}\dfrac{\log_{10}x}{x-1}=\lim\limits_{t\to 0}\dfrac{\log_{10}(1+t)}{t}=\boldsymbol{\dfrac{1}{\ln 10}}$

(4) $x+1=t$로 치환하면 $x\to -1$일 때 $t\to 0$이고,

$\quad$ $x=t-1$이므로

$\quad$ $\lim\limits_{x\to -1}\dfrac{x^3+e^{x+1}}{x+1}$

$\quad$ $=\lim\limits_{t\to 0}\dfrac{(t-1)^3+e^t}{t}=\lim\limits_{t\to 0}\dfrac{t^3-3t^2+3t-1+e^t}{t}$

$\quad$ $=\lim\limits_{t\to 0}\left(\dfrac{t^3-3t^2+3t}{t}+\dfrac{e^t-1}{t}\right)$

$\quad$ $=\lim\limits_{t\to 0}(t^2-3t+3)+\lim\limits_{t\to 0}\dfrac{e^t-1}{t}$

$\quad$ $=3+1=\boldsymbol{4}$

06-1 셀파 $\lim\limits_{x\to 0}3x=0$이고 극한값이 존재하므로

$\qquad\lim\limits_{x\to 0}(e^{x+3p}+q)=0$

$x\to 0$일 때 (분모) $\to 0$이고 극한값이 존재하므로

(분자) $\to 0$이다. 즉,

$\lim\limits_{x\to 0}(e^{x+3p}+q)=0,\ e^{3p}+q=0$

$\quad\therefore e^{3p}=-q\qquad\cdots\cdots\ \bigcirc$

$\bigcirc$을 주어진 식에 대입하면

$\lim\limits_{x\to 0}\dfrac{e^{x+3p}+q}{3x}=\lim\limits_{x\to 0}\dfrac{e^x\times e^{3p}+q}{3x}=\lim\limits_{x\to 0}\dfrac{-qe^x+q}{3x}$

$\qquad\qquad =-\dfrac{q}{3}\lim\limits_{x\to 0}\dfrac{e^x-1}{x}=-\dfrac{q}{3}$

따라서 $-\dfrac{q}{3}=2$이므로 $\boldsymbol{q=-6}$

06-2 셀파 $\lim\limits_{x\to 0}\ln(1+cx)=0$이고 0이 아닌 극한값이 존재하므

$\qquad$로 $\lim\limits_{x\to 0}(e^{ax+b}-1)=0$

$x\to 0$일 때 (분자) $\to 0$이고 0이 아닌 극한값이 존재하므로

(분모) $\to 0$이다. 즉,

$\lim\limits_{x\to 0}(e^{ax+b}-1)=0,\ e^b-1=0\qquad\therefore b=0$

$b=0$을 주어진 식에 대입하면

$\lim\limits_{x\to 0}\dfrac{\ln(1+cx)}{e^{ax}-1}=\lim\limits_{x\to 0}\left\{\dfrac{\ln(1+cx)}{cx}\times\dfrac{ax}{e^{ax}-1}\times\dfrac{c}{a}\right\}$

$\qquad\qquad =1\times 1\times\dfrac{c}{a}=\dfrac{c}{a}$

따라서 $\dfrac{c}{a}=5$이므로 $c=5a$

$\therefore\ \dfrac{b+c}{a}=\dfrac{0+5a}{a}=\boldsymbol{5}$

두 함수 $f(x)$, $g(x)$에 대하여

❶ $\lim\limits_{x \to a} \dfrac{f(x)}{g(x)} = k$ (k는 상수)이고, $\lim\limits_{x \to a} g(x) = 0$이면

$\lim\limits_{x \to a} f(x) = 0$이다.

❷ $\lim\limits_{x \to a} \dfrac{f(x)}{g(x)} = k$ (k는 0이 아닌 상수)이고,

$\lim\limits_{x \to a} f(x) = 0$이면 $\lim\limits_{x \to a} g(x) = 0$이다.

해설

❶ 극한값이 존재하고, $x \to a$일 때 (분모) $\to 0$이면
(분자) $\to 0$이어야 한다.

만약 (분자) $\to 0$이 아니라고 하면 극한값은

$$\dfrac{(0이 \ 아닌 \ 상수)}{(0에 \ 가까운 \ 값)} \to \infty \ (또는 -\infty)$$

가 되어 극한값이 존재한다는 조건에 모순이기 때문이다.

예

$\lim\limits_{x \to 0} \dfrac{e^x - a}{2x} = b$ (a, b는 상수)에서

극한값 b가 존재하고, $x \to 0$일 때 (분모) $\to 0$이므로 (분자) $\to 0$
이어야 한다. 즉,

$\lim\limits_{x \to 0} (e^x - a) = 0$, $1 - a = 0$ $\therefore a = 1$

이때 $a = 1$을 주어진 식의 좌변에 대입하면

$$\lim\limits_{x \to 0} \dfrac{e^x - 1}{2x} = \lim\limits_{x \to 0} \left(\dfrac{e^x - 1}{x} \times \dfrac{1}{2} \right)$$
$$= 1 \times \dfrac{1}{2} = \dfrac{1}{2}$$

$\therefore b = \dfrac{1}{2}$

❷ 0이 아닌 극한값이 존재하고, $x \to a$일 때 (분자) $\to 0$이면
(분모) $\to 0$이어야 한다.

예

$\lim\limits_{x \to 0} \dfrac{bx}{\ln(a+x)} = 3$ (a, b는 상수)에서

0이 아닌 극한값이 존재하고, $x \to 0$일 때 (분자) $\to 0$이므로
(분모) $\to 0$이어야 한다. 즉,

$\lim\limits_{x \to 0} \ln(a+x) = 0$, $\ln a = 0$ $\therefore a = 1$

이때 $a = 1$을 주어진 식의 좌변에 대입하면

$$\lim\limits_{x \to 0} \dfrac{bx}{\ln(1+x)} = \lim\limits_{x \to 0} \left\{ \dfrac{x}{\ln(1+x)} \times b \right\}$$
$$= 1 \times b = b$$

$\therefore b = 3$

| 주의 |

$\lim\limits_{x \to a} \dfrac{f(x)}{g(x)} = 0$인 경우 $x \to a$일 때 $f(x) \to 0$이면 $g(x)$가 어떤

값을 가져도 된다. 따라서 극한값이 0이 아닌 경우에만 $x \to a$일 때
(분자) $\to 0$이면 (분모) $\to 0$이다.

07-1 셀파 $(e^x)' = e^x$, $(a^x)' = a^x \ln a$, $(\ln x)' = \dfrac{1}{x}$,

$\qquad (\log_a x)' = \dfrac{1}{x \ln a}$을 이용한다.

(1) $y' = (xe^x)' = (x)' \times e^x + x \times (e^x)' = e^x + xe^x = (x+1)e^x$

(2) $y' = \{(x-3)2^x\}' = (x-3)'2^x + (x-3)(2^x)'$
$\qquad = 2^x + 2^x \ln 2 \times (x-3) = \{(x-3)\ln 2 + 1\}2^x$

(3) $y' = (e^x \ln x)' = (e^x)' \ln x + e^x (\ln x)'$
$\qquad = e^x \ln x + e^x \times \dfrac{1}{x} = e^x \left(\ln x + \dfrac{1}{x} \right)$

(4) $y' = (x \log_5 3x)' = (x)' \log_5 3x + x(\log_5 3x)'$
$\qquad = \log_5 3x + x(\log_5 3 + \log_5 x)'$
$\qquad = \log_5 3x + x \times \dfrac{1}{x \ln 5} = \log_5 3x + \dfrac{1}{\ln 5}$

08-1 셀파 $f(2) = \lim\limits_{x \to 2-} f(x)$, $\lim\limits_{x \to 2+} f'(x) = \lim\limits_{x \to 2-} f'(x)$

함수 $f(x)$가 $x = 2$에서 미분가능하므로 $x = 2$에서 연속이다.
즉, $f(2) = \lim\limits_{x \to 2-} f(x)$에서 $4p - 7 = 1 + q$ $\cdots\cdots$ ㉠
함수 $f(x)$의 도함수 $f'(x)$는

$$f'(x) = \begin{cases} 2px - 3 & (x > 2) \\ e^{x-2} & (x < 2) \end{cases}$$

또 $f(x)$의 $x = 2$에서 미분계수가 존재하므로

$\lim\limits_{x \to 2+} f'(x) = \lim\limits_{x \to 2-} f'(x)$

$4p - 3 = 1$ $\therefore p = 1$

$p = 1$을 ㉠에 대입하면 $q = -4$

08-2 셀파 $f(1) = \lim\limits_{x \to 1-} f(x)$, $\lim\limits_{x \to 1+} f'(x) = \lim\limits_{x \to 1-} f'(x)$

함수 $f(x)$가 $x = 1$에서 미분가능하므로 $x = 1$에서 연속이다. 즉,
$f(1) = \lim\limits_{x \to 1-} f(x)$에서 $0 = a + b$ $\cdots\cdots$ ㉠
함수 $f(x)$의 도함수 $f'(x)$는

$$f'(x) = \begin{cases} \dfrac{1}{x} & (x > 1) \\ a & (x < 1) \end{cases}$$

또 $f(x)$의 $x = 1$에서 미분계수가 존재하므로

$\lim\limits_{x \to 1+} f'(x) = \lim\limits_{x \to 1-} f'(x)$ $\therefore a = 1$

$a = 1$을 ㉠에 대입하면 $b = -1$

01 셀파 (2) 분모에서 밑이 큰 항으로 분모, 분자를 나눈다.

(1) $\displaystyle\lim_{x \to \infty}(8^x + 3^x)^{\frac{1}{3x}}$

$= \displaystyle\lim_{x \to \infty}\left[8^x\left\{1+\left(\frac{3}{8}\right)^x\right\}\right]^{\frac{1}{3x}}$

$= \displaystyle\lim_{x \to \infty}2\left\{1+\left(\frac{3}{8}\right)^x\right\}^{\frac{1}{3x}}$

$= 2(1+0)^0 = \mathbf{2}$

(2) $-x = t$로 치환하면 $x \to -\infty$일 때 $t \to \infty$이므로

$\displaystyle\lim_{x \to -\infty}\frac{5^x - 5^{-x}}{5^x + 5^{-x}} = \lim_{t \to \infty}\frac{5^{-t} - 5^t}{5^{-t} + 5^t} = \lim_{t \to \infty}\frac{1 - 5^{2t}}{1 + 5^{2t}}$

$= \displaystyle\lim_{t \to \infty}\frac{\dfrac{1}{5^{2t}} - 1}{\dfrac{1}{5^{2t}} + 1} = \frac{0-1}{0+1} = \mathbf{-1}$

02 셀파 $\displaystyle\lim_{x \to \bullet}\{\log_a f(x) - \log_a g(x)\} = \lim_{x \to \bullet}\log_a \frac{f(x)}{g(x)}$

$\displaystyle\lim_{x \to \infty}\{\log_2(5x+2) - \log_2 x\}$

$= \displaystyle\lim_{x \to \infty}\log_2 \frac{5x+2}{x} = \lim_{x \to \infty}\log_2\left(5+\frac{2}{x}\right) = \log_2 5$

따라서 구하는 답은 ②

03 셀파 $\displaystyle\lim_{\bullet \to 0}(1+\bullet)^{\frac{1}{\bullet}} = e,\ \lim_{\blacktriangle \to \infty}\left(1+\frac{1}{\blacktriangle}\right)^{\blacktriangle} = e$

(1) $\displaystyle\lim_{x \to 0}(1+x)^{\frac{3}{x}} = \lim_{x \to 0}\left\{(1+x)^{\frac{1}{x}}\right\}^3 = \mathbf{e^3}$

(2) $\displaystyle\lim_{x \to \infty}\left(1+\frac{4}{x}\right)^x = \lim_{x \to \infty}\left\{\left(1+\frac{4}{x}\right)^{\frac{x}{4}}\right\}^4 = \mathbf{e^4}$

(3) $\displaystyle\lim_{x \to 0}(1-x)^{\frac{1}{2x}} = \lim_{x \to 0}\left\{(1-x)^{-\frac{1}{x}}\right\}^{-\frac{1}{2}} = e^{-\frac{1}{2}} = \mathbf{\dfrac{1}{\sqrt{e}}}$

(4) $\displaystyle\lim_{x \to \infty}\left(1-\frac{2}{x}\right)^x = \lim_{x \to \infty}\left\{\left(1-\frac{2}{x}\right)^{-\frac{x}{2}}\right\}^{-2} = e^{-2} = \mathbf{\dfrac{1}{e^2}}$

04 셀파 $\displaystyle\lim_{x \to 0}\frac{e^x - 1}{x} = 1$

$\displaystyle\lim_{x \to 0}\frac{e^{3x} - 1}{x^2 + 2x} = \lim_{x \to 0}\frac{(e^x - 1)(e^{2x} + e^x + 1)}{x(x+2)}$

$= \displaystyle\lim_{x \to 0}\left\{\frac{e^x - 1}{x} \times \frac{e^{2x} + e^x + 1}{x+2}\right\}$

$= 1 \times \frac{3}{2} = \mathbf{\dfrac{3}{2}}$

05 셀파 $\displaystyle\lim_{x \to 0}\frac{\ln(1+ax)}{bx} = \frac{a}{b}$

$\displaystyle\lim_{x \to 0}\frac{\ln(1+5x) + 7x}{2x} = \lim_{x \to 0}\left\{\frac{\ln(1+5x)}{2x} + \frac{7}{2}\right\}$

$= \displaystyle\lim_{x \to 0}\left\{\frac{\ln(1+5x)}{5x} \times \frac{5x}{2x} + \frac{7}{2}\right\}$

$= 1 \times \frac{5}{2} + \frac{7}{2} = \mathbf{6}$

06 셀파 $f(x)g(x) = xf(x) \times \dfrac{g(x)}{x}$로 바꾸어 생각한다.

$\displaystyle\lim_{x \to 0}xf(x) = 1,\ g(x) = \ln(1+x)$이므로

$\displaystyle\lim_{x \to 0}f(x)g(x) = \lim_{x \to 0}\left\{xf(x) \times \frac{g(x)}{x}\right\}$

$= \displaystyle\lim_{x \to 0}xf(x) \times \lim_{x \to 0}\frac{g(x)}{x}$

$= 1 \times \displaystyle\lim_{x \to 0}\frac{\ln(1+x)}{x} = \mathbf{1}$

07 셀파 $\displaystyle\lim_{x \to 0}\frac{a^x - 1}{x} = \ln a,\ \lim_{x \to 0}\frac{\log_a(1+x)}{x} = \frac{1}{\ln a}$

(1) $\displaystyle\lim_{x \to 0}\frac{2^x - 1}{3x} = \lim_{x \to 0}\left(\frac{2^x - 1}{x} \times \frac{1}{3}\right)$

$= \ln 2 \times \frac{1}{3} = \mathbf{\dfrac{1}{3}\ln 2}$

(2) $\displaystyle\lim_{x \to 0}\frac{\log_5(1+2x)}{x} = \lim_{x \to 0}\left\{\frac{\log_5(1+2x)}{2x} \times 2\right\}$

$= \frac{1}{\ln 5} \times 2 = \mathbf{\dfrac{2}{\ln 5}}$

08 셀파 점 P의 좌표를 $(x, 2^x)$으로 놓는다.

점 $P(x, y)$는 $y = 2^x$의 그래프 위의 점
이므로 점 P의 좌표를 $(x, 2^x)$으로 놓
으면 $A(x, 0)$, $B(0, 2^x)$이다.
또 점 C의 좌표는 $(0, 1)$이므로
$\overline{OA} = x,\ \overline{BC} = 2^x - 1$
이때 $P \to C$이면 $x \to 0$이므로

$\displaystyle\lim_{P \to C}\frac{\overline{BC}}{\overline{OA}} = \lim_{x \to 0}\frac{2^x - 1}{x} = \mathbf{\ln 2}$

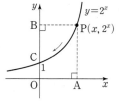

09 셀파 $\lim_{x\to 0}\dfrac{e^x-1}{x}=1$을 이용하기 위하여 $x-1=t$로 치환한다.

$x-1=t$로 치환하면 $x\to 1$일 때 $t\to 0$이고, $x=t+1$이므로

$$\lim_{x\to 1}\dfrac{x^3-e^{x-1}}{x-1}=\lim_{t\to 0}\dfrac{(t+1)^3-e^t}{t}$$
$$=\lim_{t\to 0}\dfrac{t^3+3t^2+3t+1-e^t}{t}$$
$$=\lim_{t\to 0}(t^2+3t+3)-\lim_{t\to 0}\dfrac{e^t-1}{t}$$
$$=3-1=2$$

10 셀파 $\lim_{x\to 0}\dfrac{\ln(1+bx)}{ax}=\dfrac{b}{a}$, $\lim_{x\to 0}\dfrac{e^x-1}{x}=1$

$$\lim_{x\to 0}\dfrac{\ln(1+ax)}{2x}=\lim_{x\to 0}\left\{\dfrac{\ln(1+ax)}{ax}\times\dfrac{ax}{2x}\right\}=\dfrac{a}{2}=b$$

$$\therefore a=2b \qquad\qquad \cdots\cdots \text{㉠}$$

$$\lim_{x\to 0}\dfrac{e^x-1}{bx}=\lim_{x\to 0}\left(\dfrac{e^x-1}{x}\times\dfrac{1}{b}\right)=\dfrac{1}{b}=a \qquad \cdots\cdots \text{㉡}$$

㉠, ㉡에서 $\dfrac{1}{b}=2b$, $2b^2=1$ $\therefore \boldsymbol{b=\dfrac{\sqrt{2}}{2}}$ $(\because b>0)$

$b=\dfrac{\sqrt{2}}{2}$를 ㉡에 대입하면 $\boldsymbol{a=\sqrt{2}}$

11 셀파 $x\to 0$일 때, (분모)$\to 0$이고 극한값이 존재하므로 (분자)$\to 0$이다.

$\lim_{x\to 0}x=0$이고 극한값이 존재하므로

$\lim_{x\to 0}\ln(a+3x)=\ln a=0$ $\therefore \boldsymbol{a=1}$

$$\lim_{x\to 0}\dfrac{\ln(a+3x)}{x}=\lim_{x\to 0}\left\{\dfrac{\ln(1+3x)}{3x}\times 3\right\}=1\times 3=3$$

$$\therefore \boldsymbol{b=3}$$

12 셀파 $(e^x)'=e^x$, $(a^x)'=a^x\ln a$

(1) $e^{3x}=(e^3)^x$이므로 $y'=(e^{3x})'=(e^3)^x\ln e^3=\boldsymbol{3e^{3x}}$

(2) $3^{2x}=(3^2)^x=9^x$이므로 $y'=9^x\ln 9=\boldsymbol{2\times 3^{2x}\ln 3}$

(3) $e^{-x}=\left(\dfrac{1}{e}\right)^x$이므로

$$y'=(x^2)'\left(\dfrac{1}{e}\right)^x+x^2\left\{\left(\dfrac{1}{e}\right)^x\right\}'$$
$$=2x\left(\dfrac{1}{e}\right)^x+x^2\left(\dfrac{1}{e}\right)^x\ln\dfrac{1}{e}$$
$$=2xe^{-x}-x^2e^{-x}=\boldsymbol{x(2-x)e^{-x}}$$

(4) $y'=(x)'3^x+x(3^x)'=3^x+x\times 3^x\ln 3=\boldsymbol{3^x(1+x\ln 3)}$

13 셀파 $(e^x)'=e^x$

$f'(x)=2e^x+e^x(2x+1)=(2x+3)e^x$

$\therefore f'(1)=\boldsymbol{5e}$

14 셀파 $(\ln x)'=\dfrac{1}{x}$, $(\log_a x)'=\dfrac{1}{x\ln a}$

(1) $y'=(\ln 4+\ln x)'=\boldsymbol{\dfrac{1}{x}}$

(2) $y'=(\log_3 2+\log_3 x)'=\boldsymbol{\dfrac{1}{x\ln 3}}$

(3) $y'=2\ln x\times(\ln x)'=\boldsymbol{\dfrac{2\ln x}{x}}$

(4) $y'=(x^3)'\log_3 x+x^3(\log_3 x)'$
$$=3x^2\times\log_3 x+x^3\times\dfrac{1}{x\ln 3}$$
$$=\boldsymbol{x^2\left(3\log_3 x+\dfrac{1}{\ln 3}\right)}$$

15 셀파 $\lim_{x\to a}\dfrac{f(x)-f(a)}{x-a}=f'(a)$

$f(x)=x^2\ln x$에서 $f(1)=0$이므로

$$\lim_{x\to 1}\dfrac{f(x)}{x-1}=\lim_{x\to 1}\dfrac{f(x)-f(1)}{x-1}=f'(1)$$

이때 $f'(x)=2x\ln x+x^2\times\dfrac{1}{x}=2x\ln x+x$

$\therefore f'(1)=\boldsymbol{1}$

16 셀파 $x=1$에서 미분가능하면 $x=1$에서 연속이다.

㉮ 함수 $f(x)$가 $x=1$에서 미분가능하므로 $x=1$에서 연속이다.

즉, $f(1)=\lim_{x\to 1+}f(x)$에서 $2+b=4$ $\therefore b=2$

㉯ $f'(x)=\begin{cases}2 & (x<1)\\ \dfrac{a}{x} & (x>1)\end{cases}$

$f(x)$의 $x=1$에서 미분계수가 존재하므로

$\lim_{x\to 1-}f'(x)=\lim_{x\to 1+}f'(x)$ $\therefore a=2$

㉰ $\therefore a+b=2+2=\boldsymbol{4}$

채점 기준	배점
㉮ $x=1$에서 연속임을 이용하여 b의 값을 구한다.	40%
㉯ $x=1$에서 미분가능함을 이용하여 a의 값을 구한다.	40%
㉰ $a+b$의 값을 구한다.	20%

4. 삼각함수의 미분

본문 | **73**쪽

개념 익히기

1-1 (1) $\sin 15° = \sin(45° - 30°)$
$= \sin 45° \cos 30° - \cos 45° \sin 30°$
$= \dfrac{\boxed{\sqrt{2}}}{2} \times \dfrac{\sqrt{3}}{2} - \dfrac{\sqrt{2}}{2} \times \dfrac{1}{2}$
$= \dfrac{\boxed{\sqrt{6}} - \sqrt{2}}{4}$

(2) $\cos 105° = \cos(60° + 45°)$
$= \cos 60° \cos 45° - \sin 60° \sin 45°$
$= \dfrac{1}{2} \times \dfrac{\sqrt{2}}{2} - \dfrac{\sqrt{3}}{2} \times \dfrac{\boxed{\sqrt{2}}}{2}$
$= \dfrac{\sqrt{2} - \boxed{\sqrt{6}}}{4}$

1-2 (1) $\sin 105° = \sin(45° + 60°)$
$= \sin 45° \cos 60° + \cos 45° \sin 60°$
$= \dfrac{\sqrt{2}}{2} \times \dfrac{1}{2} + \dfrac{\sqrt{2}}{2} \times \dfrac{\sqrt{3}}{2} = \dfrac{\sqrt{2} + \sqrt{6}}{4}$

(2) $\tan 15° = \tan(60° - 45°)$
$= \dfrac{\tan 60° - \tan 45°}{1 + \tan 60° \tan 45°}$
$= \dfrac{\sqrt{3} - 1}{1 + \sqrt{3} \times 1} = \dfrac{(\sqrt{3} - 1)^2}{(\sqrt{3} + 1)(\sqrt{3} - 1)}$
$= \dfrac{4 - 2\sqrt{3}}{2} = 2 - \sqrt{3}$

2-1 (1) $\displaystyle\lim_{x \to 0} \dfrac{\sin x}{3x} = \lim_{x \to 0}\left(\dfrac{\sin x}{x} \times \dfrac{1}{3}\right) = \dfrac{1}{3}\lim_{x \to 0} \dfrac{\sin x}{x}$
$= \dfrac{1}{3} \times \boxed{1} = \boxed{\dfrac{1}{3}}$

(2) $\displaystyle\lim_{x \to 0} \dfrac{3x}{\tan 6x} = \lim_{x \to 0}\left(\dfrac{6x}{\tan 6x} \times \dfrac{1}{2}\right) = \dfrac{1}{2}\lim_{x \to 0} \dfrac{6x}{\tan 6x}$
$= \dfrac{1}{2} \times \boxed{1} = \boxed{\dfrac{1}{2}}$

2-2 (1) $\displaystyle\lim_{x \to 0} \dfrac{\sin 2x}{3x} = \lim_{x \to 0}\left(\dfrac{\sin 2x}{2x} \times \dfrac{2}{3}\right)$
$= \dfrac{2}{3}\lim_{x \to 0} \dfrac{\sin 2x}{2x}$
$= \dfrac{2}{3} \times 1 = \dfrac{2}{3}$

(2) $\displaystyle\lim_{x \to 0} \dfrac{x}{\tan 2x} = \lim_{x \to 0}\left(\dfrac{2x}{\tan 2x} \times \dfrac{1}{2}\right)$
$= \dfrac{1}{2}\lim_{x \to 0} \dfrac{2x}{\tan 2x}$
$= \dfrac{1}{2} \times 1 = \dfrac{1}{2}$

확인 문제

본문 | **75~89**쪽

01-1 셀파 $0 < \alpha < \dfrac{\pi}{2}$, $0 < \beta < \dfrac{\pi}{2}$이므로 $\sin\alpha > 0$, $\sin\beta > 0$

$\cos\alpha = \dfrac{3}{4}$에서 $0 < \alpha < \dfrac{\pi}{2}$이므로

$\sin\alpha = \sqrt{1 - \cos^2\alpha} = \sqrt{1 - \left(\dfrac{3}{4}\right)^2} = \dfrac{\sqrt{7}}{4}$

$\cos\beta = \dfrac{1}{2}$에서 $0 < \beta < \dfrac{\pi}{2}$이므로

$\sin\beta = \sqrt{1 - \cos^2\beta} = \sqrt{1 - \left(\dfrac{1}{2}\right)^2} = \dfrac{\sqrt{3}}{2}$

(1) $\sin(\alpha - \beta) = \sin\alpha\cos\beta - \cos\alpha\sin\beta$
$= \dfrac{\sqrt{7}}{4} \times \dfrac{1}{2} - \dfrac{3}{4} \times \dfrac{\sqrt{3}}{2} = \dfrac{\sqrt{7} - 3\sqrt{3}}{8}$

(2) $\cos(\alpha + \beta) = \cos\alpha\cos\beta - \sin\alpha\sin\beta$
$= \dfrac{3}{4} \times \dfrac{1}{2} - \dfrac{\sqrt{7}}{4} \times \dfrac{\sqrt{3}}{2} = \dfrac{3 - \sqrt{21}}{8}$

01-2 셀파 삼각함수의 덧셈정리를 이용한다.

(1) $\sin 51° \cos 21° - \cos 51° \sin 21°$
$= \sin(51° - 21°) = \sin 30° = \dfrac{1}{2}$

(2) $\cos 105° \cos 30° - \sin 105° \sin 30°$
$= \cos(105° + 30°) = \cos 135°$
$= \cos(180° - 45°) = -\cos 45° = -\dfrac{\sqrt{2}}{2}$

02-1 셀파 $a \sin \theta + b \cos \theta = \sqrt{a^2 + b^2} \sin(\theta + \alpha)$

$$\left(\text{단, } \sin \alpha = \frac{b}{\sqrt{a^2 + b^2}}, \cos \alpha = \frac{a}{\sqrt{a^2 + b^2}}\right)$$

(1) $\sin \theta - \cos \theta$

$\quad = \sqrt{2}\left(\dfrac{\sqrt{2}}{2} \sin \theta - \dfrac{\sqrt{2}}{2} \cos \theta\right)$

$\quad = \sqrt{2}\left\{\sin \theta \cos\left(-\dfrac{\pi}{4}\right) + \cos \theta \sin\left(-\dfrac{\pi}{4}\right)\right\}$

$\quad = \boldsymbol{\sqrt{2} \sin\left(\theta - \dfrac{\pi}{4}\right)}$

(2) $3 \sin \theta + \sqrt{3} \cos \theta$

$\quad = 2\sqrt{3}\left(\dfrac{\sqrt{3}}{2} \sin \theta + \dfrac{1}{2} \cos \theta\right)$

$\quad = 2\sqrt{3}\left(\sin \theta \cos \dfrac{\pi}{6} + \cos \theta \sin \dfrac{\pi}{6}\right)$

$\quad = \boldsymbol{2\sqrt{3} \sin\left(\theta + \dfrac{\pi}{6}\right)}$

02-2 셀파 $a \sin \theta + b \cos \theta = \sqrt{a^2 + b^2} \sin(\theta + \alpha)$ 꼴로 나타낸다.

$y = -\sin x + \sqrt{3} \cos x$

$\quad = 2\left(-\dfrac{1}{2} \sin x + \dfrac{\sqrt{3}}{2} \cos x\right)$

$\quad = 2\left(\sin x \cos \dfrac{2}{3}\pi + \cos x \sin \dfrac{2}{3}\pi\right)$

$\quad = 2 \sin\left(x + \dfrac{2}{3}\pi\right)$

따라서 $y = -\sin x + \sqrt{3} \cos x$의 그래프는 $y = 2 \sin x$의 그래프를 x축의 방향으로 $-\dfrac{2}{3}\pi$만큼 평행이동한 것이다.

이때 $-\pi < q < 0$이므로 $\boldsymbol{p = 2}$, $\boldsymbol{q = -\dfrac{2}{3}\pi}$

| 참고 |

q의 값의 범위에 주의해야 한다. $y = \sin x$는 주기가 2π인 주기함수이므로 만약 q의 값의 범위가 $0 < q < 2\pi$로 주어졌다면

$2 \sin\left(x + \dfrac{2}{3}\pi\right) = 2 \sin\left(x - 2\pi + \dfrac{2}{3}\pi\right) = 2 \sin\left(x - \dfrac{4}{3}\pi\right)$

에서 $q = \dfrac{4}{3}\pi$이다.

03-1 셀파 (2) $\sin\left(x + \dfrac{\pi}{6}\right)$를 전개하여 식을 정리한다.

(1) $\sqrt{3^2 + (-\sqrt{3})^2} = 2\sqrt{3}$이므로

$\quad y = 3 \sin x - \sqrt{3} \cos x$

$\quad\quad = 2\sqrt{3}\left(\dfrac{\sqrt{3}}{2} \sin x - \dfrac{1}{2} \cos x\right)$

$\quad\quad = 2\sqrt{3}\left(\sin x \cos \dfrac{\pi}{6} - \cos x \sin \dfrac{\pi}{6}\right)$

$\quad\quad = 2\sqrt{3} \sin\left(x - \dfrac{\pi}{6}\right)$

따라서 주어진 함수의 **최댓값은 $2\sqrt{3}$, 최솟값은 $-2\sqrt{3}$**

(2) $y = 2 \cos x - 2 \sin\left(x + \dfrac{\pi}{6}\right) + 3$

$\quad = 2 \cos x - 2\left(\sin x \cos \dfrac{\pi}{6} + \cos x \sin \dfrac{\pi}{6}\right) + 3$

$\quad = 2 \cos x - \sqrt{3} \sin x - \cos x + 3$

$\quad = -\sqrt{3} \sin x + \cos x + 3$

$\quad = 2\left(-\dfrac{\sqrt{3}}{2} \sin x + \dfrac{1}{2} \cos x\right) + 3$

$\quad = 2\left(\sin x \cos \dfrac{5}{6}\pi + \cos x \sin \dfrac{5}{6}\pi\right) + 3$

$\quad = 2 \sin\left(x + \dfrac{5}{6}\pi\right) + 3$

따라서 주어진 함수의

최댓값은 $2 + 3 = 5$, 최솟값은 $-2 + 3 = 1$

LECTURE 삼각함수의 최대, 최소

삼각함수	최댓값	최솟값
$y = a \sin(bx + c) + d$	$\lvert a \rvert + d$	$-\lvert a \rvert + d$
$y = a \cos(bx + c) + d$	$\lvert a \rvert + d$	$-\lvert a \rvert + d$

04-1 셀파 $(1 + \tan A)(1 + \tan B)$를 전개한다.

$A + B = 45°$에서 $\tan(A + B) = 1$

즉, $\dfrac{\tan A + \tan B}{1 - \tan A \tan B} = 1$이므로

$1 - \tan A \tan B = \tan A + \tan B$

$\therefore (1 + \tan A)(1 + \tan B)$

$\quad = 1 + \tan A + \tan B + \tan A \tan B$

$\quad = 1 + (1 - \tan A \tan B) + \tan A \tan B$

$\quad = \boldsymbol{2}$

04-2 셀파 $\angle BAC = \alpha$, $\angle CAD = \beta$라 하면
$\overline{DH} = \overline{AD} \sin(\alpha + \beta)$

$\overline{AC} = \sqrt{3^2 + 4^2} = 5$, $\overline{AD} = \sqrt{3^2 + 5^2} = \sqrt{34}$
이므로
$\angle BAC = \alpha$, $\angle CAD = \beta$라 하면
$\sin \alpha = \dfrac{3}{5}$, $\cos \alpha = \dfrac{4}{5}$
$\sin \beta = \dfrac{3}{\sqrt{34}}$, $\cos \beta = \dfrac{5}{\sqrt{34}}$
$\therefore \overline{DH} = \overline{AD} \sin(\alpha + \beta)$
$\quad = \sqrt{34}(\sin \alpha \cos \beta + \cos \alpha \sin \beta)$
$\quad = \sqrt{34}\left(\dfrac{3}{5} \times \dfrac{5}{\sqrt{34}} + \dfrac{4}{5} \times \dfrac{3}{\sqrt{34}}\right)$
$\quad = \dfrac{27}{5}$

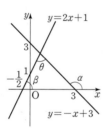

05-1 셀파 $\tan(\alpha - \beta) = \dfrac{\tan \alpha - \tan \beta}{1 + \tan \alpha \tan \beta}$

오른쪽 그림과 같이 두 직선 $y = -x + 3$,
$y = 2x + 1$이 x축의 양의 방향과 이루는
각의 크기를 각각 α, β라 하면
$\tan \alpha = -1$, $\tan \beta = 2$
$\therefore \tan \theta = \tan(\alpha - \beta)$
$\quad = \dfrac{\tan \alpha - \tan \beta}{1 + \tan \alpha \tan \beta}$
$\quad = \dfrac{-1 - 2}{1 + (-1) \times 2} = 3$

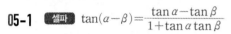

05-2 셀파 두 직선 $y = \dfrac{1}{2}x$, $y = 3x$가 이루는 예각의 크기가 θ이다.

오른쪽 그림과 같이 두 직선 $y = 3x$,
$y = \dfrac{1}{2}x$가 x축의 양의 방향과 이루는 각의
크기를 각각 α, β라 하면
$\tan \alpha = 3$, $\tan \beta = \dfrac{1}{2}$
$\therefore \tan \theta = \tan(\alpha - \beta)$
$\quad = \dfrac{\tan \alpha - \tan \beta}{1 + \tan \alpha \tan \beta}$
$\quad = \dfrac{3 - \dfrac{1}{2}}{1 + 3 \times \dfrac{1}{2}} = 1$

셀파 특강 확인 체크 01

(1) $\displaystyle\lim_{x \to \frac{\pi}{3}} \sin x \cos x = \sin \dfrac{\pi}{3} \cos \dfrac{\pi}{3} = \dfrac{\sqrt{3}}{2} \times \dfrac{1}{2} = \dfrac{\sqrt{3}}{4}$

(2) $\displaystyle\lim_{x \to \frac{\pi}{4}} \sin 2x = \sin\left(2 \times \dfrac{\pi}{4}\right) = \sin \dfrac{\pi}{2} = \mathbf{1}$

06-1 셀파 $\cos^2 x = 1 - \sin^2 x$를 이용한다.

$\displaystyle\lim_{x \to \frac{\pi}{2}} \dfrac{1 - \sin x}{\cos^2 x} = \lim_{x \to \frac{\pi}{2}} \dfrac{1 - \sin x}{1 - \sin^2 x}$
$\quad = \displaystyle\lim_{x \to \frac{\pi}{2}} \dfrac{1 - \sin x}{(1 - \sin x)(1 + \sin x)}$
$\quad = \displaystyle\lim_{x \to \frac{\pi}{2}} \dfrac{1}{1 + \sin x} = \dfrac{1}{1 + 1} = \dfrac{1}{2}$

06-2 셀파 $x \neq 0$일 때, $\left|\cos \dfrac{1}{x}\right| \leq 1$의 양변에 $|\tan x|$를 곱한다.

$x \neq 0$인 모든 실수 x에 대하여 $\left|\cos \dfrac{1}{x}\right| \leq 1$이므로
$\left|\tan x \cos \dfrac{1}{x}\right| \leq |\tan x|$에서
$-|\tan x| \leq \tan x \cos \dfrac{1}{x} \leq |\tan x|$
이때 $\displaystyle\lim_{x \to 0} |\tan x| = 0$이므로 함수의 극한의 대소 관계에 의하여
$\displaystyle\lim_{x \to 0} \tan x \cos \dfrac{1}{x} = \mathbf{0}$

집중 연습 본문 | **84** 쪽

01 (1) $\displaystyle\lim_{x \to 0} \dfrac{\sin 5x}{x} = \lim_{x \to 0}\left(\dfrac{\sin 5x}{5x} \times 5\right) = 1 \times 5 = \mathbf{5}$

(2) $\displaystyle\lim_{x \to 0} \dfrac{\sin 6x}{4x} = \lim_{x \to 0}\left(\dfrac{\sin 6x}{6x} \times \dfrac{6}{4}\right) = 1 \times \dfrac{6}{4} = \dfrac{3}{2}$

(3) $\displaystyle\lim_{x \to 0} \dfrac{2x}{\tan x} = \lim_{x \to 0}\left(\dfrac{x}{\tan x} \times 2\right) = 1 \times 2 = \mathbf{2}$

(4) $\displaystyle\lim_{x\to0}\frac{\sin 2x}{\sin 3x}=\lim_{x\to0}\left(\frac{\sin 2x}{2x}\times\frac{3x}{\sin 3x}\times\frac{2}{3}\right)$

$\qquad\qquad\qquad\quad=1\times1\times\frac{2}{3}=\dfrac{\mathbf{2}}{\mathbf{3}}$

(5) $\displaystyle\lim_{x\to0}\frac{\tan 5x}{4x}=\lim_{x\to0}\left(\frac{\tan 5x}{5x}\times\frac{5}{4}\right)=1\times\frac{5}{4}=\dfrac{\mathbf{5}}{\mathbf{4}}$

(6) $\displaystyle\lim_{x\to0}\frac{\sin 3x}{\tan 9x}=\lim_{x\to0}\left(\frac{\sin 3x}{3x}\times\frac{9x}{\tan 9x}\times\frac{1}{3}\right)$

$\qquad\qquad\qquad\quad=1\times1\times\frac{1}{3}=\dfrac{\mathbf{1}}{\mathbf{3}}$

(7) $\displaystyle\lim_{x\to0}\frac{\sin 7x-\sin x}{\sin 3x}$

$\quad=\displaystyle\lim_{x\to0}\left(\frac{\sin 7x}{\sin 3x}-\frac{\sin x}{\sin 3x}\right)$

$\quad=\displaystyle\lim_{x\to0}\left(\frac{\sin 7x}{7x}\times\frac{3x}{\sin 3x}\times\frac{7}{3}-\frac{\sin x}{x}\times\frac{3x}{\sin 3x}\times\frac{1}{3}\right)$

$\quad=1\times1\times\dfrac{7}{3}-1\times1\times\dfrac{1}{3}=\mathbf{2}$

(8) $\displaystyle\lim_{x\to0}\frac{\tan(\sin x)}{x}=\lim_{x\to0}\left\{\frac{\tan(\sin x)}{\sin x}\times\frac{\sin x}{x}\right\}=\mathbf{1}$

(9) $\displaystyle\lim_{x\to0}\frac{\sin(\sin 2x)}{\sin 3x}$

$\quad=\displaystyle\lim_{x\to0}\left\{\frac{\sin(\sin 2x)}{\sin 2x}\times\frac{\sin 2x}{2x}\times\frac{3x}{\sin 3x}\times\frac{2}{3}\right\}$

$\quad=1\times1\times1\times\dfrac{2}{3}=\dfrac{\mathbf{2}}{\mathbf{3}}$

(10) $\displaystyle\lim_{x\to0}\frac{\sin 2x}{x+\tan 3x}=\frac{\displaystyle\lim_{x\to0}\left(\frac{\sin 2x}{2x}\times2\right)}{\displaystyle\lim_{x\to0}\left(1+\frac{\tan 3x}{3x}\times3\right)}=\dfrac{\mathbf{1}}{\mathbf{2}}$

07-1 셀파 (1) $x\to1$이므로 $x-1=t$로 치환한다.

$\qquad\qquad$ (2) $x\to\dfrac{\pi}{2}$이므로 $x-\dfrac{\pi}{2}=t$로 치환한다.

(1) $x-1=t$로 치환하면 $x\to1$일 때 $t\to0$이고,

$\quad x=t+1$이므로

$\quad\displaystyle\lim_{x\to1}\frac{\sin \pi x}{x-1}=\lim_{t\to0}\frac{\sin(\pi+\pi t)}{t}=\lim_{t\to0}\frac{-\sin \pi t}{t}$

$\qquad\qquad\qquad=-\displaystyle\lim_{t\to0}\left(\frac{\sin \pi t}{\pi t}\times\pi\right)$

$\qquad\qquad\qquad=-1\times\pi=\boldsymbol{-\pi}$

(2) $x-\dfrac{\pi}{2}=t$로 치환하면 $x\to\dfrac{\pi}{2}$일 때 $t\to0$이고,

$\quad x=t+\dfrac{\pi}{2}$이므로

$\quad\displaystyle\lim_{x\to\frac{\pi}{2}}(\pi-2x)\tan x=\lim_{t\to0}\left\{-2t\times\tan\left(\frac{\pi}{2}+t\right)\right\}$

$\qquad\qquad\qquad\qquad=\displaystyle\lim_{t\to0}\frac{-2t}{-\tan t}$

$\qquad\qquad\qquad\qquad=\displaystyle\lim_{t\to0}\left(\frac{t}{\tan t}\times2\right)=1\times2=\mathbf{2}$

LECTURE 삼각함수의 각의 변환

❶ $\pi\pm\theta$의 삼각함수

$\sin(\pi+\theta)=-\sin\theta,\ \sin(\pi-\theta)=\sin\theta$

$\cos(\pi+\theta)=-\cos\theta,\ \cos(\pi-\theta)=-\cos\theta$

$\tan(\pi+\theta)=\tan\theta,\ \tan(\pi-\theta)=-\tan\theta$

❷ $\dfrac{\pi}{2}\pm\theta$의 삼각함수

$\sin\left(\dfrac{\pi}{2}+\theta\right)=\cos\theta,\ \sin\left(\dfrac{\pi}{2}-\theta\right)=\cos\theta$

$\cos\left(\dfrac{\pi}{2}+\theta\right)=-\sin\theta,\ \cos\left(\dfrac{\pi}{2}-\theta\right)=\sin\theta$

$\tan\left(\dfrac{\pi}{2}+\theta\right)=-\dfrac{1}{\tan\theta},\ \tan\left(\dfrac{\pi}{2}-\theta\right)=\dfrac{1}{\tan\theta}$

08-1 셀파 분모, 분자에 $1+\cos x$를 곱한다.

(1) $\displaystyle\lim_{x\to0}\frac{1-\cos x}{x}=\lim_{x\to0}\frac{(1-\cos x)(1+\cos x)}{x(1+\cos x)}$

$\qquad\qquad\qquad=\displaystyle\lim_{x\to0}\frac{1-\cos^2 x}{x(1+\cos x)}$

$\qquad\qquad\qquad=\displaystyle\lim_{x\to0}\frac{\sin^2 x}{x(1+\cos x)}$

$\qquad\qquad\qquad=\displaystyle\lim_{x\to0}\left(\frac{\sin x}{x}\times\frac{\sin x}{1+\cos x}\right)$

$\qquad\qquad\qquad=1\times\dfrac{0}{2}=\mathbf{0}$

(2) $\displaystyle\lim_{x\to0}\frac{x\tan x}{1-\cos x}=\lim_{x\to0}\frac{x\tan x(1+\cos x)}{(1-\cos x)(1+\cos x)}$

$\qquad\qquad\qquad=\displaystyle\lim_{x\to0}\frac{x\tan x(1+\cos x)}{1-\cos^2 x}$

$\qquad\qquad\qquad=\displaystyle\lim_{x\to0}\frac{x\tan x(1+\cos x)}{\sin^2 x}$

$\qquad\qquad\qquad=\displaystyle\lim_{x\to0}\left\{\left(\frac{x}{\sin x}\right)^2\times\frac{\tan x}{x}\times(1+\cos x)\right\}$

$\qquad\qquad\qquad=1^2\times1\times2=\mathbf{2}$

08-2 셀파 좌변의 분모, 분자에 $1+\cos kx$를 곱한다.

$$\lim_{x \to 0} \frac{1-\cos kx}{3x^2} = \lim_{x \to 0} \frac{(1-\cos kx)(1+\cos kx)}{3x^2(1+\cos kx)}$$
$$= \lim_{x \to 0} \frac{1-\cos^2 kx}{3x^2(1+\cos kx)}$$
$$= \lim_{x \to 0} \frac{\sin^2 kx}{3x^2(1+\cos kx)}$$
$$= \lim_{x \to 0} \left\{ \left(\frac{\sin kx}{kx} \right)^2 \times \frac{1}{1+\cos kx} \times \frac{k^2}{3} \right\}$$
$$= 1^2 \times \frac{1}{2} \times \frac{k^2}{3} = \frac{k^2}{6}$$

이때 $\dfrac{k^2}{6} = \dfrac{8}{3}$이므로 $k^2 = 16$ $\therefore \boldsymbol{k = \pm 4}$

09-1 셀파 $\lim\limits_{x \to a} \dfrac{f(x)}{g(x)} = k$ (k는 상수)일 때

$\lim\limits_{x \to a} g(x) = 0$이면 $\lim\limits_{x \to a} f(x) = 0$이다.

(1) $x \to 0$일 때 (분모) $\to 0$이고 극한값이 존재하므로
(분자) $\to 0$이다.

즉, $\lim\limits_{x \to 0}(x^2 + px + q) = 0$이므로 $\boldsymbol{q = 0}$

$q = 0$을 주어진 식의 좌변에 대입하면

$$\lim_{x \to 0} \frac{x^2 + px}{\sin 3x} = \lim_{x \to 0} \frac{x(x+p)}{\sin 3x}$$
$$= \lim_{x \to 0} \left(\frac{3x}{\sin 3x} \times \frac{x+p}{3} \right) = 1 \times \frac{p}{3} = \frac{p}{3}$$

따라서 $\dfrac{p}{3} = 1$이므로 $\boldsymbol{p = 3}$

(2) $x \to 0$일 때 (분자) $\to 0$이고 0이 아닌 극한값이 존재하므로
(분모) $\to 0$이다.

즉, $\lim\limits_{x \to 0}(p - q\cos x) = 0$이므로

$p - q = 0$ $\therefore p = q$

$q = p$를 주어진 식의 좌변에 대입하면

$$\lim_{x \to 0} \frac{x^2}{p - p\cos x} = \lim_{x \to 0} \frac{x^2}{p(1-\cos x)}$$
$$= \lim_{x \to 0} \frac{x^2(1+\cos x)}{p(1-\cos x)(1+\cos x)}$$
$$= \lim_{x \to 0} \frac{x^2(1+\cos x)}{p(1-\cos^2 x)}$$
$$= \lim_{x \to 0} \frac{x^2(1+\cos x)}{p\sin^2 x}$$
$$= \frac{1}{p} \lim_{x \to 0} \left\{ \left(\frac{x}{\sin x} \right)^2 \times (1+\cos x) \right\}$$
$$= \frac{1}{p} \times 1^2 \times 2 = \frac{2}{p}$$

따라서 $\dfrac{2}{p} = 2$이므로 $\boldsymbol{p = 1}$, $\boldsymbol{q = 1}$

09-2 셀파 $\lim\limits_{x \to a} \dfrac{f(x)}{g(x)} = k$ (k는 상수)일 때

$\lim\limits_{x \to a} g(x) = 0$이면 $\lim\limits_{x \to a} f(x) = 0$이다.

$x \to 0$일 때 (분모) $\to 0$이고 극한값이 존재하므로
(분자) $\to 0$이다.

즉, $\lim\limits_{x \to 0}(1 + a\cos x) = 0$이므로

$1 + a = 0$ $\therefore \boldsymbol{a = -1}$

$a = -1$을 주어진 식의 좌변에 대입하면

$$\lim_{x \to 0} \frac{1-\cos x}{bx\sin x} = \lim_{x \to 0} \frac{(1-\cos x)(1+\cos x)}{bx\sin x(1+\cos x)}$$
$$= \lim_{x \to 0} \frac{1-\cos^2 x}{bx\sin x(1+\cos x)}$$
$$= \lim_{x \to 0} \frac{\sin^2 x}{bx\sin x(1+\cos x)}$$
$$= \frac{1}{b} \lim_{x \to 0} \left(\frac{\sin x}{x} \times \frac{1}{1+\cos x} \right)$$
$$= \frac{1}{b} \times 1 \times \frac{1}{2} = \frac{1}{2b}$$

따라서 $\dfrac{1}{2b} = \dfrac{1}{4}$이므로 $\boldsymbol{b = 2}$

10-1 셀파 $(\sin x)' = \cos x$, $(\cos x)' = -\sin x$

(1) $y' = (2\cos x)' + (x^3)' = \boldsymbol{-2\sin x + 3x^2}$

(2) $y' = (\ln x)' + (4\sin x)' = \boldsymbol{\dfrac{1}{x} + 4\cos x}$

(3) $y' = (x\sin x)' + (x^2)'$
$= (x)'\sin x + x(\sin x)' + (x^2)'$
$= \boldsymbol{\sin x + x\cos x + 2x}$

(4) $y' = (e^x\cos x)' + (2)'$
$= (e^x)'\cos x + e^x(\cos x)' + (2)'$
$= e^x\cos x + e^x(-\sin x)$
$= \boldsymbol{e^x(\cos x - \sin x)}$

10-2 셀파 $\lim\limits_{\bullet \to 0} \dfrac{f(x+\bullet) - f(x)}{\bullet} = f'(x)$를 이용한다.

$f'(x) = (x^2)'\sin x + x^2(\sin x)' = 2x\sin x + x^2\cos x$

$$\therefore \lim_{h \to 0} \frac{f(\pi + 2h) - f(\pi)}{h}$$
$$= \lim_{h \to 0} \frac{f(\pi + 2h) - f(\pi)}{2h} \times 2$$
$$= 2f'(\pi) = 2(2\pi\sin\pi + \pi^2\cos\pi)$$
$$= 2(0 - \pi^2) = \boldsymbol{-2\pi^2}$$

01 셀파 $\sin^2 x + \cos^2 x = 1$을 이용하여 $\cos\alpha$, $\sin\beta$의 값을 구한다.

$\sin\alpha = \dfrac{2}{3}$에서 $\cos\alpha = \sqrt{1-\sin^2\alpha} = \dfrac{\sqrt{5}}{3}$ $\left(\because 0 < \alpha < \dfrac{\pi}{2}\right)$

$\cos\beta = -\dfrac{1}{3}$에서 $\sin\beta = \sqrt{1-\cos^2\beta} = \dfrac{2\sqrt{2}}{3}$ $\left(\because \dfrac{\pi}{2} < \beta < \pi\right)$

$\therefore \cos(\alpha+\beta) = \cos\alpha\cos\beta - \sin\alpha\sin\beta$

$\qquad = \dfrac{\sqrt{5}}{3} \times \left(-\dfrac{1}{3}\right) - \dfrac{2}{3} \times \dfrac{2\sqrt{2}}{3}$

$\qquad = -\dfrac{\sqrt{5}}{9} - \dfrac{4\sqrt{2}}{9} = -\dfrac{\sqrt{5}+4\sqrt{2}}{9}$

02 셀파 $\sin(\alpha+\beta) = \sin\alpha\cos\beta + \cos\alpha\sin\beta$
$\cos(\alpha+\beta) = \cos\alpha\cos\beta - \sin\alpha\sin\beta$

$\sin 75° = \sin(30° + 45°)$

$\qquad = \sin 30°\cos 45° + \cos 30°\sin 45°$

$\qquad = \dfrac{1}{2} \times \dfrac{\sqrt{2}}{2} + \dfrac{\sqrt{3}}{2} \times \dfrac{\sqrt{2}}{2} = \dfrac{\sqrt{2}+\sqrt{6}}{4}$

$\cos 75° = \cos(30° + 45°)$

$\qquad = \cos 30°\cos 45° - \sin 30°\sin 45°$

$\qquad = \dfrac{\sqrt{3}}{2} \times \dfrac{\sqrt{2}}{2} - \dfrac{1}{2} \times \dfrac{\sqrt{2}}{2} = \dfrac{\sqrt{6}-\sqrt{2}}{4}$

$\therefore \sin 75° + \cos 75° = \dfrac{\sqrt{2}+\sqrt{6}}{4} + \dfrac{\sqrt{6}-\sqrt{2}}{4} = \dfrac{\sqrt{6}}{2}$

03 셀파 $\cos(\alpha-\beta) = \cos\alpha\cos\beta + \sin\alpha\sin\beta$

정사각형의 한 변의 길이가 1이므로
$\overline{BD} = \sqrt{3^2 + 1^2} = \sqrt{10}$

이때 $\alpha = \dfrac{\pi}{4}$이므로

$\sin\alpha = \cos\alpha = \dfrac{\sqrt{2}}{2}$

$\sin\beta = \dfrac{\overline{CD}}{\overline{BD}} = \dfrac{1}{\sqrt{10}} = \dfrac{\sqrt{10}}{10}$

$\cos\beta = \dfrac{\overline{BC}}{\overline{BD}} = \dfrac{3}{\sqrt{10}} = \dfrac{3\sqrt{10}}{10}$

$\therefore \cos(\alpha-\beta) = \cos\alpha\cos\beta + \sin\alpha\sin\beta$

$\qquad = \dfrac{\sqrt{2}}{2} \times \dfrac{3\sqrt{10}}{10} + \dfrac{\sqrt{2}}{2} \times \dfrac{\sqrt{10}}{10} = \dfrac{2\sqrt{5}}{5}$

04 셀파 그래프의 식을 $y = p\sin(x-q)$ 꼴로 나타낸다.

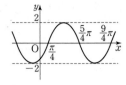

주어진 그래프는 $y = \sin x$의 그래프를 y축의 방향으로 2배 확대하고, x축의 방향으로 $\dfrac{\pi}{4}$만큼 평행이동한 것이다.

즉, $y = 2\sin\left(x - \dfrac{\pi}{4}\right)$의 그래프이다.

$2\sin\left(x - \dfrac{\pi}{4}\right) = 2\sin x\cos\dfrac{\pi}{4} - 2\cos x\sin\dfrac{\pi}{4}$

$\qquad = 2\sin x \times \dfrac{\sqrt{2}}{2} - 2\cos x \times \dfrac{\sqrt{2}}{2}$

$\qquad = \sqrt{2}\sin x - \sqrt{2}\cos x$

따라서 $\sqrt{2}\sin x - \sqrt{2}\cos x = a\sin x + b\cos x$에서
$\boldsymbol{a = \sqrt{2}, \, b = -\sqrt{2}}$

| 다른 풀이 |
$a\sin x + b\cos x = \sqrt{a^2+b^2}\sin(x+\alpha)$

$\qquad\left(\sin\alpha = \dfrac{b}{\sqrt{a^2+b^2}}, \cos\alpha = \dfrac{a}{\sqrt{a^2+b^2}}\right)$

이므로 주어진 그래프는 $y = \sqrt{a^2+b^2}\sin(x+\alpha)$의 그래프이다.

즉, $\sqrt{a^2+b^2} = 2$, $\alpha = -\dfrac{\pi}{4}$이므로

$\sin\left(-\dfrac{\pi}{4}\right) = \dfrac{b}{\sqrt{a^2+b^2}}$에서 $-\dfrac{\sqrt{2}}{2} = \dfrac{b}{2}$ $\quad\therefore b = -\sqrt{2}$

$\cos\left(-\dfrac{\pi}{4}\right) = \dfrac{a}{\sqrt{a^2+b^2}}$에서 $\dfrac{\sqrt{2}}{2} = \dfrac{a}{2}$ $\quad\therefore a = \sqrt{2}$

05 셀파 삼각함수의 덧셈정리를 이용하여 $3\cos\left(x + \dfrac{\pi}{3}\right)$를 $\cos x$, $\sin x$로 나타낸다.

$y = 2\sqrt{3}\sin x + 3\cos\left(x + \dfrac{\pi}{3}\right)$

$\quad = 2\sqrt{3}\sin x + 3\left(\cos x\cos\dfrac{\pi}{3} - \sin x\sin\dfrac{\pi}{3}\right)$

$\quad = 2\sqrt{3}\sin x + \dfrac{3}{2}\cos x - \dfrac{3\sqrt{3}}{2}\sin x$

$\quad = \dfrac{\sqrt{3}}{2}\sin x + \dfrac{3}{2}\cos x$

$\quad = \sqrt{3}\left(\dfrac{1}{2}\sin x + \dfrac{\sqrt{3}}{2}\cos x\right)$

$\quad = \sqrt{3}\sin\left(x + \dfrac{\pi}{3}\right)$

이때 $0 \le x \le \pi$에서 $\dfrac{\pi}{3} \le x + \dfrac{\pi}{3} \le \dfrac{4}{3}\pi$이므로

$-\dfrac{\sqrt{3}}{2} \le \sin\left(x + \dfrac{\pi}{3}\right) \le 1$

$\therefore -\dfrac{3}{2} \le \sqrt{3}\sin\left(x + \dfrac{\pi}{3}\right) \le \sqrt{3}$

따라서 주어진 함수의 최솟값은 $-\dfrac{3}{2}$

06 [셀파] $\tan(\alpha+\beta)=\dfrac{\tan\alpha+\tan\beta}{1-\tan\alpha\tan\beta}$

이차방정식의 근과 계수의 관계에서

$\tan\alpha+\tan\beta=-k,\ \tan\alpha\tan\beta=2k+1$

$\therefore\ \tan(\alpha+\beta)=\dfrac{\tan\alpha+\tan\beta}{1-\tan\alpha\tan\beta}$

$\qquad\qquad\qquad=\dfrac{-k}{1-(2k+1)}=\dfrac{-k}{-2k}=\mathbf{\dfrac{1}{2}}$

07 [셀파] 삼각함수의 덧셈정리를 이용한다.

사람의 눈높이에서 등대 꼭대기까지의 높이를 $x\,\mathrm{m}$라 하면

$\tan\theta=\dfrac{1.6}{8}=\dfrac{1}{5}$

$\tan\left(\theta+\dfrac{\pi}{4}\right)=\dfrac{\tan\theta+\tan\dfrac{\pi}{4}}{1-\tan\theta\tan\dfrac{\pi}{4}}$

$\qquad\qquad\quad=\dfrac{\dfrac{1}{5}+1}{1-\dfrac{1}{5}\times1}=\dfrac{3}{2}$

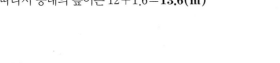

이때 $\tan\left(\theta+\dfrac{\pi}{4}\right)=\dfrac{x}{8}$이므로

$\dfrac{x}{8}=\dfrac{3}{2}\qquad\therefore\ x=12$

따라서 등대의 높이는 $12+1.6=\mathbf{13.6(m)}$

08 [셀파] 직선이 x축의 양의 방향과 이루는 각의 크기가 θ이면 (기울기)$=\tan\theta$이다.

오른쪽 그림과 같이 두 직선 $y=3x-1,\ y=\dfrac{1}{2}x+3$이 x축의 양의 방향과 이루는 각의 크기를 각각 α, β라 하면 $\tan\alpha=3,\ \tan\beta=\dfrac{1}{2}$

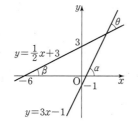

두 직선이 이루는 예각의 크기를 θ라 하면

$\tan\theta=\tan(\alpha-\beta)=\dfrac{\tan\alpha-\tan\beta}{1+\tan\alpha\tan\beta}$

$\qquad\quad=\dfrac{3-\dfrac{1}{2}}{1+3\times\dfrac{1}{2}}=1$

따라서 구하는 예각의 크기는 $\mathbf{\dfrac{\pi}{4}}$

09 [셀파] $\displaystyle\lim_{\bullet\to0}\dfrac{\sin\bullet}{\bullet}=1,\ \lim_{\blacksquare\to0}\dfrac{\tan\blacksquare}{\blacksquare}=1$

$\displaystyle\lim_{x\to0}\dfrac{\tan2x}{x-\sin3x}=\lim_{x\to0}\dfrac{\dfrac{\tan2x}{2x}\times2}{1-\dfrac{\sin3x}{3x}\times3}$

$\qquad\qquad\qquad=\dfrac{1\times2}{1-1\times3}=\dfrac{2}{1-3}=\mathbf{-1}$

10 [셀파] $\displaystyle\lim_{\bullet\to0}\dfrac{\sin\bullet}{\bullet}=1$

$\displaystyle\lim_{x\to0}\dfrac{f(\sin x)}{\sin f(x)}$

$\displaystyle=\lim_{x\to0}\dfrac{\sin^2x-3\sin x}{\sin(x^2-3x)}=\lim_{x\to0}\dfrac{\sin x(\sin x-3)}{\sin(x^2-3x)}$

$\displaystyle=\lim_{x\to0}\left\{\dfrac{\sin x}{x}\times\dfrac{x^2-3x}{\sin(x^2-3x)}\times\dfrac{1}{x-3}\times(\sin x-3)\right\}$

$=1\times1\times\left(-\dfrac{1}{3}\right)\times(-3)=\mathbf{1}$

11 [셀파] (1) $x-\pi=t$로 치환한다.

$\qquad$ (2) $x-\dfrac{\pi}{2}=t$로 치환한다.

(1) $x-\pi=t$로 치환하면 $x\to\pi$일 때 $t\to0$이고, $x=\pi+t$이므로

$\displaystyle\lim_{x\to\pi}\dfrac{\pi-x}{\sin x}=\lim_{t\to0}\dfrac{-t}{\sin(\pi+t)}=\lim_{t\to0}\dfrac{-t}{-\sin t}$

$\qquad\qquad=\displaystyle\lim_{t\to0}\dfrac{t}{\sin t}=\lim_{t\to0}\dfrac{1}{\dfrac{\sin t}{t}}=\mathbf{1}$

(2) $x-\dfrac{\pi}{2}=t$로 치환하면 $x\to\dfrac{\pi}{2}$일 때 $t\to0$이고, $x=\dfrac{\pi}{2}+t$이므로

$\displaystyle\lim_{x\to\frac{\pi}{2}}\dfrac{\cos x}{\dfrac{\pi}{2}-x}=\lim_{t\to0}\dfrac{\cos\left(\dfrac{\pi}{2}+t\right)}{-t}=\lim_{t\to0}\dfrac{-\sin t}{-t}$

$\qquad\qquad=\displaystyle\lim_{t\to0}\dfrac{\sin t}{t}=\mathbf{1}$

12 셀파 $x-1=t$로 치환한다.

$x-1=t$로 치환하면 $x \to 1$일 때 $t \to 0$이고,
$x=t+1$이므로

$\displaystyle\lim_{x \to 1}\frac{k\sin(x^3-1)}{x^2-1}$

$\displaystyle=k\lim_{t \to 0}\frac{\sin(t^3+3t^2+3t)}{t^2+2t}$

$\displaystyle=k\lim_{t \to 0}\left\{\frac{\sin(t^3+3t^2+3t)}{t^3+3t^2+3t}\times\frac{t^3+3t^2+3t}{t^2+2t}\right\}$

$\displaystyle=k\lim_{t \to 0}\frac{\sin(t^3+3t^2+3t)}{t^3+3t^2+3t}\times\lim_{t \to 0}\frac{t^2+3t+3}{t+2}$

$\displaystyle=k\times1\times\frac{3}{2}=\frac{3}{2}k$

따라서 $\dfrac{3}{2}k=3$이므로 $\boldsymbol{k=2}$

---

13 셀파 분모, 분자에 $1+\cos x$를 곱한다.

$\displaystyle\lim_{x \to 0}\frac{x(e^x-1)}{1-\cos x}$

$\displaystyle=\lim_{x \to 0}\frac{x(e^x-1)(1+\cos x)}{(1-\cos x)(1+\cos x)}$

$\displaystyle=\lim_{x \to 0}\frac{x(e^x-1)(1+\cos x)}{1-\cos^2 x}$

$\displaystyle=\lim_{x \to 0}\frac{x(e^x-1)(1+\cos x)}{\sin^2 x}$

$\displaystyle=\lim_{x \to 0}\left\{\left(\frac{x}{\sin x}\right)^2\times\frac{e^x-1}{x}\times(1+\cos x)\right\}$

$=1^2\times1\times2=2$

따라서 구하는 답은 ②

---

14 셀파 $x \to a$일 때 0이 아닌 극한값이 존재하고 (분자) $\to 0$이면 (분모) $\to 0$이다.

$x \to 1$일 때 (분자) $\to 0$이고 0이 아닌 극한값이 존재하므로 (분모) $\to 0$이다.

즉, $\displaystyle\lim_{x \to 1}(ax+b)=0$이므로

$a+b=0$ $\therefore b=-a$ ...... ㉠

$b=-a$를 주어진 식의 좌변에 대입하면

$\displaystyle\lim_{x \to 1}\frac{\cos\frac{\pi}{2}x}{ax+b}=\lim_{x \to 1}\frac{\cos\frac{\pi}{2}x}{ax-a}=\frac{1}{a}\lim_{x \to 1}\frac{\cos\frac{\pi}{2}x}{x-1}$

이때 $x-1=t$로 치환하면 $x \to 1$일 때 $t \to 0$이고,
$x=1+t$이므로

$\displaystyle\frac{1}{a}\lim_{x \to 1}\frac{\cos\frac{\pi}{2}x}{x-1}=\frac{1}{a}\lim_{t \to 0}\frac{\cos\left(\frac{\pi}{2}+\frac{\pi}{2}t\right)}{t}$

$\displaystyle=\frac{1}{a}\lim_{t \to 0}\frac{-\sin\frac{\pi}{2}t}{t}$

$\displaystyle=-\frac{1}{a}\lim_{t \to 0}\left(\frac{\sin\frac{\pi}{2}t}{\frac{\pi}{2}t}\times\frac{\pi}{2}\right)$

$\displaystyle=\left(-\frac{1}{a}\right)\times1\times\frac{\pi}{2}=-\frac{\pi}{2a}$

따라서 $-\dfrac{\pi}{2a}=\dfrac{1}{2}$이므로 $\boldsymbol{a=-\pi}$

$a=-\pi$를 ㉠에 대입하면 $\boldsymbol{b=\pi}$

---

15 셀파 함수 $f(x)$가 $x=0$에서 미분가능하면 $x=0$에서 연속이다.

㉮ 함수 $f(x)$가 $x=0$에서 연속이므로

  $\displaystyle\lim_{x \to 0-}f(x)=f(0)$ $\therefore b=0$

㉯ $f'(x)=\begin{cases} a & (-1<x<0) \\ \cos x & (0<x<1) \end{cases}$

  함수 $f(x)$가 $x=0$에서 미분가능하므로

  $\displaystyle\lim_{x \to 0-}f'(x)=\lim_{x \to 0+}f'(x)$ $\therefore a=1$

㉰ $\therefore a+b=\boldsymbol{1}$

채점 기준	배점
㉮ $x=0$에서 연속임을 이용하여 b의 값을 구한다.	40%
㉯ $x=0$에서 미분가능함을 이용하여 a의 값을 구한다.	50%
㉰ $a+b$의 값을 구한다.	10%

---

16 셀파 함수 $f(x)$의 그래프 위의 점 $(a, f(a))$에서의 접선의 기울기는 $f'(a)$이다.

$y=3+2\cos x$에서 $y'=-2\sin x$

따라서 곡선 $y=3+2\cos x$ 위의 점 $\left(\dfrac{\pi}{3}, 4\right)$에서의 접선의 기울기는

$-2\sin\dfrac{\pi}{3}=-2\times\dfrac{\sqrt{3}}{2}=\boldsymbol{-\sqrt{3}}$

5. 여러 가지 미분법

1-1 (1) $y' = -\dfrac{(2x^2+1)'}{(2x^2+1)^2} = -\dfrac{\boxed{4x}}{(2x^2+1)^2}$

(2) $y' = \dfrac{(x+1)'x^2 - (x+1)(x^2)'}{(x^2)^2}$

$= \dfrac{x^2 - (x+1) \times 2x}{x^4}$

$= \dfrac{-x^2 - 2x}{x^4} = -\dfrac{x+2}{\boxed{x^3}}$

1-2 (1) $y' = -\dfrac{(x^2)'}{(x^2)^2} = -\dfrac{2x}{x^4} = -\dfrac{2}{x^3}$

(2) $y' = \dfrac{(x)'(2x-1) - x(2x-1)'}{(2x-1)^2}$

$= \dfrac{1 \times (2x-1) - x \times 2}{(2x-1)^2} = -\dfrac{1}{(2x-1)^2}$

2-1 (1) $y' = 3(3x+2)^2(3x+2)' = \boxed{9}(3x+2)^2$

(2) $y' = 2(x^2+2)(x^2+2)' = \boxed{4x}(x^2+2)$

2-2 (1) $y' = 4(x^2+2x)^3(x^2+2x)' = 4(x^2+2x)^3(2x+2)$
$= 8(x+1)(x^2+2x)^3$

(2) $y' = 3\left(x+\dfrac{1}{x}\right)^2\left(x+\dfrac{1}{x}\right)' = 3\left(x+\dfrac{1}{x}\right)^2\left(1-\dfrac{1}{x^2}\right)$

| 다른 풀이 |

(1) $y = (x^2+2x)^4$ 에서 $u = x^2+2x$ 라 하면 $y = u^4$

이때 $\dfrac{dy}{du} = 4u^3$, $\dfrac{du}{dx} = 2x+2$ 이므로

$\dfrac{dy}{dx} = \dfrac{dy}{du} \times \dfrac{du}{dx} = 4u^3(2x+2)$

$= 4(x^2+2x)^3(2x+2)$

$= 8(x+1)(x^2+2x)^3$

(2) $y = \left(x+\dfrac{1}{x}\right)^3$ 에서 $u = x+\dfrac{1}{x}$ 이라 하면 $y = u^3$

이때 $\dfrac{dy}{du} = 3u^2$, $\dfrac{du}{dx} = 1-\dfrac{1}{x^2}$ 이므로

$\dfrac{dy}{dx} = \dfrac{dy}{du} \times \dfrac{du}{dx} = 3u^2\left(1-\dfrac{1}{x^2}\right)$

$= 3\left(x+\dfrac{1}{x}\right)^2\left(1-\dfrac{1}{x^2}\right)$

3-1 (1) 각 항을 x에 대하여 미분하면

$2x - 2y\dfrac{dy}{dx} = \boxed{0}$, $2y\dfrac{dy}{dx} = 2x$

$\therefore \dfrac{dy}{dx} = \dfrac{2x}{2y} = \dfrac{x}{y}$ (단, $y \neq 0$)

(2) 각 항을 x에 대하여 미분하면

$2 + 3y^2\dfrac{dy}{dx} = 0$, $3y^2\dfrac{dy}{dx} = -2$

$\therefore \dfrac{dy}{dx} = -\dfrac{\boxed{2}}{3y^2}$ (단, $y \neq 0$)

3-2 (1) 각 항을 x에 대하여 미분하면

$y + x\dfrac{dy}{dx} = 0$ $\qquad \therefore \dfrac{dy}{dx} = -\dfrac{y}{x}$ (단, $x \neq 0$)

(2) 각 항을 x에 대하여 미분하면

$3x^2 + 2y\dfrac{dy}{dx} - 4\dfrac{dy}{dx} = 0$

$\therefore \dfrac{dy}{dx} = -\dfrac{3x^2}{2y-4}$ (단, $y \neq 2$)

4-1 (1) $y' = -\dfrac{(x)'}{x^2} = -\dfrac{1}{x^2}$

$\therefore y'' = -\left\{-\dfrac{(x^2)'}{(x^2)^2}\right\} = \dfrac{\boxed{2x}}{x^4} = \dfrac{2}{x^3}$

(2) $y' = (x)' + (\cos x)' = 1 - \sin x$

$\therefore y'' = (\boxed{1})' - (\sin x)' = -\cos x$

4-2 (1) $y'=3(2x-1)^2(2x-1)'=6(2x-1)^2$

$\therefore y''=12(2x-1)(2x-1)'=\mathbf{24(2x-1)}$

(2) $y'=\dfrac{1}{2}x^{\frac{1}{2}-1}=\dfrac{1}{2\sqrt{x}}$

$\therefore y''=-\dfrac{(2\sqrt{x})'}{(2\sqrt{x})^2}=-\dfrac{1}{\sqrt{x}}\times\dfrac{1}{4x}=\boldsymbol{-\dfrac{1}{4x\sqrt{x}}}$

확인 문제

본문 | **99~115** 쪽

01-1 셀파 $\left\{\dfrac{f(x)}{g(x)}\right\}'=\dfrac{f'(x)g(x)-f(x)g'(x)}{\{g(x)\}^2}$

(1) $y'=-\dfrac{3(x^2+1)'}{(x^2+1)^2}=-\dfrac{3\times 2x}{(x^2+1)^2}=\boldsymbol{-\dfrac{6x}{(x^2+1)^2}}$

(2) $y'=\dfrac{(x^2-3)'(x-2)-(x^2-3)(x-2)'}{(x-2)^2}$

$=\dfrac{2x(x-2)-(x^2-3)\times 1}{(x-2)^2}=\boldsymbol{\dfrac{x^2-4x+3}{(x-2)^2}}$

(3) $y'=\dfrac{(e^x)'(e^x+1)-e^x(e^x+1)'}{(e^x+1)^2}$

$=\dfrac{e^x(e^x+1)-e^x\times e^x}{(e^x+1)^2}=\boldsymbol{\dfrac{e^x}{(e^x+1)^2}}$

(4) $y=\dfrac{x^6-2x^3+5}{x^4}=x^2-2x^{-1}+5x^{-4}$에서

$y'=(x^2-2x^{-1}+5x^{-4})'$

$=2x-2\times(-1)\times x^{-1-1}+5\times(-4)\times x^{-4-1}$

$=2x+2x^{-2}-20x^{-5}=\boldsymbol{\dfrac{2x^6+2x^3-20}{x^5}}$

| 다른 풀이 |

$y=\dfrac{x^6-2x^3+5}{x^4}$에서

$y'=\dfrac{(x^6-2x^3+5)'x^4-(x^6-2x^3+5)(x^4)'}{(x^4)^2}$

$=\dfrac{(6x^5-6x^2)\times x^4-(x^6-2x^3+5)\times 4x^3}{x^8}$

$=\dfrac{2x^6+2x^3-20}{x^5}$

01-2 셀파 $\left\{\dfrac{f(x)}{g(x)}\right\}'=\dfrac{f'(x)g(x)-f(x)g'(x)}{\{g(x)\}^2}$

$f'(x)=\dfrac{(x+1)'(x^2+3)-(x+1)(x^2+3)'}{(x^2+3)^2}$

$=\dfrac{1\times(x^2+3)-(x+1)\times 2x}{(x^2+3)^2}=\dfrac{-x^2-2x+3}{(x^2+3)^2}$

주어진 조건에서 $f'(x)>0$이고 $(x^2+3)^2>0$이므로

$-x^2-2x+3>0,\ x^2+2x-3<0$

$(x+3)(x-1)<0$ $\quad\therefore -3<x<1$

따라서 구하는 정수 x의 개수는 $-2,\ -1,\ 0$의 **3**

02-1 셀파 $1+\tan^2\theta=\sec^2\theta,\ \tan\theta=\dfrac{\sec\theta}{\csc\theta}$

(1) $\sec\theta=\dfrac{1}{\cos\theta}$에서 $\cos\theta=\dfrac{1}{\sec\theta}=\boldsymbol{\dfrac{3}{5}}$

(2) θ가 제4사분면의 각이므로 $\tan\theta<0$

$1+\tan^2\theta=\sec^2\theta$에서

$\tan\theta=-\sqrt{\sec^2\theta-1}$

$=-\sqrt{\left(\dfrac{5}{3}\right)^2-1}=\boldsymbol{-\dfrac{4}{3}}$

(3) $\tan\theta=\dfrac{\sin\theta}{\cos\theta}=\dfrac{\sec\theta}{\csc\theta}$에서

$\csc\theta=\dfrac{\sec\theta}{\tan\theta}=\dfrac{\dfrac{5}{3}}{-\dfrac{4}{3}}=\boldsymbol{-\dfrac{5}{4}}$

02-2 셀파 $\tan\theta>0$이면 θ는 제1사분면 또는 제3사분면의 각이다.

$\sec^2\theta=1+\tan^2\theta=1+\left(\dfrac{1}{3}\right)^2=\dfrac{10}{9}$

$\therefore \sec\theta=\pm\dfrac{\sqrt{10}}{3}$

$\tan\theta>0$이므로 θ는 제1사분면 또는 제3사분면의 각이다.

(i) θ가 제1사분면의 각일 때

$\sec\theta=\dfrac{\sqrt{10}}{3}$

$\csc\theta=\dfrac{\sec\theta}{\tan\theta}=\dfrac{\dfrac{\sqrt{10}}{3}}{\dfrac{1}{3}}=\sqrt{10}$

$\therefore \sec\theta+\csc\theta=\dfrac{\sqrt{10}}{3}+\sqrt{10}=\dfrac{4\sqrt{10}}{3}$

(ii) θ가 제3사분면의 각일 때

$$\sec\theta = -\frac{\sqrt{10}}{3}$$

$$\csc\theta = \frac{\sec\theta}{\tan\theta} = \frac{-\dfrac{\sqrt{10}}{3}}{\dfrac{1}{3}} = -\sqrt{10}$$

$$\therefore \sec\theta + \csc\theta = -\frac{\sqrt{10}}{3} - \sqrt{10} = -\frac{4\sqrt{10}}{3}$$

(i), (ii)에서 $\sec\theta + \csc\theta = \pm\dfrac{4\sqrt{10}}{3}$

03-1 셀파 삼각함수의 도함수 공식을 이용한다.

(1) $y' = 2(\tan x)' + (\cot x)'$
$= \mathbf{2\sec^2 x - \csc^2 x}$

(2) $y' = (x^2)'\csc x + x^2(\csc x)'$
$= 2x\csc x - x^2\csc x\cot x$
$= \boldsymbol{x\csc x(2 - x\cot x)}$

(3) $y' = (\tan x)'\sec x + \tan x(\sec x)'$
$= \sec^2 x\sec x + \tan x\sec x\tan x$
$= \boldsymbol{\sec x(\sec^2 x + \tan^2 x)}$

(4) $y' = \dfrac{(1+\sec x)'\tan x - (1+\sec x)(\tan x)'}{\tan^2 x}$
$= \dfrac{(\sec x\tan x)\tan x - (1+\sec x)\sec^2 x}{\tan^2 x}$
$= \dfrac{\sec x\tan^2 x}{\tan^2 x} - \dfrac{(1+\sec x)\sec^2 x}{\tan^2 x}$
$= \boldsymbol{\sec x - \dfrac{1+\sec x}{\sin^2 x}}$

| 다른 풀이 |

$y = \dfrac{1+\sec x}{\tan x} = \dfrac{1}{\tan x} + \dfrac{\sec x}{\tan x} = \cot x + \csc x$

이므로

$y' = (\cot x)' + (\csc x)'$
$= -\csc^2 x - \csc x\cot x$
$= -\csc x(\csc x + \cot x)$

| 참고 |

삼각함수의 여러 공식을 이용하여 삼각함수를 변형할 수 있으므로 제시된 답과 형태가 다를 수 있다.

04-1 셀파 $y = \{f(x)\}^n$ (n은 정수)일 때, $y' = n\{f(x)\}^{n-1}f'(x)$

(1) $y' = \{(-2x+1)^2\}'(x^2+1) + (-2x+1)^2(x^2+1)'$
$= 2(-2x+1)(-2)(x^2+1) + (-2x+1)^2 \times 2x$
$= 2(-2x+1)\{-2(x^2+1) + x(-2x+1)\}$
$= 2(-2x+1)(-4x^2 + x - 2)$
$= \boldsymbol{2(2x-1)(4x^2 - x + 2)}$

(2) $y' = (x^2+1)'\sin 2x + (x^2+1)(\sin 2x)'$
$= \boldsymbol{2x\sin 2x + 2(x^2+1)\cos 2x}$

(3) $y' = -\csc^2(\tan x)(\tan x)'$
$= \boldsymbol{-\sec^2 x\csc^2(\tan x)}$

(4) $y' = \left\{\dfrac{4x-1}{(3x+2)^2}\right\}'$
$= \dfrac{(4x-1)'(3x+2)^2 - (4x-1)\{(3x+2)^2\}'}{\{(3x+2)^2\}^2}$
$= \dfrac{4(3x+2)^2 - (4x-1)2(3x+2)(3x+2)'}{(3x+2)^4}$
$= \dfrac{4(3x+2) - 6(4x-1)}{(3x+2)^3} = \boldsymbol{\dfrac{-12x+14}{(3x+2)^3}}$

셀파 세미나 **삼각함수의 여러 가지 도함수**

❶ $\{\sin f(x)\}' = \cos f(x)f'(x)$
❷ $\{\cos f(x)\}' = -\sin f(x)f'(x)$
❸ $\{\tan f(x)\}' = \sec^2 f(x)f'(x)$

해설 합성함수의 미분법에 의하여 $u = f(x)$로 놓으면

$$y = \sin u$$

이때 $\dfrac{du}{dx} = f'(x)$, $\dfrac{dy}{du} = \cos u$이므로

$$\dfrac{dy}{dx} = \dfrac{dy}{du} \times \dfrac{du}{dx} = \cos u \times f'(x) = \cos f(x)f'(x)$$

같은 방법으로

$$\{\cos f(x)\}' = -\sin f(x)f'(x)$$
$$\{\tan f(x)\}' = \sec^2 f(x)f'(x)$$

예 ❶ $y = \sin(2x+1)$일 때
$y' = \cos(2x+1)(2x+1)' = 2\cos(2x+1)$
❷ $y = \tan(2x-3)$일 때
$y' = \sec^2(2x-3)(2x-3)' = 2\sec^2(2x-3)$

04-2 셀파 $y=f(ax+b)$일 때, $y'=af'(ax+b)$

$g'(x)=-\dfrac{5\{1+f(2x-1)\}'}{\{1+f(2x-1)\}^2}=-\dfrac{10f'(2x-1)}{\{1+f(2x-1)\}^2}$

$f(1)=2,\ f'(1)=3$이므로

$g'(1)=-\dfrac{10f'(1)}{\{1+f(1)\}^2}=-\dfrac{10\times3}{(1+2)^2}=\boldsymbol{-\dfrac{10}{3}}$

05-1 셀파 $y=e^{f(x)}\Rightarrow y'=e^{f(x)}f'(x)$
$y=a^{f(x)}\Rightarrow y'=a^{f(x)}(\ln a)f'(x)$

(1) $y'=(x+3)'e^{-x^2}+(x+3)(e^{-x^2})'$

$=e^{-x^2}+(x+3)e^{-x^2}(-x^2)'$

$=e^{-x^2}-2x(x+3)e^{-x^2}$

$=\boldsymbol{(1-6x-2x^2)e^{-x^2}}$

(2) $y'=\dfrac{(e^x-e^{-x})'(e^x+e^{-x})-(e^x-e^{-x})(e^x+e^{-x})'}{(e^x+e^{-x})^2}$

$=\dfrac{(e^x+e^{-x})(e^x+e^{-x})-(e^x-e^{-x})(e^x-e^{-x})}{(e^x+e^{-x})^2}$

$=\dfrac{(e^x+e^{-x})^2-(e^x-e^{-x})^2}{(e^x+e^{-x})^2}$

$=\boldsymbol{\dfrac{4}{(e^x+e^{-x})^2}}$

(3) $y'=5^{x^2+x+1}\ln5\,(x^2+x+1)'$

$=\boldsymbol{(2x+1)5^{x^2+x+1}\ln5}$

(4) $y'=3^{\cos x}\ln3\,(\cos x)'$

$=\boldsymbol{-3^{\cos x}(\ln3)\sin x}$

05-2 셀파 $\displaystyle\lim_{h\to0}\dfrac{f(1+3h)-f(1-2h)}{h}=5f'(1)$이다.

$\displaystyle\lim_{h\to0}\dfrac{f(1+3h)-f(1-2h)}{h}$

$=\displaystyle\lim_{h\to0}\dfrac{f(1+3h)-f(1)+f(1)-f(1-2h)}{h}$

$=\displaystyle\lim_{h\to0}\dfrac{f(1+3h)-f(1)}{3h}\times3-\lim_{h\to0}\dfrac{f(1-2h)-f(1)}{-2h}\times(-2)$

$=3f'(1)-(-2)f'(1)=5f'(1)$

$f(x)=2^{1-x}$에서

$f'(x)=2^{1-x}\ln2\,(1-x)'=-2^{1-x}\ln2$이므로 구하는 값은

$5f'(1)=5\times(-2^0\ln2)=\boldsymbol{-5\ln2}$

06-1 셀파 $y=\ln|f(x)|\Rightarrow y'=\dfrac{f'(x)}{f(x)}$

$y=\log_a|f(x)|\Rightarrow y'=\dfrac{f'(x)}{f(x)\ln a}$

(1) $y'=(x^2)'\ln|x|+x^2(\ln|x|)'$

$=2x\ln|x|+x^2\times\dfrac{1}{x}$

$=2x\ln|x|+x=\boldsymbol{x(2\ln|x|+1)}$

(2) $y'=\dfrac{(e^x-1)'}{e^x-1}=\boldsymbol{\dfrac{e^x}{e^x-1}}$

(3) $y'=\dfrac{(2x-5)'}{(2x-5)\ln2}=\boldsymbol{\dfrac{2}{(2x-5)\ln2}}$

(4) $y'=\dfrac{(\sin^2 x)'}{\sin^2 x\ln4}=\dfrac{2\sin x\cos x}{\sin^2 x\ln4}$

$=\dfrac{2\cos x}{2\sin x\ln2}=\boldsymbol{\dfrac{\cot x}{\ln2}}$

06-2 셀파 $\displaystyle\lim_{x\to1}\dfrac{f(x)-1}{\sqrt{x}-1}$에서 분모를 유리화한다.

$f(1)=\ln1+1=1$이므로

$\displaystyle\lim_{x\to1}\dfrac{f(x)-1}{\sqrt{x}-1}=\lim_{x\to1}\dfrac{f(x)-f(1)}{\sqrt{x}-1}$

$=\displaystyle\lim_{x\to1}\left\{\dfrac{f(x)-f(1)}{x-1}\times(\sqrt{x}+1)\right\}=2f'(1)$

$f(x)=x(\ln x+1)$에서

$f'(x)=\ln x+1+x\times\dfrac{1}{x}=\ln x+2$이므로 구하는 값은

$2f'(1)=2\times(\ln1+2)=4$

07-1 셀파 양변에 자연로그를 취하여 로그미분법을 이용한다.

(1) 양변에 자연로그를 취하면 $\ln y=\sin x\ln x$

양변을 x에 대하여 미분하면

$\dfrac{y'}{y}=(\sin x)'\ln x+\sin x(\ln x)'$

$=\cos x\ln x+\dfrac{\sin x}{x}$

$\therefore\ y'=y\times\left(\cos x\ln x+\dfrac{\sin x}{x}\right)$

$=x^{\sin x}\left(\cos x\ln x+\dfrac{\sin x}{x}\right)$

(2) 양변의 절댓값에 자연로그를 취하면

$$\ln|y| = \ln\left|\frac{(x+3)^7}{(x+1)^2(x+2)^3}\right| = \ln\frac{|x+3|^7}{|x+1|^2|x+2|^3}$$

$$= 7\ln|x+3| - 2\ln|x+1| - 3\ln|x+2|$$

양변을 x에 대하여 미분하면

$$\frac{y'}{y} = \frac{7}{x+3} - \frac{2}{x+1} - \frac{3}{x+2}$$

$$= \frac{2x^2-x-7}{(x+1)(x+2)(x+3)}$$

$$\therefore y' = y \times \frac{2x^2-x-7}{(x+1)(x+2)(x+3)}$$

$$= \frac{(x+3)^7}{(x+1)^2(x+2)^3} \times \frac{2x^2-x-7}{(x+1)(x+2)(x+3)}$$

$$= \frac{(x+3)^6(2x^2-x-7)}{(x+1)^3(x+2)^4}$$

07-2 셀파 로그미분법을 이용하여 $f'(x)$를 구한다.

$f(x) = \dfrac{e^x\cos x}{1+\sin x}$의 양변의 절댓값에 자연로그를 취하면

$$\ln|f(x)| = \ln\left|\frac{e^x\cos x}{1+\sin x}\right| = \ln\frac{|e^x\cos x|}{|1+\sin x|}$$

$$= \ln|e^x\cos x| - \ln|1+\sin x|$$

$$= \ln e^x + \ln|\cos x| - \ln|1+\sin x|$$

$$= x + \ln|\cos x| - \ln|1+\sin x|$$

양변을 x에 대하여 미분하면

$$\frac{f'(x)}{f(x)} = 1 - \frac{\sin x}{\cos x} - \frac{\cos x}{1+\sin x}$$

$$= \frac{\cos x + \cos x\sin x - \sin x - 1}{\cos x(1+\sin x)}$$

$$= \frac{(\cos x-1)(1+\sin x)}{\cos x(1+\sin x)} = \frac{\cos x-1}{\cos x}$$

$$\therefore f'(x) = f(x) \times \frac{\cos x-1}{\cos x} = \frac{e^x\cos x}{1+\sin x} \times \frac{\cos x-1}{\cos x}$$

$$= \frac{e^x(\cos x-1)}{1+\sin x}$$

$$\therefore f'(\pi) = \frac{e^\pi(\cos\pi-1)}{1+\sin\pi} = -2e^\pi$$

08-1 셀파 $x=f(t),\, y=g(t) \Rightarrow \dfrac{dy}{dx} = \dfrac{\frac{dy}{dt}}{\frac{dx}{dt}} = \dfrac{g'(t)}{f'(t)}$

(1) $\dfrac{dx}{dt} = 2t-2,\ \dfrac{dy}{dt} = 3t^2+\dfrac{1}{t^2}$

$$\therefore \frac{dy}{dx} = \frac{\frac{dy}{dt}}{\frac{dx}{dt}} = \frac{3t^2+\frac{1}{t^2}}{2t-2} = \frac{3t^4+1}{2t^2(t-1)}\ (단,\, t\neq 0,\, t\neq 1)$$

(2) $\dfrac{dx}{dt} = e^{t+1},\ \dfrac{dy}{dt} = 3e^{3t+2}$

$$\therefore \frac{dy}{dx} = \frac{\frac{dy}{dt}}{\frac{dx}{dt}} = \frac{3e^{3t+2}}{e^{t+1}} = 3e^{2t+1}$$

(3) $\dfrac{dx}{dt} = \dfrac{(3t-1)-3(t+1)}{(3t-1)^2} = -\dfrac{4}{(3t-1)^2}$,

$$\frac{dy}{dt} = 6(3t-1)$$

$$\therefore \frac{dy}{dx} = \frac{\frac{dy}{dt}}{\frac{dx}{dt}} = \frac{6(3t-1)}{-\dfrac{4}{(3t-1)^2}}$$

$$= -\frac{3}{2}(3t-1)^3\ \left(단,\, t\neq\frac{1}{3}\right)$$

(4) $\dfrac{dx}{dt} = -3\cos^2 t\sin t,\ \dfrac{dy}{dt} = 3\sin^2 t\cos t$

$$\therefore \frac{dy}{dx} = \frac{\frac{dy}{dt}}{\frac{dx}{dt}} = \frac{3\sin^2 t\cos t}{-3\cos^2 t\sin t}$$

$$= -\frac{\sin t}{\cos t}$$

$$= -\tan t\ (단,\, \sin t\neq 0,\, \cos t\neq 0)$$

09-1 셀파 (1) $t=1$일 때, (2) $t=\dfrac{\pi}{3}$일 때

$\dfrac{dy}{dx}$의 값이 구하는 접선의 기울기이다.

(1) $\dfrac{dx}{dt} = 2t,\ \dfrac{dy}{dt} = 2$이므로

$$\frac{dy}{dx} = \frac{\frac{dy}{dt}}{\frac{dx}{dt}} = \frac{2}{2t} = \frac{1}{t}\ (단,\, t\neq 0)$$

따라서 $t=1$일 때의 접선의 기울기는 **1**

(2) $\dfrac{dx}{dt} = -2\sin t,\ \dfrac{dy}{dt} = \cos t$이므로

$$\frac{dy}{dx} = \frac{\frac{dy}{dt}}{\frac{dx}{dt}} = \frac{\cos t}{-2\sin t}\ (단,\, \sin t\neq 0)$$

따라서 $t=\dfrac{\pi}{3}$일 때의 접선의 기울기는

$$\frac{\cos\frac{\pi}{3}}{-2\sin\frac{\pi}{3}} = \frac{\frac{1}{2}}{-\sqrt{3}} = -\frac{1}{2\sqrt{3}} = -\frac{\sqrt{3}}{6}$$

09-2 셀파 곡선 위의 한 점에서 접선의 기울기는 그 점에서의 미분계수와 같다.

$\dfrac{dx}{dt}=3t^2$, $\dfrac{dy}{dt}=2t-a$이므로

$\dfrac{dy}{dx}=\dfrac{\dfrac{dy}{dt}}{\dfrac{dx}{dt}}=\dfrac{2t-a}{3t^2}$ (단, $t\neq0$)

이때 $t=1$에 대응하는 점에서의 접선의 기울기가 -1이므로

$\dfrac{2\times1-a}{3\times1^2}=-1$　　$\therefore a=5$

10-1 셀파 $f(x,y)=0$ 꼴은 y를 x의 함수로 보고 양변을 x에 대하여 미분하여 $\dfrac{dy}{dx}$를 구한다.

(1) $y^2+4x=0$의 양변을 x에 대하여 미분하면

$2y\dfrac{dy}{dx}+4=0$, $2y\dfrac{dy}{dx}=-4$

$\therefore \dfrac{dy}{dx}=-\dfrac{2}{y}$ (단, $y\neq0$)

(2) $x-3xy+2y=1$의 양변을 x에 대하여 미분하면

$1-3y-3x\dfrac{dy}{dx}+2\dfrac{dy}{dx}=0$

$(2-3x)\dfrac{dy}{dx}=3y-1$

$\therefore \dfrac{dy}{dx}=\dfrac{3y-1}{2-3x}$ $\left(단, x\neq\dfrac{2}{3}\right)$

(3) $(x+y)^2=xy+2$, 즉 $x^2+xy+y^2=2$의 양변을 x에 대하여 미분하면

$2x+y+x\dfrac{dy}{dx}+2y\dfrac{dy}{dx}=0$

$(x+2y)\dfrac{dy}{dx}=-2x-y$

$\therefore \dfrac{dy}{dx}=-\dfrac{2x+y}{x+2y}$ (단, $x\neq-2y$)

(4) $\dfrac{y^2}{x}+\dfrac{x^2}{y}=1$의 양변에 xy를 곱하면 $x^3+y^3=xy$

이 식의 양변을 x에 대하여 미분하면

$3x^2+3y^2\dfrac{dy}{dx}=y+x\dfrac{dy}{dx}$

$(3y^2-x)\dfrac{dy}{dx}=y-3x^2$

$\therefore \dfrac{dy}{dx}=\dfrac{y-3x^2}{3y^2-x}$ (단, $x\neq3y^2$)

10-2 셀파 음함수의 미분법을 이용하여 $\dfrac{dy}{dx}$를 구한다.

$2x^3+3y^3-axy^2+b=0$의 양변을 x에 대하여 미분하면

$6x^2+9y^2\dfrac{dy}{dx}-ay^2-2axy\dfrac{dy}{dx}=0$

$(9y^2-2axy)\dfrac{dy}{dx}=ay^2-6x^2$

$\therefore \dfrac{dy}{dx}=\dfrac{ay^2-6x^2}{9y^2-2axy}$

$x=0$, $y=1$에서 $\dfrac{dy}{dx}$의 값이 1이므로

$\dfrac{a}{9}=1$　　$\therefore a=9$

또 곡선 $2x^3+3y^3-axy^2+b=0$이 점 $(0, 1)$을 지나므로

$3+b=0$　　$\therefore b=-3$

11-1 셀파 n이 정수일 때

$\left(\sqrt[n]{f(x)}\right)'=\left[\{f(x)\}^{\frac{1}{n}}\right]'=\dfrac{1}{n}\{f(x)\}^{\frac{1}{n}-1}f'(x)$

(1) $y=\sqrt[4]{3x-1}=(3x-1)^{\frac{1}{4}}$이므로

$y'=\dfrac{1}{4}(3x-1)^{\frac{1}{4}-1}(3x-1)'$

$=\dfrac{1}{4}(3x-1)^{-\frac{3}{4}}\times3$

$=\dfrac{3}{4\sqrt[4]{(3x-1)^3}}$

(2) $y=\sqrt[3]{x^2+1}=(x^2+1)^{\frac{1}{3}}$이므로

$y'=\dfrac{1}{3}(x^2+1)^{\frac{1}{3}-1}(x^2+1)'$

$=\dfrac{1}{3}(x^2+1)^{-\frac{2}{3}}\times2x$

$=\dfrac{2x}{3\sqrt[3]{(x^2+1)^2}}$

(3) $y'=(x+3)'\sqrt{2x+5}+(x+3)(\sqrt{2x+5})'$

$=\sqrt{2x+5}+(x+3)\times\dfrac{(2x+5)'}{2\sqrt{2x+5}}$

$=\sqrt{2x+5}+\dfrac{x+3}{\sqrt{2x+5}}$

$=\dfrac{(2x+5)+x+3}{\sqrt{2x+5}}$

$=\dfrac{3x+8}{\sqrt{2x+5}}$

(4) $y=\dfrac{1}{x+\sqrt{x^2-2}}$의 분모를 유리화하면

$$y=\dfrac{x-\sqrt{x^2-2}}{(x+\sqrt{x^2-2})(x-\sqrt{x^2-2})}=\dfrac{x-\sqrt{x^2-2}}{2}$$

$$\therefore y'=\dfrac{1}{2}(x-\sqrt{x^2-2})'$$

$$=\dfrac{1}{2}\left(1-\dfrac{(x^2-2)'}{2\sqrt{x^2-2}}\right)$$

$$=\dfrac{1}{2}\left(1-\dfrac{x}{\sqrt{x^2-2}}\right)$$

LECTURE 함수 $y=x^n$ (n은 실수)의 도함수

$y=x^n$의 양변의 절댓값에 자연로그를 취하면

$\ln|y|=\ln|x|^n$, 즉 $\ln|y|=n\ln|x|$

이때 로그함수의 도함수를 이용하여 양변을 x에 대하여 미분하면

$$\dfrac{d}{dx}(\ln|y|)=\dfrac{y'}{y}, \dfrac{d}{dx}(n\ln|x|)=\dfrac{n}{x}$$

$$\dfrac{y'}{y}=\dfrac{n}{x} \qquad \therefore y'=y\times\dfrac{n}{x}=nx^{n-1}$$

따라서 n이 실수일 때, $y=x^n$이면 $y'=nx^{n-1}$

12-1 **셀파** $x=f(y) \Rightarrow \dfrac{dy}{dx}=\dfrac{1}{\dfrac{dx}{dy}}\left(\text{단, }\dfrac{dx}{dy}\neq0\right)$

(1) $y=\sqrt[4]{x}$의 양변을 네제곱하면 $y^4=x$

양변을 y에 대하여 미분하면 $\dfrac{dx}{dy}=4y^3$

$$\therefore \dfrac{dy}{dx}=\dfrac{1}{\dfrac{dx}{dy}}=\dfrac{1}{4y^3}=\dfrac{1}{4\sqrt[4]{x^3}}\ (\text{단, }x\neq0)$$

(2) $y=\sqrt[3]{x+3}-2$에서 $x=(y+2)^3-3$을 y에 대하여 미분하면

$$\dfrac{dx}{dy}=3(y+2)^2$$

$$\therefore \dfrac{dy}{dx}=\dfrac{1}{\dfrac{dx}{dy}}=\dfrac{1}{3(y+2)^2}=\dfrac{1}{3\sqrt[3]{(x+3)^2}}\ (\text{단, }x\neq-3)$$

12-2 **셀파** $f^{-1}(-4)=k$라 하면 $f(k)=-4$이다.

$f^{-1}(-4)=k$라 하면 $f(k)=-4$이므로

$k^3-3k^2+3k+3=-4$

$k^3-3k^2+3k+7=0$, $(k+1)(k^2-4k+7)=0$

이때 $k^2-4k+7=(k-2)^2+3>0$이므로 $k=-1$

따라서 $f^{-1}(-4)=-1$이고, $f'(x)=3x^2-6x+3$이므로

$$(f^{-1})'(-4)=\dfrac{1}{f'(f^{-1}(-4))}=\dfrac{1}{f'(-1)}=\dfrac{1}{12}$$

LECTURE 역함수의 미분법

❶ $\dfrac{dx}{dy}$는 「x를 y에 대하여 미분한다.」는 뜻이다.

❷ $\dfrac{dy}{dx}$는 「y를 x에 대하여 미분한다.」는 뜻이다.

집중 연습 본문 | 114쪽

01 (1) $y'=\dfrac{(x^3)'(x+3)-x^3(x+3)'}{(x+3)^2}$

$$=\dfrac{3x^2(x+3)-x^3}{(x+3)^2}=\dfrac{x^2(2x+9)}{(x+3)^2}$$

| 다른 풀이 |

$y=\dfrac{x^3}{x+3}$에서 양변의 절댓값에 자연로그를 취하면

$$\ln|y|=\ln\left|\dfrac{x^3}{x+3}\right|=\ln\dfrac{|x^3|}{|x+3|}$$

$$=3\ln|x|-\ln|x+3|$$

양변을 x에 대하여 미분하면

$$\dfrac{y'}{y}=\dfrac{3}{x}-\dfrac{1}{x+3}=\dfrac{3(x+3)-x}{x(x+3)}=\dfrac{2x+9}{x(x+3)}$$

$$\therefore y'=y\times\dfrac{2x+9}{x(x+3)}=\dfrac{x^3}{x+3}\times\dfrac{2x+9}{x(x+3)}$$

$$=\dfrac{x^3(2x+9)}{x(x+3)^2}=\dfrac{x^2(2x+9)}{(x+3)^2}$$

(2) $y'=\dfrac{(2x+1)'(3x+1)-(2x+1)(3x+1)'}{(3x+1)^2}$

$$=\dfrac{2(3x+1)-3(2x+1)}{(3x+1)^2}=-\dfrac{1}{(3x+1)^2}$$

$y=\dfrac{2x+1}{3x+1}$에서 양변의 절댓값에 자연로그를 취하면

$$\ln|y|=\ln\left|\dfrac{2x+1}{3x+1}\right|=\ln\dfrac{|2x+1|}{|3x+1|}$$

$$=\ln|2x+1|-\ln|3x+1|$$

양변을 x에 대하여 미분하면

$$\dfrac{y'}{y}=\dfrac{2}{2x+1}-\dfrac{3}{3x+1}=\dfrac{2(3x+1)-3(2x+1)}{(2x+1)(3x+1)}$$

$$=\dfrac{-1}{(2x+1)(3x+1)}$$

$$\therefore y'=y\times\dfrac{-1}{(2x+1)(3x+1)}$$

$$=\dfrac{2x+1}{3x+1}\times\dfrac{-1}{(2x+1)(3x+1)}=-\dfrac{1}{(3x+1)^2}$$

(3) $y'=(e^x\tan x)'=(e^x)'\tan x+e^x(\tan x)'$

$$=e^x\tan x+e^x\sec^2 x$$

$$=\boldsymbol{e^x(\tan x+\sec^2 x)}$$

(4) $y'=\{\cos(x^2+2)\}'=-\sin(x^2+2)(x^2+2)'$

$$=\boldsymbol{-2x\sin(x^2+2)}$$

(5) $y'=\dfrac{(\ln x+1)'e^x-(\ln x+1)(e^x)'}{(e^x)^2}$

$$=\dfrac{\dfrac{1}{x}e^x-(\ln x+1)e^x}{(e^x)^2}=\dfrac{\boldsymbol{1-x(\ln x+1)}}{\boldsymbol{xe^x}}$$

$y=\dfrac{\ln x+1}{e^x}$에서 양변의 절댓값에 자연로그를 취하면

$$\ln|y|=\ln\left|\dfrac{\ln x+1}{e^x}\right|=\ln\dfrac{|\ln x+1|}{|e^x|}$$

$$=\ln|\ln x+1|-x$$

양변을 x에 대하여 미분하면

$$\dfrac{y'}{y}=\dfrac{\dfrac{1}{x}}{\ln x+1}-1=\dfrac{1}{x(\ln x+1)}-1$$

$$\therefore y'=y\times\left\{\dfrac{1}{x(\ln x+1)}-1\right\}$$

$$=\dfrac{\ln x+1}{e^x}\times\dfrac{1-x(\ln x+1)}{x(\ln x+1)}$$

$$=\dfrac{1-x(\ln x+1)}{xe^x}$$

(6) $y'=\{(\ln x)^4+e^{2x}\}'=4(\ln x)^3(\ln x)'+e^{2x}(2x)'$

$$=\dfrac{\boldsymbol{4(\ln x)^3}}{\boldsymbol{x}}+\boldsymbol{2e^{2x}}$$

(7) $y'=(x^{\frac{5}{2}})'=\dfrac{5}{2}x^{\frac{5}{2}-1}=\dfrac{5}{2}x^{\frac{3}{2}}=\dfrac{\boldsymbol{5}}{\boldsymbol{2}}\boldsymbol{x\sqrt{x}}$

(8) $y'=(5^{\sin x-\cos x})'=5^{\sin x-\cos x}\ln 5(\sin x-\cos x)'$

$$=\boldsymbol{5^{\sin x-\cos x}\ln 5(\cos x+\sin x)}$$

(9) $y'=(\ln|3x-1|)'=\dfrac{(3x-1)'}{3x-1}=\dfrac{\boldsymbol{3}}{\boldsymbol{3x-1}}$

(10) $y'=(\ln|\cos x|)'=\dfrac{(\cos x)'}{\cos x}=\dfrac{-\sin x}{\cos x}=\boldsymbol{-\tan x}$

(11) $y'=(\ln|\tan x|)'=\dfrac{(\tan x)'}{\tan x}=\dfrac{\boldsymbol{\sec^2 x}}{\boldsymbol{\tan x}}$

(12) $y=\dfrac{(2x+1)^3}{(x-3)^2}$에서 양변의 절댓값에 자연로그를 취하면

$$\ln|y|=\ln\left|\dfrac{(2x+1)^3}{(x-3)^2}\right|=\ln\dfrac{|(2x+1)^3|}{|(x-3)^2|}$$

$$=3\ln|2x+1|-2\ln|x-3|$$

양변을 x에 대하여 미분하면

$$\dfrac{y'}{y}=\dfrac{3(2x+1)'}{2x+1}-\dfrac{2(x-3)'}{x-3}=\dfrac{6}{2x+1}-\dfrac{2}{x-3}$$

$$=\dfrac{6(x-3)-2(2x+1)}{(2x+1)(x-3)}=\dfrac{2(x-10)}{(2x+1)(x-3)}$$

$$\therefore y'=y\times\dfrac{2(x-10)}{(2x+1)(x-3)}$$

$$=\dfrac{(2x+1)^3}{(x-3)^2}\times\dfrac{2(x-10)}{(2x+1)(x-3)}$$

$$=\dfrac{\boldsymbol{2(2x+1)^2(x-10)}}{\boldsymbol{(x-3)^3}}$$

(13) $y'=\dfrac{(1-\sin x)'}{2\sqrt{1-\sin x}}=-\dfrac{\boldsymbol{\cos x}}{\boldsymbol{2\sqrt{1-\sin x}}}$

(14) $y=\sqrt{x}+\dfrac{1}{\sqrt{x}}=\sqrt{x}+x^{-\frac{1}{2}}$이므로

$$y'=\dfrac{1}{2\sqrt{x}}-\dfrac{1}{2}x^{-\frac{3}{2}}$$

$$=\dfrac{1}{2\sqrt{x}}-\dfrac{1}{2x\sqrt{x}}=\dfrac{\boldsymbol{x-1}}{\boldsymbol{2x\sqrt{x}}}$$

13-1 셀파 $(\tan x)'=\sec^2 x$, $(\sec x)'=\sec x\tan x$

$f(x)=\tan x$에서 $f'(x)=\sec^2 x$이므로 주어진 조건에서

$f'(k)=\sec^2 k=3$

이때 $f''(x)=2\sec x\sec x\tan x=2\sec^2 x\tan x$에서

$f''(k)=2\sec^2 k\tan k$

$\therefore \{f''(k)\}^2=4\sec^4 k\tan^2 k=4\sec^4 k(\sec^2 k-1)$

$\qquad\qquad\qquad =4\times 3^2\times(3-1)=\mathbf{72}$

13-2 셀파 $f''(x)=0$의 해가 $x=\alpha \Longleftrightarrow f''(\alpha)=0$

$f'(x)=-2e^{-2x}\sin x+e^{-2x}\cos x=e^{-2x}(\cos x-2\sin x)$

$f''(x)=-2e^{-2x}(\cos x-2\sin x)+e^{-2x}(-\sin x-2\cos x)$

$\qquad =e^{-2x}(3\sin x-4\cos x)$

이때 $f''(x)=0$의 해가 $x=\alpha$이므로

$f''(\alpha)=e^{-2\alpha}(3\sin\alpha-4\cos\alpha)=0$

$e^{-2\alpha}>0$이므로 $3\sin\alpha-4\cos\alpha=0$ $\quad\cdots\cdots$ ㉠

$\pi<\alpha<\dfrac{3}{2}\pi$일 때, $\cos\alpha\neq 0$이므로 ㉠의 양변을 $\cos\alpha$로 나누면

$3\times\dfrac{\sin\alpha}{\cos\alpha}-4=0$, $3\tan\alpha-4=0$ $\qquad\therefore \tan\alpha=\dfrac{4}{3}$

연습 문제

본문 | **116~117** 쪽

01 셀파 함수의 몫의 미분법을 이용한다.

$y=\dfrac{x^2}{x+1}+\dfrac{1}{x^2-1}=\dfrac{x^3-x^2+1}{x^2-1}$에서

$y'=\dfrac{(x^3-x^2+1)'(x^2-1)-(x^3-x^2+1)(x^2-1)'}{(x^2-1)^2}$

$\quad =\dfrac{(3x^2-2x)(x^2-1)-2x(x^3-x^2+1)}{(x^2-1)^2}$

$\quad =\dfrac{x^4-3x^2}{(x^2-1)^2}=\dfrac{x^2(x^2-3)}{(x^2-1)^2}$

02 셀파 $\left\{\dfrac{f(x)}{e^{x-2}}\right\}'=\dfrac{f'(x)e^{x-2}-f(x)(e^{x-2})'}{(e^{x-2})^2}$

$\lim\limits_{x\to 2}\dfrac{f(x)-3}{x-2}=5$에서 $x\to 2$일 때 (분모) $\to 0$이고 극한값이 존재하므로 (분자) $\to 0$이다.

즉, $\lim\limits_{x\to 2}\{f(x)-3\}=0$ $\quad\therefore f(2)=3$

이때 $\lim\limits_{x\to 2}\dfrac{f(x)-3}{x-2}=\lim\limits_{x\to 2}\dfrac{f(x)-f(2)}{x-2}=f'(2)$이므로

$f'(2)=5$

$g(x)=\dfrac{f(x)}{e^{x-2}}$에서

$g'(x)=\dfrac{f'(x)e^{x-2}-f(x)(e^{x-2})'}{(e^{x-2})^2}$

$\qquad =\dfrac{f'(x)e^{x-2}-f(x)e^{x-2}}{(e^{x-2})^2}=\dfrac{f'(x)-f(x)}{e^{x-2}}$

$\therefore g'(2)=\dfrac{f'(2)-f(2)}{e^{2-2}}=\dfrac{5-3}{1}=\mathbf{2}$

03 셀파 $(\sec x)'=\sec x\tan x$

$1+\tan^2 x=\sec^2 x$에서 $\tan^2 x=\sec^2 x-1$

$f(x)=\dfrac{1-\tan^2 x}{\sec x}=\dfrac{2-\sec^2 x}{\sec x}=2\cos x-\sec x$

$f'(x)=-2\sin x-\sec x\tan x$

$\therefore f'\left(\dfrac{\pi}{3}\right)=-2\sin\dfrac{\pi}{3}-\sec\dfrac{\pi}{3}\times\tan\dfrac{\pi}{3}$

$\qquad\qquad =-2\times\dfrac{\sqrt{3}}{2}-2\sqrt{3}=\mathbf{-3\sqrt{3}}$

04 셀파 $\lim\limits_{x\to a}\dfrac{f(x)}{g(x)}=k$ (k는 상수)에서 $x\to a$일 때

(분모) $\to 0$이고 극한값이 존재하면 (분자) $\to 0$이다.

$\lim\limits_{x\to 1}\dfrac{f(x)-3}{x-1}=4$에서 $x\to 1$일 때 (분모) $\to 0$이고 극한값이 존재하므로 (분자) $\to 0$이다.

즉, $\lim\limits_{x\to 1}\{f(x)-3\}=0$ $\quad\therefore f(1)=3$

이때 $\lim\limits_{x\to 1}\dfrac{f(x)-3}{x-1}=\lim\limits_{x\to 1}\dfrac{f(x)-f(1)}{x-1}=4$이므로 $f'(1)=4$

같은 방법으로 $\lim\limits_{x\to 2}\dfrac{g(x)-1}{x-2}=-1$에서

$g(2)=1$, $g'(2)=-1$

$\therefore (f\circ g)'(2)=f'(g(2))g'(2)=f'(1)g'(2)$

$\qquad\qquad\quad =4\times(-1)=\mathbf{-4}$

05 셀파 $\{f(\sqrt{x})\}'=f'(\sqrt{x})\times(\sqrt{x})'$

$y=f(x)$의 그래프 위의 점 $(2, f(2))$에서의 접선의 기울기가 2이므로 $f'(2)=2$

$g(x)=f(\sqrt{x})$라 하면

$g'(x)=f'(\sqrt{x})\times(\sqrt{x})'=\dfrac{f'(\sqrt{x})}{2\sqrt{x}}$

$\therefore g'(4)=\dfrac{f'(\sqrt{4})}{2\sqrt{4}}=\dfrac{f'(2)}{4}=\dfrac{2}{4}=\dfrac{1}{2}$

따라서 $y=f(\sqrt{x})$의 $x=4$에서의 미분계수는 $\dfrac{1}{2}$

06 [셀파] $\lim\limits_{x \to a} \dfrac{f(x)-f(a)}{x-a}=f'(a)$

$f(x)=e^{3x}$에서 $f(0)=1$이고 $f'(x)=3e^{3x}$

$\therefore \lim\limits_{x \to 0} \dfrac{f(x)-1}{x}=\lim\limits_{x \to 0} \dfrac{f(x)-f(0)}{x-0}$

$\qquad\qquad\qquad =f'(0)=\mathbf{3}$

07 [셀파] $\ln(e^x+e^{2x}+ \cdots +e^{nx})=f(x)$라 하면 주어진 식은 $\lim\limits_{x \to 0} \dfrac{f(x)-f(0)}{x-0}$이다.

$\lim\limits_{x \to 0} \dfrac{1}{x} \ln \dfrac{e^x+e^{2x}+ \cdots +e^{nx}}{n}$

$=\lim\limits_{x \to 0} \dfrac{1}{x} \{\ln(e^x+e^{2x}+ \cdots +e^{nx})-\ln n\}$ ······㉠

$f(x)=\ln(e^x+e^{2x}+ \cdots +e^{nx})$이라 하면

$f(0)=\ln n$

㉠$=\lim\limits_{x \to 0} \dfrac{\ln(e^x+e^{2x}+ \cdots +e^{nx})-\ln n}{x}$

$=\lim\limits_{x \to 0} \dfrac{f(x)-f(0)}{x-0}=f'(0)=5$

이때 $f'(x)=\dfrac{e^x+2e^{2x}+ \cdots +ne^{nx}}{e^x+e^{2x}+ \cdots +e^{nx}}$이므로

$f'(0)=\dfrac{1+2+ \cdots +n}{n}=\dfrac{\dfrac{n(n+1)}{2}}{n}=\dfrac{n+1}{2}=5$

$n+1=10$ $\qquad \therefore \boldsymbol{n=9}$

08 [셀파] 양변의 절댓값에 자연로그를 취한다.

$f(x)=\dfrac{(x-1)^2\sqrt{x+1}}{x+2}$에서 양변의 절댓값에 자연로그를 취하면

$\ln |f(x)|=\ln \left| \dfrac{(x-1)^2\sqrt{x+1}}{x+2} \right|$

$\qquad\qquad =2\ln |x-1|+\dfrac{1}{2}\ln |x+1|-\ln |x+2|$

양변을 x에 대하여 미분하면

$\dfrac{f'(x)}{f(x)}=\dfrac{2}{x-1}+\dfrac{1}{2(x+1)}-\dfrac{1}{x+2}$

$\therefore f'(x)=\dfrac{(x-1)^2\sqrt{x+1}}{x+2}\left\{\dfrac{2}{x-1}+\dfrac{1}{2(x+1)}-\dfrac{1}{x+2}\right\}$

$\therefore f'(0)=\dfrac{1}{2}\left(-2+\dfrac{1}{2}-\dfrac{1}{2}\right)=\mathbf{-1}$

09 [셀파] x, y를 각각 매개변수 t에 대하여 미분하여 $\dfrac{dx}{dt}, \dfrac{dy}{dt}$를 구한다.

$x=t^2+t+1, y=\dfrac{1}{2}t^2+8t-8$에서

$\dfrac{dx}{dt}=2t+1, \dfrac{dy}{dt}=t+8$

$\therefore \dfrac{dy}{dx}=\dfrac{\dfrac{dy}{dt}}{\dfrac{dx}{dt}}=\dfrac{t+8}{2t+1}\left(단, t \neq -\dfrac{1}{2}\right)$

따라서 $t=2$일 때, $\dfrac{dy}{dx}$의 값은 $\mathbf{2}$

10 [셀파] 각 항을 x에 대하여 미분한 후 $\dfrac{dy}{dx}$를 구한다.

(1) $x^2-y^2=4$의 양변을 x에 대하여 미분하면

$2x-2y\dfrac{dy}{dx}=0, 2y\dfrac{dy}{dx}=2x$

$\therefore \dfrac{dy}{dx}=\dfrac{\boldsymbol{x}}{\boldsymbol{y}}$ (단, $\boldsymbol{y \neq 0}$)

(2) $y^2-2y+x=0$의 양변을 x에 대하여 미분하면

$2y\dfrac{dy}{dx}-2\dfrac{dy}{dx}+1=0$

$2(y-1)\dfrac{dy}{dx}=-1$

$\therefore \dfrac{dy}{dx}=-\dfrac{1}{2(\boldsymbol{y-1})}$ (단, $\boldsymbol{y \neq 1}$)

11 [셀파] $(xy)'=y+x\dfrac{dy}{dx}$

㉮ 방정식 $x^3+y^3+axy+b=0$의 양변을 x에 대하여 미분하면

$3x^2+3y^2\dfrac{dy}{dx}+a\left(y+x\dfrac{dy}{dx}\right)=0$

$(3y^2+ax)\dfrac{dy}{dx}+(3x^2+ay)=0$

$\therefore \dfrac{dy}{dx}=-\dfrac{3x^2+ay}{3y^2+ax}$

㉯ $x=1, y=2$에서의 접선의 기울기가 $\dfrac{1}{10}$이므로

$-\dfrac{3 \times 1^2+a \times 2}{3 \times 2^2+a \times 1}=\dfrac{1}{10}, 12+a=-30-20a$

$21a=-42$ $\qquad \therefore \boldsymbol{a=-2}$

이때 점 $(1, 2)$는 곡선 위의 점이므로

$1^3+2^3+a\times1\times2+b=0$

$a=-2$를 대입하면 $\boldsymbol{b=-5}$

채점 기준	배점
㉮ 방정식을 미분하여 $\dfrac{dy}{dx}$를 구한다.	50%
㉯ 접선의 기울기를 이용하여 a의 값을 구한다.	30%
㉰ 곡선 위의 점 $(1, 2)$를 이용하여 b의 값을 구한다.	20%

12 [셀파] $g(x)=x\sqrt{f(x)}$에서 $g'(x)=\sqrt{f(x)}+\dfrac{xf'(x)}{2\sqrt{f(x)}}$이다.

$g(x)=x\sqrt{f(x)}$에서

$g'(x)=\sqrt{f(x)}+\dfrac{xf'(x)}{2\sqrt{f(x)}}$

$\therefore g'(2)=\sqrt{f(2)}+\dfrac{2f'(2)}{2\sqrt{f(2)}}$

주어진 조건에서 $f(2)=4, f'(2)=1$이므로

$g'(2)=\sqrt{4}+\dfrac{2\times1}{2\sqrt{4}}=2+\dfrac{1}{2}=\boldsymbol{\dfrac{5}{2}}$

13 [셀파] $\dfrac{dy}{dx}=\dfrac{1}{\dfrac{dx}{dy}}$을 이용한다.

$x=y\sqrt{y+1}$의 양변을 y에 대하여 미분하면

$\dfrac{dx}{dy}=\sqrt{y+1}+y\times\dfrac{1}{2\sqrt{y+1}}=\dfrac{3y+2}{2\sqrt{y+1}}$

$\therefore \dfrac{dy}{dx}=\dfrac{1}{\dfrac{dx}{dy}}=\dfrac{2\sqrt{y+1}}{3y+2}$

따라서 $y=3$일 때, 구하는 값은

$\dfrac{2\times2}{3\times3+2}=\boldsymbol{\dfrac{4}{11}}$

14 [셀파] $(f^{-1})'(x)=\dfrac{1}{f'(f^{-1}(x))}$이다.

$f'(x)=\dfrac{(x^3+2x^2+1)'}{2\sqrt{x^3+2x^2+1}}=\dfrac{3x^2+4x}{2\sqrt{x^3+2x^2+1}}$

$f^{-1}(2)=k$라 하면 $f(k)=2$이므로

$\sqrt{k^3+2k^2+1}=2, \quad k^3+2k^2+1=4$

$k^3+2k^2-3=0, \quad (k-1)(k^2+3k+3)=0$

이때 $k^2+3k+3=\left(k+\dfrac{3}{2}\right)^2+\dfrac{3}{4}>0$이므로 $k=1$

따라서 $f^{-1}(2)=1$이고 $f'(x)=\dfrac{3x^2+4x}{2\sqrt{x^3+2x^2+1}}$이므로

$(f^{-1})'(2)=\dfrac{1}{f'(f^{-1}(2))}=\dfrac{1}{f'(1)}=\boldsymbol{\dfrac{4}{7}}$

15 [셀파] $g'(x)=\dfrac{1}{f'(g(x))}$이다.

$\lim\limits_{x\to3}\dfrac{f(x)-5}{x-3}=\dfrac{1}{4}$에서 $x\to3$일 때 (분모) $\to0$이고 극한값이 존재하므로 (분자) $\to0$이다.

즉, $\lim\limits_{x\to3}\{f(x)-5\}=0$에서 $f(3)=5$이므로

$f^{-1}(5)=3 \qquad \therefore g(5)=3$

이때 $\lim\limits_{x\to3}\dfrac{f(x)-5}{x-3}=\lim\limits_{x\to3}\dfrac{f(x)-f(3)}{x-3}=f'(3)=\dfrac{1}{4}$

$g'(5)=\dfrac{1}{f'(g(5))}=\dfrac{1}{f'(3)}=4$

$\therefore g(5)+g'(5)=3+4=\boldsymbol{7}$

16 [셀파] $\{(ax+b)\cos x\}'=(ax+b)'\cos x+(ax+b)(\cos x)'$

$f'(x)=a\cos x-(ax+b)\sin x$

$f''(x)=-a\sin x-a\sin x-(ax+b)\cos x$

$\qquad =-2a\sin x-(ax+b)\cos x$

$f'(0)=1, f''(0)=2$이므로

$f'(0)=a=1 \qquad \therefore a=1$

$f''(0)=-b=2 \qquad \therefore b=-2$

$\therefore a+b=1-2=\boldsymbol{-1}$

6. 도함수의 활용 (1)

1-1 (1) $f(x)=\cos x$ 라 하면 $f'(x)=-\sin x$ 이므로

곡선 $y=f(x)$ 위의 점 $\left(\dfrac{\pi}{2},\,0\right)$ 에서의 접선의 기울기는

$f'\left(\dfrac{\pi}{2}\right)=-\sin\boxed{\dfrac{\pi}{2}}=-1$

따라서 점 $\left(\dfrac{\pi}{2},\,0\right)$ 에서의 접선의 방정식은

$y-0=-\left(x-\dfrac{\pi}{2}\right)$ $\therefore y=\boxed{-x}+\dfrac{\pi}{2}$

(2) $f(x)=\ln x$ 라 하면 $f'(x)=\dfrac{1}{x}$ 이므로

곡선 $y=f(x)$ 위의 점 $(e,\,1)$ 에서의 접선의 기울기는

$f'(e)=\dfrac{1}{e}$

따라서 점 $(e,\,1)$ 에서의 접선의 방정식은

$y-1=\dfrac{1}{\boxed{e}}(x-e)$ $\therefore y=\dfrac{1}{e}x$

1-2 (1) $f(x)=e^x$ 이라 하면 $f'(x)=e^x$ 이므로

곡선 $y=f(x)$ 위의 점 $(1,\,e)$ 에서의 접선의 기울기는

$f'(1)=e$

따라서 점 $(1,\,e)$ 에서의 접선의 방정식은

$y-e=e(x-1)$ $\therefore y=ex$

(2) $f(x)=\sin x$ 라 하면 $f'(x)=\cos x$ 이므로

곡선 $y=f(x)$ 위의 점 $(\pi,\,0)$ 에서의 접선의 기울기는

$f'(\pi)=\cos\pi=-1$

따라서 점 $(\pi,\,0)$ 에서의 접선의 방정식은

$y-0=-1(x-\pi)$ $\therefore y=-x+\pi$

2-1 $f(x)=e^x$ 이라 하면 $f'(x)=e^x$

접점의 좌표를 $(t,\,e^t)$ 으로 놓으면 접선의 기울기가 1이므로

$f'(t)=e^t=\boxed{1}$ $\therefore t=0$

따라서 접점의 좌표가 $(0,\,1)$ 이므로 구하는 접선의 방정식은

$y-1=x-0$ $\therefore y=x+1$

2-2 (1) $f(x)=\ln x$ 라 하면 $f'(x)=\dfrac{1}{x}$

접점의 좌표를 $(t,\,\ln t)$ 로 놓으면 접선의 기울기가 $\dfrac{1}{2}$ 이므로 $f'(t)=\dfrac{1}{t}=\dfrac{1}{2}$ $\therefore t=2$

따라서 접점의 좌표가 $(2,\,\ln 2)$ 이므로 구하는 접선의 방정식은

$y-\ln 2=\dfrac{1}{2}(x-2)$ $\therefore y=\dfrac{1}{2}x+\ln 2-1$

(2) $f(x)=\sqrt{x}$ 라 하면 $f'(x)=\dfrac{1}{2\sqrt{x}}$

접점의 좌표를 $(t,\,\sqrt{t})$ 로 놓으면 접선의 기울기가 $\dfrac{1}{4}$ 이므로 $f'(t)=\dfrac{1}{2\sqrt{t}}=\dfrac{1}{4}$ $\therefore t=4$

따라서 접점의 좌표가 $(4,\,2)$ 이므로 구하는 접선의 방정식은

$y-2=\dfrac{1}{4}(x-4)$ $\therefore y=\dfrac{1}{4}x+1$

3-1 $f(x)=\cos x$ 에서 $f'(x)=-\sin x$

$f'(x)=0$ 에서 $x=\boxed{\pi}$

함수 $f(x)$ 의 증가와 감소를 표로 나타내면 다음과 같다.

x	(0)	$\cdots$	π	$\cdots$	(2π)
$f'(x)$		$-$	0	$+$	
$f(x)$		$\searrow$	-1	$\nearrow$	

따라서 함수 $f(x)$ 는 **반닫힌 구간 $(0,\,\pi]$ 에서 감소**하고, **반닫힌 구간 $[\boxed{\pi},\,2\pi)$ 에서 증가**한다.

3-2 (1) $f(x)=\dfrac{x^2+1}{x}$ 에서

$f'(x)=\dfrac{2x\times x-(x^2+1)}{x^2}$

$\quad\;\,=\dfrac{x^2-1}{x^2}=\dfrac{(x-1)(x+1)}{x^2}$

$f'(x)=0$ 에서 $x=-1$ 또는 $x=1$

함수 $f(x)$ 의 증가와 감소를 표로 나타내면 다음과 같다.

x	$\cdots$	-1	$\cdots$	(0)	$\cdots$	1	$\cdots$
$f'(x)$	$+$	0	$-$		$-$	0	$+$
$f(x)$	$\nearrow$	-2	$\searrow$		$\searrow$	2	$\nearrow$

따라서 함수 $f(x)$ 는 **반닫힌 구간 $(-\infty,\,-1]$, $[1,\,\infty)$ 에서 증가**하고, **반닫힌 구간 $[-1,\,0)$, $(0,\,1]$ 에서 감소**한다.

(2) $f(x)=x-2\sqrt{x}$에서 $f'(x)=1-\dfrac{1}{\sqrt{x}}$

$f'(x)=0$에서 $x=1$

함수 $f(x)$의 증가와 감소를 표로 나타내면 다음과 같다.

x	0	$\cdots$	1	$\cdots$
$f'(x)$		$-$	0	$+$
$f(x)$	0	$\searrow$	-1	$\nearrow$

따라서 함수 $f(x)$는 닫힌구간 $[0,\,1]$에서 감소하고, 반닫힌 구간 $[1,\,\infty)$에서 증가한다.

4-1 $f(x)=e^x-x$에서 $f'(x)=e^x-1$

$f'(x)=0$에서 $x=0$

함수 $f(x)$의 증가와 감소를 표로 나타내면 다음과 같다.

x	$\cdots$	0	$\cdots$
$f'(x)$	$-$	0	$+$
$f(x)$	$\searrow$	1	$\nearrow$

따라서 함수 $f(x)$는 $x=\boxed{0}$에서 **극솟값 1**을 갖는다.

4-2 (1) $f(x)=\sin x$에서 $f'(x)=\cos x$

$f'(x)=0$에서 $x=\dfrac{\pi}{2}$ 또는 $x=\dfrac{3}{2}\pi$ $(\because 0<x<2\pi)$

함수 $f(x)$의 증가와 감소를 표로 나타내면 다음과 같다.

x	(0)	$\cdots$	$\dfrac{\pi}{2}$	$\cdots$	$\dfrac{3}{2}\pi$	$\cdots$	(2π)
$f'(x)$		$+$	0	$-$	0	$+$	
$f(x)$		$\nearrow$	1	$\searrow$	-1	$\nearrow$	

따라서 함수 $f(x)$는 $x=\dfrac{\pi}{2}$에서 **극댓값 1**, $x=\dfrac{3}{2}\pi$에서 **극솟값 -1**을 갖는다.

(2) $f(x)=\ln x-x$에서 $x>0$이고

$f'(x)=\dfrac{1}{x}-1$

$f'(x)=0$에서 $x=1$

함수 $f(x)$의 증가와 감소를 표로 나타내면 다음과 같다.

x	(0)	$\cdots$	1	$\cdots$
$f'(x)$		$+$	0	$-$
$f(x)$		$\nearrow$	-1	$\searrow$

따라서 함수 $f(x)$는 $x=1$에서 **극댓값 -1**을 갖는다.

01-1 [셀파] 곡선 $y=f(x)$ 위의 점 $(a,\,f(a))$에서의 접선의 방정식 $\Rightarrow y-f(a)=f'(a)(x-a)$

(1) $f(x)=\cos x-\dfrac{1}{2}$이라 하면 $f'(x)=-\sin x$이므로

점 $\left(\dfrac{\pi}{3},\,0\right)$에서의 접선의 기울기는

$f'\left(\dfrac{\pi}{3}\right)=-\sin\dfrac{\pi}{3}=-\dfrac{\sqrt{3}}{2}$

따라서 구하는 접선의 방정식은

$y=-\dfrac{\sqrt{3}}{2}\left(x-\dfrac{\pi}{3}\right)$ $\quad\therefore \boldsymbol{y=-\dfrac{\sqrt{3}}{2}x+\dfrac{\sqrt{3}}{6}\pi}$

(2) $f(x)=2\sqrt{x}+1$이라 하면 $f'(x)=2\times\dfrac{1}{2\sqrt{x}}=\dfrac{1}{\sqrt{x}}$

점 $(1,\,3)$에서의 접선의 기울기는

$f'(1)=1$

따라서 구하는 접선의 방정식은

$y-3=x-1$ $\quad\therefore \boldsymbol{y=x+2}$

01-2 [셀파] 곡선 $y=f(x)$ 위의 $x=a$인 점에서의 접선의 기울기 $\Rightarrow f'(a)$

$f(x)=e^{x+a}$에서 $f'(x)=e^{x+a}(x+a)'=e^{x+a}$

곡선 $y=f(x)$ 위의 점 $(-1,\,b)$에서의 접선의 기울기가 e이므로

$f'(-1)=e^{-1+a}=e,\ -1+a=1$ $\quad\therefore \boldsymbol{a=2}$

$f(x)=e^{x+2}$이고 $f(-1)=b$에서

$e^{-1+2}=b$ $\quad\therefore \boldsymbol{b=e}$

02-1 [셀파] 직선 $y=x+a$와 곡선 $y=f(x)$가 접하므로 접점의 좌표를 $(t,\,t+a)$라 하면 $f'(t)=1$

$f(x)=x+\sin x$라 하면 $f'(x)=1+\cos x$

직선 $y=x+a$와 곡선 $y=f(x)$가 접하는 접점의 좌표를 $(t,\,t+a)$로 놓으면 접선의 기울기가 1이므로

$f'(t)=1+\cos t=1,\ \cos t=0$ $\quad\therefore t=\dfrac{\pi}{2}$ $\left(\because 0\leq t\leq\pi\right)$

따라서 접점의 좌표가 $\left(\dfrac{\pi}{2},\,\dfrac{\pi}{2}+a\right)$이고, 이 점은 곡선 $y=x+\sin x$ 위의 점이므로

$\dfrac{\pi}{2}+a=\dfrac{\pi}{2}+\sin\dfrac{\pi}{2}$ $\quad\therefore \boldsymbol{a=1}$

02-2 셀파 $f(x)=2x\ln x+px$라 하면 $f'(e)=3$을 이용하여 접점의 좌표를 구한다.

$f(x)=2x\ln x+px$라 하면 $f'(x)=2\ln x+2+p$
이때 $x=e$인 점에서의 접선의 기울기가 3이므로
$f'(e)=4+p=3$에서 **$p=-1$**
따라서 $f(x)=2x\ln x-x$에서 접점의 좌표는 $(e,\,e)$이므로
접선의 방정식은
$y-e=3(x-e)$, 즉 $y=3x-2e$ $\therefore$ **$q=-2e$**

03-1 셀파 접점의 좌표를 $\left(t,\,\dfrac{1}{t}\right)$로 놓고, 이 점에서의 접선의 방정식을 구한다.

$f(x)=\dfrac{1}{x}$이라 하면 $f'(x)=-\dfrac{1}{x^2}$

접점의 좌표를 $\left(t,\,\dfrac{1}{t}\right)$로 놓으면 $f'(t)=-\dfrac{1}{t^2}$이므로 접선의 방정식은

$y-\dfrac{1}{t}=-\dfrac{1}{t^2}(x-t)$

$\therefore y=-\dfrac{1}{t^2}x+\dfrac{2}{t}$ ······ ㉠

이 접선이 점 $(1,\,0)$을 지나므로

$0=-\dfrac{1}{t^2}+\dfrac{2}{t}$, $2t-1=0$ $\therefore t=\dfrac{1}{2}$

$t=\dfrac{1}{2}$을 ㉠에 대입하면 구하는 접선의 방정식은

$y=-4x+4$

03-2 셀파 접점의 좌표를 $\left(t,\,\dfrac{\ln t}{t}\right)$로 놓고, 이 점에서의 접선의 방정식을 구한다.

$f(x)=\dfrac{\ln x}{x}$라 하면

$f'(x)=\dfrac{(\ln x)'x-\ln x(x)'}{x^2}=\dfrac{1-\ln x}{x^2}$

접점의 좌표를 $\left(t,\,\dfrac{\ln t}{t}\right)$로 놓으면

$f'(t)=\dfrac{1-\ln t}{t^2}$이므로 접선의 방정식은

$y-\dfrac{\ln t}{t}=\dfrac{1-\ln t}{t^2}(x-t)$

$\therefore y=\dfrac{1-\ln t}{t^2}x+\dfrac{2\ln t-1}{t}$ ······ ㉠

이 접선이 점 $(0,\,0)$을 지나므로

$0=\dfrac{2\ln t-1}{t}$, $2\ln t=1$, $\ln t=\dfrac{1}{2}$ $\therefore t=\sqrt{e}$

$t=\sqrt{e}$를 ㉠에 대입하면 접선의 방정식은 $y=\dfrac{1}{2e}x$

이 직선이 점 $\left(a,\,\dfrac{1}{2}\right)$을 지나므로

$\dfrac{1}{2}=\dfrac{a}{2e}$ $\therefore$ **$a=e$**

집중 연습   본문 | **127** 쪽

01 (1) $f(x)=\dfrac{1}{x}$이라 하면 $f'(x)=-\dfrac{1}{x^2}$이므로
점 $(1,\,1)$에서의 접선의 기울기는 $f'(1)=-1$
따라서 구하는 접선의 방정식은
$y-1=-(x-1)$ $\therefore$ **$y=-x+2$**

(2) $f(x)=e^{2x}$이라 하면 $f'(x)=2e^{2x}$이므로
점 $(0,\,1)$에서의 접선의 기울기는 $f'(0)=2$
따라서 구하는 접선의 방정식은
$y=2x+1$

(3) $f(x)=\ln(x+2)$라 하면 $f'(x)=\dfrac{1}{x+2}$이므로

점 $(1,\,\ln 3)$에서의 접선의 기울기는 $f'(1)=\dfrac{1}{3}$

따라서 구하는 접선의 방정식은

$y-\ln 3=\dfrac{1}{3}(x-1)$ $\therefore$ **$y=\dfrac{1}{3}x-\dfrac{1}{3}+\ln 3$**

02 (1) $f(x)=e^{x-3}$이라 하면 $f'(x)=e^{x-3}$
접점의 좌표를 $(t,\,e^{t-3})$으로 놓으면 접선의 기울기가 3이므로
$f'(t)=e^{t-3}=3$, $t-3=\ln 3$ $\therefore t=\ln 3+3$
따라서 접점의 좌표가 $(\ln 3+3,\,3)$이므로 구하는 접선의 방정식은
$y-3=3\{x-(\ln 3+3)\}$
$\therefore$ **$y=3x-3\ln 3-6$**

(2) $f(x)=\ln(2x-1)$이라 하면 $f'(x)=\dfrac{2}{2x-1}$

접점의 좌표를 $(t, \ln(2t-1))$로 놓으면 접선의 기울기가 2이므로

$f'(t)=\dfrac{2}{2t-1}=2, \ 2t-1=1 \qquad \therefore t=1$

따라서 접점의 좌표가 $(1, 0)$이므로 구하는 접선의 방정식은

$y=2(x-1) \qquad \therefore \boldsymbol{y=2x-2}$

(3) $f(x)=\sqrt{2}\sin x$라 하면 $f'(x)=\sqrt{2}\cos x$

접점의 좌표를 $(t, \sqrt{2}\sin t)$로 놓으면 접선의 기울기가 -1이므로

$f'(t)=\sqrt{2}\cos t=-1, \ \cos t=-\dfrac{\sqrt{2}}{2}$

$\therefore t=\dfrac{3}{4}\pi \ (\because 0<t<\pi)$

따라서 접점의 좌표는 $\left(\dfrac{3}{4}\pi, \sqrt{2}\sin\dfrac{3}{4}\pi\right)$, 즉 $\left(\dfrac{3}{4}\pi, 1\right)$이므로 구하는 접선의 방정식은

$y-1=-\left(x-\dfrac{3}{4}\pi\right)$

$\therefore \boldsymbol{y=-x+\dfrac{3}{4}\pi+1}$

03 (1) $f(x)=e^{-x}$이라 하면 $f'(x)=-e^{-x}$

접점의 좌표를 (t, e^{-t})으로 놓으면

$f'(t)=-e^{-t}$이므로 접선의 방정식은

$y-e^{-t}=-e^{-t}(x-t)$

$\therefore y=-e^{-t}x+(t+1)e^{-t} \quad \cdots\cdots ㉠$

이 접선이 점 $(1, 0)$을 지나므로

$0=-e^{-t}+(t+1)e^{-t}, \ te^{-t}=0 \qquad \therefore t=0$

$t=0$을 ㉠에 대입하면 구하는 접선의 방정식은

$\boldsymbol{y=-x+1}$

(2) $f(x)=\sqrt{x+1}$이라 하면 $f'(x)=\dfrac{1}{2\sqrt{x+1}}$

접점의 좌표를 $(t, \sqrt{t+1})$로 놓으면

$f'(t)=\dfrac{1}{2\sqrt{t+1}}$이므로 접선의 방정식은

$y-\sqrt{t+1}=\dfrac{1}{2\sqrt{t+1}}(x-t)$

$\therefore y=\dfrac{1}{2\sqrt{t+1}}x+\dfrac{t+2}{2\sqrt{t+1}} \quad \cdots\cdots ㉠$

이 접선이 점 $(-2, 0)$을 지나므로

$0=\dfrac{-2}{2\sqrt{t+1}}+\dfrac{t+2}{2\sqrt{t+1}}, \ \dfrac{t}{2\sqrt{t+1}}=0 \qquad \therefore t=0$

$t=0$을 ㉠에 대입하면 구하는 접선의 방정식은

$\boldsymbol{y=\dfrac{1}{2}x+1}$

04-1 **셀파** (접선의 기울기)×(접선에 수직인 직선의 기울기)$=-1$

점 $(2, a)$는 곡선 $y=\dfrac{x}{x-1}$ 위의 점이므로 $\boldsymbol{a=2}$

$f(x)=\dfrac{x}{x-1}$라 하면

$f'(x)=\dfrac{x'(x-1)-x(x-1)'}{(x-1)^2}=-\dfrac{1}{(x-1)^2}$

이때 곡선 $y=\dfrac{x}{x-1}$ 위의 점 $(2, 2)$에서의 접선의 기울기는 $f'(2)=-1$이므로 이 접선에 수직인 직선의 기울기는 1이다.

따라서 기울기가 1이고 점 $(2, 2)$를 지나는 직선의 방정식은

$y-2=x-2 \qquad \therefore y=x$

이 직선이 점 $(-3, b)$를 지나므로 $\boldsymbol{b=-3}$

04-2 **셀파** y절편은 $x=0$일 때의 y의 값이다.

$f(x)=\cos x$라 하면 $f'(x)=-\sin x$

곡선 $y=\cos x$ 위의 점 $\mathrm{P}(t, \cos t)$에서의 접선의 기울기는 $f'(t)=-\sin t$이므로 이 접선에 수직인 직선의 기울기는 $\dfrac{1}{\sin t}$이다.

따라서 기울기가 $\dfrac{1}{\sin t}$이고 점 $(t, \cos t)$를 지나는 직선의 방정식은

$y-\cos t=\dfrac{1}{\sin t}(x-t)$

$\therefore y=\dfrac{1}{\sin t}x-\dfrac{t}{\sin t}+\cos t$

이 직선의 y절편이 $g(t)$이므로

$g(t)=-\dfrac{t}{\sin t}+\cos t$

$\therefore \lim_{t\to 0}g(t)=\lim_{t\to 0}\left(-\dfrac{t}{\sin t}+\cos t\right)=-1+1=\boldsymbol{0}$

셀파 특강 **확인 체크 01**

$f(x)=e^x$이라 하면 $f'(x)=e^x$

점 $(1, e)$에서의 접선의 기울기는 $f'(1)=e$이므로 이 점에서의 접선의 방정식은 $y-e=e(x-1) \qquad \therefore y=ex$

직선 $y=ex$가 곡선 $y=2\sqrt{x-k}$에 접하므로 방정식 $ex=2\sqrt{x-k}$가 중근을 갖는다.

$e^2x^2=4(x-k), \ e^2x^2-4x+4k=0 \quad \cdots\cdots ㉠$

이차방정식 ㉠의 판별식을 D라 하면

$\dfrac{D}{4}=4-e^2\times 4k=0 \qquad \therefore \boldsymbol{k=\dfrac{1}{e^2}}$

판별식을 이용하지 않고 곡선 $y=2\sqrt{x-k}$ 위의 한 점 $(t, 2\sqrt{t-k})$에서의 접선의 방정식이 $y=ex$인 것을 이용해도 된다. 그러나 계산이 복잡하므로 이차방정식의 판별식을 이용할 수 있는 경우에는 위 풀이처럼 판별식을 이용한다.

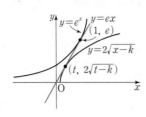

05-1 〔셀파〕 두 곡선 $f(x), g(x)$가 $x=a$에서 공통접선을 갖는다. $\Rightarrow f(a)=g(a), f'(a)=g'(a)$

$f(x)=\ln x, g(x)=ax+\dfrac{b}{x}$라 하면

$f'(x)=\dfrac{1}{x}, g'(x)=a-\dfrac{b}{x^2}$

이때 두 곡선이 모두 점 $(e^2, 2)$를 지나고 이 점에서 공통접선을 가지므로

(ⅰ) $f(e^2)=g(e^2)$에서 $2=ae^2+\dfrac{b}{e^2}$

   $\therefore ae^4+b=2e^2$ ······ ㉠

(ⅱ) $f'(e^2)=g'(e^2)$에서 $\dfrac{1}{e^2}=a-\dfrac{b}{e^4}$

   $\therefore ae^4-b=e^2$ ······ ㉡

㉠, ㉡을 연립하여 풀면 $\boldsymbol{a=\dfrac{3}{2e^2}, b=\dfrac{e^2}{2}}$

05-2 〔셀파〕 $f(x)=-x^2+ax+b, g(x)=e^x+c$라 하면 $f(4)=g(4)=0, f'(4)=g'(4)$

$f(x)=-x^2+ax+b, g(x)=e^x+c$라 하면

$f'(x)=-2x+a, g'(x)=e^x$이고

두 곡선이 점 $(4, 0)$에서 접하므로

(ⅰ) $f(4)=g(4)=0$에서 $-16+4a+b=e^4+c=0$

   $\therefore c=-e^4, b=16-4a$ ······ ㉠

(ⅱ) $f'(4)=g'(4)$에서 $-8+a=e^4$

   $\therefore a=e^4+8$ ······ ㉡

㉡을 ㉠에 대입하면

$b=16-4(e^4+8)=-4e^4-16$

$\therefore 2a+b-2c=2(e^4+8)-4e^4-16+2e^4=\boldsymbol{0}$

06-1 〔셀파〕 $t=1$일 때, $\dfrac{dy}{dx}$의 값이 구하는 접선의 기울기이다.

$\dfrac{dx}{dt}=2t, \dfrac{dy}{dt}=2$이므로

$\dfrac{dy}{dx}=\dfrac{\dfrac{dy}{dt}}{\dfrac{dx}{dt}}=\dfrac{2}{2t}=\dfrac{1}{t}$ (단, $t\neq 0$)

$t=1$일 때, 접선의 기울기는 1이므로 구하는 접선의 방정식은

$y-2=x-1$ $\therefore \boldsymbol{y=x+1}$

06-2 〔셀파〕 곡선 위의 한 점에서의 접선의 기울기는 그 점에서의 미분계수와 같다.

$\dfrac{dx}{dt}=3t^2, \dfrac{dy}{dt}=2t-a$이므로

$\dfrac{dy}{dx}=\dfrac{\dfrac{dy}{dt}}{\dfrac{dx}{dt}}=\dfrac{2t-a}{3t^2}$ (단, $t\neq 0$)

$t=1$일 때, 접선의 기울기가 -1이므로

$\dfrac{2\times 1-a}{3\times 1^2}=-1$ $\therefore \boldsymbol{a=5}$

07-1 〔셀파〕 점 (x_1, y_1)을 지나고 기울기가 $\dfrac{dy}{dx}$인 직선의 방정식은 $y-y_1=\dfrac{dy}{dx}(x-x_1)$

(1) $3x^2+y^2=6$의 양변을 x에 대하여 미분하면

$6x+2y\dfrac{dy}{dx}=0$ $\therefore \dfrac{dy}{dx}=-\dfrac{3x}{y}$ (단, $y\neq 0$)

따라서 곡선 위의 점 $(-1, \sqrt{3})$에서의 접선의 기울기는

$-\dfrac{3\times(-1)}{\sqrt{3}}=\dfrac{3}{\sqrt{3}}=\sqrt{3}$

이므로 구하는 접선의 방정식은

$y-\sqrt{3}=\sqrt{3}\{x-(-1)\}$ $\therefore \boldsymbol{y=\sqrt{3}x+2\sqrt{3}}$

(2) $\sqrt{x}+\sqrt{y}=3$의 양변을 x에 대하여 미분하면

$\dfrac{1}{2\sqrt{x}}+\dfrac{1}{2\sqrt{y}}\dfrac{dy}{dx}=0$

$\therefore \dfrac{dy}{dx}=-\dfrac{\sqrt{y}}{\sqrt{x}}$ (단, $x\neq 0$)

따라서 곡선 위의 점 $(4, 1)$에서의 접선의 기울기는

$-\dfrac{\sqrt{1}}{\sqrt{4}}=-\dfrac{1}{2}$

이므로 구하는 접선의 방정식은

$y-1=-\dfrac{1}{2}(x-4)$ $\therefore \boldsymbol{y=-\dfrac{1}{2}x+3}$

(1) $f(x)=x+\dfrac{1}{x}$에서 $f'(x)=1-\dfrac{1}{x^2}$

$f'(x)=0$에서 $1-\dfrac{1}{x^2}=0$ $\therefore x=-1$ 또는 $x=1$

$f''(x)=\dfrac{2}{x^3}$

이때 $f''(-1)=-2<0,\ f''(1)=2>0$이므로

$x=-1$일 때, $f(x)$는 극대이고 **극댓값**은

$f(-1)=-1+\dfrac{1}{-1}=-2$

$x=1$일 때, $f(x)$는 극소이고 **극솟값**은

$f(1)=1+\dfrac{1}{1}=2$

(2) $f(x)=xe^x$에서 $f'(x)=e^x+xe^x$

$f'(x)=0$에서 $e^x(1+x)=0$ $\therefore x=-1$

$f''(x)=e^x+e^x+xe^x=e^x(x+2)$

이때 $f''(-1)=e^{-1}(-1+2)=\dfrac{1}{e}>0$이므로

$x=-1$일 때, $f(x)$는 극소이고 **극솟값**은

$f(-1)=-\dfrac{1}{e}$

08-1 셀파 $f'(x)>0 \Rightarrow f(x)$는 증가
$f'(x)<0 \Rightarrow f(x)$는 감소

(1) $f(x)=2x+\sin x$에서 $f'(x)=2+\cos x$

이때 $-1\le\cos x\le 1$이므로 $f'(x)>0$

따라서 함수 $f(x)$는 **열린구간 $(-\infty,\infty)$에서 증가**한다.

(2) $f(x)=xe^{-x}$에서 $f'(x)=e^{-x}-xe^{-x}=e^{-x}(1-x)$

$f'(x)=0$에서 $x=1$

함수 $f(x)$의 증가와 감소를 표로 나타내면 다음과 같다.

x	$\cdots$	1	$\cdots$
$f'(x)$	$+$	0	$-$
$f(x)$	↗	극대	↘

따라서 함수 $f(x)$는 **반닫힌 구간 $(-\infty,1]$에서 증가**하고, 반닫힌 구간 $[1,\infty)$에서 감소한다.

09-1 셀파 함수 $f(x)$가 실수 전체의 집합에서 감소하면
$\Rightarrow f'(x)\le 0$

$f'(x)=(2x+k)e^{-x}-(x^2+kx+1)e^{-x}$
$=e^{-x}\{-x^2+(2-k)x+k-1\}$

함수 $f(x)$가 실수 전체의 집합에서 감소하려면 모든 실수 x에 대하여 $f'(x)\le 0$이어야 한다.

이때 $e^{-x}>0$이므로 이차방정식 $-x^2+(2-k)x+k-1=0$의 판별식을 D라 하면

$D=(2-k)^2+4(k-1)\le 0,\ k^2\le 0$ $\therefore \boldsymbol{k=0}$

09-2 셀파 $x_1<x_2$인 임의의 실수 $x_1,\ x_2$에 대하여
$f(x_1)<f(x_2)$가 항상 성립하면 $f(x)$는 증가한다.

$f(x)=(ax^2-1)e^{-x}$에서

$f'(x)=2axe^{-x}-(ax^2-1)e^{-x}=(-ax^2+2ax+1)e^{-x}$

$x_1<x_2$인 임의의 실수 $x_1,\ x_2$에 대하여 $f(x_1)<f(x_2)$, 즉 모든 실수 x에 대하여 $f(x)$가 증가하려면 $f'(x)\ge 0$이어야 한다.

이때 $e^{-x}>0$이므로 이차방정식 $-ax^2+2ax+1=0$의 판별식을 D라 하면

(i) $a=0$일 때, $f'(x)=e^{-x}>0$이므로 항상 성립

(ii) $a\ne 0$일 때, $-a>0$, 즉 $a<0$ $\cdots\cdots$ ㉠

$\dfrac{D}{4}=a^2+a\le 0,\ a(a+1)\le 0$

$\therefore -1\le a\le 0$ $\cdots\cdots$ ㉡

㉠, ㉡에서 $-1\le a<0$

(i), (ii)에서 실수 a의 값의 범위는 $\boldsymbol{-1\le a\le 0}$

10-1 셀파 (2) 함수 $f(x)$의 정의역부터 찾는다.

(1) $f(x)=2x+\dfrac{1}{x}$에서 $f'(x)=2-\dfrac{1}{x^2}$

$f'(x)=0$에서 $x^2=\dfrac{1}{2}$ $\therefore x=\dfrac{\sqrt{2}}{2}\ (\because x>0)$

이때 $x>0$에서 함수 $f(x)$의 증가와 감소를 표로 나타내면 다음과 같다.

x	(0)	$\cdots$	$\dfrac{\sqrt{2}}{2}$	$\cdots$
$f'(x)$		$-$	0	$+$
$f(x)$		↘	$2\sqrt{2}$	↗

따라서 함수 $f(x)$는 $x=\dfrac{\sqrt{2}}{2}$에서 **극솟값 $2\sqrt{2}$**를 갖는다.

(2) $f(x)=\sqrt{x}+\sqrt{2-x}$ 에서

$x\geq0, 2-x\geq0$ 이어야 하므로 $0\leq x\leq2$

$f'(x)=\dfrac{1}{2\sqrt{x}}-\dfrac{1}{2\sqrt{2-x}}=\dfrac{\sqrt{2-x}-\sqrt{x}}{2\sqrt{x}\sqrt{2-x}}$

$f'(x)=0$ 에서 $\sqrt{2-x}=\sqrt{x}$, $2-x=x$ ∴ $x=1$

이때 $0\leq x\leq2$ 에서 함수 $f(x)$의 증가와 감소를 표로 나타내면 다음과 같다.

x	0	⋯	1	⋯	2
$f'(x)$		+	0	−	
$f(x)$	$\sqrt{2}$	↗	2	↘	$\sqrt{2}$

따라서 함수 $f(x)$는 $x=1$에서 **극댓값 2**를 갖는다.

11-1 셀파 정의역에서 $f'(x)=0$인 x의 값을 기준으로 함수 $f(x)$의 증가와 감소를 표로 나타낸다.

(1) $f'(x)=-e^{-x+1}+e^2$

$f'(x)=0$ 에서 $e^{-x+1}=e^2$ ∴ $x=-1$

이때 함수 $f(x)$의 증가와 감소를 표로 나타내면 다음과 같다.

x	⋯	-1	⋯
$f'(x)$	−	0	+
$f(x)$	↘	2	↗

따라서 함수 $f(x)$는 $x=-1$에서 **극솟값 2**를 갖는다.

(2) $f(x)=x^2-2+\ln(5-x^2)$ 에서

$5-x^2>0$ 이어야 하므로 $-\sqrt{5}<x<\sqrt{5}$

$f'(x)=2x-\dfrac{2x}{5-x^2}=\dfrac{-2x^3+8x}{5-x^2}$

$f'(x)=0$ 에서 $-2x^3+8x=0$

$-2x(x^2-4)=0$, $-2x(x+2)(x-2)=0$

∴ $x=-2$ 또는 $x=0$ 또는 $x=2$

이때 $-\sqrt{5}<x<\sqrt{5}$ 에서 함수 $f(x)$의 증가와 감소를 표로 나타내면 다음과 같다.

x	$(-\sqrt{5})$	⋯	-2	⋯	0	⋯	2	⋯	$(\sqrt{5})$
$f'(x)$		+	0	−	0	+	0	−	
$f(x)$		↗	2	↘	$\ln 5-2$	↗	2	↘	

따라서 함수 $f(x)$는 $x=-2$와 $x=2$에서 **극댓값 2**, $x=0$에서 **극솟값 $\ln 5-2$**를 갖는다.

12-1 셀파 $f'(x)=0$인 x의 값을 기준으로 함수 $f(x)$의 증가와 감소를 표로 나타낸다.

(1) $f(x)=x+2\sin x$ 에서 $f'(x)=1+2\cos x$

$f'(x)=0$ 에서 $\cos x=-\dfrac{1}{2}$

∴ $x=\dfrac{2}{3}\pi$ 또는 $x=\dfrac{4}{3}\pi$ ($∵ 0<x<2\pi$)

이때 $0<x<2\pi$ 에서 함수 $f(x)$의 증가와 감소를 표로 나타내면 다음과 같다.

x	(0)	⋯	$\dfrac{2}{3}\pi$	⋯	$\dfrac{4}{3}\pi$	⋯	(2π)
$f'(x)$		+	0	−	0	+	
$f(x)$		↗	$\dfrac{2}{3}\pi+\sqrt{3}$	↘	$\dfrac{4}{3}\pi-\sqrt{3}$	↗	

따라서 함수 $f(x)$는

$x=\dfrac{2}{3}\pi$에서 **극댓값 $\dfrac{2}{3}\pi+\sqrt{3}$**,

$x=\dfrac{4}{3}\pi$에서 **극솟값 $\dfrac{4}{3}\pi-\sqrt{3}$**을 갖는다.

| 다른 풀이 |

$f'(x)=1+2\cos x$

$f'(x)=0$ 에서 $\cos x=-\dfrac{1}{2}$

∴ $x=\dfrac{2}{3}\pi$ 또는 $x=\dfrac{4}{3}\pi$

$f''(x)=-2\sin x$

$f''\left(\dfrac{2}{3}\pi\right)=-2\sin\dfrac{2}{3}\pi=-\sqrt{3}<0$

$f''\left(\dfrac{4}{3}\pi\right)=-2\sin\dfrac{4}{3}\pi=\sqrt{3}>0$

이므로 $f(x)$는

$x=\dfrac{2}{3}\pi$에서 극댓값 $f\left(\dfrac{2}{3}\pi\right)=\dfrac{2}{3}\pi+\sqrt{3}$,

$x=\dfrac{4}{3}\pi$에서 극솟값 $f\left(\dfrac{4}{3}\pi\right)=\dfrac{4}{3}\pi-\sqrt{3}$을 갖는다.

(2) $f(x)=e^{\cos x}$ 에서 $f'(x)=e^{\cos x}(\cos x)'=-\sin x\,e^{\cos x}$

$f'(x)=0$ 에서 $\sin x=0$

∴ $x=\pi$ ($∵ 0<x<2\pi$)

이때 $0<x<2\pi$ 에서 함수 $f(x)$의 증가와 감소를 표로 나타내면 다음과 같다.

x	(0)	⋯	π	⋯	(2π)
$f'(x)$		−	0	+	
$f(x)$		↘	$\dfrac{1}{e}$	↗	

따라서 함수 $f(x)$는 $x=\pi$에서 **극솟값 $\dfrac{1}{e}$**을 갖는다.

함수 $f(x)$가 연속인 이계도함수를 가지고 $f'(a)=0$일 때
❶ $f''(a)>0$이면 $f(x)$는 $x=a$에서 극소이다.
❷ $f''(a)<0$이면 $f(x)$는 $x=a$에서 극대이다.

해설

❶ $f''(a)>0$일 때
(ⅰ) $x<a$이면

$$f''(a)=\lim_{x\to a-}\frac{f'(x)}{x-a}>0$$

x	$\cdots$	a	$\cdots$
$f'(x)$	$-$	0	$+$
$f(x)$	$\searrow$	극소	$\nearrow$

$$\therefore f'(x)<0$$

(ⅱ) $x>a$이면 $f''(a)=\lim_{x\to a+}\dfrac{f'(x)}{x-a}>0$

$$\therefore f'(x)>0$$

따라서 함수 $f(x)$는 $x=a$에서 극소이다.

❷ $f''(a)<0$일 때
(ⅰ) $x<a$이면

$$f''(a)=\lim_{x\to a-}\frac{f'(x)}{x-a}<0$$

x	$\cdots$	a	$\cdots$
$f'(x)$	$+$	0	$-$
$f(x)$	$\nearrow$	극대	$\searrow$

$$\therefore f'(x)>0$$

(ⅱ) $x>a$이면 $f''(a)=\lim_{x\to a+}\dfrac{f'(x)}{x-a}<0$

$$\therefore f'(x)<0$$

따라서 함수 $f(x)$는 $x=a$에서 극대이다.

예 $f(x)=xe^x$일 때

$$f'(x)=(x+1)e^x, f''(x)=(x+2)e^x$$

$f'(x)=0$에서 $x=-1$이고 $f''(-1)=\dfrac{1}{e}>0$

따라서 $x=-1$에서 극솟값 $-\dfrac{1}{e}$을 갖는다.

13-1 셀파 $f'(x)$의 부호가 바뀌는 점이 존재하지 않으면 $f(x)$가 극값을 갖지 않는다.

$f(x)=\dfrac{5x^2-2x+k}{e^x}=(5x^2-2x+k)e^{-x}$에서

$f'(x)=(10x-2)e^{-x}-(5x^2-2x+k)e^{-x}$
$\quad=-e^{-x}(5x^2-12x+k+2)$

함수 $f(x)$가 극값을 갖지 않으려면 모든 실수 x에 대하여 $f'(x)\geq0$ 또는 $f'(x)\leq0$이어야 한다.
이때 $e^{-x}>0$이므로 $f'(x)\leq0$이어야 한다.
즉, $5x^2-12x+k+2\geq0$이어야 하므로 이차방정식 $5x^2-12x+k+2=0$의 판별식을 D라 하면

$$\frac{D}{4}=36-5(k+2)\leq0,\ -5k+26\leq0 \qquad \therefore \boldsymbol{k\geq\frac{26}{5}}$$

13-2 셀파 이차방정식이 서로 다른 두 양의 실근을 가질 조건을 이용한다.

$f(x)=\ln x+\dfrac{k}{x}-x$에서 $x>0$

$f'(x)=\dfrac{1}{x}-\dfrac{k}{x^2}-1=\dfrac{-x^2+x-k}{x^2}$

$f'(x)=0$에서 $x^2>0$이므로

$-x^2+x-k=0$, 즉 $x^2-x+k=0$ $\qquad\cdots\cdots$ ㉠

여기서 함수 $f(x)$가 $x>0$에서 극댓값과 극솟값을 모두 가지려면 이차방정식 ㉠이 $x>0$에서 서로 다른 두 실근을 가져야 한다.
이때 이차방정식 ㉠의 서로 다른 두 양의 실근을 각각 α, β라 하고, ㉠의 판별식을 D라 하면

$$D=1-4k>0 \qquad \therefore k<\frac{1}{4}$$

$\alpha+\beta=1>0, \alpha\beta=k>0$

따라서 구하는 실수 k의 값의 범위는 $\boldsymbol{0<k<\dfrac{1}{4}}$

| 오답 피하기 |

판별식 조건만 생각하여 $k<\dfrac{1}{4}$을 답으로 하면 틀린다. 주어진 함수 $f(x)$가 로그를 포함하고 있으므로 정의역 $\{x\,|\,x>0,\ x$는 실수$\}$가 정해진다.
따라서 $f'(x)=0$의 근도 이 범위에 속해야 한다.
이것은 이차방정식 $f'(x)=0$의 근이 모두 양수라는 뜻이다.
또한 이차방정식의 두 근이 서로 다르다는 조건이 있는 경우에는 $D\geq0$이 아니라 $D>0$을 이용한다.

연습 문제 본문 | **140~141** 쪽

01 셀파 곡선 $y=f(x)$ 위의 점 $(a, f(a))$에서의 접선의 방정식은 $y-f(a)=f'(a)(x-a)$

$f(x)=\ln x^2$이라 하면 $f'(x)=\dfrac{1}{x^2}\times2x=\dfrac{2}{x}$이므로

$$f'(e)=\frac{2}{e}$$

따라서 기울기가 $\dfrac{2}{e}$이고, 점 $(e, 2)$를 지나는 접선의 방정식은

$$y-2=\frac{2}{e}(x-e) \qquad \therefore y=\frac{2}{e}x \qquad\cdots\cdots ㉠$$

이때 점 (a, e)가 직선 ㉠ 위의 점이므로

$$e=\frac{2}{e}\times a \qquad \therefore \boldsymbol{a=\frac{e^2}{2}}$$

02 셀파 접점의 x좌표를 t라 하면 $(\ln t)'=$(선분 AB의 기울기)

$f(x)=\ln x$라 하면 $f'(x)=\dfrac{1}{x}$

두 점 $A(1, 0)$, $B(e^3, 3)$을 잇는 선분의 기울기는 $\dfrac{3}{e^3-1}$이므로

접점의 x좌표를 t로 놓으면 이 점에서의 접선의 기울기는

$f'(t)=\dfrac{1}{t}=\dfrac{3}{e^3-1}$ $\therefore t=\dfrac{e^3-1}{3}$

따라서 구하는 접점의 x좌표는 $\dfrac{e^3-1}{3}$

03 셀파 접점의 좌표를 $(t, t\ln t)$라 하면 접선의 방정식 $y-t\ln t=f'(t)(x-t)$는 점 $(0, -1)$을 지난다.

$f(x)=x\ln x$라 하면 $f'(x)=\ln x+1$

접점의 좌표를 $(t, t\ln t)$로 놓으면 이 점에서의 접선의 기울기는

$f'(t)=\ln t+1$

따라서 접선의 방정식은

$y-t\ln t=(\ln t+1)(x-t)$

$\therefore y=(\ln t+1)x-t$ $\cdots\cdots$ ㉠

이 접선이 점 $(0, -1)$을 지나므로 $-1=-t$ $\therefore t=1$

$t=1$을 ㉠에 대입하면 구하는 접선의 방정식은

$y=x-1$

04 셀파 곡선 밖의 한 점에서 곡선에 그을 수 있는 접선이 한 개일 조건을 생각한다.

$f(x)=xe^{-x}$이라 하면

$f'(x)=e^{-x}-xe^{-x}=(1-x)e^{-x}$

접점의 좌표를 (t, te^{-t})으로 놓으면 이 점에서의 접선의 기울기는 $f'(t)=(1-t)e^{-t}$

따라서 접선의 방정식은

$y-te^{-t}=(1-t)e^{-t}(x-t)$

$\therefore y=(1-t)e^{-t}x+t^2e^{-t}$

이 접선이 점 $P(k, 0)$을 지나므로

$0=(1-t)e^{-t}k+t^2e^{-t}$, $e^{-t}(t^2-kt+k)=0$

그런데 점 P에서 곡선 $y=xe^{-x}$에 단 한 개의 접선을 그을 수 있으므로 방정식 $t^2-kt+k=0$이 중근을 가져야 한다.

이차방정식 $t^2-kt+k=0$의 판별식을 D라 하면

$D=k^2-4k=0$, $k(k-4)=0$

$\therefore k=4 \ (\because k>0)$

05 셀파 (접선의 기울기)$\times$(접선에 수직인 직선의 기울기)$=-1$

$f(x)=x(1-\ln x)$라 하면

$f'(x)=1-\ln x+x\times\left(-\dfrac{1}{x}\right)=-\ln x$

이때 곡선 $y=x(1-\ln x)$ 위의 점 $(e, 0)$에서의 접선의 기울기는 $f'(e)=-\ln e=-1$

따라서 이 접선에 수직인 직선의 기울기는 1이므로 구하는 직선의 방정식은 $y=x-e$

06 셀파 두 곡선 $y=f(x)$, $y=g(x)$가 $x=t$인 점에서 만나고, 그 점에서 두 곡선에 대한 접선이 서로 수직이면 $f(t)=g(t)$, $f'(t)\times g'(t)=-1$이다.

$f(x)=\ln(2x+3)$, $g(x)=k-\ln x$에서

$f'(x)=\dfrac{2}{2x+3}$, $g'(x)=-\dfrac{1}{x}$

두 곡선의 교점을 $P(a, b)$로 놓으면

$f(a)=g(a)$에서 $\ln(2a+3)=k-\ln a$ $\cdots\cdots$ ㉠

$f'(a)\times g'(a)=-1$에서 $\dfrac{2}{2a+3}\times\left(-\dfrac{1}{a}\right)=-1$

$2a^2+3a-2=0$, $(2a-1)(a+2)=0$

$\therefore a=\dfrac{1}{2} \ (\because a>0)$

$a=\dfrac{1}{2}$을 ㉠에 대입하면 $\ln 4=k-\ln\dfrac{1}{2}$ $\therefore k=\ln 2$

| 참고 |

두 곡선의 교점에 대응하는 $x=a$에서 곡선 $y=f(x)$에 그은 접선의 기울기는 $f'(a)$, 곡선 $y=g(x)$에 그은 접선의 기울기는 $g'(a)$이다.

이때 두 접선이 서로 수직이므로 $f'(a)\times g'(a)=-1$이다.

07 셀파 $\left\{\dfrac{f(x)}{g(x)}\right\}'=\dfrac{f'(x)g(x)-f(x)g'(x)}{\{g(x)\}^2}$

$\dfrac{dx}{dt}=\dfrac{-2t(1+t^2)-(1-t^2)\times 2t}{(1+t^2)^2}=\dfrac{-4t}{(1+t^2)^2}$,

$\dfrac{dy}{dt}=\dfrac{(1+t^2)-t\times 2t}{(1+t^2)^2}=\dfrac{-t^2+1}{(1+t^2)^2}$

이므로 $\dfrac{dy}{dx}=\dfrac{t^2-1}{4t}$

따라서 곡선 위의 $t=2$에 대응하는 점에서의 접선의 기울기는

$\dfrac{2^2-1}{4\times 2}=\dfrac{3}{8}$

이때 접점의 좌표는 $x=-\dfrac{3}{5}$, $y=\dfrac{2}{5}$이므로 구하는 접선의 방정식은

$y-\dfrac{2}{5}=\dfrac{3}{8}\left(x+\dfrac{3}{5}\right)$ $\therefore y=\dfrac{3}{8}x+\dfrac{5}{8}$

08 셀파 y를 x의 함수로 보고 각 항을 x에 대하여 미분하여 $\dfrac{dy}{dx}$를 구한다.

㉮ 점 $(1, 1)$은 원 위의 점이므로 대입하면
$$1+1-a+b=0 \qquad \therefore a-b=2 \quad \cdots\cdots ㉠$$

㉯ 원 $x^2+y^2-ax+by=0$의 양변을 x에 대하여 미분하면
$$2x+2y\frac{dy}{dx}-a+b\frac{dy}{dx}=0$$
$$(2y+b)\frac{dy}{dx}=-2x+a$$
$$\therefore \frac{dy}{dx}=\frac{-2x+a}{2y+b}$$

원 위의 점 $(1, 1)$에서의 접선의 기울기가 2이므로
$$\frac{-2\times 1+a}{2\times 1+b}=2,\ -2+a=4+2b$$
$$\therefore a-2b=6 \qquad\qquad \cdots\cdots ㉡$$

㉰ ㉠, ㉡을 연립하여 풀면
$$a=-2,\ b=-4$$

채점 기준	배점
㉮ 점 $(1, 1)$이 원 위의 점임을 이용하여 a, b 사이의 관계를 구한다.	30%
㉯ 점 $(1, 1)$에서 접선의 기울기가 2임을 이용하여 a, b 사이의 관계를 구한다.	50%
㉰ ㉠, ㉡을 연립하여 a, b의 값을 구한다.	20%

09 셀파 미분가능한 함수 $f(x)$가 어떤 구간에서 감소할 때, 이 구간에서 $f'(x)\le 0$이다.

$f(x)=\ln x+kx$에서
$$f'(x)=\frac{1}{x}+k$$

함수 $f(x)$가 열린구간 $(3, 4)$에서 감소하려면 $3<x<4$일 때, $f'(x)\le 0$이어야 하므로 오른쪽 그림에서
$$f'(3)=\frac{1}{3}+k\le 0 \qquad \therefore k\le -\frac{1}{3}$$

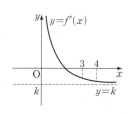

따라서 구하는 상수 k의 최댓값은 $-\dfrac{1}{3}$

10 셀파 함수 $f(x)$에 로그가 있으면 로그의 진수 조건을 확인한다.

$f(x)=\ln(x^2+x+k)-x$에서
$$f'(x)=\frac{2x+1}{x^2+x+k}-1=\frac{-x^2+x-k+1}{x^2+x+k}$$

(i) 로그의 진수 조건에서 $x^2+x+k>0$이어야 한다.
이때 이차방정식 $x^2+x+k=0$의 판별식을 D_1이라 하면
$$D_1=1-4k<0 \qquad \therefore k>\frac{1}{4}$$

(ii) $x^2+x+k>0$이므로 모든 실수 x에 대하여 $f'(x)\le 0$이 성립하려면 방정식 $-x^2+x-k+1\le 0$, 즉 $x^2-x+k-1\ge 0$이어야 한다.
이때 이차방정식 $x^2-x+k-1=0$의 판별식을 D_2라 하면
$$D_2=1-4(k-1)\le 0 \qquad \therefore k\ge \frac{5}{4}$$

(i), (ii)에서 $k\ge\dfrac{5}{4}$이므로 상수 k의 최솟값은 $\dfrac{5}{4}$

11 셀파 $f(x)$가 $x=a$에서 극값 b를 가지면
$$\Rightarrow f'(a)=0, f(a)=b$$

$f(x)=\dfrac{x^2+ax+b}{x-1}$에서
$$f'(x)=\frac{(2x+a)(x-1)-(x^2+ax+b)}{(x-1)^2}$$
$$=\frac{x^2-2x-a-b}{(x-1)^2}$$

함수 $f(x)$가 $x=3$에서 극값 -1을 가지므로
$$f'(3)=0, f(3)=-1$$
$$f'(3)=0에서 \frac{3-a-b}{4}=0$$
$$\therefore a+b=3 \qquad\qquad \cdots\cdots ㉠$$
$$f(3)=-1에서 \frac{9+3a+b}{2}=-1$$
$$\therefore 3a+b=-11 \qquad\qquad \cdots\cdots ㉡$$

㉠, ㉡을 연립하여 풀면 $a=-7, b=10$

12 셀파 무리함수를 포함한 함수의 극값을 구할 때는 정의역을 먼저 구한다.

$f(x)=x\sqrt{16-x^2}$에서 $16-x^2\geq 0$ $\therefore -4\leq x\leq 4$

$f'(x)=\sqrt{16-x^2}+x\times\dfrac{-2x}{2\sqrt{16-x^2}}=\dfrac{16-2x^2}{\sqrt{16-x^2}}$

$f'(x)=0$에서 $16-2x^2=0$, $x^2=8$ $\therefore x=\pm 2\sqrt{2}$

이때 함수 $f(x)$의 증가와 감소를 표로 나타내면 다음과 같다.

x	-4	$\cdots$	$-2\sqrt{2}$	$\cdots$	$2\sqrt{2}$	$\cdots$	4
$f'(x)$		$-$	0	$+$	0	$-$	
$f(x)$	0	$\searrow$	-8	$\nearrow$	8	$\searrow$	0

함수 $f(x)$는 $x=2\sqrt{2}$에서 극댓값 8, $x=-2\sqrt{2}$에서 극솟값 -8을 갖는다.

따라서 $a=8$, $b=-8$이므로 $a^2+b^2=\mathbf{128}$

13 셀파 함수 $f(x)$가 $x=a$에서 극댓값 b를 갖는다.
$\Rightarrow f(a)=b$, $f'(a)=0$

함수 $y=f(x)$가 $x=e$에서 극댓값 3을 가지므로
$f(e)=3$, $f'(e)=0$
이때 $g(x)=f(x)\ln x$로 놓으면
$g'(x)=f'(x)\ln x+\dfrac{f(x)}{x}$

곡선 $y=g(x)$ 위의 $x=e$인 점에서의 접선의 기울기는 $x=e$에서의 미분계수와 같으므로

$g'(e)=f'(e)\ln e+\dfrac{f(e)}{e}=0\times 1+\dfrac{3}{e}=\dfrac{3}{e}$

따라서 구하는 접선은 기울기가 $\dfrac{3}{e}$이고 점 $(e, 3)$을 지나므로

$y-3=\dfrac{3}{e}(x-e)$ $\therefore \boldsymbol{y=\dfrac{3}{e}x}$

14 셀파 $f(x)$는 $f'(x)=0$이 되는 x의 값 중 $f'(x)$의 부호가 $+$에서 $-$로 바뀌는 x의 값에서 극댓값을 갖는다.

$f(x)=\ln(1+\sin x)+\ln(1-\sin x)$에서

$f'(x)=\dfrac{\cos x}{1+\sin x}-\dfrac{\cos x}{1-\sin x}$

$=\dfrac{-2\sin x\cos x}{1-\sin^2 x}$

$=\dfrac{-2\sin x\cos x}{\cos^2 x}=-2\tan x$

$f'(x)=0$에서 $\tan x=0$ $\therefore x=\pi\left(\because \dfrac{\pi}{2}<x<\dfrac{3}{2}\pi\right)$

이때 함수 $f(x)$의 증가와 감소를 표로 나타내면 다음과 같다.

x	$\left(\dfrac{\pi}{2}\right)$	$\cdots$	π	$\cdots$	$\left(\dfrac{3}{2}\pi\right)$
$f'(x)$		$+$	0	$-$	
$f(x)$		$\nearrow$	0	$\searrow$	

따라서 극댓값을 가질 때의 x의 값은 $\boldsymbol{\pi}$

15 셀파 $f(x)$가 $x=\dfrac{\pi}{6}$와 $x=\dfrac{\pi}{2}$에서 극값을 가지므로
$f'\left(\dfrac{\pi}{6}\right)=0$, $f'\left(\dfrac{\pi}{2}\right)=0$이다.

$f'(x)=-p\sin x+q\cos x-1$

함수 $f(x)$가 $x=\dfrac{\pi}{6}$와 $x=\dfrac{\pi}{2}$에서 극값을 가지므로

$f'\left(\dfrac{\pi}{6}\right)=0$, $f'\left(\dfrac{\pi}{2}\right)=0$

$f'\left(\dfrac{\pi}{6}\right)=0$에서 $-\dfrac{1}{2}p+\dfrac{\sqrt{3}}{2}q-1=0$ $\cdots\cdots$ ㉠

$f'\left(\dfrac{\pi}{2}\right)=0$에서 $-p-1=0$ $\therefore p=-1$

$p=-1$을 ㉠에 대입하면

$\dfrac{1}{2}+\dfrac{\sqrt{3}}{2}q-1=0$ $\therefore q=\dfrac{1}{\sqrt{3}}=\dfrac{\sqrt{3}}{3}$

따라서 $f(x)=-\cos x+\dfrac{\sqrt{3}}{3}\sin x-x$이므로

$f'(x)=\sin x+\dfrac{\sqrt{3}}{3}\cos x-1$

이때 함수 $f(x)$의 증가와 감소를 표로 나타내면 다음과 같다.

x	(0)	$\cdots$	$\dfrac{\pi}{6}$	$\cdots$	$\dfrac{\pi}{2}$	$\cdots$	(π)
$f'(x)$		$-$	0	$+$	0	$-$	
$f(x)$		$\searrow$	$-\dfrac{\sqrt{3}}{3}-\dfrac{\pi}{6}$	$\nearrow$	$\dfrac{\sqrt{3}}{3}-\dfrac{\pi}{2}$	$\searrow$	

따라서 함수 $f(x)$는 $x=\dfrac{\pi}{2}$에서 극댓값 $\dfrac{\sqrt{3}}{3}-\dfrac{\pi}{2}$를 갖는다.

16 셀파 극값을 갖지 않으려면 $f'(x)\geq 0$ 또는 $f'(x)\leq 0$이다.

$f(x)=ax+\sin x$에서 $f'(x)=a+\cos x$
이때 $f(x)$가 극값을 갖지 않으려면
$f'(x)\geq 0$ 또는 $f'(x)\leq 0$이어야 한다.
$f'(x)\geq 0$에서 $a\geq -\cos x$, $f'(x)\leq 0$에서 $a\leq -\cos x$
이때 $-1\leq\cos x\leq 1$이므로 $a\geq 1$ 또는 $a\leq -1$
따라서 극값을 갖지 않도록 하는 상수 a의 값이 아닌 것은 ③

7. 도함수의 활용 (2)

본문 | **145, 147**쪽

1-1 (1) $f(x)=3x\ln x$로 놓으면

$$f'(x)=3\ln x+3, \ f''(x)=\frac{3}{x}$$

$x<0$일 때 $f''(x)<0$, $x>0$일 때 $f''(x)>0$

따라서 **열린구간 $(-\infty, \boxed{0})$에서 위로 볼록**하고,
열린구간 $(0, \infty)$에서 아래로 볼록하다.

(2) $f(x)=-e^x-3x$로 놓으면

$f'(x)=-e^x-3, \ f''(x)=-e^x$이므로

모든 실수 x에 대하여 $f''(x)<0$이다.

따라서 **열린구간 $(\boxed{-\infty}, \infty)$에서 위로 볼록**하다.

1-2 (1) $f(x)=\dfrac{1}{x}$로 놓으면 $x\neq 0$이고,

$$f'(x)=-\frac{1}{x^2}, \ f''(x)=\frac{2}{x^3}$$

$x<0$일 때 $f''(x)<0$, $x>0$일 때 $f''(x)>0$

따라서 **열린구간 $(-\infty, 0)$에서 위로 볼록**하고, **열린구간 $(0, \infty)$에서 아래로 볼록**하다.

| 참고 |

분수 꼴인 함수 $f(x)=\dfrac{1}{g(x)}$은 분모 $g(x)$가 0이 되는 x의 값에서 정의되지 않으므로 곡선이 볼록한 방향을 판단할 때, $g(x)=0$인 x의 값을 기준으로 좌우에서 $f''(x)$의 부호를 조사한다.

(2) $f(x)=5x-\sin x$로 놓으면

$f'(x)=5-\cos x, \ f''(x)=\sin x$

$f''(x)=0$에서 $x=0$ 또는 $x=\pi \ (\because 0<x<2\pi)$

$0<x<\pi$일 때 $f''(x)>0$

$\pi<x<2\pi$일 때 $f''(x)<0$

따라서 **열린구간 $(0, \pi)$에서 아래로 볼록**하고, **열린구간 $(\pi, 2\pi)$에서 위로 볼록**하다.

2-1 $f(x)=x^3-3x^2-9x+2$로 놓으면

$f'(x)=3x^2-6x-9$

$f''(x)=6x-6=6(x-1)$

$f''(x)=0$에서 $x=1$

$x<1$일 때 $f''(x)<0$

$x>1$일 때 $f''(x)>0$

따라서 변곡점의 좌표는 $(1, \boxed{-9})$

2-2 (1) $f(x)=-x^4+2x^3-1$로 놓으면

$f'(x)=-4x^3+6x^2, \ f''(x)=-12x^2+12x$

$f''(x)=0$에서 $-12x(x-1)=0$

$\therefore \ x=0$ 또는 $x=1$

$x<0$ 또는 $x>1$일 때 $f''(x)<0$

$0<x<1$일 때 $f''(x)>0$

따라서 함수 $f(x)$의 변곡점의 좌표는 $(0, -1), (1, 0)$

(2) $f(x)=x^2+4\cos x$로 놓으면

$f'(x)=2x-4\sin x, \ f''(x)=2-4\cos x$

$f''(x)=0$에서 $2(1-2\cos x)=0, \ \cos x=\dfrac{1}{2}$

$\therefore \ x=\dfrac{\pi}{3}$ 또는 $x=\dfrac{5}{3}\pi \ (\because 0<x<2\pi)$

$0<x<\dfrac{\pi}{3}$ 또는 $\dfrac{5}{3}\pi<x<2\pi$일 때 $f''(x)<0$

$\dfrac{\pi}{3}<x<\dfrac{5}{3}\pi$일 때 $f''(x)>0$

따라서 함수 $f(x)$의 변곡점의 좌표는

$$\left(\frac{\pi}{3}, \frac{1}{9}\pi^2+2\right), \left(\frac{5}{3}\pi, \frac{25}{9}\pi^2+2\right)$$

3-1 $f(x)=e^x-x$라 하면 $f'(x)=e^x-1$

$f'(x)=0$에서 $e^x=1 \quad \therefore \ x=0$

함수 $f(x)$의 증가와 감소를 표로 나타내고, 그래프의 개형을 그리면 다음과 같다.

x	$\cdots$	0	$\cdots$
$f'(x)$	$-$	0	$+$
$f(x)$	$\searrow$	1	$\nearrow$

이때 함수 $y=f(x)$의 그래프는 x축과 만나지 않는다.

따라서 방정식 $e^x-x=0$의 서로 다른 실근의 개수는 $\boxed{0}$

3-2 (1) $f(x)=\sin x+x$라 하면 $f'(x)=\cos x+1$

$-1\le\cos x\le1$이므로 $f'(x)\ge0$, 즉 함수 $f(x)$는 실수 전체의 집합에서 증가한다.

한편 $f(0)=0$이고

$\displaystyle\lim_{x\to\infty}f(x)=\infty$, $\displaystyle\lim_{x\to-\infty}f(x)=-\infty$이므로

함수 $y=f(x)$의 그래프의 개형은 오른쪽 그림과 같다.

이때 함수 $y=f(x)$의 그래프는 x 축과 한 점에서 만나므로 방정식 $\sin x+x=0$의 실근의 개수는 **1**

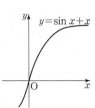

(2) $f(x)=\ln x-3x\,(x>0)$라 하면 $f'(x)=\dfrac{1}{x}-3$

$f'(x)=0$에서 $x=\dfrac{1}{3}$

함수 $f(x)$의 증가와 감소를 표로 나타내면 다음과 같다.

x	(0)	$\cdots$	$\dfrac{1}{3}$	$\cdots$
$f'(x)$		$+$	0	$-$
$f(x)$		$\nearrow$	$-1-\ln 3$	$\searrow$

한편 $\displaystyle\lim_{x\to\infty}(\ln x-3x)=-\infty$,

$\displaystyle\lim_{x\to0+}(\ln x-3x)=-\infty$이

므로 함수 $y=f(x)$의 그래프의 개형은 오른쪽 그림과 같다.

이때 함수 $y=f(x)$의 그래프는 x축과 만나지 않으므로 방정식 $\ln x-3x=0$의 실근의 개수는 **0**

4-1 (i) $\dfrac{dx}{dt}=1$, $\dfrac{dy}{dt}=2t$이므로

시각 t에서 점 P의 **속도**는 $\left(1,\ \boxed{2t}\ \right)$

(ii) 시각 t에서 점 P의 **속력**은

$\sqrt{1^2+(2t)^2}=\sqrt{4t^2+1}$

(iii) $\dfrac{d^2x}{dt^2}=0$, $\dfrac{d^2y}{dt^2}=2$이므로

시각 t에서 점 P의 **가속도**는 $\left(\ \boxed{0}\ ,2\right)$

4-2 (i) $\dfrac{dx}{dt}=-\sin t$, $\dfrac{dy}{dt}=\cos t$이므로

시각 t에서 점 P의 **속도**는

$(-\sin t,\ \cos t)$

(ii) 시각 t에서 점 P의 **속력**은

$\sqrt{(-\sin t)^2+(\cos t)^2}=1$

(iii) $\dfrac{d^2x}{dt^2}=-\cos t$, $\dfrac{d^2y}{dt^2}=-\sin t$이므로

시각 t에서 점 P의 **가속도**는

$(-\cos t,\ -\sin t)$

확인 문제 본문 | 149~161 쪽

01-1 셀파 $f''(x)=0$인 x의 값을 기준으로 좌우에서 $f''(x)$의 부호를 조사한다.

(1) $f(x)=\dfrac{1}{x^2+1}$로 놓으면

$f'(x)=\dfrac{-2x}{(x^2+1)^2}$

$f''(x)=\dfrac{-2(x^2+1)^2-2(-2x)(x^2+1)\times 2x}{(x^2+1)^4}$

$\qquad=\dfrac{-2(x^2+1)+8x^2}{(x^2+1)^3}$

$\qquad=\dfrac{6x^2-2}{(x^2+1)^3}$

$f''(x)=0$에서 $2(3x^2-1)=0$이므로 $x^2=\dfrac{1}{3}$

$\therefore x=-\dfrac{\sqrt{3}}{3}$ 또는 $x=\dfrac{\sqrt{3}}{3}$

$x<-\dfrac{\sqrt{3}}{3}$ 또는 $x>\dfrac{\sqrt{3}}{3}$일 때 $f''(x)>0$

$-\dfrac{\sqrt{3}}{3}<x<\dfrac{\sqrt{3}}{3}$일 때 $f''(x)<0$

따라서 **열린구간** $\left(-\infty,\ -\dfrac{\sqrt{3}}{3}\right)$, $\left(\dfrac{\sqrt{3}}{3},\ \infty\right)$에서 아래로 볼록하고, **열린구간** $\left(-\dfrac{\sqrt{3}}{3},\ \dfrac{\sqrt{3}}{3}\right)$에서 위로 볼록하다.

또 $x=-\dfrac{\sqrt{3}}{3}$, $x=\dfrac{\sqrt{3}}{3}$ 각각의 좌우에서 $f''(x)$의 부호가 바뀌므로 **변곡점의 좌표**는 $\left(-\dfrac{\sqrt{3}}{3},\ \dfrac{3}{4}\right)$, $\left(\dfrac{\sqrt{3}}{3},\ \dfrac{3}{4}\right)$

(2) $f(x)=x^2 \ln x$로 놓으면

$$f'(x)=2x \ln x+x^2 \times \frac{1}{x}$$
$$=2x \ln x+x=x(2 \ln x+1)$$
$$f''(x)=2 \ln x+1+x \times \frac{2}{x}=2 \ln x+3$$
$f''(x)=0$에서 $2 \ln x+3=0$ $\therefore x=e^{-\frac{3}{2}}$

진수 조건에서 $x>0$이므로

$0<x<e^{-\frac{3}{2}}$일 때 $f''(x)<0$

$x>e^{-\frac{3}{2}}$일 때 $f''(x)>0$

따라서 **열린구간 $\left(0, e^{-\frac{3}{2}}\right)$에서 위로 볼록**하고,

열린구간 $\left(e^{-\frac{3}{2}}, \infty\right)$에서 아래로 볼록하다.

또 $x=e^{-\frac{3}{2}}$의 좌우에서 $f''(x)$의 부호가 바뀌므로

변곡점의 좌표는 $\left(e^{-\frac{3}{2}}, -\frac{3}{2}e^{-3}\right)$

02-1 〔셀파〕(2) (진수)>0인 범위에서 $f'(x)=0, f''(x)=0$인 x의 값을 기준으로 $f'(x), f''(x)$의 부호를 조사한다.

(1) $f'(x)=-2xe^{-x^2}$

$$f''(x)=-2e^{-x^2}-2xe^{-x^2} \times (-2x)=2e^{-x^2}(2x^2-1)$$

$f'(x)=0$에서 $x=0$

$f''(x)=0$에서 $2e^{-x^2}>0$이므로 $2x^2-1=0$, $x^2=\frac{1}{2}$

$\therefore x=-\frac{\sqrt{2}}{2}$ 또는 $x=\frac{\sqrt{2}}{2}$

함수 $f(x)$의 증가, 감소 및 오목, 볼록을 표로 나타내면 다음과 같다.

x	$\cdots$	$-\dfrac{\sqrt{2}}{2}$	$\cdots$	0	$\cdots$	$\dfrac{\sqrt{2}}{2}$	$\cdots$
$f'(x)$	$+$	$+$	$+$	0	$-$	$-$	$-$
$f''(x)$	$+$	0	$-$	$-$	$-$	0	$+$
$f(x)$	$\nearrow$	$\dfrac{\sqrt{e}}{e}$ 변곡점	$\curvearrowright$	1 극대	$\searrow$	$\dfrac{\sqrt{e}}{e}$ 변곡점	$\searrow$

이때 $\lim\limits_{x \to \infty} e^{-x^2}=0$, $\lim\limits_{x \to -\infty} e^{-x^2}=0$이므로 x축이 점근선이다.

따라서 함수 $f(x)=e^{-x^2}$의 그래프의 개형은 오른쪽 그림과 같다.

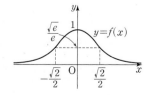

---

(2) $f(x)=\dfrac{x}{\ln x}$에서 $x>0$, $x \neq 1$이고

$$f'(x)=\frac{\ln x-x \times \frac{1}{x}}{(\ln x)^2}=\frac{\ln x-1}{(\ln x)^2}$$

$$f''(x)=\frac{\frac{1}{x}(\ln x)^2-(\ln x-1) \times 2 \ln x \times \frac{1}{x}}{(\ln x)^4}$$
$$=\frac{\ln x\{\ln x-2(\ln x-1)\}}{x(\ln x)^4}$$
$$=\frac{2-\ln x}{x(\ln x)^3}$$

$f'(x)=0$에서 $\ln x-1=0$ $\therefore x=e$

$f''(x)=0$에서 $2-\ln x=0$ $\therefore x=e^2$

함수 $f(x)$의 증가, 감소 및 오목, 볼록을 표로 나타내면 다음과 같다.

x	(0)	$\cdots$	(1)	$\cdots$	e	$\cdots$	e^2	$\cdots$
$f'(x)$		$-$		$-$	0	$+$	$+$	$+$
$f''(x)$		$-$		$+$	$+$	$+$	0	$-$
$f(x)$		$\searrow$		$\searrow$	e 극소	$\nearrow$	$\dfrac{e^2}{2}$ 변곡점	$\nearrow$

이때 $\lim\limits_{x \to 0+} \dfrac{x}{\ln x}=0$, $\lim\limits_{x \to 1-} \dfrac{x}{\ln x}=-\infty$, $\lim\limits_{x \to 1+} \dfrac{x}{\ln x}=\infty$

따라서 함수 $f(x)=\dfrac{x}{\ln x}$의 그래프의 개형은 오른쪽 그림과 같다.

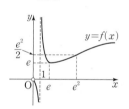

LECTURE 함수의 그래프

함수 $f(x)$의 증가, 감소 및 오목, 볼록

함수 $f(x)$의 그래프는

❶ $f'(x)>0, f''(x)>0$일 때

  ⇨ 아래로 볼록한 꼴 ($\nearrow$)로 증가한다.

❷ $f'(x)>0, f''(x)<0$일 때

  ⇨ 위로 볼록한 꼴 ($\curvearrowright$)로 증가한다.

❸ $f'(x)<0, f''(x)>0$일 때

  ⇨ 아래로 볼록한 꼴 ($\searrow$)로 감소한다.

❹ $f'(x)<0, f''(x)<0$일 때

  ⇨ 위로 볼록한 꼴 ($\searrow$)로 감소한다.

$y=f'(x)$의 그래프에서 $f'(x)$의 값의 부호가 바뀌는 점이 극점이므로 주어진 $y=f'(x)$의 그래프에서 극점은 x좌표가 $a, b, 0, f$인 4개의 점이다.

또 $y=f'(x)$의 그래프에서 증가와 감소가 바뀌는 점이 변곡점이므로 주어진 $y=f'(x)$의 그래프에서 변곡점은 x좌표가 c, d, e인 3개의 점이다.

따라서 $y=f(x)$의 그래프의 **극점의 개수는 4, 변곡점의 개수는 3**

| 참고 |

함수 $f(x)$에 대하여 극점과 변곡점을 기준으로 구간을 나누고 주어진 $y=f'(x)$의 그래프를 이용하여 각 구간에서 $f'(x), f''(x)$의 부호를 조사한다. 이때 $f(x)$의 증가, 감소 및 오목, 볼록을 표로 나타내면 다음과 같다.

x	$\cdots$	a	$\cdots$	b	$\cdots$	0	$\cdots$	c	$\cdots$	d	e	$\cdots$	f	$\cdots$
$f'(x)$	$-$	0	$+$		$-$	0	$+$	$+$	$+$	0	$+$	$+$	$+$	0	$-$
$f''(x)$	$+$	$+$	$+$		$+$	$+$	$+$		$-$	0	$+$	0	$-$	$-$	$-$
$f(x)$	$\searrow$	극소	$\nearrow$	극대	$\searrow$	극소	$\nearrow$	변곡점	$\nearrow$	변곡점	$\nearrow$	변곡점	$\nearrow$	극대	$\searrow$

이 표로부터 함수 $y=f(x)$의 그래프의 개형은 오른쪽 그림과 같다.

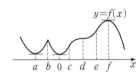

셀파 **세미나** **변곡점**

변곡점을 구하는 방법

❶ $y''=0$으로 하는 $x=a$를 구한다.

❷ $x=a$의 좌우에서 y''의 부호가 바뀌면 $x=a$일 때, 변곡점을 갖는다.

보기1 다음 함수의 변곡점을 구하시오.

(1) $y=x^3-3x^2+3x$ (2) $y=(x+1)^4$

해설 (1) $y'=3x^2-6x+3, y''=6x-6$

    $y''=0$에서 $x=1$

    $x=1$의 좌우에서 y''의 부호가 바뀐다.

    따라서 변곡점은 $(1, 1)$

(2) $y'=4(x+1)^3, y''=12(x+1)^2$

    $y''=0$에서 $x=-1$

    $x=-1$의 좌우에서 y''의 부호가 바뀌지 않는다.

    따라서 **변곡점은 없다.**

한편 $(x-a)^{\frac{n}{m}}$ $(m>0, n>0)$꼴의 인수를 갖는 함수의 변곡점을 구하는 방법은 다음과 같다.

❶ $y''=0$으로 하는 $x=a$를 구한다.

❷ y''의 분모를 0으로 하는 $x=b$를 구한다.

❸ $x=a, b$의 좌우에서 y''의 부호의 변화를 조사한다.

보기2 다음 함수의 변곡점을 구하시오.

(1) $y=(x+1)^{\frac{1}{3}}$ (2) $y=x^{\frac{2}{3}}$

해설 (1) $y'=\dfrac{1}{3}(x+1)^{-\frac{2}{3}}, y''=-\dfrac{2}{9\sqrt[3]{(x+1)^5}}$

    y''의 분모를 0으로 하는 값은 $x=-1$이고, $x=-1$의 좌우에서 y''의 부호가 바뀐다.

    따라서 변곡점은 $(-1, 0)$

(2) $y'=\dfrac{2}{3}x^{-\frac{1}{3}}, y''=-\dfrac{2}{9\sqrt[3]{x^4}}$

    y''의 분모를 0으로 하는 값은 $x=0$이고, $x=0$의 좌우에서 y''의 부호는 바뀌지 않는다.

    따라서 **변곡점은 없다.**

참고 $y=x^{\frac{n}{m}}$ $\left(m>0, n>0, m\text{은 홀수}, n\text{은 짝수}, \dfrac{n}{m}<1\right)$

의 그래프는 $x=0$에서 첨점(尖點)을 갖는다.

예를 들어 $y=x^{\frac{2}{3}}, x^{\frac{2}{5}}, x^{\frac{4}{5}}, x^{\frac{2}{7}}, x^{\frac{4}{7}}, x^{\frac{6}{7}}, \cdots$등은 $x=0$에서 첨점을 갖는다.

03-1 **셀파** 닫힌구간 $[a, b]$에서 $f(x)$의 극값, $f(a), f(b)$를 구하여 비교한다.

(1) $f(x)=e^x-e^{-x}$에서 $f'(x)=e^x+e^{-x}$

이때 모든 실수 x에 대하여 $f'(x)>0$이므로 함수 $f(x)$는 모든 실수 x에서 증가한다.

따라서 닫힌구간 $[-2, 2]$에서 함수 $f(x)$는

$x=2$일 때 **최댓값** $f(2)=e^2-\dfrac{1}{e^2}$,

$x=-2$일 때 **최솟값** $f(-2)=\dfrac{1}{e^2}-e^2$을 갖는다.

(2) $f(x)=x+\sqrt{2}\cos x$에서 $f'(x)=1-\sqrt{2}\sin x$

$f'(x)=0$에서 $\sin x=\dfrac{\sqrt{2}}{2}$ $\therefore x=\dfrac{\pi}{4}$ 또는 $x=\dfrac{3}{4}\pi$

닫힌구간 $[0,\pi]$에서 함수 $f(x)$의 증가와 감소를 표로 나타내면 다음과 같다.

x	0	$\cdots$	$\dfrac{\pi}{4}$	$\cdots$	$\dfrac{3}{4}\pi$	$\cdots$	π
$f'(x)$		$+$	0	$-$	0	$+$	
$f(x)$	$\sqrt{2}$	$\nearrow$	$\dfrac{\pi}{4}+1$ 극댓값	$\searrow$	$\dfrac{3}{4}\pi-1$ 극솟값	$\nearrow$	$\pi-\sqrt{2}$

따라서 함수 $f(x)$는 $x=\dfrac{\pi}{4}$일 때 **최댓값 $\dfrac{\pi}{4}+1$**, $x=\dfrac{3}{4}\pi$일 때

최솟값 $\dfrac{3}{4}\pi-1$을 갖는다.

| 참고 |

$\sqrt{2}=1.414$, $\pi=3.14$라 하면

$f(0)=\sqrt{2}=1.414$

$f\left(\dfrac{\pi}{4}\right)=\dfrac{\pi}{4}+1=1.785$

$f\left(\dfrac{3}{4}\pi\right)=\dfrac{3}{4}\pi-1=1.355$

$f(\pi)=\pi-\sqrt{2}=1.726$

04-1 셀파 곡선 $y=\sqrt{x}$ 위에 있는 점 Q의 좌표를 $(t,\sqrt{t})$로 놓는다.

곡선 $y=\sqrt{x}$ 위의 점 Q의 좌표를 $(t,\sqrt{t})$로 놓으면

$\overline{PQ}^2=(t-0)^2+(\sqrt{t}-3)^2=t^2+t-6\sqrt{t}+9$

$f(t)=t^2+t-6\sqrt{t}+9$라 하면

$f'(t)=2t+1-\dfrac{3}{\sqrt{t}}$

$f'(t)=0$에서 $2t+1=\dfrac{3}{\sqrt{t}}$

$4t^2+4t+1=\dfrac{9}{t}$, $4t^3+4t^2+t-9=0$

$(t-1)(4t^2+8t+9)=0$

이때 $4t^2+8t+9=4(t+1)^2+5>0$이므로 $t=1$

$t>0$에서 함수 $f(t)$의 증가와 감소를 표로 나타내면 다음과 같다.

t	(0)	$\cdots$	1	$\cdots$
$f'(t)$		$-$	0	$+$
$f(t)$		$\searrow$	5	$\nearrow$

따라서 함수 $f(t)$는 $t=1$에서 최솟값 5를

갖는다.

즉, $\overline{PQ}^2$의 최솟값이 5이므로

$\overline{PQ}$의 최솟값은 $\sqrt{5}$

04-2 셀파 점 P의 좌표를 (t,ke^{-t})으로 놓고 직사각형의 넓이를 t의 함수로 나타낸다.

점 P의 좌표를 (t,ke^{-t}) $(t>0)$, 직사각형 OQPR의 넓이를 $S(t)$라 하면

$S(t)=t\times ke^{-t}=kte^{-t}$

$S'(t)=ke^{-t}-kte^{-t}=k(1-t)e^{-t}$

$S'(t)=0$에서 $t=1$

열린구간 $(0,\infty)$에서 함수 $S(t)$의 증가와 감소를 표로 나타내면 오른쪽과 같다.

따라서 함수 $S(t)$는 $t=1$일

t	(0)	$\cdots$	1	$\cdots$
$S'(t)$		$+$	0	$-$
$S(t)$		$\nearrow$	$\dfrac{k}{e}$	$\searrow$

때 극대이면서 최대이므로 $S(t)$의 최댓값이 $\dfrac{k}{e}$이다.

$\dfrac{k}{e}=2$에서 **$k=2e$**

05-1 셀파 방정식 $f(x)=0$에서 함수 $y=f(x)$의 그래프를 그린다.

(1) $f(x)=\ln x-\dfrac{1}{x}$ $(x>0)$이라 하면

$f'(x)=\dfrac{1}{x}+\dfrac{1}{x^2}=\dfrac{x+1}{x^2}$

$x>0$일 때 $f'(x)>0$이므로 함수 $f(x)$는 $x>0$에서 증가한다.

한편 $\displaystyle\lim_{x\to 0+}\left(\ln x-\dfrac{1}{x}\right)=-\infty$, $\displaystyle\lim_{x\to\infty}\left(\ln x-\dfrac{1}{x}\right)=\infty$이므로

함수 $y=f(x)$의 그래프의 개형은 오른쪽 그림과 같다.

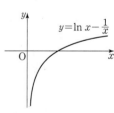

이때 함수 $y=f(x)$의 그래프는 x축과 한 점에서 만나므로 방정식 $\ln x-\dfrac{1}{x}=0$의 서로 다른 실근의

개수는 **1**

| 참고 |

$\ln x$의 진수 조건에 따라 $x>0$이다.

(2) $f(x)=4xe^x+1$이라 하면

$f'(x)=4e^x+4xe^x=4e^x(x+1)$

$f'(x)=0$에서 $x=-1$

한편 $\displaystyle\lim_{x\to-\infty}(4xe^x+1)=1$, $\displaystyle\lim_{x\to\infty}(4xe^x+1)=\infty$

함수 $f(x)$의 증가와 감소를 표로 나타내면 다음과 같다.

x	$\cdots$	-1	$\cdots$
$f'(x)$	$-$	0	$+$
$f(x)$	$\searrow$	$1-\dfrac{4}{e}$	$\nearrow$

이때 함수 $y=f(x)$의 그래프는 오른쪽 그림과 같이 x축과 서로 다른 두 점에서 만나므로 방정식 $4xe^x+1=0$의 서로 다른 실근의 개수는 **2**

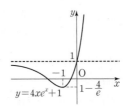

(1) $\ln x-ex+3=0$에서 $\ln x=ex-3$

$f(x)=\ln x$, $g(x)=ex-3$이라 하면 두 함수 $y=f(x)$, $y=g(x)$의 그래프는 오른쪽 그림과 같다.

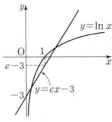

이때 함수 $y=f(x)$의 그래프와 함수 $y=g(x)$의 그래프가 서로 다른 두 점에서 만나므로 방정식 $\ln x-ex+3=0$의 서로 다른 실근의 개수는 **2**

(2) $\dfrac{1}{x}+2x+1=0$에서 $-\dfrac{1}{x}=2x+1$

$f(x)=-\dfrac{1}{x}$, $g(x)=2x+1$이라 하면 두 함수 $y=f(x)$, $y=g(x)$의 그래프는 오른쪽 그림과 같다.

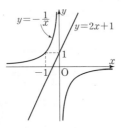

이때 함수 $y=f(x)$의 그래프와 함수 $y=g(x)$의 그래프는 만나지 않으므로 방정식 $\dfrac{1}{x}+2x+1=0$의 서로 다른 실근의 개수는 **0**

01 (1) $f(x)=e^x-x-2$라 하면 $f'(x)=e^x-1$

$f'(x)=0$에서 $e^x-1=0$ $\therefore x=0$

함수 $f(x)$의 증가와 감소를 표로 나타내면 다음과 같다.

x	$\cdots$	0	$\cdots$
$f'(x)$	$-$	0	$+$
$f(x)$	$\searrow$	-1	$\nearrow$

따라서 함수 $y=f(x)$의 그래프는 오른쪽 그림과 같이 x축과 서로 다른 두 점에서 만나므로 방정식 $e^x=x+2$의 서로 다른 실근의 개수는 **2**

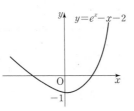

| 다른 풀이 |

$e^x=x+2$에서 $f(x)=e^x$, $g(x)=x+2$라 하면 두 함수 $y=f(x)$, $y=g(x)$의 그래프는 오른쪽 그림과 같다.

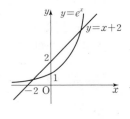

이때 함수 $y=f(x)$의 그래프와 함수 $y=g(x)$의 그래프는 서로 다른 두 점에서 만나므로 방정식 $e^x=x+2$의 서로 다른 실근의 개수는 2

(2) $f(x)=x-2\sqrt{x}$ $(x\geq0)$라 하면

$f'(x)=1-\dfrac{1}{\sqrt{x}}=\dfrac{\sqrt{x}-1}{\sqrt{x}}$

$f'(x)=0$에서 $\sqrt{x}-1=0$ $\therefore x=1$

한편 $\lim\limits_{x\to\infty}(x-2\sqrt{x})=\lim\limits_{x\to\infty}x\left(1-\dfrac{2}{\sqrt{x}}\right)=\infty$

함수 $f(x)$의 증가와 감소를 표로 나타내면 다음과 같다.

x	0	$\cdots$	1	$\cdots$
$f'(x)$		$-$	0	$+$
$f(x)$	0	$\searrow$	-1	$\nearrow$

이때 함수 $y=f(x)$의 그래프는 오른쪽 그림과 같이 x축과 서로 다른 두 점에서 만나므로 방정식 $x=2\sqrt{x}$의 서로 다른 실근의 개수는 **2**

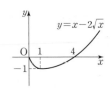

| 다른 풀이 |

$x=2\sqrt{x}$에서 $f(x)=x$, $g(x)=2\sqrt{x}$라 하면 두 함수 $y=f(x)$, $y=g(x)$의 그래프는 오른쪽 그림과 같다.

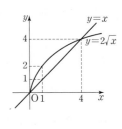

이때 함수 $y=f(x)$의 그래프와 함수 $y=g(x)$의 그래프는 서로 다른 두 점에서 만나므로 방정식 $x=2\sqrt{x}$의 서로 다른 실근의 개수는 2

(3) $f(x)=\dfrac{2x}{x^2+1}$라 하면

$f'(x)=\dfrac{2(x^2+1)-2x\times2x}{(x^2+1)^2}=-\dfrac{2(x+1)(x-1)}{(x^2+1)^2}$

$f'(x)=0$에서 $x=-1$ 또는 $x=1$

한편 $\lim\limits_{x\to\infty}\dfrac{2x}{x^2+1}=0$, $\lim\limits_{x\to-\infty}\dfrac{2x}{x^2+1}=0$

함수 $f(x)$의 증가와 감소를 표로 나타내고, 그래프의 개형을 그리면 다음과 같다.

x	$\cdots$	-1	$\cdots$	1	$\cdots$
$f'(x)$	$-$	0	$+$	0	$-$
$f(x)$	$\searrow$	-1	$\nearrow$	1	$\searrow$

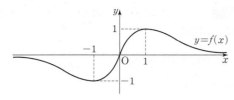

이때 함수 $y=f(x)$의 그래프는 x축과 한 점에서 만나므로 방정식 $\dfrac{2x}{x^2+1}=0$의 서로 다른 실근의 개수는 **1**

(4) $f(x)=3x-x\ln x\ (x>0)$라 하면

$f'(x)=3-(\ln x+1)=2-\ln x$

$f'(x)=0$에서 $\ln x=2$ $\quad\therefore\ x=e^2$

한편 $\displaystyle\lim_{x\to\infty}(3x-x\ln x)=\lim_{x\to\infty}x(3-\ln x)=-\infty$

함수 $f(x)$의 증가와 감소를 표로 나타내면 다음과 같다.

x	(0)	$\cdots$	e^2	$\cdots$
$f'(x)$		$+$	0	$-$
$f(x)$		$\nearrow$	e^2	$\searrow$

이때 함수 $y=f(x)$의 그래프는 오른쪽 그림과 같이 x축과 한 점에서 만나므로 방정식 $3x=x\ln x$의 서로 다른 실근의 개수는 **1**

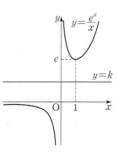

02 (1) $e^x=kx$에서 $\dfrac{e^x}{x}=k\ (x\neq0)$

$f(x)=\dfrac{e^x}{x}$이라 하면 $f'(x)=\dfrac{e^x(x-1)}{x^2}$

$f'(x)=0$에서 $e^x(x-1)=0$ $\quad\therefore\ x=1$

한편 $\displaystyle\lim_{x\to\infty}f(x)=\infty,\ \lim_{x\to-\infty}f(x)=0,$

$\displaystyle\lim_{x\to0+}f(x)=\infty,\ \lim_{x\to0-}f(x)=-\infty$

함수 $f(x)$의 증가와 감소를 표로 나타내면 다음과 같다.

x	$\cdots$	(0)	$\cdots$	1	$\cdots$
$f'(x)$	$-$		$-$	0	$+$
$f(x)$	$\searrow$		$\searrow$	e	$\nearrow$

따라서 함수 $y=f(x)$의 그래프의 개형은 오른쪽 그림과 같으므로 방정식 $e^x=kx$의 서로 다른 실근의 개수는

$k>e$일 때 2, $k=e$일 때 1,

$0\le k<e$일 때 0, $k<0$일 때 1

(2) $f(x)=x+\dfrac{4}{x^2}\ (x\neq0)$라 하면 $f'(x)=1-\dfrac{8}{x^3}$

$f'(x)=0$에서 $x^3=8$ $\quad\therefore\ x=2$

한편 $\displaystyle\lim_{x\to\infty}f(x)=\infty,\ \lim_{x\to-\infty}f(x)=-\infty,$

$\displaystyle\lim_{x\to0+}f(x)=\infty,\ \lim_{x\to0-}f(x)=\infty$

함수 $f(x)$의 증가와 감소를 표로 나타내면 다음과 같다.

x	$\cdots$	(0)	$\cdots$	2	$\cdots$
$f'(x)$	$+$		$-$	0	$+$
$f(x)$	$\nearrow$		$\searrow$	3	$\nearrow$

따라서 함수 $y=f(x)$의 그래프의 개형은 오른쪽 그림과 같으므로 방정식 $x+\dfrac{4}{x^2}=k$의 서로 다른 실근의 개수는

$k>3$일 때 3,

$k=3$일 때 2,

$k<3$일 때 1

(3) $f(x)=e^x-x$라 하면 $f'(x)=e^x-1$

$f'(x)=0$에서 $e^x=1$ $\quad\therefore\ x=0$

한편 $\displaystyle\lim_{x\to\infty}f(x)=\infty,\ \lim_{x\to-\infty}f(x)=\infty$

함수 $f(x)$의 증가와 감소를 표로 나타내면 다음과 같다.

x	$\cdots$	0	$\cdots$
$f'(x)$	$-$	0	$+$
$f(x)$	$\searrow$	1	$\nearrow$

따라서 함수 $y=f(x)$의 그래프의 개형은 오른쪽 그림과 같으므로 방정식 $e^x=x+k$의 서로 다른 실근의 개수는

$k>1$일 때 2,

$k=1$일 때 1,

$k<1$일 때 0

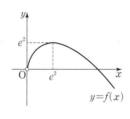

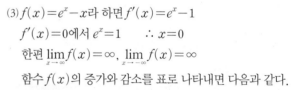

(4) $f(x)=\ln x-x\ (x>0)$라 하면 $f'(x)=\dfrac{1}{x}-1$

$f'(x)=0$에서 $\dfrac{1}{x}-1=0$ $\quad\therefore x=1$

한편 $\displaystyle\lim_{x\to 0+}f(x)=-\infty,\ \lim_{x\to\infty}f(x)=-\infty$

함수 $f(x)$의 증가와 감소를 표로 나타내면 다음과 같다.

x	(0)	$\cdots$	1	$\cdots$
$f'(x)$		$+$	0	$-$
$f(x)$		$\nearrow$	-1	$\searrow$

따라서 함수 $y=f(x)$의 그래프의 개형은 오른쪽 그림과 같으므로 방정식 $\ln x-x=k$의 서로 다른 실근의 개수는

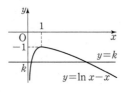

$k>-1$일 때 0,

$k=-1$일 때 1,

$k<-1$일 때 2

06-1 <u>셀파</u> 두 함수 $y=e^{x-1}$, $y=ex+k$의 그래프가 접해야 한다.

방정식 $e^{x-1}=ex+k$가 오직 하나의 실근을 가지려면 오른쪽 그림과 같이 곡선 $y=e^{x-1}$과 직선 $y=ex+k$가 접해야 한다.

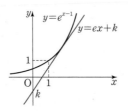

$f(x)=e^{x-1}$, $g(x)=ex+k$라 하면

$f'(x)=e^{x-1}$, $g'(x)=e$

이때 곡선 $y=f(x)$와 직선 $y=g(x)$의 접점의 x좌표를 t라 하면

$f(t)=g(t)$에서 $e^{t-1}=et+k$

$f'(t)=g'(t)$에서 $e^{t-1}=e$, $t-1=1$ $\quad\therefore t=2$

$\therefore k=-e$

| 다른 풀이 |

방정식 $e^{x-1}=ex+k$에서 $e^{x-1}-ex=k$

$f(x)=e^{x-1}-ex$라 하면 $f'(x)=e^{x-1}-e=e(e^{x-2}-1)$

$f'(x)=0$에서 $e^{x-2}=1$ $\quad\therefore x=2$

한편 $\displaystyle\lim_{x\to-\infty}f(x)=\infty,\ \lim_{x\to\infty}f(x)=\infty$

함수 $f(x)$의 증가와 감소를 표로 나타내고, 그래프의 개형을 그리면 다음과 같다.

x	$\cdots$	2	$\cdots$
$f'(x)$	$-$	0	$+$
$f(x)$	$\searrow$	$-e$	$\nearrow$

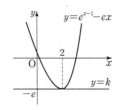

따라서 방정식 $e^{x-1}-ex=k$가 오직 하나의 실근을 가지려면 곡선 $y=f(x)$와 직선 $y=k$가 접해야 하므로 $k=-e$

06-2 <u>셀파</u> $f(x)=\ln(x^2+1)+2$라 하고, $y=f(x)$의 그래프의 개형을 그린다.

$f(x)=\ln(x^2+1)+2$라 하면 $f'(x)=\dfrac{2x}{x^2+1}$

$f'(x)=0$에서 $x=0$

한편 $\displaystyle\lim_{x\to-\infty}\{\ln(x^2+1)+2\}=\infty,\ \lim_{x\to\infty}\{\ln(x^2+1)+2\}=\infty$

함수 $f(x)$의 증가와 감소를 표로 나타내면 다음과 같다.

x	$\cdots$	0	$\cdots$
$f'(x)$	$-$	0	$+$
$f(x)$	$\searrow$	2	$\nearrow$

따라서 방정식 $\ln(x^2+1)+2=k$가 서로 다른 두 실근을 가지려면 곡선 $y=f(x)$와 직선 $y=k$가 오른쪽 그림과 같이 서로 다른 두 점에서 만나야 하므로 $k>2$

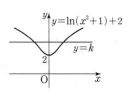

07-1 <u>셀파</u> 주어진 x의 값의 범위에서 최댓값을 구한다.

$f(x)=2\sin x+\cos^2 x$라 하면

$f'(x)=2\cos x-2\cos x\sin x=2\cos x(1-\sin x)$

$f'(x)=0$에서 $\cos x=0$ 또는 $\sin x=1$

$\therefore x=\dfrac{\pi}{2}\ (\because 0\le x\le\pi)$

함수 $f(x)$의 증가와 감소를 표로 나타내면 다음과 같다.

x	0	$\cdots$	$\dfrac{\pi}{2}$	$\cdots$	π
$f'(x)$		$+$	0	$-$	
$f(x)$	1	$\nearrow$	2	$\searrow$	1

함수 $y=f(x)$의 그래프의 개형은 오른쪽 그림과 같으므로 $0\le x\le\pi$에서 $f(x)$는 $x=\dfrac{\pi}{2}$일 때, 극대이면서 최대이다.

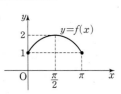

이때 $1\le f(x)\le k$이려면

$f\left(\dfrac{\pi}{2}\right)=2\le k$ $\quad\therefore k\ge 2$

07-2 【셀파】 주어진 x의 값의 범위에서 최솟값을 구한다.

$f(x)=e^x-ax$라 하면 $f'(x)=e^x-a$

$f'(x)=0$에서 $e^x=a$ $\quad \therefore x=\ln a$

함수 $f(x)$의 증가와 감소를 표로 나타내면 다음과 같다.

x	$\cdots$	$\ln a$	$\cdots$	(10)
$f'(x)$	$-$	0	$+$	
$f(x)$	$\searrow$	$a-a\ln a$	$\nearrow$	

함수 $y=f(x)$의 그래프의 개형은 오른
쪽 그림과 같으므로 $x<10$에서 함수
$f(x)$는 $x=\ln a$일 때, 극소이면서 최소
이다.

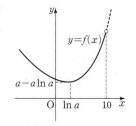

이때 $f(x)\geq0$이려면 $f(\ln a)\geq0$에서

$a-a\ln a\geq0$

$a\geq a\ln a$, $\ln a\leq1 \ (\because a>0)$

$\therefore \mathbf{0<a\leq e}$

LECTURE 부등식 $f(x)>g(x)$가 성립하는 경우

닫힌구간 $[a,b]$에서 부등식 $f(x)>g(x)$가 항상 성립할 때
❶ 닫힌구간 $[a,b]$에서 $y=f(x)$의 그래프가 $y=g(x)$의 그래프보다 항상 위쪽에 있다.
❷ $h(x)=f(x)-g(x)$로 놓으면 닫힌구간 $[a,b]$에서 부등식 $h(x)>0$이 항상 성립한다.
즉, 닫힌구간 $[a,b]$에서 $\{h(x)$의 최솟값$\}>0$이다.

【셀파 특강】 **확인 체크 03**

$f(x)=e^{-x}+x-1$이라 하면 $f'(x)=-e^{-x}+1$

$0<x<1$일 때, $\dfrac{1}{e}<e^{-x}<1$이므로 $f'(x)>0$

즉, 함수 $f(x)$는 $0<x<1$에서 증가한다.

그런데 $f(0)=e^0+0-1=0$이므로

$0<x<1$일 때 $f(x)>0$, 즉 $e^{-x}+x-1>0$이다.

따라서 $0<x<1$일 때, 부등식 $e^{-x}>1-x$가 성립한다.

08-1 【셀파】 $x=f(t)$일 때, $v=f'(t)$, $a=f''(t)$

점 P의 시각 t에서의 속도를 v, 가속도를 a라 하면

$v=\dfrac{dx}{dt}=2t-\dfrac{1}{t+1}$

$a=\dfrac{dv}{dt}=2+\dfrac{1}{(t+1)^2}$

따라서 점 P의 $t=2$에서의 속도와 가속도는

속도 : $\dfrac{11}{3}$, 가속도 : $\dfrac{19}{9}$

09-1 【셀파】 속도 $\Rightarrow \left(\dfrac{dx}{dt}, \dfrac{dy}{dt}\right)$, 가속도 $\Rightarrow \left(\dfrac{d^2x}{dt^2}, \dfrac{d^2y}{dt^2}\right)$

(1) $\dfrac{dx}{dt}=-2\sin 2t$, $\dfrac{dy}{dt}=2\cos 2t$

이므로 속도는 $(-2\sin 2t, 2\cos 2t)$이고, 그 크기는

$\sqrt{(-2\sin 2t)^2+(2\cos 2t)^2}=\sqrt{4(\sin^2 2t+\cos^2 2t)}=2$

$\therefore$ **속도 : $(-2\sin 2t, 2\cos 2t)$, 속도의 크기 : 2**

(2) $\dfrac{d^2x}{dt^2}=-4\cos 2t$, $\dfrac{d^2y}{dt^2}=-4\sin 2t$

이므로 가속도는 $(-4\cos 2t, -4\sin 2t)$이고, 그 크기는

$\sqrt{(-4\cos 2t)^2+(-4\sin 2t)^2}=\sqrt{16(\cos^2 2t+\sin^2 2t)}=4$

$\therefore$ **가속도 : $(-4\cos 2t, -4\sin 2t)$, 가속도의 크기 : 4**

연습 문제 본문 **162~163** 쪽

01 【셀파】 임의의 실수 x_1, x_2에 대하여

$f\left(\dfrac{x_1+x_2}{2}\right)>\dfrac{f(x_1)+f(x_2)}{2} \Rightarrow$ 곡선 $y=f(x)$는 위로 볼록

함수 $f(x)=ax^2+\sin x$가 서로 다른 임의의 실수 x_1, x_2에 대하여
$f\left(\dfrac{x_1+x_2}{2}\right)>\dfrac{f(x_1)+f(x_2)}{2}$이므로 곡선 $y=f(x)$는 위로 볼록
하다.

즉, 임의의 실수 x에 대하여 $f''(x)<0$이어야 한다.

$f'(x)=2ax+\cos x$, $f''(x)=2a-\sin x$이므로

$2a-\sin x<0$에서 $2a<\sin x$

이때 $-1\leq\sin x\leq1$이므로 $2a<-1$ $\quad \therefore \mathbf{a<-\dfrac{1}{2}}$

02 【셀파】 곡선 $y=f(x)$의 변곡점이 존재할 때, $f''(x)=0$인 x의 값이 한 개이면 그 값이 변곡점의 x좌표이다.

$f(x)=-2x^2+kx-\ln x$로 놓으면

$f'(x)=-4x+k-\dfrac{1}{x}$

$f''(x)=-4+\dfrac{1}{x^2}=\dfrac{1-4x^2}{x^2}=\dfrac{(1+2x)(1-2x)}{x^2}$

$f''(x)=0$에서 $(1+2x)(1-2x)=0$

$\therefore x=\dfrac{1}{2} \ (\because x>0)$

주어진 조건에서 곡선 $y=f(x)$의 변곡점이 존재하므로 함수 $y=f(x)$는 $x=\dfrac{1}{2}$일 때, 변곡점을 갖는다.

이때 변곡점의 y좌표가 $2+\ln 2$이므로

$$f\left(\frac{1}{2}\right)=-2\times\frac{1}{4}+k\times\frac{1}{2}-\ln\frac{1}{2}$$

$$=-\frac{1}{2}+\frac{k}{2}+\ln 2=2+\ln 2$$

$$\frac{k}{2}=\frac{5}{2} \quad \therefore \boldsymbol{k=5}$$

03 셀파 $y=f(x)$에 대하여 $f''(x)=0$인 x의 값을 찾는다.

$f(x)=e^{-x}-e^x+1$로 놓으면

$f'(x)=-e^{-x}-e^x$, $f''(x)=e^{-x}-e^x$

$f''(x)=0$에서 $e^{-x}-e^x=0$, $e^{2x}=1$ $\quad \therefore x=0$

$x<0$일 때 $f''(x)>0$

$x>0$일 때 $f''(x)<0$

이므로 변곡점의 좌표는 $(0, 1)$

$x=0$에서의 접선의 기울기는

$f'(0)=-1-1=-2$

따라서 변곡점 $(0, 1)$에서의 접선의 방정식은

$y-1=-2x \quad \therefore \boldsymbol{y=-2x+1}$

04 셀파 $x=a$의 좌우에서 $f''(x)$의 부호가 바뀌면 점 $(a, f(a))$는 변곡점이다.

$f(x)=\dfrac{1}{x^2+12}$로 놓으면

$$f'(x)=\frac{-2x}{(x^2+12)^2}$$

$$f''(x)=\frac{-2(x^2+12)^2-(-2x)\times 2(x^2+12)\times 2x}{(x^2+12)^4}$$

$$=\frac{6x^2-24}{(x^2+12)^3}=\frac{6(x+2)(x-2)}{(x^2+12)^3}$$

$f''(x)=0$에서 $x=-2$ 또는 $x=2$

$x<-2$ 또는 $x>2$일 때 $f''(x)>0$

$-2<x<2$일 때 $f''(x)<0$

따라서 변곡점의 좌표는 $\left(-2, \dfrac{1}{16}\right)$, $\left(2, \dfrac{1}{16}\right)$

따라서 삼각형 OAB의 넓이를 S라 하면

$$S=\frac{1}{2}\times(2+2)\times\frac{1}{16}=\boldsymbol{\frac{1}{8}}$$

05 셀파 $f'(x)=0$, $f''(x)=0$인 x의 값을 구해 그래프의 개형을 그린다.

(1) $f'(x)=\dfrac{-2x}{(x^2+1)^2}$

$$f''(x)=\frac{-2(x^2+1)^2-(-2x)\times 2(x^2+1)\times 2x}{(x^2+1)^4}$$

$$=\frac{6x^2-2}{(x^2+1)^3}=\frac{3(3x^2-1)}{(x^2+1)^3}$$

$f'(x)=0$에서 $x=0$

$f''(x)=0$에서 $x=-\dfrac{\sqrt{3}}{3}$ 또는 $x=\dfrac{\sqrt{3}}{3}$

함수 $f(x)$의 증가, 감소 및 오목, 볼록을 표로 나타내면 다음과 같다.

x	$\cdots$	$-\dfrac{\sqrt{3}}{3}$	$\cdots$	0	$\cdots$	$\dfrac{\sqrt{3}}{3}$	$\cdots$
$f'(x)$	$+$	$+$	$+$	0	$-$	$-$	$-$
$f''(x)$	$+$	0	$-$	$-$	$-$	0	$+$
$f(x)$	↗	$\dfrac{3}{4}$ 변곡점	⤴	1 극대	⤵	$\dfrac{3}{4}$ 변곡점	↘

이때 $\displaystyle\lim_{x\to-\infty}\dfrac{1}{x^2+1}=0$, $\displaystyle\lim_{x\to\infty}\dfrac{1}{x^2+1}=0$이므로 함수

$f(x)=\dfrac{1}{x^2+1}$의 그래프의 개형은 오른쪽 그림과 같다.

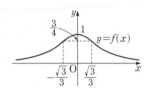

(2) $f(x)=x-\ln x$에서 $x>0$이고

$$f'(x)=1-\frac{1}{x}, \quad f''(x)=\frac{1}{x^2}$$

$f'(x)=0$에서 $x=1$이고 $f''(x)=0$인 x는 존재하지 않으므로 함수 $f(x)$의 증가, 감소 및 오목, 볼록을 표로 나타내면 다음과 같다.

x	(0)	$\cdots$	1	$\cdots$
$f'(x)$		$-$	0	$+$
$f''(x)$		$+$	$+$	$+$
$f(x)$		↘	1 극소	↗

이때 $\displaystyle\lim_{x\to 0+}(x-\ln x)=\infty$,

$\displaystyle\lim_{x\to\infty}(x-\ln x)=\infty$이므로 함수

$f(x)=x-\ln x$의 그래프의 개형은 오른쪽 그림과 같다.

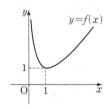

06 셀파 **최댓값을 갖는 x의 값 a를 구하여 $f(a)=\dfrac{1}{e^2}$을 푼다.**

$f'(x)=2xe^{kx}+kx^2e^{kx}=x(2+kx)e^{kx}$

$f'(x)=0$에서 $x>0$일 때, $x=-\dfrac{2}{k}$

이때 주어진 조건에서 $k<0$이므로 $x>0$에서 함수 $f(x)$의 증가와 감소를 표로 나타내면 다음과 같다.

x	(0)	$\cdots$	$-\dfrac{2}{k}$	$\cdots$
$f'(x)$		$+$	0	$-$
$f(x)$		↗	극대	↘

따라서 $x>0$에서 함수 $f(x)$는 $x=-\dfrac{2}{k}$일 때 극대이면서 최대이므로 $f(x)$의 최댓값은

$f\left(-\dfrac{2}{k}\right)=\left(-\dfrac{2}{k}\right)^2e^{k\left(-\frac{2}{k}\right)}=\dfrac{4}{k^2e^2}$

이때 주어진 조건에서 함수 $f(x)$의 최댓값이 $\dfrac{1}{e^2}$이므로

$\dfrac{4}{k^2e^2}=\dfrac{1}{e^2}, k^2=4$ ∴ $\boldsymbol{k=-2}$ $(∵ k<0)$

07 셀파 **k의 값의 범위를 나누어 생각한다.**

$f'(x)=\dfrac{(x^2+3)-(x+1)\times 2x}{(x^2+3)^2}$

$\quad\ =\dfrac{-(x^2+2x-3)}{(x^2+3)^2}=\dfrac{-(x+3)(x-1)}{(x^2+3)^2}$

$f'(x)=0$에서 $x=1$ $(∵ x\geq 0)$

이때 $x\geq 0$에서 함수 $f(x)$의 증가와 감소를 표로 나타내면 다음과 같다.

x	0	$\cdots$	1	$\cdots$
$f'(x)$		$+$	0	$-$
$f(x)$	$\dfrac{1}{3}$	↗	$\dfrac{1}{2}$ 극대	↘

이때 $\displaystyle\lim_{x\to\infty}\dfrac{x+1}{x^2+3}=0$이므로 함수 $y=f(x)$의 그래프의 개형은 오른쪽 그림과 같다.

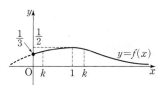

(i) $0<k<1$일 때

$0\leq x\leq k$에서 함수 $f(x)$는 증가하고 극값을 갖지 않으므로 최솟값은 $f(0)=\dfrac{1}{3}$, 최댓값은 $f(k)=\dfrac{k+1}{k^2+3}$

이때 $\dfrac{k+1}{k^2+3}=\dfrac{1}{2}$에서 $k^2-2k+1=0, (k-1)^2=0$

∴ $k=1$

그런데 $k=1$은 $0<k<1$인 조건에 맞지 않는다.

(ii) $k\geq 1$일 때

$0\leq x\leq k$에서 함수 $f(x)$의 최솟값은 $f(0)=\dfrac{1}{3}$이고, 최댓값은 $f(1)=\dfrac{1}{2}$이므로 $f(k)\geq\dfrac{1}{3}$이어야 한다.

$\dfrac{k+1}{k^2+3}\geq\dfrac{1}{3}, k^2-3k\leq 0, k(k-3)\leq 0$

∴ $1\leq k\leq 3$ $(∵ k\geq 1)$

(i), (ii)에서 구하는 k의 값의 범위는 $\boldsymbol{1\leq k\leq 3}$

08 셀파 **곡선 $y=e^{-x^2}$은 y축에 대하여 대칭이다.**

곡선 $y=e^{-x^2}$ 위의 점 D의 좌표를 (t, e^{-t^2}) $(t>0)$이라 하면 $\mathrm{A}(-t, e^{-t^2}), \mathrm{B}(-t, 0), \mathrm{C}(t, 0)$

직사각형 ABCD의 넓이를 $S(t)$라 하면

$S(t)=2t\times e^{-t^2}=2te^{-t^2}$

$S'(t)=2e^{-t^2}+2te^{-t^2}\times(-2t)$

$\quad\ =2e^{-t^2}-4t^2e^{-t^2}=2e^{-t^2}(1-2t^2)$

$S'(t)=0$에서 $2e^{-t^2}>0$이므로

$2t^2=1, t^2=\dfrac{1}{2}$ ∴ $t=\dfrac{\sqrt{2}}{2}$ $(∵ t>0)$

이때 $t>0$에서 함수 $S(t)$의 증가와 감소를 표로 나타내면 다음과 같다.

t	(0)	$\cdots$	$\dfrac{\sqrt{2}}{2}$	$\cdots$
$S'(t)$		$+$	0	$-$
$S(t)$		↗	극대	↘

따라서 $t=\dfrac{\sqrt{2}}{2}$일 때, 함수 $S(t)$는 극대이면서 최대이므로 직사각형 ABCD의 넓이의 최댓값은

$2\times\dfrac{\sqrt{2}}{2}\times e^{-\frac{1}{2}}=\sqrt{2}\times\dfrac{1}{\sqrt{e}}=\sqrt{\dfrac{2}{e}}$

| 참고 |

$f(x)=e^{-x^2}$이라 하면 $f(-x)=e^{-x^2}$

$f(x)=f(-x)$이므로 $y=f(x)$의 그래프는 y축에 대하여 대칭이다.

09 셀파 **$f'(x)$의 부호를 판단하여 함수 $y=f(x)$의 그래프의 개형을 그린다.**

$f(x)=\sqrt{x+1}-x$라 하면 $f'(x)=\dfrac{1}{2\sqrt{x+1}}-1$

$f'(x)=0$에서 $\sqrt{x+1}=\dfrac{1}{2}, x+1=\dfrac{1}{4}$ ∴ $x=-\dfrac{3}{4}$

한편 $\displaystyle\lim_{x\to\infty}(\sqrt{x+1}-x)=-\infty$

$x\geq -1$에서 함수 $f(x)$의 증가와 감소를 표로 나타내면 다음과 같다.

x	-1	$\cdots$	$-\dfrac{3}{4}$	$\cdots$
$f'(x)$		$+$	0	$-$
$f(x)$	1	$\nearrow$	$\dfrac{5}{4}$	$\searrow$

이때 함수 $y=f(x)$의 그래프는 오른쪽 그림과 같이 x축과 한 점에서 만나므로 방정식
$\sqrt{x+1}-x=0$의 실근의 개수는 **1**

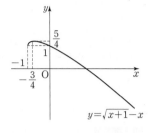

10 셀파 ㄷ. $g(x)=e^{f(x)}$이라 하고, $g'(x),\ g''(x)$의 부호를 조사한다.

$f(x)=4\ln x+\ln(10-x)$에서
$x>0$이고 $10-x>0$이므로
$0<x<10$

$f'(x)=\dfrac{4}{x}-\dfrac{1}{10-x}=\dfrac{5(8-x)}{x(10-x)}$

$f'(x)=0$에서 $x=8$

이때 $0<x<10$에서 함수 $f(x)$의 증가와 감소를 표로 나타내면 다음과 같다.

x	(0)	$\cdots$	8	$\cdots$	(10)
$f'(x)$		$+$	0	$-$	
$f(x)$		$\nearrow$	$4\ln 8+\ln 2$	$\searrow$	

ㄱ. 함수 $f(x)$는 $x=8$일 때, 극대이면서 최대이므로 최댓값은 $4\ln 8+\ln 2=13\ln 2$ (참)

ㄴ. $\displaystyle\lim_{x\to 10-}\{4\ln x+\ln(10-x)\}=-\infty$,
$\displaystyle\lim_{x\to 0+}\{4\ln x+\ln(10-x)\}=-\infty$
이므로 방정식 $f(x)=0$은 서로 다른 두 실근을 갖는다. (참)

ㄷ. $g(x)=e^{f(x)}\ (0<x<10)$이라 하면
$g(x)=e^{\ln x^4(10-x)}=x^4(10-x)=-x^5+10x^4$
$g'(x)=-5x^4+40x^3=-5x^3(x-8)$
$g''(x)=-20x^3+120x^2=-20x^2(x-6)$
$g'(x)=0$에서 $x=8$, $g''(x)=0$에서 $x=6$
함수 $g(x)$의 증가, 감소 및 오목, 볼록을 표로 나타내면 다음과 같다.

x	(0)	$\cdots$	6	$\cdots$	8	$\cdots$	(10)
$g'(x)$		$+$	$+$	$+$	0	$-$	
$g''(x)$		$+$	0	$-$	$-$	$-$	
$g(x)$		$\smile$	변곡점	$\frown$	극대	$\searrow$	

그래프는 열린구간 $(0,6)$에서 아래로 볼록하고, 열린구간 $(6,10)$에서 위로 볼록하다. (거짓)
따라서 옳은 것은 ㄱ, ㄴ이다.

11 셀파 함수 $f(x)=\ln x-kx$의 그래프가 x축과 한 점에서 만나도록 한다.

곡선 $y=\ln x$와 직선 $y=kx$가 오직 한 점에서 만나려면 방정식 $\ln x=kx$, 즉 $\ln x-kx=0$이 한 개의 실근을 가져야 한다.
$f(x)=\ln x-kx\ (x>0)$라 하면 $f'(x)=\dfrac{1}{x}-k$

$f'(x)=0$에서 $x=\dfrac{1}{k}$

이때 $x>0$에서 함수 $f(x)$의 증가와 감소를 표로 나타내면 다음과 같다.

x	(0)	$\cdots$	$\dfrac{1}{k}$	$\cdots$
$f'(x)$		$+$	0	$-$
$f(x)$		$\nearrow$	$-\ln k-1$	$\searrow$

따라서 함수 $f(x)$는 $x=\dfrac{1}{k}$일 때, 극대이면서 최대이므로 최댓값 $-\ln k-1$을 갖는다.
방정식 $f(x)=0$이 오직 한 개의 실근을 가지려면
$f\left(\dfrac{1}{k}\right)=-\ln k-1=0$이어야 하므로 $\ln k=-1$

$\therefore\ k=\dfrac{1}{e}$

| 다른 풀이 |

곡선 $y=\ln x$와 직선 $y=kx$가 오직 한 점에서 만나려면 오른쪽 그림과 같이 접해야 한다.

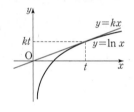

$f(x)=\ln x,\ g(x)=kx$로 놓으면
$f'(x)=\dfrac{1}{x},\ g'(x)=k$
접점의 x좌표를 t라 하면
$f(t)=g(t)$에서 $\ln t=kt$ ······ ㉠
$f'(t)=g'(t)$에서 $\dfrac{1}{t}=k$ ······ ㉡
$k=\dfrac{1}{t}$을 ㉠에 대입하면 $\ln t=1$ $\therefore\ t=e$
$t=e$를 ㉡에 대입하면 $k=\dfrac{1}{e}$

12 셀파 곡선 $y=x+2\sin x$와 직선 $y=k$가 서로 다른 세 점에서 만나야 한다.

㉮ $x+2\sin x-k=0$에서 $x+2\sin x=k$ ······ ㉠
방정식 ㉠이 서로 다른 세 실근을 가지려면 곡선 $y=x+2\sin x$와 직선 $y=k$가 서로 다른 세 점에서 만나야 한다.
이때 $f(x)=x+2\sin x$라 하면 $f'(x)=1+2\cos x$
$f'(x)=0$에서 $\cos x=-\dfrac{1}{2}$
$\therefore\ x=\dfrac{2}{3}\pi$ 또는 $x=\dfrac{4}{3}\pi\ (\because\ 0\le x\le 2\pi)$

ᄂ 함수 $f(x)$의 증가와 감소를 표로 나타내면 다음과 같다.

x	0	$\cdots$	$\dfrac{2}{3}\pi$	$\cdots$	$\dfrac{4}{3}\pi$	$\cdots$	2π
$f'(x)$		$+$	0	$-$	0	$+$	
$f(x)$	0	$\nearrow$	$\dfrac{2}{3}\pi+\sqrt{3}$	$\searrow$	$\dfrac{4}{3}\pi-\sqrt{3}$	$\nearrow$	2π

방정식 $x+2\sin x-k=0$이 서로 다른 세 실근을 가지면 곡선 $y=f(x)$와 직선 $y=k$가 오른쪽 그림과 같이 서로 다른 세 점에서 만나야 하므로

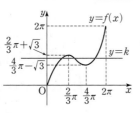

$$\dfrac{4}{3}\pi-\sqrt{3}<k<\dfrac{2}{3}\pi+\sqrt{3}$$

ᄃ 따라서 $a=\dfrac{4}{3}\pi-\sqrt{3}$, $b=\dfrac{2}{3}\pi+\sqrt{3}$

이므로

$$a+b=\left(\dfrac{4}{3}\pi-\sqrt{3}\right)+\left(\dfrac{2}{3}\pi+\sqrt{3}\right)=\mathbf{2\pi}$$

채점 기준	배점
㉮ 곡선 $y=x+2\sin x$가 극값을 갖는 x의 값을 구한다.	40%
㉯ 곡선과 직선이 세 점에서 만나도록 하는 실수 k의 값의 범위를 구한다.	50%
㉰ $a+b$의 값을 구한다.	10%

13 셀파 $f(x)\geq0$이면 $\{f(x)$의 최솟값$\}\geq0$이다.

$\dfrac{1}{e}x\geq\ln x+a$에서 $\dfrac{1}{e}x-\ln x-a\geq0$

$f(x)=\dfrac{1}{e}x-\ln x-a$ $(x>0)$라 하면

$f'(x)=\dfrac{1}{e}-\dfrac{1}{x}$

$f'(x)=0$에서 $x=e$

함수 $f(x)$의 증가와 감소를 표로 나타내면 다음과 같다.

x	(0)	$\cdots$	e	$\cdots$
$f'(x)$		$-$	0	$+$
$f(x)$		$\searrow$	$-a$	$\nearrow$

함수 $f(x)$는 $x=e$일 때, 극소이면서 최소이므로
$f(x)\geq0$이려면 $f(e)=1-1-a\geq0$　∴ $a\leq0$
따라서 구하는 a의 최댓값은 **0**

14 셀파 $h(x)=f(x)-g(x)$로 놓고, $x>0$에서 $h(x)>0$일 조건을 구한다.

$h(x)=f(x)-g(x)$로 놓으면 $h(x)=x+k+x\ln x$

$h'(x)=1+\ln x+x\times\dfrac{1}{x}=2+\ln x$

$h'(x)=0$에서 $x=\dfrac{1}{e^2}$

함수 $h(x)$의 증가와 감소를 표로 나타내면 다음과 같다.

x	(0)	$\cdots$	$\dfrac{1}{e^2}$	$\cdots$
$h'(x)$		$-$	0	$+$
$h(x)$		$\searrow$	$-\dfrac{1}{e^2}+k$	$\nearrow$

함수 $h(x)$는 $x=\dfrac{1}{e^2}$일 때, 극소이면서 최소이므로

$$h\left(\dfrac{1}{e^2}\right)=-\dfrac{1}{e^2}+k>0$$

$$\therefore\ \mathbf{k>\dfrac{1}{e^2}}$$

15 셀파 $x=f(t)$라 하면 속도는 $f'(t)$이다.

$f(t)=\sin 2t+\cos 2t$라 하면 점 P의 속도는
$f'(t)=2\cos 2t-2\sin 2t$

$\qquad=-2(\sin 2t-\cos 2t)$

$\qquad=-2\sqrt{2}\sin\left(2t-\dfrac{\pi}{4}\right)$

$-2\sqrt{2}\sin\left(2t-\dfrac{\pi}{4}\right)=2\sqrt{2}$에서 $\sin\left(2t-\dfrac{\pi}{4}\right)=-1$

$0\leq t\leq\pi$에서 $-\dfrac{\pi}{4}\leq 2t-\dfrac{\pi}{4}\leq\dfrac{7}{4}\pi$이므로

$2t-\dfrac{\pi}{4}=\dfrac{3}{2}\pi$　∴ $t=\dfrac{7}{8}\pi$

따라서 구하는 시각은 $\dfrac{7}{8}\pi$

16 셀파 가속도 $\Rightarrow\left(\dfrac{d^2x}{dt^2},\dfrac{d^2y}{dt^2}\right)$

$\dfrac{dx}{dt}=3$, $\dfrac{dy}{dt}=1-t^2$

점 P의 시각 t에서의 속도의 크기가 3이므로
$\sqrt{3^2+(1-t^2)^2}=3$, $(1-t^2)^2=0$　∴ $t=1$ $(\because t>0)$

$\dfrac{d^2x}{dt^2}=0$, $\dfrac{d^2y}{dt^2}=-2t$

이므로 시각 $t=1$에서의 점 P의 가속도의 크기는
$\sqrt{(-2)^2}=\mathbf{2}$

8. 여러 가지 적분법

개념 익히기   본문 | 167, 169 쪽

1-1 (1) $\displaystyle\int x^{\frac{3}{4}}dx=\dfrac{1}{\frac{3}{4}+1}x^{\frac{3}{4}+1}+C$

$\qquad =\dfrac{4}{7}x^{\frac{7}{4}}+C=\dfrac{4}{7}x\sqrt[4]{x^3}+C$

(2) $\displaystyle\int\dfrac{1}{x^2}dx=\int x^{-2}dx=\dfrac{1}{-2+\boxed{1}}x^{-2+1}+C$

$\qquad =\boxed{-x^{-1}}+C=-\dfrac{1}{x}+C$

(3) $\displaystyle\int x\sqrt{x}\,dx=\int x^{\frac{3}{2}}dx=\dfrac{1}{\frac{3}{2}+1}x^{\frac{3}{2}+1}+C$

$\qquad =\dfrac{2}{5}\boxed{x^{\frac{5}{2}}}+C=\dfrac{2}{5}x^2\sqrt{x}+C$

1-2 (1) $\displaystyle\int x^{-5}dx=\dfrac{1}{-5+1}x^{-5+1}+C=-\dfrac{1}{4}x^{-4}+C$

$\qquad =-\dfrac{1}{4x^4}+C$

(2) $\displaystyle\int\sqrt[3]{x^2}\,dx=\int x^{\frac{2}{3}}dx=\dfrac{1}{\frac{2}{3}+1}x^{\frac{2}{3}+1}+C$

$\qquad =\dfrac{3}{5}x^{\frac{5}{3}}+C=\dfrac{3}{5}x\sqrt[3]{x^2}+C$

2-1 (1) $\displaystyle\int e^{x+2}dx=\int e^2\times e^x\,dx=e^2\int e^x\,dx$

$\qquad =e^2\times e^x+C=e^{\boxed{x+2}}+C$

(2) $\displaystyle\int\dfrac{x\times 3^x+4}{x}dx=\int\left(3^x+\dfrac{4}{x}\right)dx$

$\qquad =\displaystyle\int 3^x dx+\boxed{4}\int\dfrac{1}{x}dx$

$\qquad =\dfrac{3^x}{\ln 3}+4\ln|x|+C$

2-2 (1) $\displaystyle\int(e^x+3^x)dx=\int e^x dx+\int 3^x dx$

$\qquad =e^x+\dfrac{3^x}{\ln 3}+C$

(2) $\displaystyle\int 2^{3x}dx=\int(2^3)^x dx=\int 8^x dx$

$\qquad =\dfrac{8^x}{\ln 8}+C=\dfrac{2^{3x}}{3\ln 2}+C$

3-1 (1) $1+3x=t$로 놓으면 $\dfrac{dt}{dx}=3$이므로

$\qquad \displaystyle\int 3(1+3x)^4 dx=\int\boxed{t^4}\,dt$

$\qquad\qquad =\dfrac{1}{5}t^5+C$

$\qquad\qquad =\dfrac{1}{5}(1+3x)^5+C$

(2) $x^2=t$로 놓으면 $\dfrac{dt}{dx}=2x$이므로

$\qquad \displaystyle\int 2x\cos x^2 dx=\int\cos t\,dt$

$\qquad\qquad =\boxed{\sin t}+C$

$\qquad\qquad =\sin x^2+C$

3-2 (1) $x-3=t$로 놓으면 $\dfrac{dt}{dx}=1$이므로

$\qquad \displaystyle\int\sqrt{x-3}\,dx=\int t^{\frac{1}{2}}\,dt$

$\qquad\qquad =\dfrac{2}{3}t^{\frac{3}{2}}+C=\dfrac{2}{3}t\sqrt{t}+C$

$\qquad\qquad =\dfrac{2}{3}(x-3)\sqrt{x-3}+C$

(2) $4x+1=t$로 놓으면 $\dfrac{dt}{dx}=4$이므로

$\qquad \displaystyle\int 4\cos(4x+1)dx=\int\cos t\,dt=\sin t+C$

$\qquad\qquad =\sin(4x+1)+C$

4-1 (1) $\displaystyle\int\ln x\,dx=\int\ln x\times 1\,dx$에서

$\qquad f(x)=\ln x,\ g'(x)=\boxed{1}$로 놓으면

$\qquad f'(x)=\dfrac{1}{x},\ g(x)=x$

$\qquad \therefore \displaystyle\int\ln x\,dx=(\ln x)\times x-\int\dfrac{1}{x}\times\boxed{x}\,dx$

$\qquad\qquad =x\ln x-x+C$

(2) $f(x)=x,\ g'(x)=\sin x$로 놓으면

$\qquad f'(x)=\boxed{1},\ g(x)=-\cos x$

$\qquad \therefore \displaystyle\int x\sin x\,dx=x(-\cos x)-\int(-\cos x)dx$

$\qquad\qquad =-x\cos x+\boxed{\sin x}+C$

4-2 (1) $\displaystyle\int x\cos x\,dx$에서

$\quad f(x)=x,\ g'(x)=\cos x$로 놓으면

$\quad f'(x)=1,\ g(x)=\sin x$

$\quad \therefore \displaystyle\int x\cos x\,dx=x\sin x-\int 1\times\sin x\,dx$

$\qquad\qquad\qquad\quad =x\sin x-(-\cos x)+C$

$\qquad\qquad\qquad\quad =\boldsymbol{x\sin x+\cos x+C}$

(2) $\displaystyle\int x^2\ln x\,dx$에서

$\quad f(x)=\ln x,\ g'(x)=x^2$으로 놓으면

$\quad f'(x)=\dfrac{1}{x},\ g(x)=\dfrac{1}{3}x^3$

$\quad \therefore \displaystyle\int x^2\ln x\,dx=(\ln x)\times\dfrac{1}{3}x^3-\int\dfrac{1}{x}\times\dfrac{1}{3}x^3\,dx$

$\qquad\qquad\qquad\quad =\dfrac{x^3\ln x}{3}-\dfrac{1}{9}x^3+C$

$\qquad\qquad\qquad\quad =\boldsymbol{\dfrac{x^3(3\ln x-1)}{9}+C}$

확인 문제　　　　　본문 | **170~187** 쪽

01-1 셀파 $\displaystyle\int x^n\,dx=\dfrac{1}{n+1}x^{n+1}+C$ (단, $n\neq-1$인 실수)

$\qquad\qquad \displaystyle\int x^{-1}\,dx=\ln|x|+C$

(1) $\displaystyle\int\Big(x-3+\dfrac{4}{x^5}\Big)dx=\int(x-3+4x^{-5})dx$

$\qquad\qquad\qquad\qquad =\dfrac{1}{2}x^2-3x-x^{-4}+C$

$\qquad\qquad\qquad\qquad =\boldsymbol{\dfrac{1}{2}x^2-3x-\dfrac{1}{x^4}+C}$

(2) $\displaystyle\int\dfrac{x-1}{x^2}dx=\int\Big(\dfrac{1}{x}-x^{-2}\Big)dx$

$\qquad\qquad\quad =\ln|x|+x^{-1}+C$

$\qquad\qquad\quad =\boldsymbol{\ln|x|+\dfrac{1}{x}+C}$

(3) $\displaystyle\int\Big(\sqrt[3]{x^2}-\dfrac{3}{x^3}\Big)dx=\int\Big(x^{\frac{2}{3}}-3x^{-3}\Big)dx$

$\qquad\qquad\qquad\qquad =\dfrac{3}{5}x^{\frac{5}{3}}+\dfrac{3}{2}x^{-2}+C$

$\qquad\qquad\qquad\qquad =\boldsymbol{\dfrac{3}{5}x\sqrt[3]{x^2}+\dfrac{3}{2x^2}+C}$

---

(4) $\displaystyle\int\dfrac{(\sqrt[3]{x}-1)^3}{x}dx$

$\quad =\displaystyle\int\dfrac{x-3\sqrt[3]{x^2}+3\sqrt[3]{x}-1}{x}dx$

$\quad =\displaystyle\int\Big(1-3x^{-\frac{1}{3}}+3x^{-\frac{2}{3}}-\dfrac{1}{x}\Big)dx$

$\quad =x-3\times\dfrac{3}{2}x^{\frac{2}{3}}+3\times 3x^{\frac{1}{3}}-\ln|x|+C$

$\quad =\boldsymbol{x-\dfrac{9}{2}\sqrt[3]{x^2}+9\sqrt[3]{x}-\ln|x|+C}$

셀파 특강 **확인 체크 01**

(1) $(e^x)'=e^x$이므로 $\displaystyle\int e^x\,dx=\boxed{\boldsymbol{e^x}}+C$

(2) $\Big(\dfrac{a^x}{\ln a}\Big)'=a^x\ (a>0,\ a\neq1)$이므로

$\quad \displaystyle\int a^x\,dx=\boxed{\boldsymbol{\dfrac{a^x}{\ln a}}}+C$

(3) $(\cos x)'=-\sin x$이므로 $\displaystyle\int\sin x\,dx=\boxed{\boldsymbol{-\cos x}}+C$

02-1 셀파 $\displaystyle\int e^{ax}\,dx=\dfrac{1}{a}e^{ax}+C$ (단, $a\neq0$)

(1) $\displaystyle\int(e^x+1)^2dx=\int(e^{2x}+2e^x+1)dx$

$\qquad\qquad\qquad =\boldsymbol{\dfrac{1}{2}e^{2x}+2e^x+x+C}$

(2) $\displaystyle\int\dfrac{xe^x+3ex-2}{x}dx=\int\Big(e^x+3e-\dfrac{2}{x}\Big)dx$

$\qquad\qquad\qquad\quad =\boldsymbol{e^x+3ex-2\ln|x|+C}$

(3) $\displaystyle\int(e^{1-x}-2^{3-2x})dx=\int e^{1-x}\,dx-\int 2^{3-2x}\,dx$

$\qquad\quad =e\displaystyle\int e^{-x}\,dx-8\int\Big(\dfrac{1}{4}\Big)^x dx$

$\qquad\quad =-e\times e^{-x}-8\times\dfrac{\Big(\dfrac{1}{4}\Big)^x}{\ln\dfrac{1}{4}}+C$

$\qquad\quad =-e^{1-x}-8\times\dfrac{2^{-2x}}{-2\ln 2}+C$

$\qquad\quad =\boldsymbol{-e^{1-x}+\dfrac{2^{2-2x}}{\ln 2}+C}$

(4) $\displaystyle\int\dfrac{4^x-1}{2^x+1}dx=\int\dfrac{(2^x+1)(2^x-1)}{2^x+1}dx$

$\qquad\qquad\quad =\displaystyle\int(2^x-1)dx=\boldsymbol{\dfrac{2^x}{\ln 2}-x+C}$

03-1 설파 삼각함수의 부정적분 공식을 이용한다.

(1) $\cot x = \dfrac{\cos x}{\sin x}$ 이므로

$$\int (\cot x + 2)\sin x\, dx = \int \left(\dfrac{\cos x}{\sin x} + 2\right)\sin x\, dx$$
$$= \int (\cos x + 2\sin x)\, dx$$
$$= \boldsymbol{\sin x - 2\cos x + C}$$

(2) $\displaystyle\int \dfrac{\sin^3 x - 1}{\sin^2 x}\, dx = \int \left(\sin x - \dfrac{1}{\sin^2 x}\right)dx$
$$= \int (\sin x - \csc^2 x)\, dx$$
$$= \boldsymbol{-\cos x + \cot x + C}$$

(3) $\displaystyle\int \dfrac{\sin^2 x}{1+\cos x}\, dx = \int \dfrac{1-\cos^2 x}{1+\cos x}\, dx$
$$= \int \dfrac{(1+\cos x)(1-\cos x)}{1+\cos x}\, dx$$
$$= \int (1-\cos x)\, dx$$
$$= \boldsymbol{x - \sin x + C}$$

(4) $\displaystyle\int \dfrac{1}{1+\cos x}\, dx = \int \dfrac{1-\cos x}{(1+\cos x)(1-\cos x)}\, dx$
$$= \int \dfrac{1-\cos x}{1-\cos^2 x}\, dx$$
$$= \int \dfrac{1-\cos x}{\sin^2 x}\, dx$$
$$= \int \left(\dfrac{1}{\sin^2 x} - \dfrac{1}{\sin x} \times \dfrac{\cos x}{\sin x}\right)dx$$
$$= \int (\csc^2 x - \csc x \cot x)\, dx$$
$$= \boldsymbol{-\cot x + \csc x + C}$$

(3) $\displaystyle\int \dfrac{x^3 + 4x - 5}{x^2}\, dx = \int \left(x + \dfrac{4}{x} - 5x^{-2}\right)dx$
$$= \dfrac{1}{2}x^2 + 4\ln|x| + 5x^{-1} + C$$
$$= \boldsymbol{\dfrac{1}{2}x^2 + 4\ln|x| + \dfrac{5}{x} + C}$$

(4) $\displaystyle\int \dfrac{x+\sqrt{x}}{x\sqrt{x}}\, dx = \int \left(\dfrac{1}{\sqrt{x}} + \dfrac{1}{x}\right)dx$
$$= \int \left(x^{-\frac{1}{2}} + \dfrac{1}{x}\right)dx$$
$$= 2x^{\frac{1}{2}} + \ln|x| + C$$
$$= \boldsymbol{2\sqrt{x} + \ln|x| + C}$$

(5) $\displaystyle\int \dfrac{(\sqrt{x}-2)^2}{x}\, dx = \int \dfrac{x - 4\sqrt{x} + 4}{x}\, dx$
$$= \int \left(1 - 4x^{-\frac{1}{2}} + \dfrac{4}{x}\right)dx$$
$$= x - 8x^{\frac{1}{2}} + 4\ln|x| + C$$
$$= \boldsymbol{x - 8\sqrt{x} + 4\ln|x| + C}$$

(6) $\displaystyle\int \dfrac{x^2 - x}{x - \sqrt{x}}\, dx = \int \dfrac{(x+\sqrt{x})(x-\sqrt{x})}{x-\sqrt{x}}\, dx$
$$= \int (x + \sqrt{x})\, dx = \int (x + x^{\frac{1}{2}})\, dx$$
$$= \dfrac{1}{2}x^2 + \dfrac{2}{3}x^{\frac{3}{2}} + C$$
$$= \boldsymbol{\dfrac{1}{2}x^2 + \dfrac{2}{3}x\sqrt{x} + C}$$

집중 연습
본문 | 174~175 쪽

01 (1) $\displaystyle\int \left(\dfrac{2}{x} + \dfrac{3}{x^2}\right)dx = \int \left(\dfrac{2}{x} + 3x^{-2}\right)dx$
$$= 2\ln|x| - 3x^{-1} + C$$
$$= \boldsymbol{2\ln|x| - \dfrac{3}{x} + C}$$

(2) $\displaystyle\int \left(x\sqrt{x} + \dfrac{1}{\sqrt{x}}\right)dx = \int (x^{\frac{3}{2}} + x^{-\frac{1}{2}})\, dx$
$$= \dfrac{2}{5}x^{\frac{5}{2}} + 2x^{\frac{1}{2}} + C$$
$$= \boldsymbol{\dfrac{2}{5}x^2\sqrt{x} + 2\sqrt{x} + C}$$

02 (1) $\displaystyle\int e^{2-3x}\, dx = \int e^2 \times e^{-3x}\, dx$
$$= e^2 \times \left(-\dfrac{1}{3}e^{-3x}\right) + C$$
$$= \boldsymbol{-\dfrac{1}{3}e^{2-3x} + C}$$

(2) $\displaystyle\int \dfrac{3 - 2xe^{x-1}}{x}\, dx = \int \left(\dfrac{3}{x} - 2e^{x-1}\right)dx$
$$= \int \left(\dfrac{3}{x} - \dfrac{2}{e}e^x\right)dx$$
$$= 3\ln|x| - \dfrac{2}{e}e^x + C$$
$$= \boldsymbol{3\ln|x| - 2e^{x-1} + C}$$

(3) $\displaystyle\int \frac{e^{3x}-1}{e^{2x}+e^x+1}dx=\int \frac{(e^x-1)(e^{2x}+e^x+1)}{e^{2x}+e^x+1}dx$

$\qquad\qquad\qquad\quad =\int (e^x-1)dx$

$\qquad\qquad\qquad\quad =e^x-x+C$

(4) $\displaystyle\int \frac{e^{3x}-8}{e^x-2}dx=\int \frac{(e^x-2)(e^{2x}+2e^x+4)}{e^x-2}dx$

$\qquad\qquad\qquad =\int (e^{2x}+2e^x+4)dx$

$\qquad\qquad\qquad =\frac{1}{2}e^{2x}+2e^x+4x+C$

(5) $\displaystyle\int \frac{16^x}{4^x}dx=\int \frac{(4^x)^2}{4^x}dx=\int 4^x dx$

$\qquad\qquad =\frac{4^x}{\ln 4}+C=\frac{2^{2x-1}}{\ln 2}+C$

(6) $\displaystyle\int (1-2^x)^2 dx=\int (1-2\times 2^x+4^x)dx$

$\qquad\qquad\quad =x-2\times \frac{2^x}{\ln 2}+\frac{4^x}{\ln 4}+C$

$\qquad\qquad\quad =x-\frac{2^{x+1}}{\ln 2}+\frac{2^{2x}}{2\ln 2}+C$

$\qquad\qquad\quad =x-\frac{2^{x+1}}{\ln 2}+\frac{2^{2x-1}}{\ln 2}+C$

03 (1) $\displaystyle\int (2+\tan x)\cos x\,dx=\int (2\cos x+\tan x\cos x)dx$

$\qquad\qquad\qquad\qquad =\int (2\cos x+\sin x)dx$

$\qquad\qquad\qquad\qquad =2\sin x-\cos x+C$

(2) $\tan x=\dfrac{\sin x}{\cos x}$, $\cot x=\dfrac{\cos x}{\sin x}$이므로

$\quad \displaystyle\int (2\cos x+\cot x)\tan x\,dx$

$\quad =\int \left(2\cos x+\frac{\cos x}{\sin x}\right)\frac{\sin x}{\cos x}dx$

$\quad =\int (2\sin x+1)dx$

$\quad =-2\cos x+x+C$

(3) $\displaystyle\int \frac{\cos x}{1-\cos^2 x}dx=\int \frac{\cos x}{\sin^2 x}dx$

$\qquad\qquad\qquad =\int \frac{1}{\sin x}\times \frac{\cos x}{\sin x}dx$

$\qquad\qquad\qquad =\int \csc x\cot x\,dx$

$\qquad\qquad\qquad =-\csc x+C$

(4) $\displaystyle\int \tan^2 x\,dx=\int (\sec^2 x-1)dx$

$\qquad\qquad =\tan x-x+C$

(5) $\displaystyle\int \frac{x-\cos^2 x}{x\cos^2 x}dx=\int \left(\frac{1}{\cos^2 x}-\frac{1}{x}\right)dx$

$\qquad\qquad\qquad =\int \left(\sec^2 x-\frac{1}{x}\right)dx$

$\qquad\qquad\qquad =\tan x-\ln|x|+C$

(6) $\displaystyle\int \frac{1-\cos^3 x}{1-\sin^2 x}dx=\int \frac{1-\cos^3 x}{\cos^2 x}dx$

$\qquad\qquad\qquad =\int \left(\frac{1}{\cos^2 x}-\cos x\right)dx$

$\qquad\qquad\qquad =\int (\sec^2 x-\cos x)dx$

$\qquad\qquad\qquad =\tan x-\sin x+C$

04-1 셀파 피적분함수를 $f(g(x))g'(x)$꼴이 되도록 변형한다.

(1) $3x^2-1=t$로 놓으면 $\dfrac{dt}{dx}=6x$이므로

$\quad \displaystyle\int x(3x^2-1)^4 dx=\frac{1}{6}\int 6x(3x^2-1)^4 dx$

$\qquad\qquad\qquad\quad =\frac{1}{6}\int t^4 dt$

$\qquad\qquad\qquad\quad =\frac{1}{6}\times \frac{1}{5}t^5+C$

$\qquad\qquad\qquad\quad =\frac{1}{30}t^5+C$

$\qquad\qquad\qquad\quad =\frac{1}{30}(3x^2-1)^5+C$

(2) $x^2-2x-2=t$로 놓으면 $\dfrac{dt}{dx}=2x-2$이므로

$\quad \displaystyle\int (x-1)(x^2-2x-2)^3 dx$

$\quad =\frac{1}{2}\int (2x-2)(x^2-2x-2)^3 dx$

$\quad =\frac{1}{2}\int t^3 dt=\frac{1}{2}\times \frac{1}{4}t^4+C$

$\quad =\frac{1}{8}t^4+C$

$\quad =\frac{1}{8}(x^2-2x-2)^4+C$

(3) $2x+3=t$, 즉 $x=\dfrac{t-3}{2}$으로 놓으면 $\dfrac{dx}{dt}=\dfrac{1}{2}$이므로

$$\int(2x+3)^6\,dx=\int t^6\times\dfrac{1}{2}\,dt=\dfrac{1}{2}\times\dfrac{1}{7}t^7+C$$
$$=\dfrac{1}{14}t^7+C$$
$$=\dfrac{1}{14}(2x+3)^7+C$$

(4) $x^2+3x+1=t$로 놓으면 $\dfrac{dt}{dx}=2x+3$이므로

$$\int\dfrac{4x+6}{(x^2+3x+1)^3}\,dx=\int\dfrac{2(2x+3)}{(x^2+3x+1)^3}\,dx$$
$$=2\int\dfrac{2x+3}{(x^2+3x+1)^3}\,dx$$
$$=2\int\dfrac{1}{t^3}\,dt$$
$$=2\int t^{-3}\,dt$$
$$=2\times\dfrac{1}{-2}t^{-2}+C$$
$$=-\dfrac{1}{t^2}+C$$
$$=-\dfrac{1}{(x^2+3x+1)^2}+C$$

05-1 셀파 피적분함수를 $f(g(x))g'(x)$ 꼴이 되도록 변형한다.

(1) $x^3+1=t$로 놓으면 $\dfrac{dt}{dx}=3x^2$이므로

$$\int x^2\sqrt{x^3+1}\,dx=\dfrac{1}{3}\int 3x^2\sqrt{x^3+1}\,dx$$
$$=\dfrac{1}{3}\int\sqrt{t}\,dt=\dfrac{1}{3}\int t^{\frac{1}{2}}\,dt$$
$$=\dfrac{2}{9}t^{\frac{3}{2}}+C=\dfrac{2}{9}t\sqrt{t}+C$$
$$=\dfrac{2}{9}(x^3+1)\sqrt{x^3+1}+C$$

(2) $x^2+1=t$로 놓으면 $\dfrac{dt}{dx}=2x$이므로

$$\int\dfrac{4x}{\sqrt{x^2+1}}\,dx=2\int\dfrac{2x}{\sqrt{x^2+1}}\,dx=2\int\dfrac{1}{\sqrt{t}}\,dt$$
$$=2\int t^{-\frac{1}{2}}\,dt=4t^{\frac{1}{2}}+C$$
$$=4\sqrt{t}+C$$
$$=4\sqrt{x^2+1}+C$$

(3) $6x+5=t$, 즉 $x=\dfrac{t-5}{6}$로 놓으면 $\dfrac{dx}{dt}=\dfrac{1}{6}$이므로

$$\int\dfrac{1}{\sqrt[3]{6x+5}}\,dx=\int\dfrac{1}{\sqrt[3]{t}}\times\dfrac{1}{6}\,dt=\dfrac{1}{6}\int t^{-\frac{1}{3}}\,dt$$
$$=\dfrac{1}{6}\times\dfrac{3}{2}t^{\frac{2}{3}}+C=\dfrac{1}{4}\sqrt[3]{t^2}+C$$
$$=\dfrac{1}{4}\sqrt[3]{(6x+5)^2}+C$$

(4) $x^4+6=t$로 놓으면 $\dfrac{dt}{dx}=4x^3$이므로

$$\int\dfrac{x^3}{\sqrt[3]{x^4+6}}\,dx=\dfrac{1}{4}\int\dfrac{4x^3}{\sqrt[3]{x^4+6}}\,dx$$
$$=\dfrac{1}{4}\int\dfrac{1}{\sqrt[3]{t}}\,dt=\dfrac{1}{4}\int t^{-\frac{1}{3}}\,dt$$
$$=\dfrac{1}{4}\times\dfrac{3}{2}t^{\frac{2}{3}}+C=\dfrac{3}{8}\sqrt[3]{t^2}+C$$
$$=\dfrac{3}{8}\sqrt[3]{(x^4+6)^2}+C$$

06-1 셀파 치환할 함수를 찾는다.

(1) $2x+3=t$, 즉 $x=\dfrac{t-3}{2}$으로 놓으면 $\dfrac{dx}{dt}=\dfrac{1}{2}$이므로

$$\int e^{2x+3}\,dx=\int e^t\times\dfrac{1}{2}\,dt=\dfrac{1}{2}\int e^t\,dt$$
$$=\dfrac{1}{2}e^t+C=\dfrac{1}{2}e^{2x+3}+C$$

| 다른 풀이 |

$$\int e^{ax+b}\,dx=\dfrac{1}{a}e^{ax+b}+C$$이므로

$$\int e^{2x+3}\,dx=\dfrac{1}{2}e^{2x+3}+C$$

(2) $x^3+1=t$로 놓으면 $\dfrac{dt}{dx}=3x^2$이므로

$$\int 12x^2e^{x^3+1}\,dx=4\int 3x^2e^{x^3+1}\,dx$$
$$=4\int e^t\,dt=4e^t+C$$
$$=4e^{x^3+1}+C$$

(3) $e^x-1=t$로 놓으면 $\dfrac{dt}{dx}=e^x$이므로

$$\int e^x\sqrt{e^x-1}\,dx=\int\sqrt{t}\,dt=\int t^{\frac{1}{2}}\,dt$$
$$=\dfrac{2}{3}t^{\frac{3}{2}}+C=\dfrac{2}{3}t\sqrt{t}+C$$
$$=\dfrac{2}{3}(e^x-1)\sqrt{e^x-1}+C$$

(4) $\ln(1+x^2)=t$로 놓으면 $\dfrac{dt}{dx}=\dfrac{2x}{1+x^2}$이므로

$$\int \dfrac{x}{1+x^2}\ln(1+x^2)dx=\dfrac{1}{2}\int \dfrac{2x}{1+x^2}\ln(1+x^2)dx$$

$$=\dfrac{1}{2}\int t\,dt=\dfrac{1}{4}t^2+C$$

$$=\dfrac{1}{4}\{\ln(1+x^2)\}^2+C$$

(4) $\displaystyle\int \sin^3 x\,dx=\int \sin x \sin^2 x\,dx$

$$=\int \sin x(1-\cos^2 x)dx$$

이때 $\cos x=t$로 놓으면 $\dfrac{dt}{dx}=-\sin x$이므로

$$(주어진 식)=-\int(1-t^2)dt=\int(t^2-1)dt$$

$$=\dfrac{1}{3}t^3-t+C$$

$$=\dfrac{1}{3}\cos^3 x-\cos x+C$$

07-1 셀파 치환할 함수를 찾는다.

(1) $1-x=t$, 즉 $x=1-t$로 놓으면 $\dfrac{dx}{dt}=-1$이므로

$$\int \cos(1-x)dx=\int \cos t\times(-1)dt$$

$$=-\int \cos t\,dt=-\sin t+C$$

$$=-\sin(1-x)+C$$

(2) $\tan x=t$로 놓으면 $\dfrac{dt}{dx}=\sec^2 x$이므로

$$\int \tan x \sec^2 x\,dx=\int t\,dt=\dfrac{1}{2}t^2+C$$

$$=\dfrac{1}{2}\tan^2 x+C$$

| 다른 풀이 |

$\tan x=\dfrac{\sin x}{\cos x}$, $\sec^2 x=\dfrac{1}{\cos^2 x}$이므로

$$\int \tan x \sec^2 x\,dx=\int \dfrac{\sin x}{\cos^3 x}dx$$

이때 $\cos x=t$로 놓으면 $\dfrac{dt}{dx}=-\sin x$이므로

$$(주어진 식)=-\int \dfrac{1}{t^3}dt=-\int t^{-3}dt$$

$$=\dfrac{1}{2}t^{-2}+C=\dfrac{1}{2t^2}+C$$

$$=\dfrac{1}{2\cos^2 x}+C=\dfrac{1}{2}\sec^2 x+C$$

| 참고 |
함수의 부정적분은 다양한 방법으로 구할 수 있는 경우가 있다.
이때 그 방법에 따라 부정적분이 다르게 표현되기도 한다.

(3) $\cos x=t$로 놓으면 $\dfrac{dt}{dx}=-\sin x$이므로

$$\int \cos^4 x \sin x\,dx=-\int t^4\,dt=-\dfrac{1}{5}t^5+C$$

$$=-\dfrac{1}{5}\cos^5 x+C$$

08-1 셀파 피적분함수를 $\dfrac{f'(x)}{f(x)}$ 꼴이 되도록 변형한다.

(1) $(5-2x)'=-2$이므로

$$\int \dfrac{1}{5-2x}dx=-\dfrac{1}{2}\int \dfrac{-2}{5-2x}dx$$

$$=-\dfrac{1}{2}\int \dfrac{(5-2x)'}{5-2x}dx$$

$$=-\dfrac{1}{2}\ln|5-2x|+C$$

(2) $(x^2-2x+3)'=2x-2$이므로

$$\int \dfrac{x-1}{x^2-2x+3}dx=\dfrac{1}{2}\int \dfrac{2x-2}{x^2-2x+3}dx$$

$$=\dfrac{1}{2}\int \dfrac{(x^2-2x+3)'}{x^2-2x+3}dx$$

$$=\dfrac{1}{2}\ln(x^2-2x+3)+C$$

| 참고 |
$x^2-2x+3=(x-1)^2+2>0$이므로
$\ln|x^2-2x+3|=\ln(x^2-2x+3)$

(3) $(e^x+e^{-x})'=e^x-e^{-x}$이므로

$$\int \dfrac{e^{-x}-e^x}{e^x+e^{-x}}dx=-\int \dfrac{e^x-e^{-x}}{e^x+e^{-x}}dx$$

$$=-\int \dfrac{(e^x+e^{-x})'}{e^x+e^{-x}}dx$$

$$=-\ln(e^x+e^{-x})+C$$

(4) $(x+\cos x)'=1-\sin x$이므로

$$\int \dfrac{1-\sin x}{x+\cos x}dx=\int \dfrac{(x+\cos x)'}{x+\cos x}dx$$

$$=\ln|x+\cos x|+C$$

(4) 상수 a,b,c에 대하여

$\dfrac{3x^2+2}{x(x^2+1)}=\dfrac{a}{x}+\dfrac{bx+c}{x^2+1}$로 놓으면

$\dfrac{3x^2+2}{x(x^2+1)}=\dfrac{(a+b)x^2+cx+a}{x(x^2+1)}$에서

$a+b=3,\,c=0,\,a=2$

$\therefore a=2,\,b=1,\,c=0$

따라서 $\dfrac{3x^2+2}{x(x^2+1)}=\dfrac{2}{x}+\dfrac{x}{x^2+1}$이므로

$\int \dfrac{3x^2+2}{x(x^2+1)}dx=\int \left(\dfrac{2}{x}+\dfrac{x}{x^2+1}\right)dx$

$=2\int \dfrac{1}{x}dx+\dfrac{1}{2}\int \dfrac{2x}{x^2+1}dx$

$=2\int \dfrac{1}{x}dx+\dfrac{1}{2}\int \dfrac{(x^2+1)'}{x^2+1}dx$

$=2\ln|x|+\dfrac{1}{2}\ln(x^2+1)+C$

09-1 셀파 분모와 분자의 차수를 비교한다.

(1) $\dfrac{x^3-1}{x-1}=\dfrac{(x-1)(x^2+x+1)}{x-1}=x^2+x+1$

$\therefore \int \dfrac{x^3-1}{x-1}dx-\int (x^2+x+1)dx$

$=\dfrac{1}{3}x^3+\dfrac{1}{2}x^2+x+C$

(2) $\dfrac{2x^2+x+1}{x+1}=\dfrac{(x+1)(2x-1)+2}{x+1}=2x-1+\dfrac{2}{x+1}$

$\therefore \int \dfrac{2x^2+x+1}{x+1}dx=\int \left(2x-1+\dfrac{2}{x+1}\right)dx$

$=x^2-x+2\ln|x+1|+C$

(3) 상수 a,b에 대하여

$\dfrac{x+1}{x^2-5x+6}=\dfrac{x+1}{(x-2)(x-3)}=\dfrac{a}{x-2}+\dfrac{b}{x-3}$

로 놓으면

$\dfrac{x+1}{(x-2)(x-3)}=\dfrac{(a+b)x-(3a+2b)}{(x-2)(x-3)}$에서

$a+b=1,\,3a+2b=-1$

$\therefore a=-3,\,b=4$

따라서 $\dfrac{x+1}{x^2-5x+6}=\dfrac{-3}{x-2}+\dfrac{4}{x-3}$이므로

$\int \dfrac{x+1}{x^2-5x+6}dx=\int \left(-\dfrac{3}{x-2}+\dfrac{4}{x-3}\right)dx$

$=-3\ln|x-2|+4\ln|x-3|+C$

집중 연습 본문 | **184**쪽

01 **(1)** $(x^2-x+1)'=2x-1$이므로

$\int \dfrac{2x-1}{x^2-x+1}dx=\int \dfrac{(x^2-x+1)'}{x^2-x+1}dx$

$=\ln(x^2-x+1)+C$

(2) $(x-1)(x^2+x+1)=x^3-1$이고,

$(x^3-1)'=3x^2$이므로

$\int \dfrac{3x^2}{(x-1)(x^2+x+1)}dx=\int \dfrac{3x^2}{x^3-1}dx$

$=\int \dfrac{(x^3-1)'}{x^3-1}dx$

$=\ln|x^3-1|+C$

(3) $(1+2\sin x)'=2\cos x$이므로

$\int \dfrac{\cos x}{1+2\sin x}dx=\dfrac{1}{2}\int \dfrac{2\cos x}{1+2\sin x}dx$

$=\dfrac{1}{2}\int \dfrac{(1+2\sin x)'}{1+2\sin x}dx$

$=\dfrac{1}{2}\ln|1+2\sin x|+C$

(4) $(2^x-x^3)'=2^x\ln 2-3x^2$이므로

$\int \dfrac{2^x\ln 2-3x^2}{2^x-x^3}dx=\int \dfrac{(2^x-x^3)'}{2^x-x^3}dx$

$=\ln|2^x-x^3|+C$

02 (1) $\displaystyle\int \frac{2x^2+3x-2}{x+2}dx=\int \frac{(x+2)(2x-1)}{x+2}dx$

$$=\int (2x-1)dx$$

$$=x^2-x+C$$

(2) $\displaystyle\int \frac{3x^2-2x-1}{3x-2}dx=\int \frac{x(3x-2)-1}{3x-2}dx$

$$=\int \left(x-\frac{1}{3x-2}\right)dx$$

$$=\int x\,dx-\frac{1}{3}\int \frac{(3x-2)'}{3x-2}dx$$

$$=\frac{1}{2}x^2-\frac{1}{3}\ln|3x-2|+C$$

(3) 상수 $a,\,b$에 대하여

$$\frac{2x}{x^2+3x+2}=\frac{2x}{(x+1)(x+2)}=\frac{a}{x+1}+\frac{b}{x+2}$$

로 놓으면

$$\frac{2x}{(x+1)(x+2)}=\frac{(a+b)x+2a+b}{(x+1)(x+2)}$$ 에서

$$a+b=2,\ 2a+b=0 \qquad \therefore a=-2,\ b=4$$

따라서 $\displaystyle \frac{2x}{x^2+3x+2}=\frac{-2}{x+1}+\frac{4}{x+2}$ 이므로

$$\int \frac{2x}{x^2+3x+2}dx=\int \left(\frac{-2}{x+1}+\frac{4}{x+2}\right)dx$$

$$=-2\ln|x+1|+4\ln|x+2|+C$$

(4) 상수 $a,\,b,\,c$에 대하여

$$\frac{16}{(x+1)(x-3)^2}=\frac{a}{x+1}+\frac{b}{x-3}+\frac{c}{(x-3)^2}$$

로 놓으면

$$\frac{16}{(x+1)(x-3)^2}$$

$$=\frac{(a+b)x^2-(6a+2b-c)x+(9a-3b+c)}{(x+1)(x-3)^2}$$

에서 $a+b=0,\ 6a+2b-c=0,\ 9a-3b+c=16$

$$\therefore a=1,\ b=-1,\ c=4$$

$$\frac{16}{(x+1)(x-3)^2}=\frac{1}{x+1}-\frac{1}{x-3}+\frac{4}{(x-3)^2}$$ 이므로

$$\int \frac{16}{(x+1)(x-3)^2}dx$$

$$=\int \left\{\frac{1}{x+1}-\frac{1}{x-3}+\frac{4}{(x-3)^2}\right\}dx$$

$$=\int \frac{1}{x+1}dx-\int \frac{1}{x-3}dx+\int 4(x-3)^{-2}dx$$

$$=\ln|x+1|-\ln|x-3|-\frac{4}{x-3}+C$$

10-1 셀파 $\displaystyle\int f(x)g'(x)dx=f(x)g(x)-\int f'(x)g(x)dx$

(1) $f(x)=2x-1,\ g'(x)=\sin x$로 놓으면

$$f'(x)=2,\ g(x)=-\cos x$$

$$\therefore \int (2x-1)\sin x\,dx$$

$$=(2x-1)(-\cos x)-\int 2\times(-\cos x)dx$$

$$=-(2x-1)\cos x+2\sin x+C$$

(2) $f(x)=x,\ g'(x)=e^{2x}$으로 놓으면

$$f'(x)=1,\ g(x)=\frac{1}{2}e^{2x}$$

$$\therefore \int xe^{2x}dx=x\times\frac{1}{2}e^{2x}-\int 1\times\frac{1}{2}e^{2x}dx$$

$$=\frac{1}{2}xe^{2x}-\frac{1}{4}e^{2x}+C$$

(3) $f(x)=x+1,\ g'(x)=\sec^2 x$로 놓으면

$$f'(x)=1,\ g(x)=\tan x$$

$$\therefore \int (x+1)\sec^2 x\,dx$$

$$=(x+1)\tan x-\int 1\times\tan x\,dx$$

$$=(x+1)\tan x-\int \frac{\sin x}{\cos x}dx$$

$$=(x+1)\tan x+\int \frac{(\cos x)'}{\cos x}dx$$

$$=(x+1)\tan x+\ln|\cos x|+C$$

(4) $f(x)=\ln\sqrt{x}=\frac{1}{2}\ln x,\ g'(x)=1$로 놓으면

$$f'(x)=\frac{1}{2x},\ g(x)=x$$

$$\therefore \int \ln\sqrt{x}\,dx=x\ln\sqrt{x}-\int \frac{1}{2x}\times x\,dx$$

$$=x\ln\sqrt{x}-\frac{1}{2}\int dx$$

$$=x\ln\sqrt{x}-\frac{1}{2}x+C$$

| 다른 풀이 |

$$\int \ln\sqrt{x}\,dx=\frac{1}{2}\int \ln x\,dx$$

$$=\frac{1}{2}\left(x\ln x-\int \frac{1}{x}\times x\,dx\right)$$

$$=\frac{1}{2}(x\ln x-x)+C$$

$$=x\ln\sqrt{x}-\frac{1}{2}x+C$$

11-1 [셀파] 부분적분법을 두 번 적용한다.

(1) $f(x)=x^2$, $g'(x)=\cos x$로 놓으면

$f'(x)=2x$, $g(x)=\sin x$이므로

$$\int x^2 \cos x\, dx = x^2 \sin x - \int 2x \sin x\, dx \quad \cdots\cdots \bigcirc$$

이때 $\int 2x \sin x\, dx$에서 $u(x)=2x$, $v'(x)=\sin x$로 놓으면

$u'(x)=2$, $v(x)=-\cos x$이므로

$$\int 2x \sin x\, dx = -2x \cos x + \int 2 \cos x\, dx$$
$$= -2x \cos x + 2 \sin x + C_1 \quad \cdots\cdots \bigcirc\!\!\!\bigcirc$$

$\bigcirc\!\!\!\bigcirc$을 $\bigcirc$에 대입하면

$$\int x^2 \cos x\, dx = x^2 \sin x - (-2x \cos x + 2 \sin x + C_1)$$
$$\therefore \int x^2 \cos x\, dx = \boldsymbol{x^2 \sin x + 2x \cos x - 2 \sin x + C}$$

(2) $f(x)=(\ln x)^2$, $g'(x)=1$로 놓으면

$f'(x)=2(\ln x) \times \dfrac{1}{x}$, $g(x)=x$이므로

$$\int (\ln x)^2\, dx = x(\ln x)^2 - \int \frac{2\ln x}{x} \times x\, dx$$
$$= x(\ln x)^2 - 2\int \ln x\, dx \quad \cdots\cdots \bigcirc$$

이때 $\int \ln x\, dx$에서 $u(x)=\ln x$, $v'(x)=1$로 놓으면

$u'(x)=\dfrac{1}{x}$, $v(x)=x$이므로

$$\int \ln x\, dx = \ln x \times x - \int \frac{1}{x} \times x\, dx = x\ln x - x + C_1 \quad \cdots\cdots \bigcirc\!\!\!\bigcirc$$

$\bigcirc\!\!\!\bigcirc$을 $\bigcirc$에 대입하면

$$\int (\ln x)^2\, dx = x(\ln x)^2 - 2(x\ln x - x + C_1)$$
$$\therefore \int (\ln x)^2\, dx = \boldsymbol{x(\ln x)^2 - 2x \ln x + 2x + C}$$

(3) $f(x)=\sin x$, $g'(x)=e^x$으로 놓으면

$f'(x)=\cos x$, $g(x)=e^x$이므로

$$\int e^x \sin x\, dx = e^x \sin x - \int e^x \cos x\, dx \quad \cdots\cdots \bigcirc$$

이때 $\int e^x \cos x\, dx$에서 $u(x)=\cos x$, $v'(x)=e^x$으로 놓으면

$u'(x)=-\sin x$, $v(x)=e^x$

$$\therefore \int e^x \cos x\, dx = e^x \cos x + \int e^x \sin x\, dx \quad \cdots\cdots \bigcirc\!\!\!\bigcirc$$

$\bigcirc\!\!\!\bigcirc$을 $\bigcirc$에 대입하면

$$\int e^x \sin x\, dx = e^x \sin x - \left(e^x \cos x + \int e^x \sin x\, dx\right)$$
$$2\int e^x \sin x\, dx = e^x \sin x - e^x \cos x$$
$$\therefore \int e^x \sin x\, dx = \boldsymbol{\frac{1}{2}e^x(\sin x - \cos x) + C}$$

(4) $f(x)=\cos 2x$, $g'(x)=e^{-x}$으로 놓으면

$f'(x)=-2\sin 2x$, $g(x)=-e^{-x}$이므로

$$\int e^{-x} \cos 2x\, dx = -e^{-x} \cos 2x - 2\int e^{-x} \sin 2x\, dx$$
$$\cdots\cdots \bigcirc$$

이때 $\int e^{-x} \sin 2x\, dx$에서

$u(x)=\sin 2x$, $v'(x)=e^{-x}$으로 놓으면

$u'(x)=2\cos 2x$, $v(x)=-e^{-x}$이므로

$$\int e^{-x} \sin 2x\, dx = -e^{-x} \sin 2x + 2\int e^{-x} \cos 2x\, dx$$
$$\cdots\cdots \bigcirc\!\!\!\bigcirc$$

$\bigcirc\!\!\!\bigcirc$을 $\bigcirc$에 대입하면

$$\int e^{-x} \cos 2x\, dx$$
$$= -e^{-x} \cos 2x - 2\left(-e^{-x} \sin 2x + 2\int e^{-x} \cos 2x\, dx\right)$$
$$= -e^{-x} \cos 2x + 2e^{-x} \sin 2x - 4\int e^{-x} \cos 2x\, dx$$
$$5\int e^{-x} \cos 2x\, dx = 2e^{-x} \sin 2x - e^{-x} \cos 2x$$
$$\therefore \int e^{-x} \cos 2x\, dx = \boldsymbol{\frac{1}{5}e^{-x}(2\sin 2x - \cos 2x) + C}$$

연습 문제 본문 | **188~189** 쪽

01 [셀파] $\dfrac{x^2-x}{\sqrt{x}+1}$를 간단히 한 다음 적분한다.

$f'(x)=\dfrac{x^2-x}{\sqrt{x}+1}$에서

$$f(x)=\int \frac{x^2-x}{\sqrt{x}+1}\, dx = \int \frac{x(\sqrt{x}+1)(\sqrt{x}-1)}{\sqrt{x}+1}\, dx$$
$$= \int x(\sqrt{x}-1)\, dx = \int (x^{\frac{3}{2}} - x)\, dx$$
$$= \frac{2}{5}x^{\frac{5}{2}} - \frac{1}{2}x^2 + C = \frac{2}{5}x^2\sqrt{x} - \frac{1}{2}x^2 + C$$

이때 $f(1)=\dfrac{1}{10}$이므로

$$f(1) = \frac{2}{5} - \frac{1}{2} + C = \frac{1}{10} \qquad \therefore C = \frac{1}{5}$$

따라서 $f(x)=\dfrac{2}{5}x^2\sqrt{x} - \dfrac{1}{2}x^2 + \dfrac{1}{5}$이므로

$$f(4) = \frac{2}{5} \times 4^2 \times \sqrt{4} - \frac{1}{2} \times 4^2 + \frac{1}{5} = \frac{64}{5} - 8 + \frac{1}{5} = \boldsymbol{5}$$

02 셀파 주어진 등식의 양변을 x에 대하여 미분한다.

$F(x)=xf(x)-\ln x+x^2$의 양변을 x에 대하여 미분하면

$F'(x)=f(x)+xf'(x)-\dfrac{1}{x}+2x$

$F'(x)=f(x)$이므로

$f(x)=f(x)+xf'(x)-\dfrac{1}{x}+2x$

$xf'(x)=\dfrac{1}{x}-2x$, 즉 $f'(x)=\dfrac{1}{x^2}-2$이므로

$f(x)=\displaystyle\int\left(\dfrac{1}{x^2}-2\right)dx=\int(x^{-2}-2)dx$

$\qquad=-x^{-1}-2x+C=-\dfrac{1}{x}-2x+C$

이때 $f(1)=0$이므로

$f(1)=-1-2+C=0$ $\qquad\therefore C=3$

$\therefore \boldsymbol{f(x)=-\dfrac{1}{x}-2x+3}$

03 셀파 $\displaystyle\lim_{x\to 0}\dfrac{f(x)}{x}=3a+2$ (상수)이고, $x\to 0$일 때

(분모)$\to 0$이므로 (분자)$\to 0$이다.

$f'(x)=ae^x$에서 $f(x)=\displaystyle\int ae^x dx=ae^x+C$

이때 $\displaystyle\lim_{x\to 0}\dfrac{f(x)}{x}=3a+2$에서 $\displaystyle\lim_{x\to 0}f(x)=0$이므로

$\displaystyle\lim_{x\to 0}(ae^x+C)=0,\ a+C=0$ $\qquad\therefore C=-a$

즉, $f(x)=ae^x-a$이므로

$\displaystyle\lim_{x\to 0}\dfrac{f(x)}{x}=\lim_{x\to 0}\dfrac{ae^x-a}{x}=\lim_{x\to 0}\dfrac{a(e^x-1)}{x}=a$

따라서 $a=3a+2$에서 $a=-1$이므로

$f'(x)=-e^x$ $\qquad\therefore f'(0)=\boldsymbol{-1}$

| 다른 풀이 |

$f(x)$는 미분가능하므로 연속함수이다.

$\therefore \displaystyle\lim_{x\to 0}f(x)=f(0)=0$

이때 $\displaystyle\lim_{x\to 0}\dfrac{f(x)}{x}=3a+2$이므로

$\displaystyle\lim_{x\to 0}\dfrac{f(x)}{x}=\lim_{x\to 0}\dfrac{f(x)-f(0)}{x}=f'(0)=3a+2$

그런데 $f'(x)=ae^x$이므로 $f'(0)=a$

따라서 $3a+2=a$에서 $a=-1$이므로 $f'(0)=-1$

04 셀파 $P'(t)=3000e^{0.006t}$에서 $P(t)=\displaystyle\int 3000e^{0.006t}\,dt$

$P(t)=\displaystyle\int 3000e^{0.006t}dt=3000\times\dfrac{1}{0.006}e^{0.006t}+C$

$\qquad=500000e^{0.006t}+C$

그런데 올해 현재 인구가 50만 명이므로

$P(0)=500000e^{0.006\times 0}+C=500000$에서 $C=0$

$\therefore P(t)=500000e^{0.006t}$

따라서 10년 후의 이 도시의 예상 인구 수는

$P(10)=500000e^{0.006\times 10}=500000e^{0.06}$

$\qquad=500000\times 1.06=\boldsymbol{530000}$

05 셀파 $f'(x)=\dfrac{1}{\cos^2 x}$이므로 $f(x)=\displaystyle\int\dfrac{1}{\cos^2 x}dx$

$f'(x)=\dfrac{1}{\cos^2 x}=\sec^2 x$이므로

$f(x)=\displaystyle\int\dfrac{1}{\cos^2 x}dx=\int\sec^2 x\,dx=\tan x+C$

이때 곡선 $y=f(x)$가 점 $(0,1)$을 지나므로

$f(0)=\tan 0+C=1$에서 $C=1$ $\qquad\therefore f(x)=\tan x+1$

또 곡선 $y=f(x)$가 점 $\left(\dfrac{\pi}{4},k\right)$를 지나므로

$f\left(\dfrac{\pi}{4}\right)=\tan\dfrac{\pi}{4}+1=1+1=k$ $\qquad\therefore \boldsymbol{k=2}$

06 셀파 $\sqrt{x}=t$로 치환하여 치환적분법을 이용한다.

$\sqrt{x}=t$로 놓으면 $\dfrac{dt}{dx}=\dfrac{1}{2\sqrt{x}}$이므로

$f(x)=\displaystyle\int\dfrac{\sin\sqrt{x}}{\sqrt{x}}dx=\int 2\sin t\,dt$

$\qquad=-2\cos t+C=-2\cos\sqrt{x}+C$

이때 $f(\pi^2)=1$이므로 $-2\cos\pi+C=1$에서 $C=-1$

$\therefore \boldsymbol{f(x)=-2\cos\sqrt{x}-1}$

07 셀파 $\pi\ln x=t$로 치환하여 치환적분법을 이용한다.

$\pi\ln x=t$로 놓으면 $\dfrac{\pi}{x}=\dfrac{dt}{dx}$이므로

$f(x)=\displaystyle\int\dfrac{\sin(\pi\ln x)}{x}dx=\int\sin t\times\dfrac{1}{\pi}dt$

$\qquad=\dfrac{1}{\pi}\displaystyle\int\sin t\,dt=-\dfrac{1}{\pi}\cos t+C$

$\qquad=-\dfrac{1}{\pi}\cos(\pi\ln x)+C$

이때 $f(1)=-\dfrac{1}{\pi}$에서

$-\dfrac{1}{\pi}\cos(\pi\ln 1)+C=-\dfrac{1}{\pi}$ $\qquad\therefore C=0$

따라서 $f(x)=-\dfrac{1}{\pi}\cos(\pi\ln x)$이므로

$f(e)=-\dfrac{1}{\pi}\cos\pi=\boldsymbol{\dfrac{1}{\pi}}$

08 셀파 $\int \dfrac{f'(x)}{f(x)}dx = \ln|f(x)| + C$

$\dfrac{f'(x)}{f(x)} = 3$이므로 $\int \dfrac{f'(x)}{f(x)}dx = \int 3\,dx$

$\ln|f(x)| = 3x + C$ $\quad \therefore f(x) = e^{3x+C}$

이때 $f(0) = e$이므로 $e^C = e$ $\quad \therefore C = 1$

따라서 $f(x) = e^{3x+1}$이므로 $f(1) = \boldsymbol{e^4}$

09 셀파 (분자의 차수)<(분모의 차수)이므로 부분분수로 분해하여 적분한다.

이차방정식 $x^2 + ax + b = 0$의 두 근이 $-1, 2$이므로

근과 계수의 관계에서 $-1 + 2 = -a$, $(-1) \times 2 = b$

$\therefore a = -1, b = -2$

상수 c, d에 대하여

$\dfrac{x-5}{x^2-x-2} = \dfrac{x-5}{(x+1)(x-2)} = \dfrac{c}{x+1} + \dfrac{d}{x-2}$로 놓으면

$\dfrac{x-5}{(x+1)(x-2)} = \dfrac{(c+d)x - 2c + d}{(x+1)(x-2)}$에서

$c + d = 1, -2c + d = -5$ $\quad \therefore c = 2, d = -1$

따라서 $\dfrac{x-5}{(x+1)(x-2)} = \dfrac{2}{x+1} + \dfrac{-1}{x-2}$이므로

$\int \dfrac{x-5}{x^2-x-2}dx = \int \left(\dfrac{2}{x+1} - \dfrac{1}{x-2} \right)dx$

$$= \boldsymbol{2\ln|x+1| - \ln|x-2| + C}$$

10 셀파 $f(x) = \int f'(x)dx$이다.

$f'(x) = x + \ln x$이므로

$f(x) = \int(x + \ln x)dx = \int x\,dx + \int \ln x\,dx$

$\qquad = \dfrac{1}{2}x^2 + \int \ln x\,dx$ $\quad$ ······ ㉠

이때 $\int \ln x\,dx$에서 $u(x) = \ln x, v'(x) = 1$로 놓으면

$u'(x) = \dfrac{1}{x}, v(x) = x$이므로

$\int \ln x\,dx = (\ln x) \times x - \int \dfrac{1}{x} \times x\,dx$

$\qquad = x\ln x - x + C$ $\quad$ ······ ㉡

㉡을 ㉠에 대입하면

$f(x) = \dfrac{1}{2}x^2 + x\ln x - x + C$

이때 $f(1) = 0$에서 $\dfrac{1}{2} - 1 + C = 0$ $\quad \therefore C = \dfrac{1}{2}$

따라서 $f(x) = \dfrac{1}{2}x^2 + x\ln x - x + \dfrac{1}{2}$이므로

$f(e) = \dfrac{1}{2}e^2 + e\ln e - e + \dfrac{1}{2} = \boldsymbol{\dfrac{1}{2}e^2 + \dfrac{1}{2}}$

11 셀파 $f'(x) = (x+a)e^x$

㉮ $f'(x) = (x+a)e^x$이므로 $f'(2) = 0$에서

$(2+a)e^2 = 0$ $\quad \therefore a = -2$ $(\because e^2 > 0)$

㉯ $u(x) = x - 2, v'(x) = e^x$으로 놓으면

$u'(x) = 1, v(x) = e^x$

$\therefore f(x) = \int(x-2)e^x\,dx = (x-2)e^x - \int e^x\,dx$

$\qquad = (x-2)e^x - e^x + C = (x-3)e^x + C$

이때 $f(0) = 2$에서 $-3 + C = 2$ $\quad \therefore C = 5$

㉰ 따라서 $f(x) = (x-3)e^x + 5$이므로 $f(3) = \boldsymbol{5}$

채점 기준	배점
㉮ 상수 a의 값을 구한다.	30%
㉯ 함수 $f(x)$를 구한다.	50%
㉰ $f(3)$의 값을 구한다.	20%

12 셀파 $\int \sin x \cos x\,dx$에서 부분적분법을 적용한다.

$F(x) = \int f(x)dx = \int(\sin x + \cos x)^2\,dx$

$\qquad = \int(1 + 2\sin x \cos x)dx$

$\qquad = x + 2\int \sin x \cos x\,dx$ $\quad$ ······ ㉠

$\int \sin x \cos x\,dx$에서 $u(x) = \sin x, v'(x) = \cos x$로 놓으면

$u'(x) = \cos x, v(x) = \sin x$이므로

$\int \sin x \cos x\,dx = \sin x \sin x - \int \cos x \sin x\,dx$

$\therefore \int \sin x \cos x\,dx = \dfrac{\sin^2 x}{2}$ $\quad$ ······ ㉡

㉡을 ㉠에 대입하면

$F(x) = x + \sin^2 x + C$

$\therefore F\left(\dfrac{\pi}{2}\right) - F(0) = \left(\dfrac{\pi}{2} + 1 + C\right) - (0 + 0 + C)$

$\qquad\qquad\qquad\quad = \dfrac{\pi}{2} + 1$

| 다른 풀이 |

$\sin 2x = \sin(x+x) = 2\sin x \cos x$이므로

$F(x) = \int(1 + \sin 2x)dx = x - \dfrac{1}{2}\cos 2x + C$

$\therefore F\left(\dfrac{\pi}{2}\right) - F(0) = \left(\dfrac{\pi}{2} + \dfrac{1}{2} + C\right) - \left(-\dfrac{1}{2} + C\right)$

$\qquad\qquad\qquad\quad = \dfrac{\pi}{2} + 1$

9. 정적분

1-1 (1) $\int_2^4 \frac{1}{x} dx = \left[\ln|x| \right]_2^4 = \ln \boxed{4} - \ln 2$

$$= \ln \frac{\boxed{4}}{2} = \textbf{ln 2}$$

(2) $\int_0^1 (\sqrt{x} - 1) dx = \int_0^1 (x^{\frac{1}{2}} - 1) dx$

$$= \left[\frac{2}{3} x^{\frac{3}{2}} - \boxed{x} \right]_0^1$$

$$= \frac{2}{3} - \boxed{1} = -\frac{1}{3}$$

1-2 (1) $\int_1^3 \frac{x+3}{x^2} dx = \int_1^3 \left(\frac{1}{x} + \frac{3}{x^2} \right) dx$

$$= \int_1^3 \left(\frac{1}{x} + 3x^{-2} \right) dx$$

$$= \left[\ln|x| - 3x^{-1} \right]_1^3$$

$$= (\ln 3 - 1) - (0 - 3)$$

$$= \textbf{2} + \textbf{ln 3}$$

(2) $\int_1^4 \frac{\sqrt{x}+1}{\sqrt{x}} dx = \int_1^4 \left(1 + \frac{1}{\sqrt{x}} \right) dx$

$$= \int_1^4 (1 + x^{-\frac{1}{2}}) dx$$

$$= \left[x + 2x^{\frac{1}{2}} \right]_1^4$$

$$= (4+4) - (1+2) = \textbf{5}$$

2-1 (1) $\int_{-1}^2 (e^x + 1) dx = \left[e^x + x \right]_{-1}^2$

$$= (\boxed{e^2} + 2) - (e^{-1} - 1)$$

$$= e^2 - \frac{1}{e} + \boxed{3}$$

(2) $\int_0^{\frac{\pi}{2}} \sin x \, dx = \left[-\cos x \right]_0^{\frac{\pi}{2}}$

$$= -\cos \frac{\pi}{2} + \cos 0$$

$$= \boxed{0} + 1 = \boxed{1}$$

2-2 (1) $\int_1^3 2^x dx = \left[\frac{2^x}{\ln 2} \right]_1^3 = \frac{8-2}{\ln 2} = \frac{\textbf{6}}{\textbf{ln 2}}$

(2) $\int_0^{\pi} (e^x - \cos x) dx = \left[e^x - \sin x \right]_0^{\pi} = \textbf{e}^{\pi} - \textbf{1}$

01-1 셀파 $F'(x) = f(x)$ 일 때

$$\int_a^b f(x) dx = \left[F(x) \right]_a^b = F(b) - F(a)$$

(1) $\int_{-1}^0 \frac{1}{(x-1)(x-2)} dx = \int_{-1}^0 \left(\frac{1}{x-2} - \frac{1}{x-1} \right) dx$

$$= \left[\ln|x-2| - \ln|x-1| \right]_{-1}^0$$

$$= \left[\ln \left| \frac{x-2}{x-1} \right| \right]_{-1}^0$$

$$= \ln 2 - \ln \frac{3}{2} = \textbf{ln} \frac{\textbf{4}}{\textbf{3}}$$

(2) $\int_1^4 \left(\sqrt{x} + \frac{1}{\sqrt{x}} \right) dx = \int_1^4 (x^{\frac{1}{2}} + x^{-\frac{1}{2}}) dx$

$$= \left[\frac{2}{3} x^{\frac{3}{2}} + 2x^{\frac{1}{2}} \right]_1^4$$

$$= \left(\frac{2}{3} \times 4^{\frac{3}{2}} + 2 \times 4^{\frac{1}{2}} \right) - \left(\frac{2}{3} + 2 \right) = \frac{\textbf{20}}{\textbf{3}}$$

(3) $\int_0^1 \frac{4^x - 1}{2^x - 1} dx = \int_0^1 \frac{(2^x - 1)(2^x + 1)}{2^x - 1} dx$

$$= \int_0^1 (2^x + 1) dx$$

$$= \left[\frac{2^x}{\ln 2} + x \right]_0^1$$

$$= \left(\frac{2}{\ln 2} + 1 \right) - \frac{1}{\ln 2} = \frac{\textbf{1}}{\textbf{ln 2}} + \textbf{1}$$

(4) $\int_0^{\frac{\pi}{2}} \frac{\sin^2 x}{1 + \cos x} dx = \int_0^{\frac{\pi}{2}} \frac{1 - \cos^2 x}{1 + \cos x} dx$

$$= \int_0^{\frac{\pi}{2}} \frac{(1+\cos x)(1 - \cos x)}{1 + \cos x} dx$$

$$= \int_0^{\frac{\pi}{2}} (1 - \cos x) dx$$

$$= \left[x - \sin x \right]_0^{\frac{\pi}{2}} = \frac{\boldsymbol{\pi}}{\textbf{2}} - \textbf{1}$$

01 (1) $\displaystyle\int_0^1 \frac{e^{2x}}{e^x+1}dx-\int_0^1\frac{1}{e^x+1}dx$

$\displaystyle=\int_0^1\frac{e^{2x}-1}{e^x+1}dx=\int_0^1\frac{(e^x-1)(e^x+1)}{e^x+1}dx$

$\displaystyle=\int_0^1(e^x-1)dx=\Big[e^x-x\Big]_0^1=\boldsymbol{e-2}$

(2) $\displaystyle\int_0^1\frac{1}{t+1}dt=\int_0^1\frac{1}{x+1}dx$이므로

$\displaystyle\int_0^1\frac{x^3}{x+1}dx+\int_0^1\frac{1}{t+1}dt$

$\displaystyle=\int_0^1\frac{x^3}{x+1}dx+\int_0^1\frac{1}{x+1}dx$

$\displaystyle=\int_0^1\frac{x^3+1}{x+1}dx$

$\displaystyle=\int_0^1\frac{(x+1)(x^2-x+1)}{x+1}dx$

$\displaystyle=\int_0^1(x^2-x+1)dx$

$\displaystyle=\Big[\frac{1}{3}x^3-\frac{1}{2}x^2+x\Big]_0^1=\boldsymbol{\frac{5}{6}}$

(3) $\displaystyle\int_0^\pi(\sin x-e^{2x})dx+\int_0^\pi(e^{2x}+\sin x)dx$

$\displaystyle=\int_0^\pi\{(\sin x-e^{2x})+(e^{2x}+\sin x)\}dx$

$\displaystyle=\int_0^\pi 2\sin x\,dx$

$\displaystyle=\Big[-2\cos x\Big]_0^\pi=\boldsymbol{4}$

(4) $\displaystyle\int_0^{\frac{\pi}{2}}(\cos x+e^{-x})dx+\int_{\frac{\pi}{2}}^0(e^{-x}-\cos x)dx$

$\displaystyle=\int_0^{\frac{\pi}{2}}(\cos x+e^{-x})dx-\int_0^{\frac{\pi}{2}}(e^{-x}-\cos x)dx$

$\displaystyle=\int_0^{\frac{\pi}{2}}\{(\cos x+e^{-x})-(e^{-x}-\cos x)\}dx$

$\displaystyle=\int_0^{\frac{\pi}{2}}2\cos x\,dx$

$\displaystyle=\Big[2\sin x\Big]_0^{\frac{\pi}{2}}=\boldsymbol{2}$

02 (1) $\displaystyle\int_0^{\frac{\pi}{4}}(\cos x-\sin x)dx+\int_{\frac{\pi}{4}}^{\frac{\pi}{2}}(\cos x-\sin x)dx$

$\displaystyle=\int_0^{\frac{\pi}{2}}(\cos x-\sin x)dx$

$\displaystyle=\Big[\sin x+\cos x\Big]_0^{\frac{\pi}{2}}=\boldsymbol{0}$

(2) $\displaystyle\int_0^{\frac{\pi}{3}}\frac{2\cos^2x-1}{\cos^2x}dx+\int_{\frac{\pi}{3}}^{\frac{\pi}{4}}\frac{2\cos^2x-1}{\cos^2x}dx$

$\displaystyle=\int_0^{\frac{\pi}{4}}\frac{2\cos^2x-1}{\cos^2x}dx$

$\displaystyle=\int_0^{\frac{\pi}{4}}\Big(2-\frac{1}{\cos^2x}\Big)dx$

$\displaystyle=\int_0^{\frac{\pi}{4}}(2-\sec^2x)dx$

$\displaystyle=\Big[2x-\tan x\Big]_0^{\frac{\pi}{4}}=\boldsymbol{\frac{\pi}{2}-1}$

(3) $\displaystyle\int_1^3\frac{e^{2x}-1}{e^x-1}dx-\int_2^3\frac{e^{2x}-1}{e^x-1}dx$

$\displaystyle=\int_1^3\frac{e^{2x}-1}{e^x-1}dx+\int_3^2\frac{e^{2x}-1}{e^x-1}dx$

$\displaystyle=\int_1^2\frac{e^{2x}-1}{e^x-1}dx$

$\displaystyle=\int_1^2\frac{(e^x-1)(e^x+1)}{e^x-1}dx$

$\displaystyle=\int_1^2(e^x+1)dx=\Big[e^x+x\Big]_1^2$

$\displaystyle=(e^2+2)-(e+1)=\boldsymbol{e^2-e+1}$

(4) $\displaystyle\int_0^2\sqrt{e^{2x}-6e^x+9}\,dx-\int_1^2\sqrt{e^{2x}-6e^x+9}\,dx$

$\displaystyle=\int_0^2\sqrt{e^{2x}-6e^x+9}\,dx+\int_2^1\sqrt{e^{2x}-6e^x+9}\,dx$

$\displaystyle=\int_0^1\sqrt{e^{2x}-6e^x+9}\,dx=\int_0^1\sqrt{(e^x-3)^2}\,dx$

$\displaystyle=\int_0^1|e^x-3|\,dx=\int_0^1(3-e^x)dx$

$\displaystyle=\Big[3x-e^x\Big]_0^1=\boldsymbol{4-e}$

| 참고 |
닫힌구간 $[0,1]$에서 $1\le e^x\le e<3$이므로 $e^x-3<0$

$\therefore \displaystyle\int_0^1|e^x-3|\,dx=\int_0^1\{-(e^x-3)\}dx$

$\displaystyle\qquad\qquad=\int_0^1(3-e^x)dx$

02-1 셀파 절댓값 기호 안이 0이 되는 x의 값을 기준으로 적분 구간을 나눈다.

(1) $2^x-2=0$에서 $x=1$이므로

$|2^x-2|=\begin{cases} -2^x+2 & (x<1) \\ 2^x-2 & (x\ge1) \end{cases}$

$$\therefore \int_0^3 |2^x - 2|\, dx$$

$$= \int_0^1 (-2^x + 2)\, dx + \int_1^3 (2^x - 2)\, dx$$

$$= \left[-\frac{2^x}{\ln 2} + 2x \right]_0^1 + \left[\frac{2^x}{\ln 2} - 2x \right]_1^3$$

$$= \left\{ -\frac{2}{\ln 2} + 2 - \left(-\frac{1}{\ln 2} \right) \right\} + \left\{ \frac{8}{\ln 2} - 6 - \left(\frac{2}{\ln 2} - 2 \right) \right\}$$

$$= \frac{5}{\ln 2} - 2$$

(2) 닫힌구간 $[0, \pi]$에서 $\sin x + \cos x = 0$을 풀면

$x = \dfrac{3}{4}\pi$이므로

$$|\sin x + \cos x| = \begin{cases} \sin x + \cos x & \left(0 \le x < \dfrac{3}{4}\pi \right) \\ -\sin x - \cos x & \left(\dfrac{3}{4}\pi \le x \le \pi \right) \end{cases}$$

$$\therefore \int_0^\pi |\sin x + \cos x|\, dx$$

$$= \int_0^{\frac{3}{4}\pi} (\sin x + \cos x)\, dx + \int_{\frac{3}{4}\pi}^\pi (-\sin x - \cos x)\, dx$$

$$= \left[-\cos x + \sin x \right]_0^{\frac{3}{4}\pi} + \left[\cos x - \sin x \right]_{\frac{3}{4}\pi}^\pi$$

$$= \left\{ \frac{\sqrt{2}}{2} + \frac{\sqrt{2}}{2} - (-1) \right\} + \left\{ -1 - \left(-\frac{\sqrt{2}}{2} - \frac{\sqrt{2}}{2} \right) \right\}$$

$$= 2\sqrt{2}$$

| 참고 |

$$\sin x + \cos x = \sqrt{2} \left(\frac{1}{\sqrt{2}} \sin x + \frac{1}{\sqrt{2}} \cos x \right)$$

$$= \sqrt{2} \left(\cos \frac{\pi}{4} \sin x + \sin \frac{\pi}{4} \cos x \right)$$

$$= \sqrt{2} \sin \left(x + \frac{\pi}{4} \right)$$

이므로 닫힌구간 $[0, \pi]$에서 $\sin x + \cos x = 0$인 x의 값을 구하면

$\sqrt{2} \sin \left(x + \dfrac{\pi}{4} \right) = 0$이므로 $x + \dfrac{\pi}{4} = \pi$ $\quad \therefore x = \dfrac{3}{4}\pi$

03-1 (셀파) $\displaystyle\int_a^c f(x)\, dx + \int_c^b f(x)\, dx = \int_a^b f(x)\, dx$

(1) $\displaystyle\int_{-1}^4 (\sin x - 3x^2 + 6x)\, dx + \int_{-4}^{-1} (\sin x - 3x^2 + 6x)\, dx$

$$= \int_{-4}^4 (\sin x - 3x^2 + 6x)\, dx$$

$$= \int_{-4}^4 (\sin x + 6x)\, dx + \int_{-4}^4 (-3x^2)\, dx$$

$$= 2\int_0^4 (-3x^2)\, dx = -2\int_0^4 3x^2\, dx$$

$$= -2\left[x^3 \right]_0^4 = -2 \times 64 = -128$$

(2) $f(x) = \dfrac{\sin x - \tan x}{1 + \cos x}$라 하면

$$f(-x) = \frac{\sin(-x) - \tan(-x)}{1 + \cos(-x)}$$

$$= \frac{-\sin x + \tan x}{1 + \cos x} = -f(x)$$

즉, $f(-x) = -f(x)$이므로 함수 $f(x)$는 기함수이다.

$$\therefore \int_{-\pi}^\pi \frac{\sin x - \tan x}{1 + \cos x}\, dx = 0$$

셀파 특강 **확인 체크 01**

$f(x) = |\cos x|$로 놓으면 닫힌구간 $[0, 4\pi]$에서 함수 $y = f(x)$의 그래프는 다음 그림과 같다.

이때 $f(x) = f(x + \pi)$이므로 $f(x)$는 주기가 π인 주기함수이다.

$$\therefore \int_0^{4\pi} |\cos x|\, dx = 4\int_0^\pi |\cos x|\, dx$$

$$= 4\left\{ \int_0^{\frac{\pi}{2}} \cos x\, dx + \int_{\frac{\pi}{2}}^\pi (-\cos x)\, dx \right\}$$

$$= 4\left[\sin x \right]_0^{\frac{\pi}{2}} - 4\left[\sin x \right]_{\frac{\pi}{2}}^\pi$$

$$= 4 + 4 = 8$$

04-1 (셀파) $a = g(\alpha)$, $b = g(\beta)$일 때,

$$\int_a^b f(x)\, dx = \int_\alpha^\beta f(g(t)) g'(t)\, dt$$

(1) $3x - 1 = t$로 놓으면 $3 = \dfrac{dt}{dx}$

$x = \dfrac{1}{3}$일 때 $t = 0$, $x = 1$일 때 $t = 2$이므로

$$\int_{\frac{1}{3}}^1 (3x - 1)^3\, dx = \frac{1}{3}\int_0^2 t^3\, dt = \frac{1}{3}\left[\frac{1}{4} t^4 \right]_0^2 = \frac{4}{3}$$

(2) $x + 3 = t$로 놓으면 $1 = \dfrac{dt}{dx}$

$x = -3$일 때 $t = 0$, $x = 1$일 때 $t = 4$이므로

$$\int_{-3}^1 \frac{1}{\sqrt{x + 3}}\, dx = \int_0^4 \frac{1}{\sqrt{t}}\, dt = \int_0^4 t^{-\frac{1}{2}}\, dt$$

$$= 2\left[t^{\frac{1}{2}} \right]_0^4 = 4$$

(3) $4-x=t$로 놓으면 $-1=\dfrac{dt}{dx}$

$x=0$일 때 $t=4$, $x=4$일 때 $t=0$이므로

$\displaystyle\int_0^4 x\sqrt{4-x}\,dx=\int_4^0(4-t)\sqrt{t}\times(-1)\,dt$

$\displaystyle\qquad=\int_0^4(4-t)\sqrt{t}\,dt$

$\displaystyle\qquad=\int_0^4(4\sqrt{t}-t\sqrt{t}\,)\,dt$

$\displaystyle\qquad=\int_0^4\left(4t^{\frac{1}{2}}-t^{\frac{3}{2}}\right)dt$

$\displaystyle\qquad=\left[\frac{8}{3}t^{\frac{3}{2}}-\frac{2}{5}t^{\frac{5}{2}}\right]_0^4=\mathbf{\dfrac{128}{15}}$

(4) $e^x=t$로 놓으면 $e^x=\dfrac{dt}{dx}$

$x=0$일 때 $t=1$, $x=1$일 때 $t=e$이므로

$\displaystyle\int_0^1\frac{2e^x}{e^x+e^{-x}}\,dx=\int_1^e\frac{2}{t+\frac{1}{t}}\,dt=\int_1^e\frac{2t}{t^2+1}\,dt$

$\displaystyle\qquad=\left[\ln(t^2+1)\right]_1^e=\ln(e^2+1)-\ln 2$

$\displaystyle\qquad=\mathbf{\ln\dfrac{e^2+1}{2}}$

| 다른 풀이 |

$\dfrac{2e^x}{e^x+e^{-x}}$의 분모, 분자에 e^x을 곱하면 $\dfrac{2e^{2x}}{e^{2x}+1}$

$e^{2x}+1=t$로 놓으면 $2e^{2x}=\dfrac{dt}{dx}$

$x=0$일 때 $t=2$, $x=1$일 때 $t=e^2+1$이므로

$\displaystyle\int_0^1\frac{2e^x}{e^x+e^{-x}}\,dx=\int_0^1\frac{2e^{2x}}{e^{2x}+1}\,dx$

$\displaystyle\qquad=\int_2^{e^2+1}\frac{1}{t}\,dt=\left[\ln|t|\right]_2^{e^2+1}$

$\displaystyle\qquad=\ln(e^2+1)-\ln 2=\ln\frac{e^2+1}{2}$

05-1 〔셀파〕 $\sqrt{a^2-x^2}\,(a>0)$꼴 $\Rightarrow x=a\sin\theta$로 **치환**

$\quad\dfrac{1}{a^2+x^2}\,(a>0)$꼴 $\Rightarrow x=a\tan\theta$로 **치환**

(1) $x=4\sin\theta\left(-\dfrac{\pi}{2}\le\theta\le\dfrac{\pi}{2}\right)$로 치환하면

$\dfrac{dx}{d\theta}=4\cos\theta$

$x=-4$일 때 $\theta=-\dfrac{\pi}{2}$, $x=4$일 때 $\theta=\dfrac{\pi}{2}$이므로

$\displaystyle\int_{-4}^4\sqrt{16-x^2}\,dx=\int_{-\frac{\pi}{2}}^{\frac{\pi}{2}}\sqrt{16-16\sin^2\theta}\times 4\cos\theta\,d\theta$

$\displaystyle\qquad=\int_{-\frac{\pi}{2}}^{\frac{\pi}{2}}16\cos^2\theta\,d\theta$

$\displaystyle\qquad=\int_{-\frac{\pi}{2}}^{\frac{\pi}{2}}(8+8\cos 2\theta)\,d\theta$

$\displaystyle\qquad=\left[8\theta+4\sin 2\theta\right]_{-\frac{\pi}{2}}^{\frac{\pi}{2}}=\mathbf{8\pi}$

(2) $x=2\tan\theta\left(-\dfrac{\pi}{2}<\theta<\dfrac{\pi}{2}\right)$로 치환하면

$\dfrac{dx}{d\theta}=2\sec^2\theta$

$x=0$일 때 $\theta=0$, $x=2$일 때 $\theta=\dfrac{\pi}{4}$이므로

$\displaystyle\int_0^2\frac{1}{4+x^2}\,dx=\int_0^{\frac{\pi}{4}}\frac{1}{4+4\tan^2\theta}\times 2\sec^2\theta\,d\theta$

$\displaystyle\qquad=\int_0^{\frac{\pi}{4}}\frac{2\sec^2\theta}{4\sec^2\theta}\,d\theta=\frac{1}{2}\int_0^{\frac{\pi}{4}}d\theta$

$\displaystyle\qquad=\frac{1}{2}\left[\theta\right]_0^{\frac{\pi}{4}}=\mathbf{\dfrac{\pi}{8}}$

셀파 세미나 삼각치환적분법 이해하기

❶ $\displaystyle\int_0^a\sqrt{a^2-x^2}\,dx$의 뜻

함수 $y=\sqrt{a^2-x^2}\,(a>0)$, 즉 $x^2+y^2=a^2\,(y\ge 0)$의 그래프를 좌표평면 위에 나타내면 오른쪽 그림과 같이 중심이 원점이고 반지름의

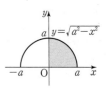

길이가 a인 반원이므로 $\displaystyle\int_0^a\sqrt{a^2-x^2}\,dx$의 값은 색칠한 부분의 넓이와 같다.

❷ 삼각치환법은 삼각함수의 역함수를 이용한 것이므로 치환하는 함수식은 반드시 역함수가 존재해야 한다.

이때 역함수가 존재하려면 일대일대응이어야 하므로 정의역이 다음과 같이 정해진다.

(ⅰ) $x=a\sin\theta$로 치환할 때

$\quad x=a\sin\theta\Rightarrow -\dfrac{\pi}{2}\le\theta\le\dfrac{\pi}{2}$

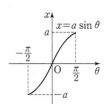

(ⅱ) $x=a\tan\theta$로 치환할 때

$\quad x=a\tan\theta\Rightarrow -\dfrac{\pi}{2}<\theta<\dfrac{\pi}{2}$

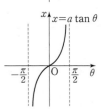

06-1 [셀파] $\int_a^b f(x)g'(x)dx=\Big[f(x)g(x)\Big]_a^b-\int_a^b f'(x)g(x)dx$

(1) $\int_0^{\frac{\pi}{2}} x\cos x\,dx$에서

$f(x)=x,\ g'(x)=\cos x$로 놓으면

$f'(x)=1,\ g(x)=\sin x$

$\therefore \int_0^{\frac{\pi}{2}} x\cos x\,dx=\Big[x\sin x\Big]_0^{\frac{\pi}{2}}-\int_0^{\frac{\pi}{2}}\sin x\,dx$

$\qquad\qquad =\dfrac{\pi}{2}+\Big[\cos x\Big]_0^{\frac{\pi}{2}}=\dfrac{\pi}{2}-1$

(2) $\int_0^1 xe^x\,dx$에서

$f(x)=x,\ g'(x)=e^x$으로 놓으면

$f'(x)=1,\ g(x)=e^x$

$\therefore \int_0^1 xe^x\,dx=\Big[xe^x\Big]_0^1-\int_0^1 e^x\,dx$

$\qquad\qquad =e-\Big[e^x\Big]_0^1=1$

(3) $\int_1^e \dfrac{\ln x}{x^2}dx$에서

$f(x)=\ln x,\ g'(x)=\dfrac{1}{x^2}=x^{-2}$으로 놓으면

$f'(x)=\dfrac{1}{x},\ g(x)=-x^{-1}=-\dfrac{1}{x}$

$\therefore \int_1^e \dfrac{\ln x}{x^2}dx=\Big[-\dfrac{\ln x}{x}\Big]_1^e-\int_1^e -\dfrac{1}{x^2}dx$

$\qquad\qquad =-\dfrac{1}{e}+\int_1^e x^{-2}dx$

$\qquad\qquad =-\dfrac{1}{e}+\Big[-\dfrac{1}{x}\Big]_1^e$

$\qquad\qquad =-\dfrac{1}{e}-\dfrac{1}{e}+1=-\dfrac{2}{e}+1$

(4) $\int_\pi^{2\pi} x(\sin x+\cos x)dx$에서

$f(x)=x,\ g'(x)=\sin x+\cos x$로 놓으면

$f'(x)=1,\ g(x)=-\cos x+\sin x$

$\therefore \int_\pi^{2\pi} x(\sin x+\cos x)dx$

$\quad =\Big[-x\cos x+x\sin x\Big]_\pi^{2\pi}-\int_\pi^{2\pi}(-\cos x+\sin x)dx$

$\quad =(-2\pi-\pi)+\int_\pi^{2\pi}(\cos x-\sin x)dx$

$\quad =-3\pi+\Big[\sin x+\cos x\Big]_\pi^{2\pi}$

$\quad =-3\pi+1-(-1)=-3\pi+2$

07-1 [셀파] $f(x)=g(x)+\int_a^b f(t)dt$ 꼴이면

$\int_a^b f(t)dt=k(k$는 상수)로 놓는다.

(1) $\int_0^2 f(t)dt=k(k$는 상수)로 놓으면 $f(x)=e^x+k$

$\int_0^2 f(t)dt=\int_0^2(e^t+k)dt=\Big[e^t+kt\Big]_0^2=e^2+2k-1$

이때 $e^2+2k-1=k$이므로 $k=-e^2+1$

$\therefore f(x)=e^x-e^2+1$

(2) $\int_0^{\frac{\pi}{2}} f(t)\cos t\,dt=k(k$는 상수)로 놓으면

$f(x)=2\sin x-k$

$\int_0^{\frac{\pi}{2}} f(t)\cos t\,dt=\int_0^{\frac{\pi}{2}}(2\sin t-k)\cos t\,dt$

이때 $\sin t=s$로 놓으면 $\cos t=\dfrac{ds}{dt}$

$t=0$일 때 $s=0$, $t=\dfrac{\pi}{2}$일 때 $s=1$이므로

$\int_0^{\frac{\pi}{2}}(2\sin t-k)\cos t\,dt$

$=\int_0^1(2s-k)ds=\Big[s^2-ks\Big]_0^1=1-k$

이때 $1-k=k$이므로 $2k=1$에서 $k=\dfrac{1}{2}$

$\therefore f(x)=2\sin x-\dfrac{1}{2}$

08-1 [셀파] $\int_a^a f(t)dt=0,\ \dfrac{d}{dx}\int_a^x f(t)dt=f(x)$

$f(x)=e^{-x}+2x-1+\int_0^x f(t)dt$ ······ ㉠에서

㉠의 양변을 x에 대하여 미분하면

$f'(x)=-e^{-x}+2+f(x)$

또 ㉠의 양변에 $x=0$을 대입하면

$f(0)=1+0-1=0$

$\therefore f'(0)=-1+2+f(0)=1\ (\because f(0)=0)$

08-2 [셀파] 양변을 x에 대하여 미분한다. 또 양변에 $x=0$을 대입한다.

$\int_0^x f(t)dt=e^{2x}-ae^x$ ······ ㉠에서

㉠의 양변을 x에 대하여 미분하면 $f(x)=2e^{2x}-ae^x$

또 ㉠의 양변에 $x=0$을 대입하면

$0=1-a$ $\therefore a=1$

$\therefore f(x)=2e^{2x}-e^x$

$\therefore f(\ln 3)=2e^{2\ln 3}-e^{\ln 3}=18-3=15$

09-1 셀파 $\int_1^x(x-t)f(t)dt$에서 적분변수가 t이므로 x는 상수로 생각한다.

$\int_1^x(x-t)f(t)dt=x^2\ln x+ax+b$에서

$\int_1^x(x-t)f(t)dt=x\int_1^x f(t)dt-\int_1^x tf(t)dt$이므로

$x\int_1^x f(t)dt-\int_1^x tf(t)dt=x^2\ln x+ax+b$ ······ ㉠

㉠의 양변을 x에 대하여 미분하면

$\int_1^x f(t)dt+xf(x)-xf(x)=2x\ln x+x+a$

$\therefore \int_1^x f(t)dt=2x\ln x+x+a$ ······ ㉡

㉡의 양변에 $x=1$을 대입하면 $0=1+a$ $\therefore a=-1$

㉠의 양변에 $x=1$을 대입하면 $0=a+b$ ······ ㉢

㉢에 $a=-1$을 대입하면 $b=1$

$\therefore \boldsymbol{a=-1, b=1}$

09-2 셀파 $\int_0^x(x-t)\cos t\,dt$에서 적분변수가 t이므로 x는 상수로 생각한다.

$f(x)=\int_0^x(x-t)\cos t\,dt=x\int_0^x\cos t\,dt-\int_0^x t\cos t\,dt$

의 양변을 x에 대하여 미분하면

$f'(x)=\int_0^x\cos t\,dt+x\cos x-x\cos x$

$=\int_0^x\cos t\,dt=\Big[\sin t\Big]_0^x=\sin x$

즉, $f'(x)=\sin x$이므로 $f(x)=-\cos x+C$ ······ ㉠

이때 $f(x)=\int_0^x(x-t)\cos t\,dt$의 양변에 $x=0$을 대입하면

$f(0)=0$

㉠에 $x=0$을 대입하면 $f(0)=-1+C=0$ $\therefore C=1$

따라서 $f(x)=-\cos x+1$이므로

$\int_0^{2\pi}f(x)dx=\int_0^{2\pi}(-\cos x+1)dx=\Big[-\sin x+x\Big]_0^{2\pi}=\boldsymbol{2\pi}$

10-1 셀파 양변을 x에 대하여 미분하고 $f(x)$의 증가와 감소를 표로 나타낸다.

$f(x)=\int_0^x 3(1+\cos t)^2\sin t\,dt$의 양변을 x에 대하여 미분하면

$f'(x)=3(1+\cos x)^2\sin x$

$f'(x)=0$에서 $\cos x=-1$ 또는 $\sin x=0$

$\therefore x=0$ 또는 $x=\pi$ 또는 $x=2\pi$

이때 함수 $f(x)$의 증가와 감소를 표로 나타내면 다음과 같다.

x	0	$\cdots$	π	$\cdots$	2π
$f'(x)$	0	+	0	−	0
$f(x)$		↗	극대	↘	

즉, $0\le x\le 2\pi$에서 함수 $f(x)$의 최댓값은 극댓값인 $f(\pi)$이고, 최솟값은 $f(0)$과 $f(2\pi)$ 중 더 작은 값이다.

$f(x)=\int_0^x 3(1+\cos t)^2\sin t\,dt$에서

$\cos t=v$로 놓으면 $\dfrac{dv}{dt}=-\sin t$

$t=0$일 때 $v=1$, $t=x$일 때 $v=\cos x$

$\therefore f(x)=\int_0^x 3(1+\cos t)^2\sin t\,dt$

$=\int_1^{\cos x}3(1+v)^2(-1)dv$

$=\Big[-(1+v)^3\Big]_1^{\cos x}$

$=-(1+\cos x)^3+8$

$f(x)=-(1+\cos x)^3+8$에서

$f(0)=0$, $f(\pi)=8$, $f(2\pi)=0$

따라서 $0\le x\le 2\pi$에서 함수 $f(x)$의 **최댓값은 8, 최솟값은 0**

11-1 셀파 $\displaystyle\lim_{x\to 0}\frac{1}{x}\int_a^{a+x}f(t)dt=\lim_{x\to 0}\frac{F(a+x)-F(a)}{x}=f(a)$

(1) $f(t)=e^t+3$으로 놓고 $f(t)$의 한 부정적분을 $F(t)$라 하면

(주어진 식)$=\displaystyle\lim_{x\to 1}\frac{1}{x-1}\int_1^x f(t)dt$

$=\displaystyle\lim_{x\to 1}\frac{1}{x-1}\Big[F(t)\Big]_1^x$

$=\displaystyle\lim_{x\to 1}\frac{F(x)-F(1)}{x-1}$

$=F'(1)=f(1)=\boldsymbol{e+3}$

(2) $f(t)=t+\cos t$로 놓고 $f(t)$의 한 부정적분을 $F(t)$라 하면

(주어진 식)$=\displaystyle\lim_{x\to 0}\frac{1}{x}\int_0^x f(t)dt$

$=\displaystyle\lim_{x\to 0}\frac{1}{x}\Big[F(t)\Big]_0^x$

$=\displaystyle\lim_{x\to 0}\frac{F(x)-F(0)}{x}$

$=F'(0)=f(0)=\boldsymbol{1}$

(3) $f(t)=te^{t-4}+\ln(t-3)$으로 놓고 $f(t)$의 한 부정적분을 $F(t)$라 하면

$$(\text{주어진 식})=\lim_{x\to 2}\frac{1}{x-2}\int_{4}^{x^2}f(t)dt$$

$$=\lim_{x\to 2}\frac{1}{x-2}\Big[F(t)\Big]_{4}^{x^2}=\lim_{x\to 2}\frac{F(x^2)-F(4)}{x-2}$$

$$=\lim_{x\to 2}\Big\{\frac{F(x^2)-F(4)}{x^2-4}\times(x+2)\Big\}$$

$$=4F'(4)=4f(4)=4(4+0)=\boldsymbol{16}$$

(4) $f(t)=t\ln t^2$으로 놓고 $f(t)$의 한 부정적분을 $F(t)$라 하면

(주어진 식)

$$=\lim_{x\to 0}\frac{1}{x}\int_{e^2-x}^{e^2+x}f(t)dt=\lim_{x\to 0}\frac{1}{x}\Big[F(t)\Big]_{e^2-x}^{e^2+x}$$

$$=\lim_{x\to 0}\frac{F(e^2+x)-F(e^2-x)}{x}$$

$$=\lim_{x\to 0}\frac{F(e^2+x)-F(e^2)+F(e^2)-F(e^2-x)}{x}$$

$$=\lim_{x\to 0}\frac{F(e^2+x)-F(e^2)}{x}+\lim_{x\to 0}\frac{F(e^2-x)-F(e^2)}{-x}$$

$$=F'(e^2)+F'(e^2)=2F'(e^2)=2f(e^2)$$

$$=2e^2\ln e^4=\boldsymbol{8e^2}$$

연습 문제
본문 | **208~209** 쪽

01 셀파 $\dfrac{1}{x(x+k)}=\dfrac{1}{k}\Big(\dfrac{1}{x}-\dfrac{1}{x+k}\Big)$

$\dfrac{3}{x^2+3x}=\dfrac{3}{x(x+3)}=\dfrac{1}{x}-\dfrac{1}{x+3}$이므로

$$\int_{1}^{5}\frac{3}{x^2+3x}dx=\int_{1}^{5}\Big(\frac{1}{x}-\frac{1}{x+3}\Big)dx$$

$$=\Big[\ln|x|-\ln|x+3|\Big]_{1}^{5}$$

$$=\{(\ln 5-\ln 8)-(-\ln 4)\}=\ln\frac{5}{2}$$

이때 $\ln a=\ln\dfrac{5}{2}$이므로 $\boldsymbol{a=\dfrac{5}{2}}$

02 셀파 곡선 $y=f(x)$ 위의 임의의 점 $(x,f(x))$에서의 접선의 기울기는 $f'(x)$이다.

함수 $y=f(x)$의 그래프 위의 점 $(x,f(x))$에서의 접선의 기울기는 $f'(x)$이므로 $f(x)=e^{2x}$에서 $f'(x)=2e^{2x}$

따라서 $g(x)=2e^{2x}$이므로

$$\int_{-1}^{2}e^{-x}g(x)dx=\int_{-1}^{2}e^{-x}\times 2e^{2x}dx$$

$$=2\int_{-1}^{2}e^x dx=2\Big[e^x\Big]_{-1}^{2}$$

$$=2(e^2-e^{-1})=\boldsymbol{2\Big(e^2-\dfrac{1}{e}\Big)}$$

03 셀파 $\sin^2 x+\cos^2 x=1$이므로 $\sin^2 x-1=-\cos^2 x$

$$\int_{0}^{a}\frac{1}{\sin^2 x-1}dx=\int_{0}^{a}\frac{1}{-\cos^2 x}dx=\int_{0}^{a}(-\sec^2 x)dx$$

$$=\Big[-\tan x\Big]_{0}^{a}=-\tan a$$

이때 $-\tan a=-1$이므로

$\tan a=1$ $\quad\therefore \boldsymbol{a=\dfrac{\pi}{4}}\Big(\because\ 0<a<\dfrac{\pi}{2}\Big)$

04 셀파 절댓값 기호가 있는 $k\sqrt{|x|}$ 항을 따로 계산한다.

$$\int_{-1}^{1}\Big(\frac{1}{x+2}+k\sqrt{|x|}+x\Big)dx$$

$$=\int_{-1}^{1}\Big(\frac{1}{x+2}+x\Big)dx+\int_{-1}^{1}k\sqrt{|x|}\,dx$$

$$=\Big[\ln|x+2|+\frac{1}{2}x^2\Big]_{-1}^{1}+\int_{-1}^{0}k\sqrt{-x}\,dx+\int_{0}^{1}k\sqrt{x}\,dx$$

$$=\Big(\ln 3+\frac{1}{2}\Big)-\frac{1}{2}+\Big[-\frac{2}{3}k(-x)^{\frac{3}{2}}\Big]_{-1}^{0}+\Big[\frac{2}{3}kx^{\frac{3}{2}}\Big]_{0}^{1}$$

$$=\ln 3+\Big\{0-\Big(-\frac{2}{3}k\Big)\Big\}+\Big(\frac{2}{3}k-0\Big)=\ln 3+\frac{4}{3}k$$

이때 $\ln 3+\dfrac{4}{3}k=\ln 3+\dfrac{4}{3}$이므로 $\boldsymbol{k=1}$

05 셀파 (우함수)×(우함수)=(우함수),
(우함수)×(기함수)=(기함수)

$f(x)=f(-x)$인 함수 $f(x)$는 우함수이다.

이때 $f(x)\cos x$는 우함수, $xf(x)$는 기함수이다.

$$\therefore \int_{-\pi}^{\pi}(3\cos x-4x)f(x)dx$$

$$=3\int_{-\pi}^{\pi}f(x)\cos x\,dx-4\int_{-\pi}^{\pi}xf(x)dx$$

$$=3\times 2\int_{0}^{\pi}f(x)\cos x\,dx-4\times 0$$

$$=6\times 4=\boldsymbol{24}$$

| 참고 |

$f(x)$는 우함수, $\cos x$는 우함수이므로 $f(x)\cos x$는 우함수이다.

x는 기함수, $f(x)$는 우함수이므로 $xf(x)$는 기함수이다.

06 셀파 $x+1=t$로 치환하여 주어진 식을 변형한다.

$\int_0^1 e^x f(x+1)dx$에서

$x+1=t$로 치환하면 $\dfrac{dt}{dx}=1$

$x=0$일 때 $t=1$, $x=1$일 때 $t=2$이므로

$\int_0^1 e^x f(x+1)dx=\int_1^2 e^{t-1}f(t)dt$

이때 주어진 그래프에서

$f(x)=\begin{cases} x+1 & (-1\le x<0) \\ 1 & (0\le x\le 2)\end{cases}$

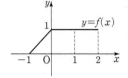

이므로 $1\le t\le 2$에서 $f(t)=1$

$\therefore \int_1^2 e^{t-1}f(t)dt=\int_1^2 e^{t-1}dt=\Big[e^{t-1}\Big]_1^2=\boldsymbol{e-1}$

| 다른 풀이 |

함수 $y=f(x+1)$의 그래프는 함수 $y=f(x)$의 그래프를 x축의 방향으로 -1만큼 평행이동한 것이므로

$f(x+1)=\begin{cases} x+2 & (-2\le x<-1) \\ 1 & (-1\le x\le 1)\end{cases}$

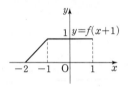

$0\le x\le 1$에서 $f(x+1)=1$이므로

$\int_0^1 e^x f(x+1)dx=\int_0^1 e^x dx$

$=\Big[e^x\Big]_0^1=e-1$

07 셀파 $\sin x=t$로 치환한 다음 다시 $t=\tan\theta$로 치환한다.

$\int_0^{\frac{\pi}{2}} \dfrac{\cos x}{1+\sin^2 x}dx$에서

$\sin x=t$로 놓으면 $\dfrac{dt}{dx}=\cos x$

$x=0$일 때 $t=0$, $x=\dfrac{\pi}{2}$일 때 $t=1$이므로

$\int_0^{\frac{\pi}{2}} \dfrac{\cos x}{1+\sin^2 x}dx=\int_0^1 \dfrac{1}{1+t^2}dt$

이때 $t=\tan\theta\Big(-\dfrac{\pi}{2}<\theta<\dfrac{\pi}{2}\Big)$로 놓으면 $\dfrac{dt}{d\theta}=\sec^2\theta$

$t=0$일 때 $\theta=0$, $t=1$일 때 $\theta=\dfrac{\pi}{4}$이므로

$\int_0^1 \dfrac{1}{1+t^2}dt=\int_0^{\frac{\pi}{4}} \dfrac{1}{1+\tan^2\theta}\times\sec^2\theta\,d\theta$

$=\int_0^{\frac{\pi}{4}} \dfrac{1}{\sec^2\theta}\times\sec^2\theta\,d\theta$

$=\int_0^{\frac{\pi}{4}} d\theta=\Big[\theta\Big]_0^{\frac{\pi}{4}}=\boldsymbol{\dfrac{\pi}{4}}$

08 셀파 피적분함수가 (다항함수)$\times$(지수함수) 꼴이면 다항함수를 $u(x)$, 지수함수를 $v'(x)$로 놓고 부분적분법을 이용한다.

$f(x)=|x-1|=\begin{cases} -x+1 & (x<1) \\ x-1 & (x\ge 1)\end{cases}$이므로

$\int_0^2 f(x)e^{-x}dx$

$=\int_0^1 (-x+1)e^{-x}dx+\int_1^2 (x-1)e^{-x}dx$

$=-\int_0^1 (x-1)e^{-x}dx+\int_1^2 (x-1)e^{-x}dx$

$u(x)=x-1$, $v'(x)=e^{-x}$으로 놓으면

$u'(x)=1$, $v(x)=-e^{-x}$

$\therefore -\int_0^1 (x-1)e^{-x}dx+\int_1^2 (x-1)e^{-x}dx$

$=\Big[(x-1)e^{-x}\Big]_0^1-\int_0^1 e^{-x}dx-\Big[(x-1)e^{-x}\Big]_1^2+\int_1^2 e^{-x}dx$

$=1+\Big[e^{-x}\Big]_0^1-e^{-2}-\Big[e^{-x}\Big]_1^2$

$=1+(e^{-1}-1)-e^{-2}-(e^{-2}-e^{-1})$

$=2\Big(\dfrac{1}{e}-\dfrac{1}{e^2}\Big)=\boldsymbol{\dfrac{2(e-1)}{e^2}}$

09 셀파 구간을 나누어 생각한다.

주어진 그래프에서 $f(x)=\begin{cases} -x & (-2\le x<-1) \\ 1 & (-1\le x<1) \\ x & (1\le x\le 2)\end{cases}$이므로

$\int_{-2}^2 e^x f(x)dx=\int_{-2}^{-1} e^x(-x)dx+\int_{-1}^1 e^x dx+\int_1^2 xe^x dx$

이때 $u(x)=x$, $v'(x)=e^x$으로 놓으면

$u'(x)=1$, $v(x)=e^x$

$\therefore \int_{-2}^{-1} e^x(-x)dx+\int_{-1}^1 e^x dx+\int_1^2 xe^x dx$

$=-\Big[xe^x\Big]_{-2}^{-1}+\int_{-2}^{-1} e^x dx+\Big[e^x\Big]_{-1}^1+\Big[xe^x\Big]_1^2-\int_1^2 e^x dx$

$=-(-e^{-1}+2e^{-2})+\Big[e^x\Big]_{-2}^{-1}+(e-e^{-1})+(2e^2-e)-\Big[e^x\Big]_1^2$

$=\dfrac{1}{e}-\dfrac{2}{e^2}+\dfrac{1}{e}-\dfrac{1}{e^2}+e-\dfrac{1}{e}+2e^2-e-e^2+e$

$=\boldsymbol{e^2+e+\dfrac{1}{e}-\dfrac{3}{e^2}}$

10 [셀파] $f(x)=g(x)+\int_a^b f(t)dt$ 꼴이면 $\int_a^b f(t)dt=k\,(k$는 상수)로 놓는다.

$\int_1^3 f(t)dt=k\,(k$는 상수)로 놓으면 $f(x)=\ln x+k$

$\int_1^3 f(t)dt=\int_1^3(\ln t+k)dt$

$\qquad\qquad=\int_1^3 \ln t\,dt+\int_1^3 k\,dt \quad\cdots\cdots\ \bigcirc$

$\int_1^3 \ln t\,dt$에서 $u(t)=\ln t,\ v'(t)=1$로 놓으면

$u'(t)=\dfrac{1}{t},\ v(t)=t$이므로

$\int_1^3 \ln t\,dt=\Big[t\ln t\Big]_1^3-\int_1^3 dt=3\ln 3-\Big[t\Big]_1^3=3\ln 3-2$

$\int_1^3 k\,dt=\Big[kt\Big]_1^3=2k$

이때 $3\ln 3-2+2k=k$이므로 $k=2-3\ln 3$

따라서 $f(x)=\ln x+2-3\ln 3$이므로

$f(27)=\ln 27+2-3\ln 3=\mathbf{2}$

11 [셀파] $\int_a^a f(t)dt=0,\ \dfrac{d}{dx}\int_a^x f(t)dt=f(x)$

㉮ $\int_e^x f(t)dt=x\ln x-x+k \quad\cdots\cdots\ \bigcirc$

㉠의 양변을 x에 대하여 미분하면

$f(x)=\ln x+x\times\dfrac{1}{x}-1=\ln x$

㉯ ㉠의 양변에 $x=e$를 대입하면

$\int_e^e f(t)dt=0$이므로 $e\ln e-e+k=0 \quad\therefore k=0$

㉰ 따라서 $f(x)=\ln x$에서 $f(e^2)=\ln e^2=2$이므로

$f(e^2)+k=2+0=\mathbf{2}$

채점 기준	배점
㉮ 함수 $f(x)$를 구한다.	40%
㉯ 상수 k의 값을 구한다.	30%
㉰ $f(e^2)+k$의 값을 구한다.	30%

12 [셀파] $\int_0^x(x-t)\sin t\,dt=x\int_0^x\sin t\,dt-\int_0^x t\sin t\,dt$

$\int_0^x(x-t)\sin t\,dt=x\int_0^x\sin t\,dt-\int_0^x t\sin t\,dt$이므로

$f(x)=x\int_0^x\sin t\,dt-\int_0^x t\sin t\,dt$의 양변을 x에 대하여 미분하면

$f'(x)=\int_0^x\sin t\,dt+x\sin x-x\sin x$

$\qquad=\int_0^x\sin t\,dt$

$\therefore f'\Big(\dfrac{\pi}{2}\Big)=\int_0^{\frac{\pi}{2}}\sin t\,dt=\Big[-\cos t\Big]_0^{\frac{\pi}{2}}=\mathbf{1}$

13 [셀파] 함수 $f(x)$의 증가와 감소를 표로 나타낸다.

$f(x)=\int_1^x(1-\ln t)dt$의 양변을 x에 대하여 미분하면

$f'(x)=1-\ln x$

$f'(x)=0$에서 $\ln x=1 \quad\therefore x=e$

이때 함수 $f(x)$의 증가와 감소를 표로 나타내면 오른쪽과 같다.

따라서 함수 $f(x)$는 $x=e$에서 극대이면서 최대이므로 최댓값은

x	(0)	$\cdots$	e	$\cdots$
$f'(x)$		$+$	0	$-$
$f(x)$		$\nearrow$	극대	$\searrow$

$f(e)=\int_1^e(1-\ln t)dt$

$\qquad=\Big[t-t\ln t\Big]_1^e+\int_1^e dt$

$\qquad=e-e-1+\Big[t\Big]_1^e=-1+(e-1)=e-2$

따라서 $a=e,\ b=e-2$이므로

$a-b=e-(e-2)=\mathbf{2}$

14 [셀파] $\lim\limits_{x\to a}\dfrac{1}{x-a}\int_a^x f(t)dt=f(a)$

$f(t)=(2-t)e^t$으로 놓고 $f(t)$의 한 부정적분을 $F(t)$라 하면

$\lim\limits_{x\to 1}\dfrac{1}{x^2-1}\int_1^x f(t)dt=\lim\limits_{x\to 1}\Big\{\dfrac{1}{x+1}\times\dfrac{1}{x-1}\int_1^x f(t)dt\Big\}$

$\qquad=\lim\limits_{x\to 1}\Big\{\dfrac{1}{x+1}\times\dfrac{1}{x-1}\Big[F(t)\Big]_1^x\Big\}$

$\qquad=\dfrac{1}{2}\lim\limits_{x\to 1}\dfrac{F(x)-F(1)}{x-1}=\dfrac{1}{2}F'(1)$

$\qquad=\dfrac{1}{2}f(1)=\dfrac{\boldsymbol{e}}{\mathbf{2}}$

10. 정적분의 활용

본문 | 213, 215 쪽

1-1 (1) 닫힌구간 $[0, 4]$에서 $y \geq 0$이므로

$$S = \int_0^4 \boxed{\sqrt{x}}\, dx = \left[\frac{2}{3}x^{\frac{3}{2}} \right]_0^4 = \frac{16}{3}$$

(2) $y = \dfrac{1}{x-1}$에서 $y(x-1)=1$이므로

$$yx = y+1 \qquad \therefore\ x = 1 + \frac{1}{y}$$

닫힌구간 $[1, 3]$에서 $x > 0$이므로

$$S = \int_1^3 \left(\boxed{1} + \frac{1}{y} \right) dy$$

$$= \left[\boxed{y} + \ln|y| \right]_1^3 = 2 + \ln 3$$

1-2 (1) 닫힌구간 $[0, \pi]$에서 $y \geq 0$이므로

$$S = \int_0^\pi \sin x\, dx = \left[-\cos x \right]_0^\pi = 2$$

(2) $y = e^x$에서 $x = \ln y$

닫힌구간 $[1, e]$에서 $x \geq 0$이므로

$$S = \int_1^e \ln y\, dy$$

$$= \left[y \ln y \right]_1^e - \int_1^e dy$$

$$= e - \left[y \right]_1^e = e - (e-1) = 1$$

2-1 $S = \int_0^1 \sqrt{x}\, dx - \int_0^1 \boxed{x^2}\, dx$

$$= \int_0^1 (\sqrt{x} - x^2)\, dx$$

$$= \left[\frac{\boxed{2}}{3}x^{\frac{3}{2}} - \frac{1}{3}x^3 \right]_0^1 = \frac{1}{3}$$

2-2 $y = \ln x$에서 $x = e^y$이므로

$$S = \int_0^1 e^y\, dy - \int_0^1 y\, dy$$

$$= \int_0^1 (e^y - y)\, dy$$

$$= \left[e^y - \frac{1}{2}y^2 \right]_0^1 = e - \frac{3}{2}$$

3-1 (1) $t=0$에서 점 P의 위치가 0이므로 $t=1$에서 점 P의 위치는

$$\boxed{0} + \int_0^1 (1 - \sqrt{t})\, dt = \left[\boxed{t} - \frac{2}{3}t^{\frac{3}{2}} \right]_0^1 = \frac{1}{3}$$

(2) $0 \leq t \leq 1$일 때 $v(t) \geq 0$, $1 \leq t \leq 4$일 때 $v(t) \leq 0$이므로 $t=0$에서 $t=4$까지 점 P가 움직인 거리는

$$\int_0^4 |1 - \sqrt{t}|\, dt = \int_0^1 (1 - \sqrt{t})\, dt + \int_1^4 (\sqrt{t} - 1)\, dt$$

$$= \left[t - \frac{2}{3}t^{\frac{3}{2}} \right]_0^1 + \left[\frac{2}{3}t^{\frac{3}{2}} - t \right]_1^4$$

$$= \frac{\boxed{1}}{3} + \frac{5}{3} = 2$$

3-2 (1) $\int_1^9 v(t)\, dt = \int_1^9 (2 - \sqrt{t})\, dt = \left[2t - \frac{2}{3}t^{\frac{3}{2}} \right]_1^9$

$$= 18 - 18 - \left(2 - \frac{2}{3} \right) = -\frac{4}{3}$$

(2) $1 \leq t \leq 4$일 때 $v(t) \geq 0$, $4 \leq t \leq 9$일 때 $v(t) \leq 0$이므로 $t=1$에서 $t=9$까지 점 P가 움직인 거리는

$$\int_1^9 |v(t)|\, dt = \int_1^9 |2 - \sqrt{t}|\, dt$$

$$= \int_1^4 (2 - \sqrt{t})\, dt + \int_4^9 (\sqrt{t} - 2)\, dt$$

$$= \left[2t - \frac{2}{3}t^{\frac{3}{2}} \right]_1^4 + \left[\frac{2}{3}t^{\frac{3}{2}} - 2t \right]_4^9$$

$$= \frac{4}{3} + \frac{8}{3} = \frac{12}{3} = 4$$

4-1 $\dfrac{dx}{dt} = 2t$, $\dfrac{dy}{dt} = \boxed{4t}$이므로

점 P가 움직인 거리 s는

$$s = \int_0^1 \sqrt{(2t)^2 + (4t)^2}\, dt = \int_0^1 \sqrt{20t^2}\, dt$$

$$= \int_0^1 \boxed{2\sqrt{5}}\, t\, dt = \left[\sqrt{5}t^2 \right]_0^1 = \sqrt{5}$$

4-2 $\dfrac{dx}{dt} = t^2 - 1$, $\dfrac{dy}{dt} = 2t$이므로

점 P가 움직인 거리 s는

$$s = \int_0^1 \sqrt{(t^2-1)^2 + (2t)^2}\, dt$$

$$= \int_0^1 \sqrt{t^4 + 2t^2 + 1}\, dt = \int_0^1 \sqrt{(t^2+1)^2}\, dt$$

$$= \int_0^1 (t^2 + 1)\, dt = \left[\frac{1}{3}t^3 + t \right]_0^1 = \frac{4}{3}$$

96 | 정답과 해설

01-1 셀파 구간을 n등분하여 기본 도형으로 나누고 합의 극한값을 구한다.

(1) 오른쪽 그림과 같이 구간 $[0, 1]$을 n등분한 직사각형의 가로의 길이는 $\dfrac{1}{n}$이고, 세로의 길이는 차례로

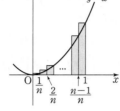

$\left(\dfrac{1}{n}\right)^2,\ \left(\dfrac{2}{n}\right)^2,\ \cdots,\ \left(\dfrac{n-1}{n}\right)^2,\ \left(\dfrac{n}{n}\right)^2$ 이다.

이 직사각형의 넓이의 합을 S_n이라 하면

$$S_n=\frac{1}{n}\left(\frac{1}{n}\right)^2+\frac{1}{n}\left(\frac{2}{n}\right)^2+\cdots+\frac{1}{n}\left(\frac{n}{n}\right)^2$$

$$=\frac{1}{n^3}(1^2+2^2+\cdots+n^2)$$

$$=\frac{1}{n^3}\times\frac{n(n+1)(2n+1)}{6}=\frac{2n^2+3n+1}{6n^2}$$

$$\therefore S=\lim_{n\to\infty}S_n=\lim_{n\to\infty}\frac{2n^2+3n+1}{6n^2}=\frac{2}{6}=\frac{1}{3}$$

(2) 오른쪽 그림과 같이 구간 $[0, 1]$을 n등분한 직사각형의 가로의 길이는 $\dfrac{1}{n}$이고, 세로의 길이는 차례로

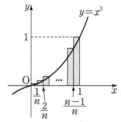

$\left(\dfrac{1}{n}\right)^3,\ \left(\dfrac{2}{n}\right)^3,\ \cdots,\ \left(\dfrac{n-1}{n}\right)^3,\ \left(\dfrac{n}{n}\right)^3$ 이다.

이 직사각형의 넓이의 합을 S_n이라 하면

$$S_n=\frac{1}{n}\left(\frac{1}{n}\right)^3+\frac{1}{n}\left(\frac{2}{n}\right)^3+\cdots+\frac{1}{n}\left(\frac{n}{n}\right)^3$$

$$=\frac{1}{n^4}(1^3+2^3+\cdots+n^3)$$

$$=\frac{1}{n^4}\times\frac{n^2(n+1)^2}{4}=\frac{n^2+2n+1}{4n^2}$$

$$\therefore S=\lim_{n\to\infty}S_n=\lim_{n\to\infty}\frac{n^2+2n+1}{4n^2}=\frac{1}{4}$$

02-1 셀파 정적분으로 바꾸기 위해 $f(x)$와 아래끝, 위끝, $\varDelta x$, x_k를 정한다.

(1) $f(x)=\sqrt{x},\ a=3,\ b=4$로 놓으면

$\varDelta x=\dfrac{1}{n},\ x_k=3+\dfrac{k}{n}$

$\therefore$ (주어진 식) $=\displaystyle\lim_{n\to\infty}\sum_{k=1}^{n}f(x_k)\varDelta x$

$$=\int_{3}^{4}\sqrt{x}\,dx=\left[\frac{2}{3}x^{\frac{3}{2}}\right]_{3}^{4}=\frac{16}{3}-2\sqrt{3}$$

(2) $\displaystyle\lim_{n\to\infty}\frac{1}{n}\left\{\ln\left(1+\frac{1}{n}\right)+\ln\left(1+\frac{2}{n}\right)+\ln\left(1+\frac{3}{n}\right)+\cdots\right.$

$$\left.+\ln\left(1+\frac{n}{n}\right)\right\}$$

$$=\lim_{n\to\infty}\frac{1}{n}\sum_{k=1}^{n}\ln\left(1+\frac{k}{n}\right)$$

$$=\lim_{n\to\infty}\sum_{k=1}^{n}\ln\left(1+\frac{k}{n}\right)\times\frac{1}{n}$$

$f(x)=\ln x,\ a=1,\ b=2$로 놓으면

$\varDelta x=\dfrac{1}{n},\ x_k=1+\dfrac{k}{n}$

$\therefore$ (주어진 식) $=\displaystyle\lim_{n\to\infty}\sum_{k=1}^{n}f(x_k)\varDelta x$

$$=\int_{1}^{2}\ln x\,dx$$

$$=\left[x\ln x\right]_{1}^{2}-\int_{1}^{2}dx$$

$$=2\ln 2-\left[x\right]_{1}^{2}=2\ln 2-1$$

LECTURE 급수를 정적분으로 나타내는 방법

급수를 정적분으로 나타낼 때는 다음과 같은 순서로 한다.

1 적분변수를 정한다.

2 적분 구간을 구한다.

3 정적분으로 나타낸다.

이때 무엇을 적분변수로 정하느냐에 따라 여러 가지 정적분으로 나타낼 수 있다.

예를 들어 $\displaystyle\lim_{n\to\infty}\sum_{k=1}^{n}\left(1+\frac{2k}{n}\right)^2\times\frac{2}{n}$의 값을 정적분을 이용하여 구해 보자.

방법1 $1+\dfrac{2k}{n}$를 x로 나타내는 경우

1 $1+\dfrac{2k}{n}$를 x로, k의 계수 $\dfrac{2}{n}$를 dx로 나타낸다.

2 $k=1$이고 $n\to\infty$이면 $x=1$이고, $k=n$이고 $n\to\infty$이면 $x=3$이므로 적분 구간은 $[1, 3]$이다.

3 $\displaystyle\lim_{n\to\infty}\sum_{k=1}^{n}\left(1+\frac{2k}{n}\right)^2\times\frac{2}{n}=\int_{1}^{3}x^2dx=\left[\frac{1}{3}x^3\right]_{1}^{3}=\frac{26}{3}$

방법2 $\dfrac{2k}{n}$를 x로 나타내는 경우

1 $\dfrac{2k}{n}$를 x로, k의 계수 $\dfrac{2}{n}$를 dx로 나타낸다.

2 $k=1$이고 $n\to\infty$이면 $x=0$이고, $k=n$이고 $n\to\infty$이면 $x=2$이므로 적분 구간은 $[0, 2]$이다.

3 $\displaystyle\lim_{n\to\infty}\sum_{k=1}^{n}\left(1+\frac{2k}{n}\right)^2\times\frac{2}{n}$

$$=\int_{0}^{2}(1+x)^2dx$$

$$=\left[\frac{1}{3}(1+x)^3\right]_{0}^{2}=\frac{26}{3}$$

방법 3 $\dfrac{k}{n}$ 를 x로 나타내는 경우

1 $\dfrac{k}{n}$ 를 x로, k의 계수 $\dfrac{1}{n}$ 을 dx로 나타낸다.

2 $k=1$이고 $n \to \infty$이면 $x=0$이고, $k=n$이고 $n \to \infty$이면 $x=1$이므로 적분 구간은 $[0, 1]$이다.

3 $\displaystyle\lim_{n \to \infty}\sum_{k=1}^{n}\left(1+\dfrac{2k}{n}\right)^2 \times \dfrac{2}{n}$

$=2\displaystyle\int_0^1 (1+2x)^2 dx$

$=2 \times \dfrac{1}{3} \times \dfrac{1}{2}\Big[(1+2x)^3\Big]_0^1 = \dfrac{26}{3}$

03-1 셀파 적분 구간은 $[1, e]$이다.

곡선 $y=\dfrac{1}{x}$과 x축 및 두 직선 $x=1$, $x=e$ 로 둘러싸인 도형은 오른쪽 그림과 같다.

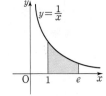

닫힌구간 $[1, e]$에서 $\dfrac{1}{x}>0$이므로

$S=\displaystyle\int_1^e \left|\dfrac{1}{x}\right|dx$

$=\displaystyle\int_1^e \dfrac{1}{x}dx$

$=\Big[\ln x\Big]_1^e = \mathbf{1}$

03-2 셀파 $f(x)=\ln(x+1)$, $g'(x)=1$로 놓고 부분적분법을 이용한다.

곡선 $y=\ln(x+1)$과 x축 및 직선 $x=e-1$ 로 둘러싸인 도형은 오른쪽 그림과 같다.

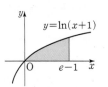

닫힌구간 $[0, e-1]$에서 $\ln(x+1)\geq0$이 므로

$S=\displaystyle\int_0^{e-1}\ln(x+1)dx$

이때 $f(x)=\ln(x+1)$, $g'(x)=1$로 놓으면

$f'(x)=\dfrac{1}{x+1}, g(x)=x$이므로

$S=\displaystyle\int_0^{e-1}\ln(x+1)dx$

$=\Big[x\ln(x+1)\Big]_0^{e-1} - \displaystyle\int_0^{e-1}\dfrac{x}{x+1}dx$

$=(e-1)-\displaystyle\int_0^{e-1}\left(1-\dfrac{1}{x+1}\right)dx$

$=(e-1)-\Big[x-\ln|x+1|\Big]_0^{e-1}$

$=(e-1)-(e-2)=\mathbf{1}$

04-1 셀파 $y=\ln x$를 x에 대한 함수로 변형하고, 그래프를 그려 본다.

$y=\ln x$에서 $x=e^y$

따라서 곡선 $y=\ln x$와 y축 및 두 직선 $y=1$, $y=2$로 둘러싸인 도형은 오른쪽 그림과 같다.

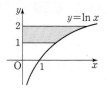

닫힌구간 $[1, 2]$에서 $e^y>0$이므로

$S=\displaystyle\int_1^2 e^y dy = \Big[e^y\Big]_1^2 = \boldsymbol{e^2-e}$

04-2 셀파 $y=-\dfrac{1}{x+1}$을 x에 대한 함수로 변형하고, 그래프를 그려 본다.

$y=-\dfrac{1}{x+1}$에서 $x=-\dfrac{1}{y}-1$

곡선 $x=-\dfrac{1}{y}-1$과 y축의 교점의 y좌표는

$-\dfrac{1}{y}-1=0$에서 $y=-1$

따라서 곡선 $y=-\dfrac{1}{x+1}$과 y축 및 직 선 $y=-e$로 둘러싸인 도형은 오른쪽 그림과 같다.

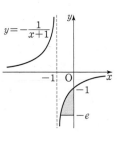

닫힌구간 $[-e, -1]$에서 $-\dfrac{1}{y}-1\leq0$이므로

$S=-\displaystyle\int_{-e}^{-1}\left(-\dfrac{1}{y}-1\right)dy$

$=\displaystyle\int_{-e}^{-1}\left(\dfrac{1}{y}+1\right)dy$

$=\Big[\ln|y|+y\Big]_{-e}^{-1} = \boldsymbol{e-2}$

05-1 셀파 두 곡선 $y=f(x)$, $y=g(x)$로 둘러싸인 도형의 넓이 S는 $\Rightarrow S=\displaystyle\int_a^b|f(x)-g(x)|dx$

두 곡선 $y=\sin x$, $y=\sin 2x$의 교점의 x좌표는

$\sin 2x=\sin x$에서 $\sin 2x=2\sin x\cos x$이므로

$2\sin x\cos x=\sin x$, $\sin x(2\cos x-1)=0$

즉, $\sin x=0$ 또는 $\cos x=\dfrac{1}{2}$이므로

$x=0$ 또는 $x=\dfrac{\pi}{3}$ 또는 $x=\pi$ ($\because 0\leq x\leq\pi$)

따라서 두 곡선 $y=\sin x$, $y=\sin 2x$ 로 둘러싸인 도형은 오른쪽 그림과 같 다.

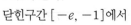

닫힌구간 $\left[0, \dfrac{\pi}{3}\right]$에서 $\sin 2x\geq\sin x$

닫힌구간 $\left[\dfrac{\pi}{3}, \pi\right]$에서 $\sin 2x\leq\sin x$이므로

$$S = \int_0^{\frac{\pi}{3}}(\sin 2x - \sin x)dx + \int_{\frac{\pi}{3}}^{\pi}(\sin x - \sin 2x)dx$$

$$= \left[-\frac{1}{2}\cos 2x + \cos x\right]_0^{\frac{\pi}{3}} + \left[-\cos x + \frac{1}{2}\cos 2x\right]_{\frac{\pi}{3}}^{\pi}$$

$$= \left(\frac{3}{4} - \frac{1}{2}\right) + \left\{\frac{3}{2} - \left(-\frac{3}{4}\right)\right\} = \frac{1}{4} + \frac{9}{4} = \frac{5}{2}$$

05-2 **셀파** 곡선과 두 직선의 교점의 x좌표를 각각 구한다.

곡선 $y = \dfrac{2}{x}(x > 0)$와 직선 $y = 2x$의 교점의 x좌표는

$\dfrac{2}{x} = 2x$에서 $x^2 = 1$ $\quad \therefore x = 1 \ (\because x > 0)$

곡선 $y = \dfrac{2}{x}(x > 0)$와 직선 $y = \dfrac{1}{2}x$의 교점의 x좌표는

$\dfrac{2}{x} = \dfrac{1}{2}x$에서 $x^2 = 4$ $\quad \therefore x = 2 \ (\because x > 0)$

따라서 곡선 $y = \dfrac{2}{x}(x > 0)$와 두 직선

$y = 2x$, $y = \dfrac{1}{2}x$로 둘러싸인 도형은 오른쪽 그림과 같다.

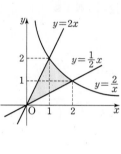

$$\therefore S = \int_0^1 2x\,dx + \int_1^2 \frac{2}{x}dx$$

$$\quad - \int_0^2 \frac{1}{2}x\,dx$$

$$= \left[x^2\right]_0^1 + \left[2\ln x\right]_1^2 - \left[\frac{1}{4}x^2\right]_0^2$$

$$= 1 + 2\ln 2 - 1 = 2\ln 2$$

| 참고 |

닫힌구간 $[0, 1]$에서 $2x \geq \dfrac{1}{2}x$, 닫힌구간 $[1, 2]$에서 $\dfrac{2}{x} \geq \dfrac{1}{2}x$이므로

$$S = \int_0^1\left(2x - \frac{1}{2}x\right)dx + \int_1^2\left(\frac{2}{x} - \frac{1}{2}x\right)dx$$

$$= \int_0^1 2x\,dx + \int_1^2 \frac{2}{x}dx - \int_0^1 \frac{1}{2}x\,dx - \int_1^2 \frac{1}{2}x\,dx$$

$$= \int_0^1 2x\,dx + \int_1^2 \frac{2}{x}dx - \int_0^2 \frac{1}{2}x\,dx$$

06-1 **셀파** $f(x) = \sqrt{x} - \sqrt{x^3}$이라 하면 $\int_0^k f(x)dx = 0$

곡선 $y = \sqrt{x} - \sqrt{x^3}$과 x축 및 직선 $x = k(k > 1)$로 둘러싸인 두 도형의 넓이가 서로 같으므로

$\int_0^k(\sqrt{x} - \sqrt{x^3})dx = 0$에서

$$\int_0^k(\sqrt{x} - \sqrt{x^3})dx = \left[\frac{2}{3}x^{\frac{3}{2}} - \frac{2}{5}x^{\frac{5}{2}}\right]_0^k$$

$$= \frac{2}{3}k\sqrt{k} - \frac{2}{5}k^2\sqrt{k}$$

$$= k\sqrt{k}\left(\frac{2}{3} - \frac{2}{5}k\right)$$

이때 $k\sqrt{k}\left(\dfrac{2}{3} - \dfrac{2}{5}k\right) = 0$이므로 $k = 0$ 또는 $k = \dfrac{5}{3}$

그런데 $k > 1$이므로 $k = \dfrac{5}{3}$

07-1 **셀파** 두 곡선의 교점의 x좌표를 θ라 하고 식을 세운다.

두 곡선 $y = \cos x\left(0 \leq x \leq \dfrac{\pi}{2}\right)$,

$y = a\sin x$의 교점의 x좌표를 θ라 하면

$\cos\theta = a\sin\theta$ $\quad \cdots\cdots$ ㉠

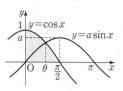

이때

$\int_0^{\frac{\pi}{2}}\cos x\,dx = \left[\sin x\right]_0^{\frac{\pi}{2}} = 1$이므로

$\int_0^{\theta}(\cos x - a\sin x)dx = \dfrac{1}{2}$에서

$$\int_0^{\theta}(\cos x - a\sin x)dx = \left[\sin x + a\cos x\right]_0^{\theta}$$

$$= \sin\theta + a\cos\theta - a$$

이때 $\sin\theta + a\cos\theta - a = \dfrac{1}{2}$이므로

$2\sin\theta + 2a\cos\theta = 2a + 1$ $\quad \cdots\cdots$ ㉡

㉠, ㉡을 연립하여 풀면

$\sin\theta = \dfrac{2a+1}{2(a^2+1)}$, $\cos\theta = \dfrac{a(2a+1)}{2(a^2+1)}$

한편 $\sin^2\theta + \cos^2\theta = 1$이므로

$$\left\{\frac{2a+1}{2(a^2+1)}\right\}^2 + \left\{\frac{a(2a+1)}{2(a^2+1)}\right\}^2 = 1$$

위 식의 양변에 $\{2(a^2+1)\}^2$을 곱하여 정리하면

$4a^3 - 3a^2 + 4a - 3 = 0$

$(4a-3)(a^2+1) = 0$ $\quad \therefore a = \dfrac{3}{4}$

| 참고 |

㉠을 ㉡에 대입하면 $2\sin\theta + 2a^2\sin\theta = 2a + 1$

$2(a^2+1)\sin\theta = 2a + 1$ $\quad \therefore \sin\theta = \dfrac{2a+1}{2(a^2+1)}$

이것을 ㉠에 대입하면 $\cos\theta = \dfrac{a(2a+1)}{2(a^2+1)}$

08-1 **셀파** 서로 역함수인 두 함수의 그래프는 직선 $y = x$에 대하여 대칭이다.

곡선 $y = f(x)$와 x축 및 직선 $x = 4$로 둘러싸인 도형의 넓이를 P, 곡선 $y = g(x)$와 y축 및 직선 $y = 4$로 둘러싸인 도형의 넓이를 Q라 하면 $P = Q$이다.

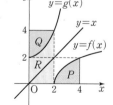

이때 $\int_0^2 g(x)dx = R$라 하면

$$\int_0^2 g(x)dx + \int_2^4 f(x)dx$$

$$= R + P = R + Q = 2 \times 4 = 8$$

09-1 셸파 밑면의 중심을 원점, 밑면의 지름을 x축으로 놓고 생각한다.

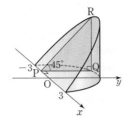

오른쪽 그림과 같이 밑면의 중심을 원점, 밑면의 지름을 x축으로 정할 때, 닫힌구간 $[-3, 3]$에서 x축 위의 점 $P(x, 0)$을 지나 x축에 수직인 평면으로 주어진 입체도형을 자른 단면을 삼각형 PQR라 하자.

삼각형 OPQ에서

$\overline{PQ}=\sqrt{\overline{OQ}^2-\overline{OP}^2}=\sqrt{9-x^2}$이므로

$\overline{RQ}=\overline{PQ}\tan 45°=\sqrt{9-x^2}$

$\triangle PQR$의 넓이를 $S(x)$라 하면

$S(x)=\dfrac{1}{2}\times\overline{PQ}\times\overline{RQ}=\dfrac{1}{2}\sqrt{9-x^2}\times\sqrt{9-x^2}=\dfrac{1}{2}(9-x^2)$

$\therefore V=\displaystyle\int_{-3}^{3}S(x)dx=\int_{-3}^{3}\dfrac{1}{2}(9-x^2)dx$

$\quad=2\displaystyle\int_{0}^{3}\dfrac{1}{2}(9-x^2)dx=\int_{0}^{3}(9-x^2)dx$

$\quad=\left[9x-\dfrac{1}{3}x^3\right]_{0}^{3}=\boldsymbol{18}$

10-1 셸파 원점에서 출발하였으므로 시각 t에서 점 P의 위치는

$0+\displaystyle\int_{0}^{t}v(t)dt$

(1) $\displaystyle\int_{0}^{2}v(t)dt=\int_{0}^{2}(t-1)e^t dt$

$\quad=\left[(t-1)e^t\right]_{0}^{2}-\displaystyle\int_{0}^{2}e^t dt$

$\quad=e^2+1-\left[e^t\right]_{0}^{2}$

$\quad=e^2+1-(e^2-1)=\boldsymbol{2}$

(2) $0\leq t\leq 1$일 때 $v(t)\leq 0$, $1\leq t\leq 2$일 때 $v(t)\geq 0$이므로

$\displaystyle\int_{0}^{2}|v(t)|dt=\int_{0}^{2}|(t-1)e^t|dt$

$\quad=\displaystyle\int_{0}^{1}(1-t)e^t dt+\int_{1}^{2}(t-1)e^t dt$

$\quad=\left[(1-t)e^t\right]_{0}^{1}+\displaystyle\int_{0}^{1}e^t dt+\left[(t-1)e^t\right]_{1}^{2}-\int_{1}^{2}e^t dt$

$\quad=-1+\left[e^t\right]_{0}^{1}+e^2-\left[e^t\right]_{1}^{2}$

$\quad=-1+e-1+e^2-(e^2-e)=\boldsymbol{2e-2}$

11-1 셸파 $\dfrac{dx}{dt}, \dfrac{dy}{dt}$를 구한다.

$\dfrac{dx}{dt}=\sqrt{2}(\cos t+\sin t), \dfrac{dy}{dt}=\sqrt{2}(\cos t-\sin t)$이므로

$t=0$에서 $t=\dfrac{\pi}{2}$까지 점 P가 움직인 거리 s는

$s=\displaystyle\int_{0}^{\frac{\pi}{2}}\sqrt{2(\cos t+\sin t)^2+2(\cos t-\sin t)^2}dt$

$\quad=\displaystyle\int_{0}^{\frac{\pi}{2}}\sqrt{2(1+2\sin t\cos t)+2(1-2\sin t\cos t)}dt$

$\quad=\displaystyle\int_{0}^{\frac{\pi}{2}}\sqrt{4}dt=\int_{0}^{\frac{\pi}{2}}2dt=\left[2t\right]_{0}^{\frac{\pi}{2}}=\boldsymbol{\pi}$

12-1 셸파 (1) $l=\displaystyle\int_{a}^{b}\sqrt{\{f'(t)\}^2+\{g'(t)\}^2}dt$

(2) $l=\displaystyle\int_{a}^{b}\sqrt{1+\left(\dfrac{dy}{dx}\right)^2}dx$

(1) $\dfrac{dx}{dt}=\dfrac{2}{t}, \dfrac{dy}{dt}=1-\dfrac{1}{t^2}$이므로 곡선의 길이 l은

$l=\displaystyle\int_{1}^{e}\sqrt{\left(\dfrac{2}{t}\right)^2+\left(1-\dfrac{1}{t^2}\right)^2}dt$

$\quad=\displaystyle\int_{1}^{e}\sqrt{1+\dfrac{2}{t^2}+\dfrac{1}{t^4}}dt=\int_{1}^{e}\sqrt{\left(1+\dfrac{1}{t^2}\right)^2}dt$

$\quad=\displaystyle\int_{1}^{e}\left(1+\dfrac{1}{t^2}\right)dt=\left[t-\dfrac{1}{t}\right]_{1}^{e}=\boldsymbol{e-\dfrac{1}{e}}$

(2) $\dfrac{dy}{dx}=\dfrac{1}{2}(e^x-e^{-x})$이므로 곡선의 길이 l은

$l=\displaystyle\int_{0}^{2}\sqrt{1+\dfrac{1}{4}(e^x-e^{-x})^2}dx$

$\quad=\displaystyle\int_{0}^{2}\sqrt{\dfrac{e^{2x}+2+e^{-2x}}{4}}dx=\int_{0}^{2}\sqrt{\left(\dfrac{e^x+e^{-x}}{2}\right)^2}dx$

$\quad=\displaystyle\int_{0}^{2}\dfrac{1}{2}(e^x+e^{-x})dx=\left[\dfrac{1}{2}(e^x-e^{-x})\right]_{0}^{2}$

$\quad=\dfrac{1}{2}(e^2-e^{-2})=\boldsymbol{\dfrac{1}{2}\left(e^2-\dfrac{1}{e^2}\right)}$

연습 문제 본문 **230~231** 쪽

01 셸파 $\sum$를 사용하여 주어진 식을 나타낸 다음 정적분으로 변형한다.

$\displaystyle\lim_{n\to\infty}\dfrac{2}{n}(e^{1+\frac{2}{n}}+e^{1+\frac{4}{n}}+\cdots+e^{1+\frac{2n}{n}})=\lim_{n\to\infty}\dfrac{2}{n}\sum_{k=1}^{n}e^{1+\frac{2k}{n}}$

$f(x)=e^x, a=1, b=3$으로 놓으면 $\varDelta x=\dfrac{2}{n}, x_k=1+\dfrac{2k}{n}$

$\therefore$ (주어진 식)$=\displaystyle\lim_{n\to\infty}\sum_{k=1}^{n}f(x_k)\varDelta x=\int_{1}^{3}e^x dx=\left[e^x\right]_{1}^{3}=\boldsymbol{e^3-e}$

02 셀파 곡선 $y=\ln(x+k)$와 x축의 교점의 x좌표를 구한다.

곡선 $y=\ln(x+k)$와 x축의 교점의 x좌표는
$\ln(x+k)=0$에서 $x+k=1$ $\therefore x=1-k$
따라서 곡선 $y=\ln(x+k)$와 x축 및 y축으
로 둘러싸인 도형의 넓이 S는 오른쪽 그림
의 색칠한 부분이므로

$$S=\int_{1-k}^{0}\ln(x+k)\,dx$$

이때 $f(x)=\ln(x+k)$, $g'(x)=1$로 놓으면
$f'(x)=\dfrac{1}{x+k}$, $g(x)=x$이므로

$$S=\left[\,x\ln(x+k)\,\right]_{1-k}^{0}-\int_{1-k}^{0}\frac{x}{x+k}\,dx$$
$$=0-\int_{1-k}^{0}\left(1-\frac{k}{x+k}\right)dx$$
$$=-\left[\,x-k\ln|x+k|\,\right]_{1-k}^{0}$$
$$=-\{-k\ln k-(1-k)\}$$
$$=k\ln k+1-k$$

이때 주어진 조건에서 도형의 넓이가 1이므로
$k\ln k+1-k=1$, $k(\ln k-1)=0$
그런데 $k>1$이므로 $\ln k=1$ $\therefore \boldsymbol{k=e}$

03 셀파 곡선 $x=g(y)$와 y축으로 둘러싸인 도형의 넓이 S는
$$\Rightarrow S=\int_{c}^{d}|g(y)|\,dy$$

(1) $y=3\sqrt{x}$에서 $x=\dfrac{y^2}{9}$

닫힌구간 $[1, 3]$에서 $\dfrac{y^2}{9}>0$이므로

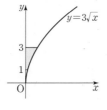

$$S=\int_{1}^{3}\frac{y^2}{9}\,dy=\left[\frac{y^3}{27}\right]_{1}^{3}$$
$$=1-\frac{1}{27}=\boldsymbol{\frac{26}{27}}$$

(2) $y=\ln x+1$에서 $x=e^{y-1}$

닫힌구간 $[0, 2]$에서 $e^{y-1}>0$이므로

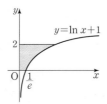

$$S=\int_{0}^{2}e^{y-1}\,dy$$
$$=\left[e^{y-1}\right]_{0}^{2}=\boldsymbol{e-\frac{1}{e}}$$

04 셀파 두 곡선 $y=\ln x$, $y=\ln\dfrac{1}{x}$은 x축에 대하여 대칭이다.

두 곡선 $y=\ln x$, $y=\ln\dfrac{1}{x}=-\ln x$와
직선 $x=e$로 둘러싸인 도형은 오른쪽
그림과 같다.
닫힌구간 $[1, e]$에서 $\ln x\geq\ln\dfrac{1}{x}$이므로

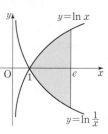

$$S=\int_{1}^{e}\left(\ln x-\ln\frac{1}{x}\right)dx$$
$$=\int_{1}^{e}2\ln x\,dx$$
$$=2\left(\left[\,x\ln x\,\right]_{1}^{e}-\int_{1}^{e}dx\right)$$
$$=2\left(e-\left[\,x\,\right]_{1}^{e}\right)=\boldsymbol{2}$$

05 셀파 A와 B의 넓이의 합은 A의 넓이의 2배이다.

$\displaystyle\int_{1}^{e^2}\dfrac{\ln x}{x}\,dx$에서 $\ln x=t$로 놓으면 $\dfrac{1}{x}=\dfrac{dt}{dx}$
$x=1$일 때 $t=0$, $x=e^2$일 때 $t=2$이므로
$$\int_{1}^{e^2}\frac{\ln x}{x}\,dx=\int_{0}^{2}t\,dt=\left[\frac{1}{2}t^2\right]_{0}^{2}=2$$
$\displaystyle\int_{1}^{k}\dfrac{\ln x}{x}\,dx=\dfrac{1}{2}\int_{1}^{e^2}\dfrac{\ln x}{x}\,dx=1$에서
$$\int_{1}^{k}\frac{\ln x}{x}\,dx=\int_{0}^{\ln k}t\,dt=\left[\frac{1}{2}t^2\right]_{0}^{\ln k}=\frac{1}{2}(\ln k)^2$$
즉, $\dfrac{1}{2}(\ln k)^2=1$이므로 $(\ln k)^2=2$
$\therefore \ln k=\sqrt{2}$ 또는 $\ln k=-\sqrt{2}$
$\therefore k=e^{\sqrt{2}}$ 또는 $k=e^{-\sqrt{2}}$
그런데 $1<k<e^2$이므로 $\boldsymbol{k=e^{\sqrt{2}}}$

06 셀파 접선의 방정식을 구한다.

$f(x)=\ln x$로 놓으면 $f'(x)=\dfrac{1}{x}$에서 $f'(e)=\dfrac{1}{e}$이므로
점 $(e, 1)$에서의 접선의 방정식은
$$y-1=\frac{1}{e}(x-e) \quad \therefore y=\frac{1}{e}x$$
따라서 구하는 도형의 넓이는 오른쪽
그림의 색칠한 부분의 넓이와 같으므로

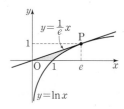

$$\int_{0}^{e}\frac{1}{e}x\,dx-\int_{1}^{e}\ln x\,dx$$
$$=\left[\frac{1}{2e}x^2\right]_{0}^{e}-\left[\,x\ln x-x\,\right]_{1}^{e}=\boldsymbol{\frac{e}{2}-1}$$

07 셀파 함수의 그래프와 그 역함수의 그래프는 직선 $y=x$에 대하여 대칭이다.

두 곡선 $y=f(x)$, $y=g(x)$는 직선 $y=x$에 대하여 대칭이므로 구하는 넓이를 S라 하면 S는 곡선 $y=f(x)$와 직선 $y=x$로 둘러싸인 도형의 넓이의 2배이다.

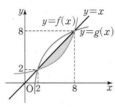

이때 직선 $y=x$, $x=2$, $x=8$ 및 x축으로 둘러싸인 사다리꼴의 넓이는

$$\frac{1}{2}\times(2+8)\times6=30$$

또 $\int_2^8 f(x)dx=25$이므로 색칠한 부분의 넓이는

$$30-\int_2^8 f(x)dx=30-25=5$$

따라서 구하는 넓이는 색칠한 부분의 넓이의 2배이므로

$$5\times2=\mathbf{10}$$

08 셀파 단면의 넓이가 $S(x)$인 입체도형의 부피 V는
$$\Rightarrow V=\int_a^b S(x)dx$$

물의 높이가 $x\,\mathrm{cm}$일 때, 수면의 넓이가 $(x+1)^2\,\mathrm{cm}^2$인 그릇이므로 물의 높이가 $6\,\mathrm{cm}$일 때, 이 그릇에 담긴 물의 부피 V는

$$V=\int_0^6 (x+1)^2 dx=\left[\frac{1}{3}(x+1)^3\right]_0^6=\mathbf{114(cm^3)}$$

09 셀파 단면의 넓이를 $S(x)$로 나타낸다.

㉮ 오른쪽 그림과 같이 지름 AB가 x축과 일치하도록 좌표평면 위에 반원을 놓으면 $\overline{\mathrm{PH}}=\sqrt{4-x^2}$

㉯ 밑면의 지름 AB에 수직인 평면으로 입체도형을 자른 단면의 넓이를 $S(x)$라 하면
$$S(x)=\frac{\pi}{2}\left(\frac{1}{2}\sqrt{4-x^2}\right)^2=\frac{\pi}{8}(4-x^2)$$

㉰ 따라서 구하는 입체도형의 부피 V는
$$V=\int_{-2}^2 S(x)dx=\int_{-2}^2 \frac{\pi}{8}(4-x^2)dx$$
$$=2\int_0^2 \frac{\pi}{8}(4-x^2)dx=\frac{\pi}{4}\left[4x-\frac{1}{3}x^3\right]_0^2=\frac{4}{3}\pi$$

$\frac{4}{3}\pi=\frac{k}{3}\pi$ $\therefore k=4$

채점 기준	배점
㉮ 단면인 반원의 지름의 길이를 구한다.	30%
㉯ 단면의 넓이를 구한다.	40%
㉰ 정적분을 이용하여 k의 값을 구한다.	30%

10 셀파 점 P의 운동 방향이 바뀌는 지점을 찾는다.

$v(t)=0$인 t에서 점 P의 운동 방향이 바뀌므로
$$2\cos\left(t-\frac{\pi}{3}\right)+1=0,\ \cos\left(t-\frac{\pi}{3}\right)=-\frac{1}{2}$$

이때 점 P는 $t=0$에서 $t=\pi$까지 움직이므로
$$-\frac{\pi}{3}\leq t-\frac{\pi}{3}\leq\frac{2}{3}\pi$$
$$t-\frac{\pi}{3}=\frac{2}{3}\pi \qquad \therefore t=\pi$$

$t=0$에서 $t=\pi$까지 점 P의 속도 $v(t)=2\cos\left(t-\frac{\pi}{3}\right)+1$의 그래프가 오른쪽 그림과 같으므로 $0\leq t\leq\pi$에서 $v(t)\geq0$

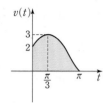

따라서 $t=0$에서 $t=\pi$까지 점 P가 움직인 거리는

$$\int_0^\pi |v(t)|dt=\int_0^\pi \left\{2\cos\left(t-\frac{\pi}{3}\right)+1\right\}dt$$
$$=\left[2\sin\left(t-\frac{\pi}{3}\right)+t\right]_0^\pi$$
$$=(\sqrt{3}+\pi)-(-\sqrt{3})=\mathbf{2\sqrt{3}+\pi}$$

11 셀파 $x=f(t), y=g(t)$일 때, $t=a$에서 $t=b$까지 움직인 거리는
$$\int_a^b \sqrt{\left(\frac{dx}{dt}\right)^2+\left(\frac{dy}{dt}\right)^2}dt$$

$x=t-\frac{t^3}{3}$, $y=t^2$에서 $\frac{dx}{dt}=1-t^2$, $\frac{dy}{dt}=2t$

따라서 점 P가 $t=0$에서 $t=1$까지 움직인 거리 s는
$$s=\int_0^1 \sqrt{(1-t^2)^2+(2t)^2}dt=\int_0^1 \sqrt{(t^2+1)^2}dt$$
$$=\int_0^1 (t^2+1)dt=\left[\frac{t^3}{3}+t\right]_0^1=\mathbf{\frac{4}{3}}$$

12 셀파 곡선 $y=f(x)$의 $a\leq x\leq b$에서의 길이는
$$\int_a^b \sqrt{1+\{f'(x)\}^2}dx$$

$0\leq x\leq a$에서 곡선 $y=f(x)$의 길이는
$$\int_0^a \sqrt{1+(-\sqrt{x^2+2x})^2}dx$$
$$=\int_0^a \sqrt{(x+1)^2}dx=\int_0^a (x+1)dx$$
$$=\left[\frac{1}{2}x^2+x\right]_0^a=\frac{1}{2}a^2+a$$

이때 곡선의 길이가 12이므로 $\frac{1}{2}a^2+a=12$
$$a^2+2a-24=0,\ (a-4)(a+6)=0$$
$$\therefore \mathbf{a=4}\ (\because a>0)$$

memo

memo

2015 개정 교육과정 반영

상위권에게만 허락되는 도전

1등급 비밀
최강 TOT 수학

최강

TOT

TOP

OF THE

TOP

최강

TOT

상위권 심화 문제집

최강 TOT 고등수학 수학(상), 수학(하), 수학Ⅰ, 수학Ⅱ, 미적분, 확률과 통계

- 내신 1등급의 비밀을 담은 심화 문제집
- 오답·함정·실수 제로(0)에 도전하는 최상위 수준 문제
- 숨은 점수까지 찾아주는 오답노트 어플 '나만의 오답노트' 제공

셀파

해 법 수 학

고등 미적분